Kahl, Au

Reisen durch Chile u
Provinzen Argentiniens

Kahl, August

Reisen durch Chile und die westlichen Provinzen Argentiniens

Inktank publishing, 2018

www.inktank-publishing.com

ISBN/EAN: 9783747721681

Reisen durch Chile

und die

westlichen Provinzen Argentiniens.

Natur- und Sittenschilderungen, mit besonderer Bezugnahme auf das volkswirthschaftliche Leben jener Nationen.

Von

August Kahl.

BERLIN.
Verlag von Rudolph Gaertner.
Amelang'sche Sortiments-Buchhandlung.
1866.

LONDON.
Williams & Norgate.
14. Henrietta-Street, Covent-Garden.

PARIS.
Haar & Steinert.
9. rue Jacob.

Vorwort.

Die Regionen, die der vorliegende erste Theil meiner Reisen in Argentinien umfasst, sind dem grossen Publikum grösstentheils unbekannt. Eine authentische Beschreibung der westlichen argentinischen Provinzen, d. h. eine solche, die aus eigener, unmittelbarer Anschauung des Verfassers entsteht und zugleich die betreffenden Zustände mit besonderem Bezug auf Sitten und Lebensweise des Volks, Handel, Industrie, Volkswirthschaft behandelt, würde der Beginn zur Ausfüllung einer sehr fühlbaren Lücke unserer Reiseliteratur sein. Alle jene berühmten Reisenden, wie Azara, Malasspina, Luis de la Cruz 1780—1790, in neuerer Zeit Bonpland 1817, Alcide d'Orbigny 1826, der Geologe Darwin 1833—35*), Sir Woodbine Parish, Mr. de Graty 1850—55 und in letzteren Jahren Mr. de Moussy, Burmeister u. A. beschränkten sich zum Theil auf die östlicher belegenen Distrikte, zum Theil sind ihre Arbeiten den naturhistorischen Verhältnissen des Landes gewidmet und behandeln Sitten und volkswirthschaftliche Zustände nur en passant; ihr Hauptzweck war die Wissenschaft. Dagegen, und während sie diese allein förderten, unterliessen sie es, das grössere Publikum mit den gesellschaftlichen und Lebensverhältnissen dieser, von dem Centrum der Civilisation so entfernten Völker bekannt zu machen. Wie grosse Schwierigkeiten auch eine solche Aufgabe bietet, so tritt deren Lösung doch gegenüber jenen naturwissenschaftlichen Arbeiten bescheiden in den Hintergrund. Weder tiefgehendes theoretisches Wissen, noch speculatives Nachdenken wird erfordert, um die Thatsachen der Reise, die Sitten des Volkes einfach und naturgemäss darzustellen. Ein

*) Sein Werk „Geologische Beobachtungen in Südamerika" wurde erst 1851 in London publicirt.

gutes Gedächtniss, eine gewisse Uebung, das mit den Sinnen Erfasste in klaren Worten auszudrücken, das Vermögen unpartheiisch zu urtheilen, sind die hauptsächlichsten Eigenschaften, die ein Reise- und Sitten-Beschreiber besitzen sollte.

Das Bewusstsein, letzteren Anforderungen genügen zu können, und die unläugbare Thatsache, dass in unserer Literatur ein Werk wie das gegenwärtige mangelt, gab mir den Muth dasselbe zu schreiben und es jetzt als ersten Theil meiner Reisen durch Chile und Argentinien der Oeffentlichkeit zu übergeben. Die Sitten jenes fremden Volkes zu schildern, einen Umriss seines Charakters und häuslichen Lebens zu geben, die Verhältnisse des Landes in volkswirthschaftlicher und zum Theil auch geographischer Hinsicht zu beschreiben, war und blieb mir die Hauptsache, doch hoffe ich, dass die sich daran reihenden pittoresken Reiseschilderungen mir in der Anerkennung Seitens meiner Leser nicht zum Nachtheil gereichen werden. Ich schmeichle mir nicht damit, dass es mir gelungen ist, die Aufgabe, welche ich mir gestellt, so zu lösen, wie ich es wünschte, aber auch die annähernde Erreichung meines Zweckes mag Manchem zur Unterhaltung und Belehrung dienen. Einige specielle Mängel, welche Sachkenner an meinem Werke rügen dürften, die jedoch nicht durchweg dem Verfasser zur Last zu legen sind, will ich nicht unterlassen, näher zu bezeichnen. — Fast unabhängig von meinem Willen mischen sich der Darstellung landschaftliche Schilderungen bei. Entfernt von jenen Bildern einer herrlichen Natur, fühle ich ein gewisses Heimweh, welches mich zu ihnen zurückzieht und unwillkürlich veranlasst, sie dem Papier zu vertrauen. Ich erkenne das Gewicht dieses Fehlers. Die zu allgemeine Schilderung einer Landschaft, ohne tieferes Eingehen in das Besondere, ist ohne Zweifel ein solcher, aber als Dilettant in den Naturwissenschaften konnte dieser Fehler nicht von mir vermieden werden. Anderseits ist Südamerika nicht mehr das geheimnissvolle Land, von welchem jede, auch die geringste Nachricht dem Publikum nützen kann. Bedeutende Männer haben diese Natur bereits durchforscht und deren Schätze an's Licht gebracht. Wohl war es aus diesem Grunde meine Absicht, die dortige Natur, so sehr ich sie liebe, unberührt zu lassen und mich ganz dem Volksleben zuzuwenden, aber „wenn das Herz dictirt, bewegt sich die Feder mit ungewöhnlicher Schnelligkeit“ sagt Lamartine, und er hat Recht. Gedachte ich bei der Beschreibung jener Länder der riesigen, schneegekrönten Andes, der unermesslichen Steppe, des wilden Pflanzenlebens der tucumanischen und salteñischen Thäler, mit einem Wort, der Bilder einer in jeder Beziehung grossartigen Natur, die mir unvergesslich vor dem geistigen Auge schweben wird, so vergass ich nur zu bald meinen Entschluss.

Ein anderer Mangel, der sich in dem, die Themata der industriellen Bewegung behandelnden Theile meines Buches findet, liegt in der Kargheit genauer statistischer Daten; doch theilt mein Werk diese mit allen Reisebeschreibungen jener neu gebornen Staaten. Die wenig zahlreichen Werke über Argentinien machen hiervon nicht allein keine Ausnahme, sondern zeichnen sich, in Folge der ewigen politischen Wirren, in dieser Beziehung durch Confusion und Ungenauigkeit vor allen andern aus.

Nicht selten sieht man sich gezwungen, nach eigener, oft eiliger und oberflächlicher Anschauung die Einwohnerzahl eines Ortes, seine Grösse, seine Produktivität, die Präponderanz dieses oder jenes Erwerbzweiges über andere zu bestimmen, man tappt im Dunkeln umher, immer Gefahr laufend, irrige Meinungen zu fassen und auszusprechen. Diesem Uebel suchte ich so viel wie möglich auszuweichen, indem ich Achtung einflössende, in den resp. Distrikten ansässige Personen, denen eine lange Erfahrung ein reiferes Urtheil möglich macht, sowie die Schätzungen früherer Reisenden, wie d'Orbigny, Moussy u. A. zu Rathe zog. Dennoch erwarte der Leser in Bezug auf die Bevölkerungszahl und die Statistik des Verkehrs und des Handels wenig mehr wie annähernde Bestimmungen. Konnte der talentvolle Mr. de Moussy, dem bei seiner Bereisung der La-Plata Staaten alle nur möglichen Hilfsmittel zu Gebot standen, der von der Centralgewalt des Landes, derzeit von dem General Urquiza vertreten, Befehle an alle Provinzialbehörden mitnahm, ihm die Archive (wo diese überhaupt existirten) zu öffnen, ihm jeden Vorschub zu leisten, weder Mühen noch Kosten zu scheuen, um ihm Aufklärung über statistische Verhältnisse zu geben, doch nur am Ende einer vierjährigen Bereisung des Landes erwähnen, dass bei dem gegenwärtigen Zustande der provinzialen Statistik es unmöglich sei, auch nur eine Ziffer anzugeben, deren unbedingte Wahrheit verbürgt werden könne. Was indessen an Reichhaltigkeit des Materials mangelt, habe ich so viel wie möglich durch anderweitige ausführliche Angaben zu ersetzen gesucht.

Auch die Kolonisationsfrage der westlichen Provinzen findet sich in dem vorliegenden Bande nicht so speciell behandelt, wie manche meiner Leser es gewünscht haben würden. Der Grund dieser scheinbaren Vernachlässigung wird ihnen im Laufe des Werkes klar werden. Noch zu wenige Vortheile bieten diese, im Innern eines entfernten Continents liegenden Distrikte der Emigration, um diese im grösseren Maassstabe an sich zu ziehen und zugleich eine eingehende Beschreibung nothwendig zu machen. Die natürlichen Vortheile, günstiges Klima, ein fruchtbarer Boden, mineralienreiche Berge, eine dünne Bevölkerung werden einerseits durch ihre bedeutende Entfernung von der Meeresküste aufgehoben, und brauchen anderseits zu ihrer Entwickelung zu bedeutende Kapitalien, um die Koloni sation schon jetzt als eine lohnende erscheinen zu lassen. Mendoza bildete ehedem von dieser Regel die einzige Ausnahme, aber die seit drei Jahren dort stattfindenden Erderschütterungen in Verbindung mit politischen Convulsionen haben eine wesentliche Veränderung in dieser Beziehung hervorgebracht.

Weise Massregeln der Landesregierung würden einen grossen Theil dieser Strecken für die Colonisation in der Gegenwart retten; es ist nicht Europa allein, welches frische Länderstriche zur Ausbreitung der Bevölkerung bedarf. In den argentinischen Provinzen selbst lebt in den Bergen sowohl wie in den Llanos, an den Abhängen und Schluchten der Andeskette, wie in den wüsten Theilen der Ebenen der Rioja und von Santiago, eine arme Bevölkerung, die sich kaum und elend ernährt, in anderen Theilen sind es der menschlichen, physischen Constitution schädliche Miasmen, die stehenden Gewässern und Sümpfen entströmen, oder noch unbekannte atmosphärische Einflüsse, die die Gesundheit der Bewohner benachtheiligen und zu weitverbreiteten pestartigen Krankheiten Veranlassung geben. Wie leicht würde sich unter diesen Umständen eine einheimische Kolonisation der bevorzugteren Landesstriche ausführen lassen? Die Bewohner der nachtheilig belegenen Bezirke über ein fruchtbares, gesundes Land zu verbreiten, wäre ein grosser Fortschritt in der Cultur Argentiniens.

Für die fremde Kolonisation werden die westlichen Provinzen nicht verschlossen, aber von derselben während langer Zeit noch wenig berührt bleiben. Nur aussergewöhnliche Ursachen, wie es die plötzliche Entdeckung überreicher Bergwerke wäre, würden den Strom europäischer Emigration schneller nach dem östlichen Fusse der Andes locken. Aber Argentinien bedarf dieser Entdeckungen im mineralischen Reiche nicht, um mit der Zeit eine grosse Nation, vielleicht eine solche ersten Ranges zu werden. Viehzucht, Ackerbau, Industrie, Handel werden immer seine Hauptstützen bleiben, ein Uebergewicht des Bergbaus ist nur in den andinischen Provinzen möglich und selbst in diesen hat es sich bis jetzt nur in der einzigen Provinz Catamarca für eine gewisse Periode erhalten.

Der vorliegende, erste Theil meiner Reise begreift zunächst gewisse Distrikte Chile's, die sich zwischen Valparaiso und den, dieser Stadt gegenüberliegenden Andes erstrecken, die Provinz Valparaiso, Departement von Quillota und der Ligua und Provinz Aconcagua. In der Beschreibung derselben habe ich mich zwar der Kürze zu zeihen, allein die Thatsache, dass diese Reise nicht als Studien-, sondern nur als Durchreise nach dem nächsten Passe der Andes unternommen wurde, möge mir zur Entschuldigung dienen. Derselbe Fehler und dieselbe Entschuldigung gilt von meiner Uebersteigung der Andes, in denen ich meinen Lesern wenig mehr als Reiseeindrücke zu geben im Stande war.

Weiter begreift dieser Theil die Provinzen Mendoza, San-Juan, Rioja, Catamarca, einen kleinen Theil Tucuman's und Salta. Die Beschreibung des Chacos schliesst sich der des letzteren an. Ich habe ihr die Uebersetzung des interessanten Berichtes eines neueren Reisenden Mr. Cornelius Blyss, der erst vor wenigen Monaten aus jenen Wildnissen zurückkehrte, hinzugefügt.

Der zweite Theil, welchen, wie ich hoffe, ich dem Publikum binnen Kurzem werde vorlegen können, wird sich über die Provinzen San-Luis, Cordová, Santa-Fé, Buenos-Ayres und den unabhängigen Staat „Banda Oriental" erstrecken. Die vor Kurzem, im Mai 1863 im letzteren Lande ausgebrochenen politischen Unruhen haben mich bis jetzt zurückgehalten, verschiedene Punkte desselben zur Aufnahme von genaueren Daten zu besuchen, und auf diese Weise die Vollendung des zweiten Theiles meiner Reiseschilderungen verspätet.

Dem deutschen Publikum diese Frucht einer mehrjährigen Arbeit und Beobachtung übergebend, beanspruche ich dabei kein besonderes belletristisches Verdienst, sondern werde mich hinlänglich belohnt fühlen, wenn meine Landsleute meinem Versuch Anerkennung widmen, sie an meiner Hand in jene entlegenen, aber so ungemein interessanten Regionen einzuführen, deren Schilderung, fern von jeder Effekthascherei, ich einfach und naturgetreu unternommen zu haben mir bewusst bin. In dieser Beziehung glaube ich mir ein bescheidenes Verdienst zuschreiben zu dürfen, welches hoffentlich Niemand mir bestreiten wird. Ein Hauptverdienst aber nehme ich vor Allem in Anspruch: Unantastbarkeit der Wahrheit meiner Beobachtungen.

Montevideo, im October 1863.

August Kahl.

Inhalt.

Reisen durch Chile

und die

westlichen Provinzen Argentiniens.

I.

Abreise von Valparaiso. – Viña del Mar. – Abenteuer bei Concon. – Geographische Lage des Concon. – Concon.

Von jeher hatte ich den Wunsch gehegt, das Innere Südamerikas kennen zu lernen. Um diesen Zweck zu erreichen, was konnte practischer sein, als den amerikanischen Continent von Meer zu Meer, vom stillen bis zum atlantischen Ocean, zu durchreisen? Valparaiso ist besonders geeignet, diese Reiselust anzuregen. Wenn das in jener Zone so merkwürdig klare Abendroth die Schneespitzen der Andesgebirge beleuchtet, wem würde diese Erscheinung nicht den Wunsch einflössen, jene glitzernden Gefilde näher zu betrachten, vorzüglich wenn man sich der Beschreibungen der täglich ankommenden Reisenden erinnert, die das Innere Chile's, die Andes mit ihren berühmten Aconcagua und Tupungato, mit den Gefahren und Genüssen, die sie darbieten, mit südlicher Phantasie so lockend auszumalen wissen und weiter uns in dem hinter jenen Bergen liegenden Argentinien ein gelobtes Land schildern. Den unternehmenden Geist würden sie wünschen machen, dies Alles mit anzusehen, wie viel mehr mir, der damals nur von Abenteuern und Abwechselung träumte. Wohl hielt mich ein wenig Zaghaftigkeit zurück, wenn ich zu gewissen Zeiten die so furchtbaren Talca's hörte; mit diesem Wort bezeichnet der Chilene das donnerähnliche Geräusch, welches die Lawinen in den Cordilleren verursachen, und welches man häufig bis zur Küste hört. Nichts Seltenes ist es, dass bald nachher Nachrichten von verunglückten Reisenden oder Maulthiertruppen eintreffen. Wenn er dieses Geräusch hört, so unterlässt der chilenische Bauer es nie, sein Ave Maria zu beten, weiss er sich selbst auch in sicherer Entfernung; einerseits von dieser mächtigen Verkündigung der Naturkraft erschüttert, und anderseits auch wohl der Armen gedenkend, die sich im Gebirge befinden, oder derjenigen, die in einer gefährlicheren Nähe der Gebirge wohnen, wie er.

Trotzdem ich also über diese und andere Gefahren wohl unterrichtet war, war dies nicht genügend, mich von meinem Unternehmen abzuhalten. Ich ruhte nicht eher, als bis ich meine Sachen geordnet und mich zur Abreise fertig sah. Am 1. März verliess ich Valparaiso. Der gerade Weg nach dem nächsten Passe der Cordilleren, dem Uspallata-Passe, war über Limache und Quillota, und da bis zum letzteren Orte eine Eisenbahn von Valparaiso führte, würde mir dieser Weg sehr bequem geworden sein; desto unangenehmer, dass ich ihn nicht nehmen konnte. Ich hatte noch einige Angelegenheiten in dem Oertchen Pichuncavi, im Norden Valparaiso's und seitwärts von Quillota belegen, zu ordnen und dieses zwang mich, einen weiten, unbequemen Weg dem kurzen und bequemen vorzuziehen. — Pichuncavi liegt, wie gesagt, im Norden Valparaiso's, wenige Meilen vom Meeresufer, und ist der Weg daher öde, trocken und steinigt, wie die ganze nördliche Küste Chile's. — Nach einem halbstündigen und des unebenen Bodens wegen langsamen Ritte gelangt man nach Viña del Mar, jetzt ein schönes, fruchtbares Thal; in früheren Jahren war es fast ganz versandet und vernachlässigt, aber seitdem die Eisenbahn hier durchführt, haben sich sowohl fremde wie auch einheimische Unternehmer gefunden. Der Boden wurde bald gereinigt, und wo sich früher im Winter ein trüber Fluss und im Sommer eine versandete Ebene befand, sieht man jetzt die reizendsten Landsitze, bebaute Felder, Gärten, Alleen und Alles, was Auge und Herz erfreut. Wenn man sich auf der letzten der Anhöhen befindet, die sich kettenartig zwischen Valparaiso und Viña del Mar erheben, übersieht man mit einem Blick das ganze Thal. Die zurücktretenden Hügel lassen hier eine weite Fläche offen; ein Flüsschen durchschneidet diese, und ergiesst sich in geringer Entfernung in's Meer. Auf der linken Seite desselben liegt das Oertchen, dessen Häuser und Hütten, zum Theil zerstreut im Thale liegend, zum Theile eine geräumige Strasse bildend, von Gärten, Getreidefeldern und Graswiesen umgeben sind. Eine gerade, schmale Linie, keine Schranke achtend, schneidet durch Strassen, Wiesen und Gärten, und verliert sich allmählig in den im Hintergrunde sich erhebenden Hügeln. Ein auf denselben sich eben erhebender Rauch, der, sich rasch nähernd, die dampfende Locomotive enthüllte, zeigt an, wessen Reich sie bezeichnet. Die Eisenbahn verfolgt den Lauf des Flusses in's Meer, und läuft, an der Küste angelangt, unmittelbar am Strande entlang, bis sie nach einer, nur wenige Minuten dauernden Fahrt Valparaiso erreicht.

Jenseits des Flusses erhebt sich eine neue Hügelreihe; mein Weg lag zwischen diesen. Sie bilden eine felsige Landzunge, zwischen dem Flusse Viña del Mar und Concon, die ein Miniaturgebirge recht gut vorstellen kann. Der Weg, durch sie hindurchführend, ist rauh und stellenweis schlecht zu passiren, auch sieht man weder Ackerbau noch sonst irgend ein Lebenszeichen, als vielleicht eine magere Schafheerde und einzelne ärmliche Bauernhütten. Diese Einöde zieht sich ungefähr vier Leguas entlang, bis man in's Conconthal hinunter steigt, wo der Fluss desselben Namens den Boden reichlich befruchtet. Im Winter ist der Concon ein ausserordentlich reissender Strom und im Sommer ein ruhig fliessendes Bächchen. Ueberhaupt ist die Aenderung vom Winter zum Sommer, und umgekehrt, eine so bedeutende in diesem Lande, wie man es in diesem gleichmässigen Klima nicht vermuthen sollte. Der chilenische Winter ist wohl kaum mit unserem norddeutschen Herbst zu vergleichen, trotzdem ist bei uns der Contrast vom Winter zum Sommer nicht in's Auge fallender, wie in Chile. Der chilenische Sommer bringt nur Trockenheit und Dürre. Es giebt dann nur zwei oder drei Flüsse im ganzen Lande, und diese fliessen ungemein niedrig. Das Gras ist welk, das Vieh magert ab und stirbt zu Hunderten. Ueberall sieht man trockene Flussbetten, die mit ihrem exacten Niveau und ausgebreiteten, schneeweissen Flächen keinen uninteressanten Anblick darbieten. — Im Winter ändert sich die ganze Scene. — Wochenlange Regengüsse schaffen zahllose Ströme, die das sehr geneigte Niveau des Berglandes oft sehr reissend werden lässt und zwar bis zu solchem Grade, dass die Wege wochenlang unterbrochen bleiben, denn nur auf den grösseren Wegen giebt es Fähren und Brücken. Die oft meilenbreiten Thäler und Vega's werden überschwemmt; der höherliegende Boden, selbst die steinigen Hügel überziehen sich dann mit einem köstlichen Grün. — Am Ende des Winters hören diese Regengüsse auf, aber die Flüsse schwellen trotzdem noch höher; der herannahende Frühling schmilzt den Schnee, welchen der Winter im Gebirge aufhäufte; dieses geschieht plötzlich, kein Warnungszeichen geht diesem augenblicklichen Anschwellen der Flüsse voran; Felder werden überschwemmt, das Getreide verdorben und häufig Viehheerden und Gebäude mit fortgerissen. Von diesen Ueberschwemmungen der Flüsse findet man überall Spuren; losgerissene Bäume, tiefe Risse im Boden, Quebradas (Brüche) genannt, ziehen sich meilenlang hin, und sind oft drei bis vierhundert Fuss tief. Mit der Zeit überwachsen diese Quebradas mit Bäumen und Gesträuch aller Art; man trifft daher häufig plötzlich auf eine Waldung zu den Füssen, von der man hundert Schritt vorher nichts wahrgenommen. Dieses ist vorzüglich der Anblick der der Küste näherliegenden Landschaften; höher hinauf zwischen diesen und den Andes erheben sich zwei Reihen kleinerer Gebirge, die in paralleler Richtung mit einander von Norden nach Süden laufen. Oft werden diese durch andere, querlaufende Zweige der Cordilleren durchbrochen und bilden auf diese Weise grosse und tiefe Bassin's, die, sich im Frühjahr mit dem Wasser der auf den Bergen geschmolzenen Schneemassen und im Winter durch den Regen anfüllend, in einer Jahreszeit grosse Seen und in der anderen ausgetrocknet, nur ein tiefes nivellirtes Bett bilden. Auch dieses trägt viel zu der erwähnten Verschiedenheit der Winter- und Sommer-Ansichten bei. Bei manchen dieser Bassin's findet das Wasser Abfluss und es verwandelt dasselbe sich sodann in die schönsten, fruchtbarsten Thäler, wo der Boden, durch die fortgesetzte Befeuchtung, seine ganze Fruchtbarkeit zu entfalten vermag; wenn aber der Zufluss der Gebirgswasser in zu grosser Menge stattfindet, so dass der in dem Bassin vorhandene Abfluss nicht augenblicklich genügt, um die ganze Wassermasse fortzuschaffen, so füllt sich ersteres, und verursacht oft den Bauern durch weite Ueberschwemmungen grossen Schaden. Selbst Verlust an Menschenleben ist leider nicht allzu selten. Diese Bassins oder Niederungen und die Quebradas verleihen dem Lande einen besonderen Reiz, vorzüglich, wenn ihre Waldungen den üppigen Feldern Platz machen. Oft ist der sie umgebende Boden, wie es vorzüglich im Norden vorkömmt, steinigt und kahl, welcher Umstand sodann dem in seiner ganzen Fruchtbarkeit prangenden Thal, wenn dieses sich plötzlich dem Blicke des Reisenden enthüllt, einen doppelten Reiz verleiht. Wenigstens so schien es mir, als ich jetzt das Thal von Concon vor mir sah. Es mochte wohl noch hundert Fuss unter mir liegen und gewährte daher eine günstige Aussicht, die mir jedoch die einbrechende Dämmerung etwas verkümmerte. Nachdem ich meine Augenweide genossen, begann ich hinunter zu steigen. Der enge Pfad wand sich steil in die Tiefe hinab, und die kleinen Steine, mit denen er angefüllt war, liessen mein Pferd nur sehr unsicher Fuss fassen. Mehrere Male erhielt ich durch sein Ausgleiten harte Stösse, aber es war ein flinkes und zugleich starkes Thier, so dass es nicht fiel und nach einer kleinen Anstrengung mich wohlbehalten hinunter und an's Ufer des Flusses brachte.

Die Abwechselung von Tag zur Nacht findet in dieser Zone mit einer besonderen Schnelligkeit statt; die schon eingebrochene Abend-Dämmerung verwandelte sich rasch in dunkele Nacht; Monat März gehört in Chile zu den Herbstmonaten. Die Regengüsse hatten schon begonnen und der Fluss war stark angeschwollen. Allein und zur Nachtzeit konnte ich ihn unmöglich passiren; trotzdem ich die Reise schon mehreremal gemacht, traute ich mir nicht zu, die Furth wiederzufinden. Am Ufer befanden sich mehrere Hütten, von Fischern und Bauerknechten bewohnt. Die Wege waren unsicher; sollte ich mich jenen Leuten anvertrauen? Diese Gegend genoss eines sehr schlechten Rufes der häufigen Raubanfälle wegen, allein es blieb mir nichts anderes übrig; nach Viña del Mar zurückzukehren, würde hundertmal gefährlicher gewesen sein und den Fluss allein zu passiren, war für mich fast gewisser Untergang. Ich entschloss mich daher, hier einen Führer bis zum jenseitigen Ufer des Flusses zu nehmen. Ich ritt nach der nächsten Hütte. Eine furiöse Meute Hunde umringte mich mit wüthendem Gebell, und biss nach den Beinen meines Gauls. Einige Nasenstüber, die ihr Gekläff ihnen von seinen Hinterhufen eintrug, hielten sie in respectvollerer Entfernung, aber sie bellten desto lauter und ohne einen Augenblick inne zu halten. Selbst der Eigenthümer der Hütte, der jetzt auf der Thürschwelle erschien, konnte sie nicht zum Schweigen bringen, da er den Hunden eben nur zurief, ohne sich meinetwegen weiter heraus zu wagen. Nach einem viertelstündigen Belagerungszustand von beiden Seiten, während dessen ich mich auch mit keinem Worte hörbar machen konnte, entschloss ich mich endlich abzusteigen, um der Scene ein Ende zu machen. Ich spannte den Revolver, und mein Pferd an der Hand leitend, suchte ich in die Festung einzudringen. — Es gelang mir; der Mann, sobald er mich als Fremden erkannte, fasste Vertrauen und brachte die Hunde zum Schweigen. Seinem Aeusseren nach zu urtheilen, schien er mir ein ehrlicher Mann; also weniger aus Misstrauen, sondern weil ich Eile hatte, lehnte ich sein Anerbieten, mich in seiner Hütte zu erfrischen, ab. Glücklicherweise zeigte er sich bereit, mich durch den Fluss zu führen, und nachdem wir über den Preis seines Dienstes, welchen wir auf einen Piaster festsetzten, einig geworden, drängte ich ihn zur Eile. Er hatte endlich seinen magern Gaul gesattelt und so ging es fort, indem ich ihm besonders empfohlen hatte, immer nahe vor mir herzureiten. Wir ritten noch eine kurze Strecke am Ufer in der Richtung zur Flussmündung, um, wie der Alte mir erklärte, zu einer Stelle zu gelangen, wo der Fluss sich erweiterte und daher weniger tief und mit geringerer Schnelligkeit floss. Im Uebrigen liess das laute Geräusch des Stromes nicht viel Unterhaltung zu, und blieb ich also meinen eigenen Gedanken überlassen, die, ich muss gestehen, nicht allzu angenehm waren. Die dunkle Wassermasse des Stromes wälzte sich reissend und stark angeschwollen uns zur Seite, das jenseitige Ufer war bei dem geringen Lichte des eben aufgehenden Mondes nur schwach zu erkennen. Die Dunkelheit verdoppelte die Gefahr. Nach einer Viertelstunde mühseligen und langsamen Reitens in dem tiefen, nassen Sande kamen wir endlich zu der Stelle, die meinem Begleiter günstig zum Uebergange schien. Sie war in der That am besten dazu geeignet. Das Conconthal endete hier in einer weiten Thalebene oder Vega, so dass die Masse des Flusses sich über eine grosse Fläche ergiesst, und somit seicht und ohne Kraft in seiner Strömung dahin floss. Trotz diesen guten Anzeichen versäumten wir keine Vorsicht. Wir stiegen ab, um die Pferde sich etwas erfrischen zu lassen. Auch nahmen wir ihnen die Sättel ab, damit sie sich am Boden herumwälzen konnten. Es ist die Meinung des Chilenen, dass dieses Ausstrecken und Herumwälzen dem erschöpften Thiere neue Kräfte verleiht; das Pferd meines alten Gefährten hatte diese wahrlich auch nöthig; das arme Ding war wenig mehr, als ein Gestell von Haut und Knochen. — Nach beendeten Vorbereitungen ritten wir in den Fluss hinein. Nach ca. zwanzig Schritten reichte das Wasser unsern Pferden noch nicht höher, als bis zu den Knieen, doch obwohl mein Selbstvertrauen wuchs, unterliess ich nicht, mein Pferd so genau wie möglich in die Fusstapfen des vorangehenden treten zu lassen. Wir hatten auf diese Weise schon eine gute Strecke durchwatet, als mein Führer mir plötzlich ein lautes Cuidado! (gebt Acht) zurief. In demselben Moment sah ich seinen Gaul bis zum Hals untertauchen und mit emporgestrecktem Kopfe schwimmen. ich besann mich wenig; zaudern war hier nicht am Platz, es würde mich von meinem Führer getrennt haben, die Hauptsache, die ich zu vermeiden suchen musste. Meinem Pferde die Sporen gebend, befand ich mich im nächsten Augenblick bis an die Hüften im Wasser; es bewährte sich als guter, ja zu guter Schwimmer, denn es überholte rasch die magere Rosinante meines Führers und liess sie schon im nächsten Augenblick weit hinter sich. Ich steuerte also allein in die Nacht hinaus, glücklicherweise zeigte sich deutlich das jenseitige Ufer und die Landungsstelle. Als ich nach wenigen Minuten zurückblickte, liess die Dunkelheit mich nur sehr undeutliche Umrisse von meinem Gefährten wahrnehmen. Schon früher hatte ich bemerkt, dass er sich tiefer im

Wasser befand als ich, aber ich wusste, dass ein Pferd tiefer schwimmt und ein anderes höher, je nach dem Grade seiner Güte und Frische, es beunruhigte mich dieses daher nicht weiter. Plötzlich hörte ich seinen lauten Ruf. Ich wandte mich um und sah zu meinen Schrecken, dass der Alte nicht allein weit zurückgeblieben, sondern sich vielmehr seitwärts der Mündung zu befand, sein altes lahmes Thier konnte gegen den Strom nicht ankämpfen und wurde von diesem allmählich mit fortgenommen. An Umkehren konnte ich bei meiner Unkenntniss des Stroms nicht denken, mich überlief es kalt, wie konnte ich dem Unglücklichen Hülfe gewähren! Seine im Beginn vereinzelten Rufe wurden jetzt zu einem fortgesetzten Geschrei. Das Rauschen des Stromes liess sie mich nur schwach vernehmen, trotzdem waren sie herzzerreissend. Augenscheinlich befand er sich nur noch wenige hundert Schritt vom Ausflusse des Stromes in's Meer. Erreichte er dies, war er verloren, denn die niedrigen Felsen, die nahe der Mündung lagen, waren von hoher Brandung umschäumt, deren Tosen man selbst jetzt durch das Rauschen des Stromes vernahm, im nächsten Augenblick würde Pferd und Reiter an ihnen zerschmettert sein. Inzwischen kam ich am Ufer an, ich konnte jetzt von dem Unglücklichen nichts mehr unterscheiden. Die Wolken hatten den Mond umdüstert. Ich rief laut in die Nacht hinaus, ohne eine Antwort zu empfangen, auch erwartete ich diese schon nicht mehr von dem Verunglückten, sondern hoffte die Leute in einigen nahen Ranchos aufmerksam zu machen. Zu gleichem Zwecke feuerte ich einige Mal, aber mit gleich schlechtem Erfolge. Ich zitterte von der heftigen Aufregung. Schon gab ich meinem Pferde die Sporen, um nach den Hütten hinzugallopiren, als ich unfern von mir im Flusse einen Laut zu vernehmen glaubte. Ich strengte meine ganze Sehkraft an, ohne etwas unterscheiden zu können. Ich rief wieder mit fast krampfhafter Stimme, und erhielt zu meinem unbeschreiblichen und freudigen Erstaunen eine Antwort in der rauhen Stimme meines Führers „No hay cuidado, patron, ya llego.“ *) Wer vermochte mein Vergnügen zu schildern? — Gleich darauf tauchte aus der Fläche des Flusses eine schwarze Masse, die ich bald für den Kopf des Pferdes erkannte, aber von dem Eigenthümer der Stimme noch kein Zeichen. — Endlich näher und auf seichteren Grund kommend, sah ich hinter dem Thiere die Gestalt meines Alten auftauchen. — Bald war er an meiner Seite und mir eifrig die Hand schüt-

*) Hat nichts zu sagen, Patron, ich komme schon.

telnd, erklärte er mir, dass, da die Kraft des Pferdes nicht dem Strome gewachsen gewesen, dieser das Thier, welches alle seine Kräfte vergebens anstrengte, mitgenommen; und nachdem er gesehen, dass weder von mir noch von den Leuten am Flusse Hülfe eintreffen konnte, ohne dass er zuvor schon zwischen den Steinen der Mündung zerschmettert worden wäre, liess er sich von dem Pferde hinunter gleiten, um den Schweif desselben zu fassen, und sich auf diese Weise halb schwimmend mit fortziehen zu lassen. Die Sache ging vortrefflich, das Thier, von seiner Last erleichtert, konnte dem Strome allmählich Terrain abgewinnen und sich und seinen Herrn retten. Wir dankten Gott, dass die Sache so abgelaufen. — Der Alte, in seiner Offenherzigkeit, verhehlte mir nicht, dass er sich beim Einreiten in den Fluss geirrt und wir einen engen und tiefen Kanal durchschnitten hatten, den wir eigentlich hätten umgehen sollen. Trotzdem ist der Concon als besonders reissend bekannt. Er hat dieses der besonderen Neigung seines Bettes zu danken. Sein eigentlicher, geographischer Name ist Aconcagua, da er in dieser Provinz aus den Bergen entspringt. Er bespült die Städte Santa Rosa de los Andes, San Felipe, Quillota, dann das Conconthal und ergiesst sich von dort in's Meer. Die Länge seines Laufes soll ca. 76 Leguas betragen und ist bis jetzt, sowohl wegen seiner Untiefen als der Gewalt des Stromes unschiffbar geblieben, wie überhaupt die Anzahl der schiffbaren Flüsse Chile's noch sehr gering ist, und diese wenigen existiren nur in den südlichen Provinzen, wo der Regen in weit grösserer Menge wie im Norden fällt. Der Biobio, mit einer Mündung von beinahe 1½ Legua Breite, ist für grössere Schiffe zu seicht, für kleinere Fahrzeuge ist er ca. 100 engl. Meilen aufwärts schiffbar. Ausser diesen sind der Meule, der Cauten und Callacalla bis jetzt die einzigen schiffbaren Flüsse. Das Austreten der Flüsse, wenn es auch viele Unglücksfälle herbeiführt, ist von dem Vortheil begleitet, dass dadurch ihre oft trockenen Ufer bewässert und befruchtet werden. Grosse Strecken Landes, die sonst unbebaut geblieben wären, werden durch die Ueberschwemmungen für den Ackerbau gewonnen. Auch mit dem Concon oder Aconcagua ist dies der Fall und macht er dadurch vielen Schaden wieder gut, welchen er den Bewohnern seiner Ufer verursacht.

Kehren wir von dieser kleinen Abschweifung zu unserm nächtlichen Abenteuer zurück.

Wir waren glücklich dem Flusse entronnen, und suchten jetzt so rasch wie möglich ein Nachtquartier in den nahen Hütten zu gewinnen.

Obgleich das Oertchen Concon jetzt so nahe lag, dass wir selbst bei dieser Dunkelheit die Umrisse mehrerer Ranchos gewahrten, wäre es doch für einen gänzlich Fremden ein Schweres gewesen, durch dieses Labyrinth von Hecken und Morästen dahin zu kommen. Wir hatten noch zwei tiefe Moräste zu durchwaten und andere noch tiefere auf sehr schmalen Wegen zu umgehen, wo jedes Ausgleiten, wenn auch nicht tödtlich, doch gefährlich genug gewesen wäre. Endlich erreichten wir die Strasse des Dorfes, und hielten vor einer Hütte, wo, wie mein Begleiter sagte, Bekannte von ihm wohnten.

Der Einzug in ein chilenisches Dorf um diese Zeit hat etwas Characteristisches. Es ist kaum acht Uhr Abends und nach der Grabesstille und den überall verschlossenen Thüren und Fensterläden zu urtheilen, sollte man glauben, es sei Mitternacht. Hier geht Alles mit den Hühnern zu Bette, nur selten findet man einzelne Kneipen, von den Peonen der Nachbarschaft besucht. Festtage machen Ausnahmen von dieser Regel; das ganze Dorf ist dann bis spät in die Nacht illuminirt und überall hört man die Guitarre, Gesang, Tanz und Zänkereien. — Nachdem wir eine Zeitlang angeklopft, wurde uns nach dem üblichen Hundegebell aufgethan. Wir wurden mit chilenischer Gastfreundschaft empfangen. Wir sattelten ab, und nachdem wir uns unserer nassen Kleider entledigt und in, von dem Wirth entliehene wollene Decken und Ponchos gehüllt hatten, setzten wir uns um den Brazero. Mate wurde herumgereicht, auch dass magere Abendessen wurde endlich fertig; es bestand aus einem sogenannten Valdiviano, einer aus ausgetrocknetem Fleisch und Mais bereiteten und sehr stark mit spanischem Pfeffer gewürzten Suppe; dann ging's zu Bette, d. h. ich streckte mich auf die Diele, meinen Poncho als Unterlage, einen anderen zur Decke und meinen Sattel zum Kopfkissen nehmend, und nicht zu vergessen, meinen Revolver und Puñal nahe genug belegen, um zum sofortigen Gebrauch bereit zu sein.

Es ist ein merkwürdiges, ich möchte wohl sagen, behagliches Gefühl, wenn man zum erstenmal das Bett entbehren muss, und statt der weichen Matraze nichts als den harten Erdboden unter sich hat. Das kleine materielle Leiden ward mir reichlich durch meine Eigenliebe belohnt, die mir ein grosses Verdienst aus meiner vermeintlichen Verspottung aller Gewohnheit und leiblichen Behagens machte. Ich fühlte mich ein Märtyrer für die Idee der Wissbegierde. Auf diese Art legte ich meine Reiselust am besten aus. Diese Gefühle machten mich selbst ein grösseres Uebel, als Härte und Kälte, verachten, nämlich die in sehr reicher Anzahl vorhandenen Chinchas de Castilla.*) Ich sage, ich verachtete sie, denn für das Beachten sorgten sie nur allzusehr. — Auf diese Weise suchte ich mich für die Gefahren und Beschwerden vorzubereiten, die in viel grösserem Maassstabe auf mich warteten. Diese Anwendung meiner Eigenliebe ist mir auch später ein herrliches Mittel gegen alle Entmuthigung gewesen; sie musste oft die Stelle der Energie vertreten, und liess mich manche Beschwerde, manche Gefahr leichter ertragen, als es ohne sie der Fall gewesen wäre. Noch mehr als alle Gefahren, noch mehr als alle die langen, unter freiem Himmel, oft in Schnee und Eis, oft in den trockenen ausgedörrten Pampas verbrachten Nächte, mehr als alle Beschwerden, die den Reisenden in jenen Wildnissen auf jedem Schritt umgeben, sind es die wochen-, monatlangen Märsche, die sowohl Geist als Körper unwiderstehlich aufreiben. Es verliert sich allmählich alle Neugierde und Lust zu Abenteuern; die Abwechselung der interessantesten Scenen, wenngleich sie unsere Aufmerksamkeit auf sich zieht, gewährt uns nur wenig Vergnügen, wir lechzen nach Ruhe. Mit einem Wort, man sieht ein, dass man kein Vergnügen, sondern eine Arbeit und zwar eine sehr schwere Arbeit unternommen hat, wo nur der Anfang und das Ende wirklich Vergnügen gewährten. In solchen Augenblicken der tödtlichsten Ermüdung war es, wo mich meine Eigenliebe am meisten aufrecht erhielt: ich gedachte der Kenntnisse, die ich sammeln würde, der Erfahrungen, die ich machen musste, und erzeugte mir auf diese Weise neuen Eifer. —

Dieses selbe Gefühl liess mich auch meine erste Nacht mit ihren ungewohnten Beschwerden leichter ertragen, als ich es selbst geglaubt hatte. — Am Morgen hatte ich Gelegenheit das Dörfchen näher kennen zu lernen. Einige dreissig armselige Ranchos bildeten eine krumme Gasse, die sich fast eine halbe Legua in die Länge zog, da die einzelnen Hütten durch Gemüsegärten und oft durch Saatfelder getrennt lagen. — Nur hin und wieder sieht man ein besseres Gebäude, man ist ungewiss, welche Namen diesen beizulegen sind; für das, was die Eingebornen unter dem Namen Rancho verstehen, sind sie zu vornehm, aber auf das Recht, ein Haus genannt zu werden, können sie noch viel weniger Anspruch machen. Unsern deutschen Kathen sind sie nicht unähnlich. — Die Gemüsegärten und Felder schienen in guter Ordnung. Einige umgeackerte, für Waizen bestimmte Stücke Landes hatten eben ihren Saamen

*) Eine gewisse Art grosser Wanzen.

aufgenommen; andere grosse Landstrecken, die sich weit in die Vega hinaus zu erstrecken schienen, bezeichnete man mir als mit Mais besäet. Der Mais ist dem Amerikaner durchaus unentbehrlich. Von ihm besonders ernährt er sich; er gedeiht mit grösserer Fruchtbarkeit und ist im Verhältniss viel weniger Misserndten ausgesetzt, als der gewöhnliche Waizen. Der Mais (Zea Maïs) erhebt sich in graden Stauden, von dem Eingebornen mit dem Worte Caña bezeichnet; diese Stauden erreichen hier oft die Höhe von 4½—5 Fuss; und tragen die zweigartig ausstehende Frucht, „Choclo“ genannt, in Anzahl von 4—10. — Die Eingeborenen wissen aus dem Mais sehr nahrhafte Essen zu bereiten. Sie essen ihn als Mota, die durch heisse Asche gedörrte Frucht macht es leicht, ihre Schaale abzulösen; der abgeschälte Kern wird sodann mehrere Male nach starkem Kochen mit kaltem Wasser begossen, und bietet abgekühlt und mit Milch genossen, eine gesunde und im Sommer eine sehr erfrischende Speise. — Noch viele andere Arten giebt es, den Mais zuzubereiten, aber es würde uns zu weit führen, wollten wir sie erklären. —

Wie ich schon vorhin bemerkte, war auch Waizen in Concon gesäet worden, aber in weit geringerer Menge wie der Mais, obgleich auch er besonders gut geräth,*) Die Wassermelonen und Melonen befanden sich in voller Blüthe, und versprachen zum nächsten Monat eine reiche Erndte. Ganze Felder waren von diesen Früchten bedeckt. Gemüse schienen reichlich bedacht. Kartoffelfelder sah man überall, wie fast alle europäischen Küchengewächse. — Auch Fruchtbäume fanden sich in reicher Anzahl; in diesem wilden Klima wächst mit gleicher Fruchtbarkeit unser nordischer Apfel und Birne, wie die südliche Feige und Orange. Fast in jedem Fruchtgärtchen stehen sie harmonisch vereint. Auch den Zagallo, das Lieblingsessen der Chilenen, (eine Art Kürbis, Curcubita Hisp.) darf ich nicht unerwähnt lassen.

Die Bewohner Concons sind wohl im Stande, bei dieser Fruchtbarkeit ihrer Vega sich nicht allein anständig zu ernähren, sondern auch ein Hübsches zu ersparen. Valparaiso ist nahe gelegen, und sie finden dort einen reichen Markt für ihre Gemüse und Früchte. Um die Fruchtbarkeit

---

*) Giebt oft 80 für 1; die Humuskrume findet sich gewöhnlich bis zu einer ausserordentlichen Tiefe. — Die beste Qualität Waizen soll in den südlichen Provinzen erzielt werden; aber nirgends erreicht er eine höhere, wie die ebenerwähnte Productivität. Man hört zuweilen von 100 und selbst 120 für 1 —; allein dies sind eben Ausnahmen, die selten genug vorkommen.

ihres Bodens zu mehren, leiten sie kleine Gräben aus dem Flusse durch die Vega, die die verschiedenen Felder zu allen Zeiten befeuchten. So viele Wohlthaten sie diesem Flusse auch in dieser Hinsicht verdanken, so weiss er sich, wie schon gesagt, mit harten Zinsen zu bezahlen. Es geschieht nicht allein, dass er bei seinem Austreten manches armen Bauern Haus überschwemmt, sondern er reisst auch häufig grosse Strecken von ihren Ländereien ab, so dass er ihnen nicht allein die Erndte eines Jahres, sondern auch die Möglichkeit, irgend wieder zu säen, raubt.

Auch die Fischerei im Flusse und nahen Meere ernährt manchen Bewohner, wird jedoch nur im kleinen Maasstabe betrieben; ebenso ist die Viehzucht auf wenige magere Schaafheerden reduzirt.

Am Ausgange des Dorfes sieht man eine kleine weiss angestrichene Kapelle; einige silberne und goldene Geräthe und die prachtvollen Kleider der Heiligen zeugen von der Religiösität ihrer Bewohner. Der Pfarrer kömmt jede zweite Woche von Pichuncavi mit dem doppelten Zwecke, die gefüllten Säckel der Gemeinde etwas zu erleichtern und letztere zu erbauen.

Zur Abreise bereit, hatte ich wieder Gelegenheit die Gastfreiheit unseres Wirthes zu erfahren. Er war nicht zu vermögen, für meine Bewirthung eine Vergütigung anzunehmen. Die Gastfreiheit herrscht fast allgemein auf dem Lande in Chile; in der Nähe der Städte von Valparaiso und Santiago hat sie freilich längst der civilisirten Habsucht Platz gemacht, aber auf weniger frequentirten Wegen wird man sie noch immer finden. Ich befand mich bald wieder auf meinem Wege. Die frische Morgenluft flösste mir besonderen Muth ein, so dass ich wohlgemuth, meinen Gaul am Zügel führend, die sich hinter dem Dorf steil erhebende Anhöhe erstieg. Diese bildete die nördliche Wand des Conconthals; von der südlichen hatte mich gestern mein Weg in genanntes Thal geführt, während ich dieses jetzt verliess. — Oben angelangt, hatte ich daher dieselbe Aussicht, wie ich sie gestern auf der entgegengesetzten Seite genossen. Der im Thal zurückgelegte Weg schlängelte sich wie ein heller Faden durch grüne und dunkle, eben umgeackerte Felder, bis zum Dorfe, wo er sich oft zwischen dem Gebüsche und den Bauernhöfen verlor. Der Fluss, der Schauplatz unseres nächtlichen Abenteuers, windet sich, von der Morgensonne herrlich beleuchtet, wie ein silbernes Band dem Meere zu, welches in seiner ruhigen Majestät die Lieblichkeit dieses Panoramas vervollständigt. Lieblich war der Anblick, doch sah ich mit Schaudern nach den Felsen an der Mündung des Flusses, an deren dunklen Seitenwänden die Brandung hoch empor schäumt. Auch die entgegengesetzte Seite bot ein hehres Bild, welches mich noch gewaltiger wie jenes anzog: die Andes in ihren abwechselnd dunklen und weiss gekrönten Massen.

II.

Hacienda Loguño. – Hacienda Quinteros. – Paano. – Kalkgruben. – Pichuncavi. – Sitten-Schilderung. – Erziehung. – Fuchsjagd. – Chilenische Mädchen. – National-Tanz. – Zamaqueca. –

Weiter reitend, breitete sich vor mir ein ödes Land aus. Theils versandeter, theils harter Felsboden liess nur die allerärmlichste Vegetation aufkommen. Diese Gegend war ganz das Abbild derer, die ich gestern vor meiner Ankunft im Concontthal passiren musste. Ich begegnete mehreren mit Kupfer-Barren beladenen Maulthiertruppen, die diese von den verschiedenen Minen und Schmelzöfen, an der Küste belegen, nach Valparaiso bringen. Den Unternehmern der Kupfer-Minen lassen sie gute Rechnung, da das Mineral gewöhnlich reich ist und jene Gegenden vollauf Brennholz zum Schmelzen haben. — Auch einige mit Getreide und Gemüse beladene Trupps und Carretas passirten, sowie ich auch andere mit Gütern beladene, einholte. Im Ganzen ist der Verkehr auf dieser Strasse gering, sie ist eben nur eine Nebenstrasse. — Nach ungefähr zwei Leguas verbesserte sich sichtlich der Boden; der Weg führte durch mehrere kleine Thäler, die ihrer wilden Quebradas wegen besonders reizend und oft sogar romantisch belegen waren. Die Niederungen sind ungleich fruchtbarer als die Hügel. Ein Holz umreitend, kamen allmählich wieder grüne Wiesen, bebaute Felder, einzelne Gehöfte zum Vorschein, und noch weiter die Häuser der lieblich belegenen Hacienda Loguño. Das gebrochene und buschreiche Terrain beschränkte die Aussicht sehr; einen desto angenehmeren Eindruck macht der Anblick, den man auf der hinter Loguño liegenden Anhöhe geniesst. — Chile ist überhaupt, wie jedes Bergland, voll der reizendsten und abwechselndsten Ansichten.

Der Reichthum der Vegetation mit dem der Cultur vereinigt, der Contrast von der starren Oede der ewigen Eis und Schneeregion, bis zu dem reichen Pflanzenleben einer südlichen Zone, macht diese Bilder der Natur zu den anziehendsten der Welt.

Die wenigen Ranchos dieses Gutes bilden keine Strasse, sondern liegen zerstreut zwischen den Feldern und Gebüschen umher, meist von den letzteren verdeckt. Ein kleiner Bach floss durch das Thal, er war wasserreich, aber man sagte mir, dass er oft in dürren Sommern vollständig trocken liegt. — Von Loguño bis zum ungefähr drei Leguas entfernten Gute Quinteros bietet der Weg wenig Bemerkenswerthes. Im letztgenannten Ortchen befinden sich einige Kalköfen, sowie auch Oefen, um Dachpfannen und Mauersteine zu brennen, die in der naheliegenden Meeresbucht auf Leichtern und Böten nach Valparaiso geschafft werden. Der Kalk wird in diesem Districkte sowohl als Muschel- wie auch als Steinkalk viel bearbeitet. Ich zählte später auf meinem Wege vierzehn Oefen. Diese Oefen sind in die Erde gemauerte Gruben; in der oberen, trichterförmigen Abtheilung schüttet man die vorher zerbrochenen Steine, die man sodann mit dem, in der unteren Abtheilung angebrachten, starken Holzfeuer hinreichend erhitzt, um nach genügender Befeuchtung und Trocknung durch grosse Siebe den Kalk abzuschütteln. — Es ist dies Verfahren billig, und hier, wo alle Materialien zum Ofenbau und Brennen und die Hauptsache, der Stein- und Muschelkalk, hinreichend vorhanden sind, ist die Bearbeitung des Kalkes eine wichtige Industrie der Bewohner. Der Verkaufspreis im Valparaiso wechselt von 6 Realen bis zu 12, ja 16 Realen pr. Fanega; der Transport dorthin kostet ca. 2 Realen pr. Fanega von 155 Pfd. — Dieser geschieht, wie schon gesagt, gewöhnlich in Leichtern und Kähnen; allein in den dem Meere ferner liegenden Districkten schickt man ihn per Carreta, (grosse zweiräderige, durch Ochsen gezogene Blockwagen) dierect nach Valparaiso, ja, wohlhabende Bauern, wenn sie auch nahe der Küste wohnen, ziehen gewöhnlich vor, ihre Produkte auf ihren eigenen Carretas oder Maulthieren zu transportiren, welches ihnen billiger als zwei Real. per Fanega zu stehen kommt.

Der Weg führte von hier aus durch mehrere Windungen im Thal nach der Questa de los Paanos, einem sich steil erhebenden Bergrücken. Nur mühsam konnte mein Pferd ihn ersteigen. Auf der anderen Seite desselben angekommen, breitete sich vor mir eine fruchtbare Ebene aus, in welcher sich hier und da Bauernhöfe durch ihre Pappeln zu erkennen gaben. (Es ist dieses die italienische Pappel; fast jeder Bauer umpflanzt sein

Haus mit derselben.) Weiter im Hintergrunde erhebt sich eine bläuliche Hügelreihe, deren ungleiche Schattirungen auf das Dasein von Waldungen schliessen lassen. Am Fusse derselben hebt sich ein besonderer dunkler Fleck hervor. Mit Mühe erkennt man die Umrisse von Pappelwaldungen, aus denen hin und wieder weisse Punkte hervorleuchten. Es ist dieses der Ort Pichuncavi, oder, wie er häufiger genannt wird, la Plapilla mit seinen weiss angestrichenen Häusern. - Aber dieses sind nicht die Punkte, die uns am meisten anziehen. Im Westen, vielleicht eine Legua entfernt, sieht man das Meer; das Ufer desselben macht hier eine angenehme Ausnahme von allgemeiner Oede der nördlichen Küste Chile's. Ueppige Wiesen, Felder, kleine Waldungen, von Bächen durchzogen, die in diese Vogelperspective mit dem Lineal gezogen scheinen, umgeben die Bucht, die hier das Meer tief ins Land schneidet. Unmittelbar am Strande sieht man das liebliche Dörfchen Maitenes, dessen Bewohner sich von Ackerbau und Fischerei ernähren. Die weissen, reinlichen Häuser, von denen mehrere sogar mit einem rothen Ziegeldache prahlen, deuten darauf hin, dass dort ein thätiges Völkchen wohnt, die mit ihrer Thätigkeit ein günstiges Resultat zu erzielen wissen. Auch die Kalkgruben, an den weithin sich erstreckenden weissen Flächen erkennbar, bemerkte man deutlich.

Es that mir leid, wie immer, wenn ich eine schöne Aussicht vor mir hatte, nicht ein tüchtiger Zeichner zu sein, um den Anblick auf dem Papier zu fixiren. Mir musste jetzt der augenblickliche Genuss genügen, und so riss ich mich doppelt schwer von dieser Scenerie los. Auf der Höhe selbst, wo ich mich befand, gab ein Wäldchen der chilenischen Eiche, der „Roble“, einen erfrischenden Schatten; hier und da am Abhange liessen sich riesige Quisgos erblicken, deren zuweilen 10 Zoll lange Disteln von den Einwohnern als Häkelnadeln gebraucht werden.

Auf dieser Seite war der Hügel leichter hinabzusteigen, als auf der jenseitigen. Ich stieg rasch hinab, denn die Sonne versank bereits am Horizont. Noch ein kurzer Galopp in der Ebene und Pichuncavi war erreicht.

Pichuncavi ist ein Flecken mit ungefähr 800 Einwohnern. Seine Lage ist interessant; in einem weiten Thale belegen, übersieht man von den angrenzenden Höhen mit einem Blicke seine ganze Ausdehnung. Von Valparaiso siebzehn Leguas entfernt, und mit nur zwei Leguas Entfernung von der Meeresküste, werden seine Produkte mit Leichtigkeit nach dem ersteren Orte befördert und dort wegen der verhältnissmässig geringen Transportkosten billig angeboten; sie erzielen somit auch immer eine bereitwillige Abnahme. Grösstentheils bestehen diese Produkte in den verschiedenen Sorten Getreide; bei reichlicher Erndte auch Früchten und Gemüsen, besonders getrockneten Birnen und Pflaumen, Muschel- und Stein-Kalk. Wie ich bereits beobachtete, giebt es hier zahlreiche Oefen, — Wolle in nicht geringem Betrage; unter den zahlreichen Schafheerden zeichnet sich besonders das Merino-Schaf aus. Auch Stroh-Fussmatten, die die Leute in dieser Gegend sehr künstlich aus einem, in den nahe liegenden Lagunen wachsenden Schilf zu bereiten wissen; und in kleineren Parthien der in der Umgegend gesammelte Honig der wilden Bienen. Ausserdem bietet den Bewohnern noch das alljährlich stattfindende Wettrennen, wo Tausende von Menschen aus allen Theilen des Landes zusammenkommen und ganze Vermögen verwettet werden, eine gute Erwerbsquelle. Die Leute sind gastfrei, aber abgeschlossen im Umgang; Ackerbau betreiben sie, wovon schon die oben angeführte Ausfuhr des Getreides ein Zeugniss giebt, mit Thätigkeit und Erfolg. Jedoch ein trockenes Jahr bringt ihnen oft grossen Rückschritt und Misserndte mit dem Gefolge von Sorge und Armuth. Die Ursache ist, dass die Befeuchtung des Bodens grösstentheils dem Regen überlassen bleibt. Die Viehzucht beschränkt sich auf zahlreiche Schaf-Heerden; es giebt Bauern, die deren über zweitausend Köpfe besitzen. Ein Theil der Wolle wird zu „Ponchos“ oder „Mantas“ (ein im länglichen Viereck geschnittenes Stück Zeug, mit einer Oeffnung in der Mitte, eben gross genug, um den Kopf durchzustecken, bildet dieses Kleidungsstück) und gröberen Stoffen verarbeitet. Zu den Mantas wird besonders die feine Merinowolle gebraucht. Wenn sie gut gearbeitet sind, werden sie häufig bis zu zwei Gold-Unzen verkauft. Der Hauptheil der Wolle wird nach Valparaiso oder Quillota zu Markte gebracht. In letzterer Zeit, nachdem Quillota mit Valparaiso durch die Eisenbahn verbunden ist, ziehen viele Bauern den Markt Quillotas dem Valparaiso's vor, da ersteres nur zehn Leguas von hier entfernt liegt; die Mehrzahl führt jedoch ihre Produkte nach Valparaiso, wo sie einen höheren Preis zu erzielen und in kürzerer Zeit Käufer zu finden sicher sind.

Der Anblick des Ortes von Aussen mit seinen Pappelwäldchen, und Umgebung von Wiesen und Gärten, ist interessant; aber dringt man etwas weiter vor, so wird dieses Interesse durch die Unreinlichkeit, sowie unordentliche Bauart der Häuser und Ranchos sehr vermindert. Dem Eintretenden bietet sich zunächst eine breite Strasse zur Schau, die mit allem Unrath gefüllt, ihn unwillkürlich seinem Pferde die Sporen geben lässt, um so rasch wie möglich hindurchzukommen. Am anderen Ende derselben fällt ihm ein aus getrockneter Lehmerde gebautes, längliches Viereck in die Augen, welches ohne Dach ihm die restaurirte Ruine eines Stalles zu sein scheint. Ein grosses Kreuz, vor diesem seltsamen Gebäude angebracht, belehrt ihn aber, dass dieses die Kirche vorstellt. Wie ich später erfuhr, befindet sich diese Kirche seit langen Jahren in diesem unvollendeten Zustande, trotzdem dem Pfarrer schon längst das Geld zum Neubau überliefert ist. Bei diesem wird es denn auch wohl aufgehoben bleiben.

Mich nach einem Quartier umsehend, hatte ich das gute Glück, einen alten Freund, den ich in Valparaiso kennen gelernt, Don Nicanor Collado, auf seinem Landsitze hier anzutreffen. Als einflussreicher Mann an diesem Ort konnte er mir in meinen hier abzuwickelnden Geschäften mit Rath und That nützlich sein, und ebenso mir über Land und Leute am besten Aufschluss ertheilen und Gelegenheit geben, sie selbst näher kennen zu lernen. Auch ausser diesem Nutzen liess die Biederkeit seines Characters, mit einer nicht gewöhnlichen Intelligenz verbunden, mich eine weniger eigennützige Freude bei unserem Begegnen empfinden. Don Nicanor schien mein Vergnügen zu theilen; bald war mein Gaul auf seiner Weide und ich am chilenischen Heerd, dem Brazero, placirt. Der Máte ging von Hand zu Hand und wurde, unter freundlichen Gesprächen zwischen mir und dem Hausherrn, geleert. Es ist oft schwer, sich mitten unter fremdartigen Sitten zu befinden und das Gemüthliche derselben herauszufinden. Doppelt schwer wird dies, wenn jene Sitten einem noch unreifen, auf einer tieferen Stufe der Civilisation stehenden Volke angehören. Wir sind nur zu sehr geneigt, sie mit denen unseres eigenen Volkes zu vergleichen, und sie dann zu bemitleiden oder zu bespötteln, je nach unserer Neigung oder Laune; aber ein Reisender, der eine richtige Mittheilung von seinen Reisen machen, der seine Beobachtungen mit wahren Farben schildern will, darf sich auf keiner solchen voreiligen Kritik ertappen lassen. Berücksichtige er ihre Erziehung, fasse er die guten Eigenschaften dieser naturwüchsigen Söhne auf, Eigenschaften, die sie oft nur dem Mangel unserer vielbelobten Civilisation verdanken, — suche er sich dann so viel wie möglich in das Leben des Volkes, dessen Character er studirt, hineinzuleben, — suche er sich mit ihm gemüthlich zu machen, und er wird dann wahre Sitten schildern, ohne sich auszusetzen, sie durch das Verkleinerungsglas europäi-

2

scher Verfeinerung zu betrachten. Seine Darstellung wird naturgetreu werden. Der Chilene, obgleich im geringeren Grade als die übrigen südamerikanischen Völker, steht dem Europäer an Cultur weit nach; jedoch, wenn dieses an sich selbst auch ein grosser Nachtheil ist, so ist es doch von den Vortheilen begleitet, den der naturgemässe Zustand mit sich bringt, von dem Rousseau so trefflich zu träumen wusste. Der Mensch, noch nicht von dem gefährlichen Luxus einer verweichlichten Natur heimgesucht, besitzt einen stärkeren Körper, einen freieren Geist. Seine Bedürfnisse sind einfach, ein veraltetes Formenwesen beengt seine Thätigkeiten nicht. Der noch neue Boden giebt der dünnen Bevölkerung reiche Nahrung, und das Haupttriebrad der modernen Cultur, die Habsucht, ist dem Naturmenschen völlig fremd. Als solchen will ich nun zwar den Chilenen nicht gekannt wissen, aber diesem Volke, noch neu auf dem Wege europäischer Civilisation, ist noch viel von dem Naturzustand geblieben. Ihre einfachen Sitten haben mit denen der alten Völker Europa's grosse Züge der Aehnlichkeit. Ihre Gastfreiheit, Mässigkeit im Essen, die Keuschheit ihrer Frauen sprechen hierfür ebenso sehr, wie ihre gefährlichen Zerstreuungen und Laster, Messerkämpfe, hohe Hazardspiele und Wetten, ihre Rachsucht und Eifersucht. Auch die wilde Tapferkeit dieses Volkes, die Ercilla mit so glühenden Farben schildert und die auch jetzt noch besteht, ist einer ihrer hervorragenden Characterzüge. Ich spreche hier hauptsächlich von den Landbewohnern; die Bewohner der grösseren Städte verbinden mit all den verderblichen Nachtheilen der Civilisation nur wenige ihrer Vortheile.

Es möchte hier am Platze sein, einige Worte über die chilenische Erziehung zu sagen. In allen kleineren Orten, wie auch hier in Pichuncavi, existiren Schulen, in denen den Kindern nothdürftig Religion, Lesen und Schreiben gelehrt wird; gewöhnlich wird in diesen Schulen von dem Pfarrer des Kirchspiels unterrichtet. Das Hauptaugenmerk dieser Lehrer richtet sich natürlich nur auf den religiösen Theil und der bei weitem grösste Theil des Unterrichts wird gewiss diesem Gegenstand gewidmet. Die Folge davon sollte eine grosse Frömmigkeit sein; zu meinem Erstaunen ist grade das Gegentheil der Fall. — Der Religionsunterricht, grösstentheils im mechanischen Auswendiglernen der Gebete, Glaubensartikel und Lieder bestehend, ermüdet die Kleinen, und lässt sie froh werden, wenn sie aus der Schule entlassen sind. Die Dorfgeistlichen in Chile sind besoldet; sie erhalten 325 Doll. jährlich, wofür sie täglich Messe lesen und, wie schon gesagt, der Schule vorstehen müssen.

In den grösseren Städten ist die Erziehung auf einen höheren Grad gestiegen. Die Universität in Santiago, die schon seit zwanzig Jahren besteht, ist die wichtigste Erziehungs-Anstalt im Lande. Sie ist nicht mit unsern Universitäten zu vergleichen, da ihre Aufgabe nur die Verwaltung und Beaufsichtigung des Unterrichts in den Provinzen, sowie das Examen der dortigen Zöglinge und die Ertheilung der Grade ist. Sie wird von einem Rector, fünf Diöcesanen, einem Secretair und fünf Professoren der verschiedenen Wissenschaften geleitet.

Das National-Institut ist eine andere Lehr-Anstalt in Santiago, welche aber dem ausschliesslichen Zwecke des Unterrichts gewidmet ist. Junge Schüler werden ebensowohl wie ältere Studenten aufgenommen, da ihr Lehrkreis von den Anfangsgründen der ersten Wissenschaften bis zu den höheren Studien der Arzeneikunde, Theologie und Gesetzeskunde hinaufreicht. Geologie und Bergmannskunde, als practische und für die Natur Chile's besonders geeignete Lehrzweige, haben ihre eigenen Classen. Diese Anstalten werden durchaus von der Regierung unterhalten, die Zöglinge bezahlen weder für Unterricht, noch für Logis und Nahrung. Die Anzahl der Schüler beläuft sich oft auf 800. Fünf und vierzig tausend Piaster ist die jährliche Ausgabe für das National-Institut. Auch in anderen Kreisen äussert sich diese Fürsorge der Regierung. In Santiago existiren noch verschiedene Anstalten, die alle von der Regierung gegründet und theilweise von derselben unterhalten werden. Besonders ragen unter diesen die Ackerbau-Schule, die Musik-Akademie und die Taubstummen-Schule hervor. In diesen Anstalten werden ärmere Schüler gratis unterrichtet.

In jeder Hauptstadt der verschiedenen Provinzen befindet sich eine öffentliche Schule, unsern Gymnasien nicht unähnlich, in denen Schüler für ein Geringes als Kostgänger aufgenommen werden. Ausserdem finden sich überall Privatschulen, vorzüglich in Valparaiso, die von grösstentheils tüchtigen Lehrern geleitet werden.

Trotz diesen Anstrengungen der Regierung kann die Erziehung auf dem Lande doch nur sehr mässige Fortschritte machen. Eines Theils liegt dieses, wie schon erwähnt, in der Nachlässigkeit der damit beauftragten Geistlichen, andrerseits in der Vertheilung dieser Lehrer auf zu weite Distrikte. Erstaunenswerth dagegen ist die Unwissenheit der unteren und selbst der mittleren Klassen in den Städten, wo doch immer gute Leh-

2*

rer und gute Gelegenheit zum Lernen selbst für den Aermsten existirt. Pichuncavi bildet keine Ausnahme von dieser allgemeinen Unwissenheit. Der Pfarrer findet es angenehmer, seinen Vergnügungen nachzugehen, als seine Schüler zu unterrichten, und dasselbe mag wohl mit seinen Vorgängern der Fall gewesen sein. Die einzige Schule wird daher schlecht besucht, und nur die Wohlhabenden vermögen es, ihre Kinder für ein und zwei Jahre nach Valparaiso in Pension zu schicken. Die Kinder meines Freundes Don Nicanor befanden sich augenblicklich hier, da er sich aber den grössten Theil des Jahres in Valparaiso aufhält, so besuchten sie dort regelmässig die Schule. Es waren ein paar gescheidte Jungen. — Ich suchte es mir so behaglich wie möglich in diesem Familienkreise zu machen, und dieses wurde mir auch durchaus nicht schwer; eine liebenswürdigere Frau, als die meines Freundes, glaubte ich selbst in Europa selten gesehen zu haben, und sie sowohl, wie ihre Tochter wetteiferten, mir Gefälligkeiten zu erweisen, um mir meinen Aufenthalt so bequem wie möglich zu machen. Als man mir jedoch am Abend das breite Ehebett zur Schlafstätte anwies, und das würdige Paar sich zum Schlafen auf dem Fussboden anschickte, schien es mir an der Zeit, dieser Höflichkeit Einhalt zu thun, aber vergebens, ich war der Gast, und somit der Erste im Hause.

Am nächsten Morgen, nachdem ich von meinem freundschaftlichen Wirthe bereitwillige Zusage seiner Hülfe bei meinen Geschäften erhalten hatte, lud er mich ein, heute einer Treib-Fuchsjagd beizuwohnen, die einer seiner Bekannten veranstaltete. Ich nahm diesen Vorschlag um so lieber an, als ich von diesen Jagden viel gehört hatte, ohne sie bis jetzt mitgemacht zu haben. Um zehn Uhr, sagte er, seien die Leute bestellt, und zur selben Zeit hatte auch er versprochen, sich einzustellen. Die Stunde schlug bald. Nach einem guten, nur für meinen europäischen Magen etwas zu stark mit Ají gewürzten Frühstück machten wir uns unter den besten Wünschen Doña Maria's (der Name meiner Wirthin) auf den Weg. Don Nicanor hatte mir ein besonders muthiges und schnelles Pferd verschafft, an einer guten Kugelflinte fehlte es auch nicht. Auf gleiche Weise war mein Freund gut beritten und bewaffnet. Nach kurzem Ritt erreichten wir die Hacienda Chileqauquén, nach einem ca. 1000 Fuss hohen, in ihrer Mitte liegenden Hügel so benannt, welche der Schauplatz der heutigen Jagd sein sollte. Der Hacendado oder Gutsbesitzer, Don Rudecindo Silva, empfing uns mit der, dem chilenischen wohlhabenden Bauern eigenen Zuvorkommenheit. Wir fanden ihn in einem weitläufigen Zimmer, auf seinem Lehnstuhl sitzend, und von etwa zwölf bis vierzehn Männern umgeben, deren an den Füssen befindliche grosse silberne Sporen, sowie ihre feinen Mantas, bald die reichen Huasos*) erkennen liessen. Ihr Lärm hörte bei unserm Eintreten auf, mit neugierigen Blicken den eintretenden „Gringo" zu mustern; Gringo ist eine Bezeichnung, die die unteren Classen dem Europäer beilegen. Das Ameublement des Zimmers bestand aus wenigen Rohrstühlen, einer grossen Commode aus Cedernholz und dem nie fehlenden Brazero, dem Kohlenbecken voll glühender Holzkohlen, auf welchen der zischende Wasserkessel seinen Inhalt zu dem immer kreisenden Máte hergab. Da dieser nur in einem einzigen Gefäss umhergereicht wird, muss sich der Einzelne einer solchen zahlreichen Gesellschaft, wie die gegenwärtige es war, lange gedulden, bis das ersehnte Getränk ihn erreicht; aber trefflich weiss er sich durch den starken Chicha zu trösten, dessen Vorrath durch die Gastfreiheit des Wirths unerschöpflich scheint; auch der Branntweinsflasche wurde nicht minder zugesprochen, und dieser mochte die Mehrzahl der Anwesenden wohl ihren lärmenden, oft zudringlichen Muth verdanken. Don Rudecindo klagte uns den Schaden, welchen ihm die Füchse besonders unter den Lämmern und dem zahlreichen Geflügel verursachten. Er theilte uns sodann mit, dass schon eine ziemliche Anzahl seiner Vaqueros**) und Inquilinos***) zu Fuss und zu Pferd aufgebrochen seien, um die Jagd vorzubereiten, d. h. das beste Terrain aufzusuchen und den Treibern ihre Plätze anzuweisen, dass er nur auf seinen Nachbar, meinen Freund, gewartet habe, um ihnen zu folgen. Nach eingenommenem Máte und einer Kanne voll des schäumenden Chicha's, der von den Fremden so ungerecht verleumdet wird, machten wir uns auf den Weg. Ich sprach meinem Freunde meine Verwunderung aus, dass ausser uns kein Einziger eine Flinte oder Feuerwaffe mitgenommen zu haben schien, aber dieser erklärte mir, dass die Jagd nur mit Hunden vorgenommen werde, denen die Jäger zu Pferd folgen, um sie aufzumuntern und um, was höchst selten geschieht, Gelegenheit zu bekommen, den Fuchs mit dem Lasso zu fangen. Wirklich bemerkte ich auch draussen, dass jeder Reiter an seinem Recado einen guten

---

*) Chilenischer Ausdruck für Bauern

**) Eigentlich Kuhhirten, aber auf den chilenischen Hacienda's versehen sie viele Arbeiten, die nicht dem Kuhhirten angehören. Man könnte sie passender „berittene Gutshüter" nennen.

***) Inquilinos sind die Pächter der Gutsbesitzer, die Frohndienste leisten müssen.

Lasso hängen hatte, mit welchem sich sonst die Wohlhabenderen nie zu belasten pflegen. Um die Kraft der Pferde bis zur Jagd zu sparen, ritten wir langsam dem Berge zu, dessen wir auch binnen wenigen Minuten ansichtig wurden. Vom Fuss bis zur Spitze mit dichter Waldung bedeckt, bot dieser einen interessanten Anblick. Nur hier und da zeigte sich eine schmale Lichtung, die, mit fusshohem Grase bewachsen, dem Auge eine angenehme Unterbrechung gewährte. Einige dunkle, schmale Streifen deuteten die Quebradas und Spaltungen an, deren dieser Berg wie alle besitzt, von denen einzelne vulkanischen Ursprungs sind, und andere von den herabstürzenden, im Winter und Frühjahr furchtbar anschwellenden Wassern verursacht waren. Wir bekamen bald unsere Vorläufer zu Gesicht, die Don Rudecindo erwähnt hatte. Es hatten sich ihnen noch viele Bekannte aus der Umgegend beigesellt, so dass sich die ganze Schaar wohl auf vierzig Mann belaufen mochte, von denen die Meisten jedoch zu Fuss und der Rest sehr schlecht beritten schien. Nur die Vaqueros des Hacendado, leicht an ihrer in gewisser Beziehung uniformmässigen Tracht erkenntlich, sowie die Parthie der Bauern, mit der wir so eben angekommen, besassen gute Pferde. Die Reiter waren abgestiegen und mit den Fussgängern in verschiedenen Gruppen um mehrere Bäume gelagert; eine Meute Hunde, aus ganz gemeinen, abgemagerten Thieren bestehend, lag und sprang um sie herum. Bei unserer Annäherung erhoben sie ein freudiges Geschrei und bereiteten sich sofort zum Aufbruch. Nach einiger Berathung mit dem Capataz, dem Hauptknecht der Hacienda, wurden die Männer als Treiber in verschiedenen Richtungen ins Holz hineingeschickt, sowie auch die Männer zu Pferde sich in abgesonderten Partien am Saume des Wäldchens aufstellten, um das von den Treibern aus dem Dickicht ins Freie gejagte Wild sofort in Empfang zu nehmen.

Ich schloss mich der Parthie meines Freundes Don Nicanor an, die aus vier Mann bestand, und wir nahmen alsbald unsern Posten auf einer Wiese am Fusse des Hügels ein. Nach viertelstündigem Warten hörten wir endlich den Ruf: „el zorro, el zorro“ (der Fuchs, der Fuchs), der von dem Berge, in geringer Entfernung von uns, herüberschallte. Uns elektrisirte dieser Ruf, aber vergebens bereiteten wir uns zum Empfange des ersehnten Reineke vor, vergebens spannten wir unsere Flinten, denn noch manche lange Minute ging vorüber, bis die eigentliche Jagd ihren Anfang nehmen konnte; denn Reineke, hier wie überall, ist gewaltig schlau und scheut die Lichtungen so lange, als er sich irgend in

Waldungen und Quebradas zu halten vermag. Die Hunde jedoch entwickelten mehr Spürkraft und Schnelligkeit, als es von dieser gemeinen Race erwartet werden konnte, und so zwangen sie den Fuchs bald, seine Löcher zu verlassen und ins Freie zu enteilen, um sein letztes Heil in der Flucht zu versuchen. Die Jagd hatte sich nach einer anderen Seite, als der unsrigen, hingezogen. Bald sahen wir sie auf einem naheliegenden Hügel erscheinen; wohl an zehn Reiter mit geschwungenem Lasso jagten dahin, den Fuchs verfolgend. Fuchs und Hunde konnten wir der Entfernung und des hohen Grases wegen nicht wahrnehmen, bald war die ganze wilde Jagd in einem nahen Thale verschwunden. Ich drückte meinen Begleitern meine Ungeduld aus, aber sie versicherten, dass auch an uns bald die Reihe kommen müsste, und so war es. Plötzlich hörten wir wiederum in geringer Entfernung den Ruf „el zorro, el zorro“. Mein Freund und ich waren auch augenblicklich mit den Flinten bereit, während die andern sich im Sattel duckten und den Lasso bereit hielten. Auch die nächste Parthie, zwei Quadras von uns entfernt, sahen wir sich fertig machen. Der Ruf tönte näher, in athemloser Erwartung waren unsere Blicke aufs Gebüsch gebannt, und wirklich, im nächsten Augenblick sprangen zwei der herrlichsten Füchse, unfern von einander, keine zwanzig Schritte von uns entfernt, aus dem Gebüsch. Die Thiere stutzten einen Moment, als sie uns plötzlich gewahrten, aber im nächsten flogen sie mehr als sie liefen, feldein. Unsere zwei Schüsse fielen, aber ohne Erfolg. Ein dritter Fuchs erschien jetzt an dem unteren Saume des Waldes, und unmittelbar auf ihn folgte eine wüthende Meute Hunde. In der Aufregung warfen wir unsere abgefeuerten Flinten zu Boden, und jetzt gings, wie der Wind, hinter den Füchsen her. Ueber Gräben und Hecken, die mit nüchternem Muth ich mir wahrscheinlich erst näher betrachtet haben würde, gings im Fluge vorwärts. Mehrere der am Saum des Waldes aufgestellten Parthien folgten jetzt, und die Lust der Jagd stieg aufs höchste, als noch ein vierter Fuchs in einer vor uns liegenden Quebrada entdeckt wurde. Trotz meiner Aufregung konnte ich nicht umhin, die Reitfertigkeit meiner Begleiter zu bewundern, die zu gleicher Zeit ihre langen Lassos schleuderten. Ein Wunder schien es, dass sie bei der Schnelligkeit des Rittes Acht nehmen konnten, damit die oft 12—15 Ellen lange, am Boden nachschleifende Schlinge sich nicht in den Beinen ihrer eigenen Pferde verwickelte. In der Mitte der Jagd, wo ihre ganze Aufmerksamkeit nur den Füchsen zugewendet schien, machten sie die wildesten Reiterkunststücke, um die mancher unserer europäischen Circusreiter sie beneiden würde.

Ein Fuchs wurde bald von den Hunden erreicht, die ihn in einem Augenblick umringten, ein zweiter wand sich im Lasso, und so wandte sich jetzt unsere ungetheilte Aufmerksamkeit den zwei letzten zu. Hinter ihnen gings im tollen Jagen bergab, bergauf, manches ermüdete Pferd stürzte mit seinem Reiter, aber niemand achtete ihrer. Plötzlich war Reineke verschwunden, und vor uns befand sich die breite Kluft einer Quebrada. Wir fanden uns rathlos; jetzt fehlten uns unsere Flinten, denn eben kletterten beide Füchse ganz gemächlich an der gegenüberliegenden Wand der schmalen Quebrada hinauf, und rannten wieder feldein, einem Gehölz zu, den Hunden einen grossen Vorsprung abgewinnend. Alle fluchten den Füchsen nach, als plötzlich der Sohn eines Bauern ankam, der seiner Verwegenheit wegen bekannt sein musste, denn man hatte ihn den Beinamen „el bravo“ gegeben. Er hatte dem letzten Fuchs den Lasso umgeworfen, daher seine Verspätung. Wie der Wind fuhr er zwischen uns, und ohne sich auch nur einen Augenblick zu besinnen, setzte er seinem edlen Thiere die Sporen in die Weichen; der Hengst bäumte sich und mit einem furchtbaren Sprunge übersetzte er die weite, wohl zehn Ellen breite Kluft. Ein lautes Hurrah folgte dieser verwegenen Handlung, die wohl mancher meiner Begleiter nachgeahmt hätte, wären ihre Pferde in einem besseren Zustande gewesen. „El Bravo“ setzte jetzt jenseits die Jagd allein fort, wir sahen ihn binnen kurzem mit Fuchs und Hunden in dem schon erwähnten Holze verschwinden; da wir vergeblich einen minder gefährlichen Uebergang durch die Quebrada suchten, um ihm zu folgen, ritten wir nach dem Orte, der im Voraus zum Sammelplatz bestimmt war. Die übrigen Parthien fanden sich nach und nach ein, und brachten eine ziemliche Anzahl erlegter Füchse. Ich zählte deren sieben, und alle schienen mit diesem Erfolge wohl zufrieden. Trotzdem man mir gesagt hatte, dass die montesische oder Waldkatze (felis tigrina, von der Grösse eines mässigen Hundes) hier häufig vorkommt, war uns heute keine aufgestossen. Andere, der Jagd werthe Thiere giebt es hier nicht. In grösserer Nähe der Cordilleren findet man Chinchillas und Heerden Guanacos, die selten zu diesen Niederungen herabsteigen. Ebenso der Puma, von den Eingebornen Löwe genannt, verlässt fast nie die höheren Regionen der Andes, und es wird sein Erscheinen, wie es vor einigen Jahren in der Umgegend Quillotas stattfand, als ein Ereigniss noch lange Zeit besprochen.

Wir kehrten jetzt nach dem Hause des Hacendado zurück, mit Dank seine freundliche Einladung, dort etwas zu geniessen, annehmend. Selbst die ungeladenen Gäste, die sich erst auf dem Sammelplatz angefunden hatten, schlossen sich dem Zuge an. Dort angelangt, wurden diesen grosse irdene Behälter, mit Chicha angefüllt, verabreicht, sowie sie auch grosse Stücke Fleisch und mehrere Lämmer zuertheilt bekamen. Während die einen schlachteten, trugen Andere Reisig herbei und bald sassen alle in gemüthlicher Freude um mehrere Feuer gruppirt, lachend, trinkend und schmausend, ja mancher breitete seinen Poncho auf dem Grase aus und, ein schmutziges Spiel Karten aus der Tasche ziehend, lud er seine Collegen zur Theilnahme ein. Aber nur wenige machten von diesen rasch improvisirten Spieltischen Gebrauch, der Chicha war zu stark gewesen, um solch ruhiges Vergnügen zu geniessen.

Mittlerweile genossen auch wir die Gastfreundschaft unseres Wirthes. Der feste eichene Tisch hatte Mühe, die Menge der Speisen und die Kübel des Chicha's und Branntweins zu fassen; und mit gutem Appetit und noch besserem Durst wurde der Angriff auf sie begonnen. Aber bald nahm die Trunkenheit in diesem edlen Kreise immer mehr zu, und es schien mir gerathen, nach Hause zu gehen, um den immerwährenden Einladungen zum Trinken auszuweichen. Doch blieb ich auf Drängen des Hacendado, er hatte einige ihm nahe verwandte Mädchen aus dem Flecken eingeladen, und denen wünschte er mich vorzustellen. Fast im selben Augenblick sahen wir durch das geöffnete Fenster eine bunte Cavalcade heransprengen. Es waren die erwarteten Damen, Mütter, Tanten und Töchter der anwesenden Bauern, von einigen Kindern begleitet. Ein etwas zu enthusiastisches Hurrah der Gäste empfing sie. In die Stube eingetreten, grüssten sie uns mit Handschlag, wie es hier Sitte ist. Die Mehrzahl der jungen Mädchen hatten einen sehr hübschen, durchaus weissen Teint, ihr Haar war nach spanischer Sitte in zwei einfache Flechten getheilt, die voll und üppig oft in wunderbarer Länge herunterhingen. Ihre Kleidung war durchaus im europäischen Style „sans crinoline“. —

Ein Mädchen fiel mir besonders auf; mit einem festen, edlen Gesichtsausdruck verband sie ein sanftes, liebenswürdiges Wesen. Sie war nicht so weiss, wie ihre Gefährtinnen, im Gegentheil schien ihre dunkle Olivenfarbe mehr auf indianisches als auf spanisches Blut hinzuweisen. Mit der von unsern nordischen Europäerinnen nicht nachzuahmenden Grazie, bescheiden und ungeziert, nahm sie auf allgemeine Forderung die Guitarre zur Hand, und von der tieferen Stimme eines anderen Mädchens begleitet, sang sie eine jener einfachen Volksweisen, die uns immer entzücken. Man dankte ihr herzlich für den Vortrag; die Sitte des Klatschens ist noch nicht hierher gedrungen. Auch der berühmte chilenische Nationaltanz. der Zamaqueca, wurde aufgeführt. Dasselbe schon erwähnte Mädchen sang diese so melodische und natürliche Tanzweise. Mächtig fühlte man sich zu der Sängerin hingezogen, die der Guitarre diese Töne der Sehnsucht zu entlocken wusste. Auch der Tanz, der Melodie mit harmonischen Bewegungen folgend, ist schön und in gewisser Beziehung geeigneter, seinen Zwecken zu entsprechen, wie unsere europäischen Polka und Walzer. Er giebt den Tänzern Gelegenheit, ihre ganze Geschicklichkeit und Grazie zu entfalten. Sie stellen sich einander gegenüber, auf dieser Seite der Tänzer, jenseits die Tänzerin. Sowie die Guitarre ihr Präludium beendet und der Gesang beginnt, nähern sie sich, den Körper nach der Melodie wiegend. Plötzlich kehrt die Tänzerin im schnellen Tacte um, dem lockenden Verfolger entfliehend; sie ermannt sich, mit Würde tritt sie ihm entgegen, jetzt flieht dieser beschämt und bittet, wo er vorher forderte; aber die Schöne verspottet ihn; er wird heftig und verfolgt sie. Schäkernd entrinnt sie ihm, aber plötzlich wird sie ernst, im langsamen klagenden Tempo erinnert sie sich, dass sie dem Geliebten wehegethan. Ein einfaches Allegretto beendet den Tanz. Dieser Tanz ergötzt zu gleicher Zeit Auge und Ohr. Mit seltener Fertigkeit fasst die chilenische Tänzerin den Sinn des Gesanges auf, und passt ihn ihren Bewegungen an. Es ist wahr, dass er zu grossen Missbräuchen Veranlassung giebt, aber dieses geschieht nur von der unteren Stufe des Volkes in den Städten. Wo er sich in seiner Originalität und Unschuld erhält, ist der Zamaqueca das Muster des Tanzes.

Unter diesen fröhlichen Ergötzungen verging uns die Zeit rasch. Mein Bleiben hatte mich nicht gereut; zwar versuchten es einige Hitzköpfe, die allgemeine Freude mit Streitigkeiten zu trüben, aber ihre Bemühungen scheiterten an der Besonnenheit des Wirthes, so dass wir nach dem angenehm verlebten Abend in Gesellschaft der Frauen und mehrerer Bauern vergnügt und wohl zufrieden nach Hause ritten, wo Doña Maria uns schmollend über unser langes Ausbleiben empfing. —

III.

Abreise von Pichuncavi. – Hacienda Hinoga. – Cerro Colorado. – Naturscene. – Ankunft in Laguna. – Nachtquartier. – Fischerdorf Maytencillos. – Fischerei. – Quebrada del Guindo. – Goldwäsche. – Minen. – Wasserleitung. Hornvieh. – Ein Messerkampf. – Grässlicher Ausgang. – Weiterreise nach Catagilco. · Ueberschwemmungen des Flusses.

Ich hatte mehrere Tage in dem Hause meines Freundes zugebracht, als ich meine Geschäfte beendigt fand. Die guten Dienste, die mir Don Nicanor dabei geleistet, hatten dieses rascher zu Wege gebracht, als ich es vermuthete, und beschloss ich daher, einen kleinen Ausflug weiter in's Land zu machen, um die vielgenannte und gerühmte Hacienda Catagilco kennen zu lernen. Da man mir sagte, dass von dort direct ein Weg nach „San Felipe“ führe, glaubte ich Pichuncavi nicht wiederzusehen. Mein Freund, der in Catagilco und den umherliegenden Orten bekannt war, bot mir seine Begleitung bis dahin an, die ich natürlich mit Freuden annahm. Am fünften März nahm ich von Pichuncavi und der Familie Collado Abschied. Ich konnte nicht umhin, von ihrem gütigen Wesen und tiefem Gefühl, welches sie über mein Scheiden zu empfinden schienen, gerührt zu sein. Es waren in der That seelengute Leute. Dank ihrer Güte fand ich meine Satteltaschen zum Platzen gefüllt, und mit solchen Victualien, die der Reisende am nothwendigsten braucht und nur selten am Wege findet. Mein Pferd, welches ich während meines Hierseins niemals geritten hatte, war frisch und so munter, dass ich Grund hatte zu glauben, es würde mich noch bis jenseits der Cordilleren begleiten können. Da ich des Weges gänzlich unkundig war, benöthigte ich sehr eines Führers, um mich nach „Santa Rosa de los Andes“, einem chilenischen Grenzorte, am Fusse der Cordilleren belesen, zu geleiten. Don Nicanor kannte in Catagilco einen jungen Burschen, der ihm selbst oft Führerdienste geleistet hatte; ich sah mich daher hier nicht weiter nach einem solchen um und wartete bis Catagilco, da ich natürlich einen so empfohlenen Mann jedem Fremden vorziehen musste.

Der Weg, der von Pichuncavi nach der wohl anderthalb Legua entfernten Laguna führt, ist zum Theil öde und sandig, (vorzüglich der Theil desselben, der durch die Hacienda Hinoga und der des Cerro Colorado führt) zum Theil vom üppigen und bebauten Land umgeben. Hügel erhoben sich uns zur Rechten und zur Linken, bis, sich dem Oertchen Laguna nähernd, die westliche Seite dieser Hügelreihe verschwindet und der lieblichsten Aussicht auf das Meer Platz macht. Neben den bebauten Feldern fanden wir häufig Hügelchen von frisch aufgeschüttetem Kalk und näher reitend erkannten wir die versteckter liegenden Oefen. Das Thal des Hinojo ist öde und sandig, trotzdem versteckt sich ein Theil desselben in einem reizenden Wäldchen. Mit Wonne athmet man diese reine Waldesluft, die uns kühl und erfrischend, doppelt willkommen war. Die Gruppen der oft dicht verwachsenen Laureles und der dunkelen Cypressen machen nur selten einer Lichtung Platz. Diese Lichtungen, in denen sich nicht selten die hübsche Spaltblume unter vielen andern zeigte, mit frischem hohem Grase bewachsen, sind der Lieblingsaufenthalt des Viehes. In gemächlicher Ruhe sieht man die Kühe, seltener Schafe, unter den Bäumen gelagert. Diesem lieblichen Wäldchen und dem Thal entsteigend, wurden wir bald der Laguna ansichtig, aus deren mit dem schönsten Grün und Gebüsch geschmücktem Ufer die Ranchos des Dörfchens hervorlugten. Aber weiter den Weg verfolgend, der sich jetzt in Windungen ins Thal hinunterzog, erkannten wir gar bald eine geordnete Reihe Häuser, ja eine breite und lange Gasse zeigte sich, in deren Mitte die Kapelle nicht fehlte. Wir befanden uns jetzt unmittelbar am Ufer der Laguna. Diese, von einem Flüsschen gebildet, welches hier ins Meer mündet, ist von letzterem in trockener Jahreszeit durch eine schmale, kaum zwanzig Ellen breite Sandbank getrennt. Das erwähnte Flüsschen entleert sein Wasser nur in diese Laguna; da der Wasserstand derselben aber im Sommer weder steigt noch fällt, muss man annehmen, dass der Sandboden die geringe Wasserzuführung des Flüsschens aufsaugt, oder dass eine zweite unterirdische Mündung der Laguna ins Meer existirt. Letzterem widerspricht indessen der Geschmack des Wassers, welcher im Sommer immer süss ist. Im Winter dagegen, wenn die Wassermassen den nahen Cordilleren entströmen, schwillt das Flüsschen zum reissenden Strome an, und die stille Laguna wird zum Meeresbusen.

Wir kamen jetzt dem Dörfchen, gleichfalls „Laguna“ benannt, näher. Spät waren wir von Pichuncavi weggeritten, so dass, als wir hier ankamen, Sonnenuntergang nahe war. Das Abendglöcklein der Oracion schallte zu uns von der nahen Kapelle herüber, mit seinen reinen Klängen den doppellten Zweck erfüllend, den Arbeiter zur Ruhe und den Gläubigen zum Gebet zu rufen. Einzelne Bauern und Frauen, vom Felde heimkehrend, blieben beim ersten Klange des Glöckleins stehen, um mit gezogenem Hut ihr „Ave-maria“ oder „Padre-nuestro“ zu beten.

In unserm heutigen Nachtquartier emfingen uns die Leute wie immer mit Freundlichkeit und Güte. Mit besonderer Fürsorge sorgten sie für Abendessen und Nachtlager, ohne am folgenden Morgen auch nur einen Cent für ihre Mühe empfangen zu wollen. Das Dörfchen schien ärmlich zu sein, aber trotzdem sah ich überall Zufriedenheit. Der Boden ist als Marschboden für Ackerbau geeignet, dennoch sieht man grosse Strecken ohne alle Cultur und nur vom spärlichen Grase bedeckt. Die Ursache dieser Lässigkeit liegt wohl hauptsächlich darin, dass die Mehrzahl der männlichen Bewohner die Minenarbeit der des Ackerbaues vorzieht. Vorzüglich beschäftigen sie sich mit der Goldwäsche in den nahen Quebradas, an dem schon oben erwähnten Flüsschen belegen. Ausserdem treiben sie Schaafzucht sowie Fischerei, wenn auch im geringeren Grade.

Viel erzählten mir die Einwohner von der ehemaligen Herrlichkeit ihres Dorfes, von dem vergangenen Reichthum ihrer Goldwäsche. Auch die grosse Landstrasse von den früher so berühmten Bergwerken in „Cazuto“ und „Petorka“ führte hier durch, und die Lebhaftigkeit des Verkehrs auf derselben hob auch dieses Dörfchen mit empor. Jetzt ist nichts von dieser Herrlichkeit übrig geblieben, mit dem Verfall der Minen hörte auch der Reichthum auf; die Wohlhabenden zogen sich nach anderen Orten zurück, nur die Aermeren blieben, um in den Bergwerken Nachlese zu halten oder mit härterer Arbeit den Boden zu bebauen.

Am nächsten Morgen besuchten wir das in kurzer Entfernung liegende Fischerdorf „Maytencillos“. Es besteht dieses aus wenigen ärmlichen Ranchos, die von kleinen Kartoffel- und Gemüsefeldern umgeben sind. Nur schlecht gedeihen diese wegen des sterilen Bodens; auch die nur wenige Schritte hinter diesen Feldern sich erhebenden Sandhügel schütten bei jedem starken Winde über die Saaten ihre Sandwolken aus, und begraben allmählich alle der Cultur fähige Erde unter diese. Die Bewohner hatten Ursache zu ihren harten Klagen; in wenig Jahren werden sie keinen Ackerbau mehr besitzen. — Auf dem nahen Strande liegen ihre Canoes und selbst einige Kähne, aus dem Stamme der „Roble“

gearbeitet, — auch weite Netze finden sich dort zum Trocknen ausgebreitet. Am Abend, in mondhellen Nächten geht der Fischer auf den Fischfang aus; auf ihren zerbrechlichen Fahrzeugen dürfen sie sich nicht weit hinauswagen; diesem ist die wenige Ergiebigkeit ihrer Arbeit zuzuschreiben. Die Netze, von einem Boote zu dem andern parallel rudernden spannend, wird die Spitze der Netze von einem dritten, weit voraus rudernden Boote gehalten, — zur Heimkehr fertig, werden die Zipfel zusammengeschlagen und am Strande angekommen, das Netz aus dem Wasser gezogen, um erst dort das günstige oder ungünstige Resultat zu erfahren. Es werden an dieser Küste die verschiedensten Arten Fische gefangen. Selbst der Pichihucu, gewöhnlich nur an der nördlichen Küste gefunden, wird oft als besondere Delikatesse von ihnen zum Markt gebracht. Der Schellfisch findet sich in grosser Menge und guter Qualität in den verschiedensten Species ein, ebenso der Aal und noch viele hunderte der mannigfaltigsten Arten. Der Wallfisch nähert sich nur selten der Küste. Austern werden in diesem Distrikte nicht gefunden, sie beschränken sich auf die südliche Küste Chile's.*)

Ausserdem wird dieses Oertchen als willkommenes Seebad von den Bewohnern Pichuncavi's und selbst denen Quillota's benutzt, giebt den zu gastfreien Leutchen von Maytencillos jedoch wenig Nutzen.

Von hier ritten wir wieder zurück, und unsern Weg seitwärts der Laguna nehmend, verfolgten wir ihn landeinwärts, am Ufer des Flüsschens entlang. Unser nächstes Ziel waren die Goldwäschereien, die ich sehr begierig war su sehen. Der Lauf des Esteros wurde stromaufwärts verfolgt, jeden Augenblick musste die Passage durch das Wasser wiederholt werden; der gerade Weg durchschnitt die Windungen des Flussbettes, was uns sehr aufhielt. Nach einer Stunde führte uns der Weg die nördliche, steil aufsteigende Wand der Quebrada hinauf. Wir verliessen hier den Hauptweg, der sich, im Bett des Flusses weiter hinziehend, nach „Catagilco" und „la Ligua" führt; der von uns genommene Nebenweg sollte uns nach den Goldwäschereien bringen. Die sich vor uns erhebenden Hügel wurden häufig so steil, dass wir absteigen

---

*) Eine Art Seeigel wird hier in grosser Menge gefunden. Die Eingeborenen zerschlagen seine stachlige Kruste und essen das Thier zuweilen roh, gewöhnlich aber gekocht. In Valparaiso wird es als Leckerbissen sehr gesucht. Auch der Pinguin findet sich häufig an diesen Ufern. Man findet ihn zuweilen gezähmt auf den nahen Bauerhöfen. Nur seine Haut und Fett wird benutzt und geschätzt, kommt aber nur in geringen Quantitäten auf den Markt.

und unsere Pferde an dem Zügel führen mussten. Nach einer mühevollen Viertelstunde befanden wir uns oben und hatten jetzt die Quebrada vor uns, in welcher die bedeutendste und reichste Goldwäsche stattfinden sollte. Der Peon, den wir von der Laguna mitgenommen hatten, bezeichnete sie mit dem Namen „Quebrada del Guindo“ (Guindo heisst Kirschbaum), obgleich weder nah noch fern etwas von diesen Bäumen zu sehen war. Wir mussten jetzt in dem hohen Grase, mit welchem die Hügel bedeckt waren, vorsichtig reiten, da der Boden mit seinen überwachsenen Gruben und Löchern ein sehr gefährliches Terrain bildete. Mein Freund erklärte mir diese als von der Indianerzeit stammend; jene hatten hier gegraben, um den goldenthaltenden Lehm, „Manto“ genannt, zu suchen. Bei näherer Untersuchung fand ich diese Gruben rundlich, von fünf bis zu zwanzig Ellen tief und häufig mit Wasser angefüllt. Letzteres musste vom Regen herrühren, da auf dieser Höhe die Existenz von Brunnen nicht möglich war. Auch indianische Gräber, an ihren aufgethürmten Erdhaufen erkennbar, wurden mir mehrere gezeigt. Sie bestehen aus weiter nichts, als einem Haufen Erde, unter dem, wenn umgegraben, häufig irdene Gefässe mit menschlichen Knochen angefüllt gefunden werden. Im allgemeinen geschieht dieses Umgraben selten, denn das Landvolk verbindet mit diesen Gräbern den Aberglauben, dass derjenige, welcher sie profanirt, verzaubert wird. Wenige wagen es daher, diese Gräber mit der Schaufel zu berühren, trotz den vielfachen Sagen, die im Lande über in sie vergrabene Schätze umhergehen. Wir umritten jetzt einen zweiten Hügelrücken, und binnen wenigen Minuten befanden wir uns am Rande der Quebrada oder Schlucht; sie war weit und tief, sowie von dichtem Gebüsch, meistens Dornen überwachsen. Hin und wieder auf einzelnen Lichtungen, die sich nur spärlich auf der gegenüberliegenden Wand der Quebrada zeigten, befanden sich die Hütten der Mineros oder Goldwäscher. Der schmale, steile Pfad, der von unserem Standpunkte in die Schlucht hinabführte, sowie das dichte Gebüsch nöthigten uns, zu Fuss hinabzusteigen. Mit unseren Lassos banden wir die Pferde an den Stamm eines riesigen „Quisco“, um sie bis zu unserer Rückkehr zu sichern. Wir konnten nur sehr langsam hinabsteigen, mühsam mussten wir uns durch das dichtverwachsene Gestrüpp Bahn brechen; oft am Boden entlang kriechend, oft einen Abhang hinunter rutschend, wurde unser Zeug von den Dornen zerfetzt und unsere Hände und Gesicht nicht minder blutig gekratzt. Endlich erreichten wir den Boden der Quebrada. Ein klarer Bach mit einer

Tiefe von nur wenigen Zollen und einer Breite von ca. funfzehn Fuss floss auf dem Grunde. Im Schatten überhängender Weiden, hin und wieder im engeren Bette sich vertiefend und im weiteren sich verflachend, fliesst dieses Strömchen, den edlen Goldsand mit sich führend. Wir erkannten auf den ersten Blick eine Aehnlichkeit mit den Bildern, die uns die Reisenden von den wilden Landschaften der Berggegend Californiens, an dem Fusse der Sierra Nevada und den Ufern des Sacramento und San Joaquin belegen, geben. So, wie dort, rührt der Goldsand von der beständigen, durch Jahrhunderte fortgeführten Friction des fliessenden Wassers mit dem goldenthaltenden Quarz her. Das Gold wird in kleinen Theilen abgewaschen und von dem Strom in den Flussbetten abgesetzt, — diese, durch vulkanische Wirkungen trocken gelegt, und im Laufe der Zeit mit anderen Erdschichten überdeckt, bilden den goldhaltenden „Manto“, welchem der Goldwäscher nachgräbt, um die darin enthaltenen kleinen Goldkörner durch Abwaschen zu gewinnen.

Die beiden Ufer des Wässerchens, an welchem wir uns jetzt befanden, waren von Häufchen ausgewaschenen Mantos bedeckt. Unfern unseres Weges fanden wir zwei Männer, mit dem Goldwaschen beschäftigt. Vor ihnen lag ein ziemlicher Haufen ungewaschenen Sandes, sie schaufelten diesen mit einem kleinen hörnernen Gefäss in die zum Waschen bestimmte „Batéa“, runde, flache Holzbecken, deren Boden spitz zuläuft. (Gewöhnlich sind sie von zwei Fuss Durchmesser). Der achte Theil derselben wurde mit dem Sande angefüllt, — sodann stellt der Wäscher das Gefäss auf den Grund des Baches, so dass das Wasser in dasselbe eindringt und es füllt; jetzt schüttelt er das gefüllte Gefäss kreisförmig und wirft mit dem entspritzendem Wasser vorsichtig die obere Schicht des Sandes aus. Das Gold, vermöge seiner Schwere, sinkt zum Boden der Batéa hinab. Dieses Experiment des Umherschüttelns und der allmählichen Entleerung des Sandes wird so lange wiederholt, bis nur ein geringer Bodensatz übrig bleibt. Dieser besteht natürlich nur aus den schwereren Erdtheilen, vorzüglich kleinen Eisen- oder Kupferstäubchen, unter welchen das scharfe Auge des Wäschers auch das kleinste Goldstäubchen entdeckt. Selten wird jedoch seine Mühe mit grösseren Stücken belohnt. Ich sah einige Stücke von ca. ein bis zwei Castellanos an Werth (Goldmünze im Werthe von $3\frac{2}{3}$ Thlrn.).

Die Methode dieses Goldwaschens ist natürlich sehr zeitraubend und giebt daher auch wenig Gewinn. Sie wird deshalb auch fast nur noch von den ärmeren eingeborenen Wäschern benutzt. In neuerer Zeit hat man verschiedene andere Waschsysteme in Anwendung gebracht, die alle den Zweck im Auge haben, eine möglichst grosse Quantität Sandes in einem möglichst kleinen Zeitraum zu waschen. Die von Californien eingeführten „Longtombs" sind die am meisten benutzten.

Die Leute, die wir jetzt vor uns hatten, wuschen mit Batéas; — die Tracht derselben bestand aus groben, wollenen Unterkleidern, und einem schmutzigen, schon lange ausgedienten Hemde. Um den Leib hatten sie einen breiten ledernen Riemen geschnallt, dessen Taschen Feuerzeug, Taback und, wenn etwas vorhanden ist, auch ihr Gold birgt, hinten im Gürtel steckt das unvermeidliche Messer, ihre einzige, aber in ihren Händen sehr gefährliche Waffe. Ihre Kopfbedeckung war ein zerfetztes, turbanartig um den Kopf geschlagenes Tuch, und ihre Fussbekleidung roh aus Ochsenhaut verfertigte Sandalen. Um sich bei ihrer Arbeit freier bewegen zu können, hatten sie ihre Ponchos abgeworfen, die seitwärts auf trocknerem Boden lagen. Kleine Lederschürzen, von der Taille bis zum Knie reichend, vervollständigten ihre Tracht. Da ich selten unterlasse, den Physiognomen ins Handwerk zu pfuschen, so fiel mir der starke Unterschied in den Gesichtsausdrücken dieser beiden Leute sogleich auf. Ihr ganz dunkelrother Teint deutete unzweifelhaft bei beiden auf indianische Herkunft, aber der eine dieser Männer hatte einen solchen gutmüthigen, offenen, sagen wir deutschen Ausdruck, während zugleich aus seinen Augen Intelligenz hervorsah, dass es mir schwer wurde, jene Abstammung bei ihm anzunehmen. Die verschmitzten dunklen Züge seines Gefährten dagegen, trotz dessen besserer und reinlicherer Kleidung, mussten Jedem Widerwillen einflössen. — Mit seinen kleinen tückischen Augen unter dem struppigen Haar auf uns schielend, würdigte er unseren Fragen über seine Arbeit nur sehr kurze Antworten, und als sein Gefährte darauf uns mit freundlichen klaren Worten alles Wissenswerthe auseinandersetzte, gebot er ihm mit einem derben Fluche zu schweigen und den verd...... Gringos keine Auskunft über ihren Reichthum zu geben. Diese Bemerkung trug ihm aber eine derbe Ohrfeige von meinem leicht zu erregenden Freunde Collado ein; der Geschlagene fasste wie der Blitz sein Messer, aber ein Blick auf unsere nicht minder rasch bereiten Revolver belehrte ihn eines Bessern, und nachdem er seinen Manta umgeworfen, verschwand er in dem nahen Gebüsch, Drohungen gegen uns ausstossend. Sein zurückgebliebener Gefährte belehrte uns, dass jener der eigentliche Eigenthümer ihrer Mine sei, der nach der herrschenden Sitte, um sich seines Arbeiters

3

Interesse und Ehrlichkeit zu sichern, ihn als Compagnon angenommen. Er warnte uns vor des Anderen Hinterlist, wegen welcher man ihm den Beinamen „el gato“ gegeben hatte. — Ich bemerke hier, dass Jeder der männlichen Bewohner seinen Beinamen hat, z. B. kennt man den Fuchs, die Katze, die Schlange, den Dicken, den Langsamen etc. Häufig kennt man den eigentlichen Namen eines Individuums gar nicht, sondern nur den Beinamen, den sie irgend einer ihrer Eigenschaften verdanken. Diese Sitte mag sich wohl von ihren indianischen Vorvätern auf sie vererbt haben; in den Städten habe ich sie niemals gefunden.

Der Minero theilte uns mit, dass in kurzer Entfernung von ihrem Lavandero sich eine grössere Compagnie niedergelassen hätte, die mit den Arbeiten einer grossen Wasserleitung, um neue Wäschereien zu etabliren, beschäftigt sei. Er erklärte sich auch bereit, uns dahin zu führen, nur müsse er einen anderen Gefährten erwarten, der beschäftigt sei, den in der Mine losgebröckelten Manto zum Waschen herunterzubringen. Die Mine befand sich auf der jenseitigen Wand der Quebrada, etwa zwanzig bis dreissig Fuss über unserm Standpunkt. Es währte nicht lange, bis dieser aus einem Seitenwege hervorkam. Keuchend näherte er sich unter der Last des mit Manto gefüllten Costales. — Costal ist der aus Häuten zusammengenähte Sack. An der Seite des Stromes entleerte er ihn. Er schien sehr ermüdet; es muss in der That eine furchtbare Arbeit sein, diesen wenigstens 150 Pfund wiegenden Sack diese Wege herunterzuschleppen, Wege, auf welchen wir kaum unsern eigenen unbelasteten Körper vorwärts zu bringen vermochten. Der Bursche war übrigens von athletischem Körperbau.

Sein College bedeutete ihm, bis zu seiner Rückkehr dazubleiben und erklärte sich dann bereit, uns zu begleiten. Wir waren kaum zweihundert Schritte dem schmalen Pfade, der im Grunde der Schlucht an der Seite des Strömchens entlang läuft, gefolgt, als wir, uns zur Rechten, an dem dort weniger geneigten Abhange unter dem dichten Gebüsch eine Lichtung wahrnahmen, auf der ein kleiner Rancho aus ausgetrockneter Erde stand. Die Ranchos können überhaupt nur hoch an den Seitenwänden der Quebradas angebracht werden. Wollte man sie im Grunde bauen, so würde die Wassermasse des nächsten Winters oder Frühjahrs nichts von ihnen übrig lassen. Ein schmaler Pfad, den die Bewohner zum Wasserholen benutzten, führte uns in grader Linie zur Hütte. Vor derselben angekommen, fanden wir die Thür verschlossen. An einem nahen Feuer nahm ein junger Bursche einige Töpfe in Obacht.

Er bedeutete uns, dass seine Herren bei der Wasserleitung beschäftigt seien, es würde jedoch keine halbe Stunde bis zu ihrer und der Arbeiter Zurückkunft vergehen. Es war schon spät am Nachmittage und wir beschlossen daher, die Gastfreundschaft dieser Leute in Anspruch zu nehmen. Wir schickten demnach unseren Peon ab, um unsere Pferde auf einem Umwege, oben am Rande der Schlucht entlang, herzubringen. Wir selbst betrachteten uns indessen das Etablissement, wozu uns die Erklärungen des Bürschchens nicht unwillkommen waren. Hinter der verschlossenen, aus getrockneter Erde aufgeführten Hütte befand sich ein kleiner, neu angelegter Gemüsegarten, von einer Hecke zum Schutze gegen das zahlreiche Vieh dieser Hacienda umgeben. (Es war dieses bereits Gebiet der Hacienda Catagilco.) Wie schon bemerkt, war die Lichtung, auf welcher dieser Rancho errichtet, nur eng. — Das Terrain neigte sich stark nach der Tiefe der Quebrada. Oberhalb wie unterhalb, sowie zu den beiden Seiten der Lichtung, setzte sich das dichte Gebüsch fort, aus welchem von allen Richtungen enge Pfade hier zusammenliefen. Einer dieser Pfade führte uns nach wenigen Schritten nach dem Backofen, neben welchem sich ein weisses Leinwandzelt, die Wohnung der Arbeiter, befand. Werkzeuge und Geräthschaften aller Art lagen zerstreut auf dem Grase umher. — Denselben Pfad weiter verfolgend, fanden wir mehrere alte sowie neu angelegte Minen. Eine der letzteren hatte eine Tiefe von ungefähr sechszig Fuss. Eine in den harten Boden gehauene, sehr rohe Wendeltreppe führte in die Tiefe; wir stiegen sie hinab. Es konnte nur mühsam und langsam geschehen, denn die grösste Vorsicht musste angewendet werden, um auf den oft nur wenige Zoll breiten Stufen und der steilen Treppe nicht auszugleiten. In einer Tiefe von circa zwanzig Fuss, die wir abwechselnd auf den fast senkrechten Treppen und durch schräge, auch horizontal belegene Gänge, erreichten, fanden wir rechts einen Zweiggang, der sich in nördlicher und fast horizontaler Richtung hinzog. Das Tageslicht fand hier keinen Eingang mehr, und begann das von dem Jungen mitgebrachte Grubenlicht treffliche Dienste zu leisten. — Der Gang oder Aushöhlung, den wir entdeckt und welchen wir weiter zu verfolgen trachteten, war nur drei Fuss hoch und wenige Zoll breiter. Wir konnten unsern mühsamen Weg daher nur kriechend verfolgen; der Kleine mit dem Lichte vorauf, wir hinterher. Nach einigen Wendungen, die sich bald senkend bald hebend nur von der unregelmässigen Arbeit der Mineros herzurühren schienen, erreichten wir eine grössere Aushöhlung, wo wir etwas gebückt zu stehen

3*

vermochten. Das Talglicht gab uns nur wenig Licht, doch erkannten wir hier die Schicht des Manto oder goldführenden Sandes, die sich mehrere Fuss dick zeigte. Die Unterlage war Granit und die obere Schicht ein rother fester Gyps — feldspathiger Lehmschiefer. — Diesem letzteren scheint der Manto gleich zu sein, seine Farbe ist jedoch heller und seine Masse lockerer. Geologische Anzeichen deuteten darauf hin, dass früher hier der Grund der Quebrada gewesen sein musste, sowie überhaupt die Quebradas in Chile, durch die Kraft der aus den Bergen herabstürzenden Wasser und die Häufigkeit der Erdbeben, oft ihr Bett wechseln und daher ihr Aussehen und geologische Lage einer fast immerwährenden Veränderung unterworfen ist. — Die Mine, in welcher wir uns jetzt aufhielten, hatte noch einen anderen längeren Zweiggang, der sich wenige Fuss unter dem ersten befand, jedoch in fast entgegengesetzter Richtung lief. Den Grund der Mine konnten wir nicht erreichen, da er mit Wasser bedeckt war. Diese Mine hatte bis jetzt kein sehr ergiebiges Resultat gegeben, der Manto enthielt nur wenig Gold; es ist überhaupt in diesem Distrikte bis jetzt kein günstiges Resultat erzielt worden. Berichte über ihren ungeheuren Reichthum sind überall im Umlauf, die sich grösstentheils auf Sagen aus der Indianerzeit, seltener aus der spanischen Herrschaft gründen. Sie verleiten häufig Leute ohne Erfahrung in diesem Fache, beträchtliche Summen in solche Unternehmungen, die theilweise auf die abenteuerlichsten Berichte gegründet sind, zu stecken; bis jetzt haben nur sehr Wenige einen günstigen Erfolg erzielt. Dieses bezieht sich natürlich nur auf diese Distrikte. Wem wäre es unbekannt, dass Chile seinen Hauptreichthum seinen Minen verdankt. Doch findet sich dieser glänzende Erfolg fast gänzlich auf die nördlichern Distrikte und den den Andes näher belegenen Landestheilen beschränkt. Es werden vorzüglich Silber und Kupfer im grossartigen Maassstabe, nach diesen Gold und wenig Quecksilber bearbeitet. Auch viele andere Metalle, wie Blei, Eisen, Antimonium, Kobalt und Zink sind entdeckt, aber bis jetzt nicht ausgebeutet. Die Geringfügigkeit des bis jetzt aufgefundenen Quantums mag den Bergleuten wohl nicht genug Erfolg versprechen*). Quecksilber, wie schon gesagt, wird nur in geringer Menge producirt. — Die Metalladern laufen gewöhnlich von Süd und Südost nach Westen zwischen

*) Mit Kobalt hat man Versuche gemacht. In der Nähe von Santiago de Chile wird es in Tamibilles bearbeitet. An anderen Orten versuchte man ein Gleiches, jedoch ohne Erfolg; wie gesagt, die geringe Quantität des Minerals zahlte nicht die Arbeit und Mühe.

Granit- und Trachytfelsen. — Gold wird nicht häufig als Metallader gefunden, sondern, wie dieses in den Minen der Fall war, die wir heute sahen, in Lehmbetten, seltener findet es sich in den Flüssen selbst.

Wir kehrten zur Hütte zurück. Die Eigenthümer derselben fanden wir bereits angelangt, und der Zufall wollte es, dass einer derselben von Don Nicanor gekannt war, welches uns eine doppelt gute Aufnahme und Bewirthung eintrug. Ohne diesen Umstand würden wir vielleicht nicht so freundlich behandelt sein, da gewöhnlich die Mineros auf die Fremdlinge eifersüchtig sind und immer befürchten, einen neuen Concurrenten zu bekommen.

Sie erzählten uns viel von ihrem Mineroleben und Arbeiten; sie waren vor drei Monaten von der Ligua, einem etwas nördlicher belegenen Orte, gekommen, um eine Wasserleitung nach dem Llano der Guindo-Quebrada zu machen. Dieser Llano ist eine kleine Hochebene vor dem Eingange der Quebrada, derselben, wo wir vor einigen Stunden abgestiegen waren, man hatte dort verschiedene antike Minen gefunden und dieses mit anderen, sehr günstigen Anzeichen zusammengestellt, liess dort auf eine reiche Schicht Manto hoffen. Man hatte diesen auch schon wirklich entdeckt, aber das Heruntertragen desselben in Säcken, um ihn unten in der Quebrada in Bateas zu waschen, lässt wenig Gewinn. Weit mehr Aussicht auf günstigen Erfolg war vorhanden, falls sie einen genügenden Strom Wasser auf die Höhe des Llano zu führen vermöchten, man könnte sodann den Manto oben in den schon erwähnten Longtombs in solcher Quantität und in so geringer Zeit waschen, dass selbst ein geringer Theil Gold, in einem gegebenen Theil Manto enthalten, Gewinn brächte. — Um diesen Zweck zu erreichen, hatten sich diese Leute zu einer Compagnie vereinigt, deren Mitglieder hier sämmtlich anwesend waren. Das Wasser musste von einem drei Leguas entfernten Bache, dessen Niveau auf derselben Höhe wie der Guindo-Llano lag, hergeführt werden. Der oft lockere Sandboden der gezogenen Gräben verlangte schwere Arbeit. Fast zwei Leguas mussten gänzlich mit Lehm belegt werden, um die nöthige Dichtigkeit zu erlangen. Auch Canäle mussten über die zahlreichen kleine Erdrisse gelegt werden. Sie bewerkstelligten dieses durch grosse Bäume, deren ausgehöhlter Stamm über die Schlucht gelegt und an beiden Enden wohl befestigt wurde. Das Wasser floss durch den Baum. Am meisten Mühe musste ihnen das Fortschaffen dieser colossalen Stämme verursachen, da sie dieses nur mit der Kraft ihrer Arme bewerkstelligten, ohne Maschinen anzuwenden. — Auch die Nivellirung der Leitung machte ihnen viel zu schaffen; schon mehremal hatten sie sich im Niveau getäuscht und dieser unselige Irrthum, eine halbe Legua fortgeführt, machte die ganze Arbeit auch dieser Strecke unnütz, und verursachte den Arbeitern nicht wenig Kosten und Zeitverlust. — Bei unserem Dortsein arbeiteten sie mit zwanzig Peonen, welchen sie jedem zwei Real per Tag bezahlten.

Am nächsten Morgen besichtigten wir ihre Wasserleitung und andere von ihnen entdeckte Minen. Wir fanden durch den Anblick bestätigt, was uns von der Schwere ihrer Arbeit gesagt worden, vorzüglich wenn man bedenkt, dass ihre Werkzeuge nur die ganz gewöhnlichen, das Beil, die Schaufel, die Hacke und Barreta oder Stosseisen waren. Bei diesem gänzlichen Mangel an geeigneten Maschinen oder Kenntniss, sich diese selbst roh aus einigen Balken zu verschaffen, musste ihnen vorzüglich, wie schon bemerkt, die Fortschaffung der Bäume von den Plätzen ihrer Fällung bis zur hochbelegenen Acéquia schwer fallen.

Die verschiedenen Quebradas, durch welche wir zur Besichtigung ihrer Arbeit geführt wurden, waren oft romantisch schön. Dunkle Schluchten, zu einem dichten grünen Knäul verwachsen, wechselten ab mit helleren Thälern. Zuweilen begegneten wir in letzteren Gruppen der chilenischen Eiche, der Roble, deren hohe Stämme Säulen nicht unähnlich waren. Ihr dichtes, verschlungenes Laubdach verursachte ein angenehmes Dunkel — Tempel der Natur könnte man sie nennen — die feierliche uns umgebende Stille, der Contrast dieses Dunkels mit der da draussen blitzenden Morgensonne, das hoch erhabene Dach, auf diesen ehrwürdigen Pfeilern gestützt, alles dieses macht den Eindruck der Ehrwürdigkeit, und führt die Gedanken leichter als an weniger ernsten Orten unserm Schöpfer zu. Die Umgebung dieser hoch belegenen Gegend war nicht weniger dem Auge angenehm. Wellenförmige Hügel mit fettem, oft fusshohem Grase bewachsen, erhoben sich terrassenförmig gegen die Cordilleren; zuweilen wurden sie von kleinen Hochebenen unterbrochen, auf denen sich zahlreiche Schaaren Hornvieh befanden. Wie kleine Punkte sieht man dieses an den fernen Hügeln und Flächen hängen. Gänzlich frei von Buschwerk, bilden diese Höhen eine angenehme Abwechselung mit den bewaldeten Tiefen.

An einer Einzäunung anlangend, erkannten wir eine Wiese des Luzerne-Klee's (Alfalfa). Wenige Thiere, vorzüglich Stuten mit ihren Füllen, befanden sich in derselben, sich von diesem unweit kräftigerem Grase als das wildwachsende ernährend. Man sagte mir, dass in diesen Wiesen nur kranke Thiere oder solche, die neu angekauft seien, eingeschlossen würden. Und in der That sah ich bei näherem Hinschauen, dass diese trotz der besseren Nahrung sich im schlechteren Zustand befanden, als das sich ausserhalb der Einzäunung befindende Vieh, welches natürlich nur seinen Grund in Krankheit oder erlittener Anstrengung haben konnte. — Das Vieh war im Allgemeinen fett und von gutem Aussehen, ich erfuhr später, dass die Hacienda Catagilco, auf deren Territorium wir uns noch immer befanden, wohl an 3000 Kühe und 800 Stuten mit 3 — 400 Pferden besitze. Letztere werden höher geschätzt als die vorigen. —

Bedenkt man, dass jede Kuh jährlich kalbt und jedes Kalb im dritten, höchstens vierten Jahr wieder wirft, so wird man das vortheilhafte Geschäft verstehen, welches dem Hacendado aus der Viehzucht erwächst. Jedoch, wie wir später sehen werden, wird dieses Geschäft in Argentinien, dem Lande der Viehzucht, in viel grösserem Maassstabe betrieben, da dort so viele Nachtheile wegfallen, die dem chilenischen Hacendado den Gewinn schmälern. Zunächst ist es der durchgängig enorme Werth des Bodens in Chile, welcher nicht zulässt, der Viehzucht die ihr nöthigen grossen Strecken Landes zu überweisen, dann die trockenen Jahre, in denen das oft gänzliche Verschwinden des Grases allgemeine Seuchen unter dem Vieh hervorbringt, welche dieses zu Hunderten und Tausenden hinwegraffen. Ich stehe hier davon ab, von diesem wichtigen Industriezweige mehr mitzutheilen, da ich in meinen Mittheilungen über Argentinien darauf zurückkommen werde.

Kehren wir zu unseren Mineros zurück.

Wie gesagt, ihre Arbeit war schwierig und kostspielig, trotzdem waren sie von gutem Muthe beseelt, welcher von der, dem Minero eigenthümlichen festen Hoffnung auf einstigen Erfolg nicht wenig gehoben wurde. Ohne dieselbe würde er wohl schwerlich diesen Mühseligkeiten die Spitze bieten. — Nachdem wir noch einige indianische Minen, die nur aus zerfallenen Erdlöchern bestanden, besucht hatten, und auch mehrere der neu entdeckten, die alle mehr oder weniger der schon gemachten Beschreibung entsprachen, verabschiedeten wir uns von unseren gütigen Wirthen und ritten weiter, um unsere Begierde, die Häuser und gepriesenen Anlagen von Catagilco zu sehen, zu befriedigen. — Wir sollten dort jedoch nicht anlangen, ohne eine Schattenseite des chilenischen Characters in dunkelsten Farben wahrgenommen zu haben.

Unser Weg, von der Guindoschlucht ausgehend, näherte sich, die krummen Windungen eines kleinen Bergbaches verfolgend, bald wieder dem Flüsschen, welches wir gestern verlassen. An den Ufern desselben, am Abhange derselben Seitenwand, die wir gestern wenige Legua weiter der Mündung zu erstiegen, lag ein ärmlicher Rancho, der, wie unser Führer uns mittheilte, von einem Vaquero der Hacienda mit seiner Familie bewohnt wurde. Aermlich war der Rancho, aber die reiche, ihn umgebende Natur gab ihm trotz seiner Hinfälligkeit, trotz seinen gemeinen Erdmauern, einen Vorzug über manche reiche Villa: rings von der stillen Natur, dem klaren Flüsschen und den grünenden Anhöhen umgeben, bot er einen angenehmen, ja mehr als dieses, einen reizenden Anblick. Man mochte versucht sein, ihn in seiner Vereinzelung und einsamen Umgebung eine Wohnung des Friedens zu nennen. Auch war er dies bis jetzt gewesen, aber wir sollten uns zu einem Drama einfinden, welches in dieser friedlichen Scene gespielt wurde und dessen Traurigkeit sich des grellen Contrastes mit der sonnigen Umgegend wegen, verdoppeln musste.

Wir waren auf der Höhe der Seitenwand angekommen und übersahen die Hütte mit ihrer Umgebung. Sie lag am Ufer des Flüsschens und am Fusse unseres Standpunktes; mit der Front war sie dem Thale zugekehrt, also übersahen wir nur den hinteren Hof des Hauses. Es fiel uns auf, in diesem eine Menge gesattelter Pferde zu sehen, ohne irgend einen Reiter wahrzunehmen. Uns der Tiefe mehr nähernd, übersahen wir jetzt auch den vorderen Theil des Hofes, auf welchem eine bedeutende Anzahl Menschen versammelt schienen. Da heute kein Festtag war, musste diese Versammlung etwas Ungewöhnliches bedeuten. Auch Reisende konnten es nicht sein. Abgesehen von der Grösse ihrer Zahl, war auch der Weg in viel zu weiter Entfernung, um dies wahrscheinlich zu machen. Um unsern Zweifel zu lösen, näherten wir uns rasch der Hütte; binnen kurzem kamen wir dort an und fanden unsere Erwartungen, etwas Ausserordentlichem zu begegnen, nur zu sehr bestätigt.

In die hintere Thür der Hütte eintretend, fanden wir den Vaquero, einen alten Mann, von seiner Familie umgeben, alle den grössten Jammer durch Klagen und Schluchzen ausdrückend. — Durch eine Aushöhlung in der Mauer, ein Fenster vorstellend, übersahen wir den vorderen Hof, auf welchem wohl fünfzig Kerle, — ihrer Tracht nach schienen sie zum grössten Theil Mineros zu sein, — einen Ring gebildet hatten. Alle diskutirten heftig und schienen von etwas Ausserordentlichem bewegt, so dass unsere Ankunft kaum bemerkt worden war. —

Von dem etwas ruhigeren Alten erhielten wir bald die Erklärung dieser räthselhaften Versammlung und seines und seiner Familie Kummer. Ihr Sohn hatte Streit mit einem Minero gehabt und diesen geschlagen. Jetzt kam letzterer in Begleitung seiner Freunde, um Genugthuung für diesen Schimpf zu fordern oder nöthigenfalls zu erzwingen. Er forderte seinen Beleidiger zu einem jener verzweifelten Zweikämpfe, die noch in ihrer ganzen barbarischen Roheit zwischen den Mineros gang und gebe sind.

Mein Freund Collado sowohl wie ich versuchten sogleich Alles, um die Leute zu beruhigen und vorzüglich den jungen Vaquero, den Sohn des Eigenthümers dieses Rancho, friedlich zu stimmen; allein sowohl bei ihm wie bei dem Herausforderer und dessen Freunden blieben Bitten, Versprechungen und Drohungen alle gleich vergebens, und wären wir bald für unsere Mühe schlecht belohnt worden, wenn wir diese unnützen Versuche noch fortgesetzt haben würden. Auch erkannten wir jetzt in dem Beleidigten, der den jungen Vaquero herausforderte, denselben Minero, der gestern von meinem Freunde für seine Frechheit bestraft wurde. — Er sprach mit Heftigkeit und in leisem Ton zu mehreren seiner Begleiter, und nach seinen Geberden und Handbewegungen zu urtheilen, blieb kein Zweifel übrig, dass wir der Gegenstand seiner Rede und vielleicht eines schwarzen Vorschlages waren.

Es war kein Mittel vorhanden, den bevorstehenden Zweikampf zu verhüten, vorzüglich da beide Theile gleich energisch darauf bestanden. Keine gerichtliche Hülfe war im Umkreis von 5—6 Leguas zu haben und uns beide dieser wüthenden Horde entgegenzustellen, wäre nur nutzlose Aufopferung gewesen. Wir mussten also dem Dinge seinen Lauf lassen und nur den Folgen, die etwa für uns daraus erwachsen konnten, vorzubeugen suchen. Doch durften wir nicht daran denken, uns diesem Schauspiel durch Fortreiten zu entziehen. Der alte Eigenthümer der Hütte vertraute uns, dass der Kampf selbst nicht seine grösste Sorge sei; sein Sohn wusste geschickt mit dem Messer umzugehen, und seine hohe, muskulöse, und worauf es bei diesen Kämpfen besonders ankömmt, gewandte Gestalt sprach für einen günstigen Erfolg; aber der Alte fürchtete mit vielem Grund, dass der junge Mensch als Sieger von den vielen Freunden seines Gegners misshandelt werden, und auch er und seine Familie ihrer Rache nicht entgehen würde.

Wir hielten es daher, trotz der Gefahr, die für uns daraus erwachsen konnte, für unsere Pflicht, zu bleiben, und nahmen unsere Vorsichtsmassregeln, um jeder Ueberraschung zuvorzukommen. Die hintere Thür der Hütte wurde gut verrammelt und die vordere so eingerichtet, dass sie augenblicklich geschlossen und gleichfalls verrammelt werden konnte. Da Alle mit den Vorbereitungen zum Zweikampfe beschäftigt waren, so dachte Niemand daran, uns zu beobachten, noch viel weniger uns zu hindern.

Der Kampf sollte jetzt beginnen: im weiten Halbkreis umstanden die Mineros die beiden bis auf die Unterkleider entblössten Kämpfer. Ein vier Ellen langer, lederner Riemen, dessen Enden um die Hüften der beiden Gegner geschlungen waren, verband diese. Keiner sollte der Wuth des Andern entfliehen. In ihren Händen blitzte das scharfgeschliffene spitze Messer.

Sobald sich die Männer zurückgezogen, die ihnen den Riemen um die Hüfte befestigt, stürzten sie mit hocherhobenem Messer auf einander zu, ohne irgend ein Signal abzuwarten. Die Wucht des ersten Stosses riss beide zu Boden. Wie zwei Verzweifelte rangen sie dort, ohne auch nur einen Laut von sich zu geben. Unmöglich konnte man erkennen, wer oben, wer unten lag, so rasch folgte Bewegung auf Bewegung, Stoss auf Stoss. Zuweilen erkannte man das Blitzen eines Messers, zum Stosse erhoben, aber blitzschnell wurde es von der anderen Klinge aufgefangen. — Es währte nicht lange, bis sich eine Blutlache unter den Kämpfenden bildete, langsam bahnte sich der Blutstrom durch den Sand seinen Weg. Nach einigen Minuten hörte das Ringen plötzlich auf, beide Kämpfer, scheinbar von dieser furchtbaren Anstrengung ermattet, starrten einander an: einen scheusslichen Anblick boten diese Körper, von Kopf bis zu Fuss mit Blut und Staub bedeckt. Die Umstehenden traten näher, um sie auseinander zu bringen, aber nur einen Moment hatte diese Ruhe der beiden Elenden gedauert. Das grässliche Ringen hatte wieder begonnen. — Die Mineros schienen jetzt an dem Blutschauspiel genug zu haben, andrerseits mochten sie auch wohl von dem herzzerreissenden, krampfhaften Geschrei der Mutter, die fortwährend nach ihrem Sohn rief und den ehernen Cirkel, der den Kampfplatz umgab, vergebens zu durchbrechen suchte, gerührt sein, genug, sie eilten jetzt, um die Streitenden zu trennen, aber zu spät, — wieder sahen wir ein Messer aufblitzen, — hoch zum Stosse ausholen, aber keine Klinge wehrte es, und tief bohrte es sich in die Brust eines der Unglücklichen. Ein heller, rother Blutstrahl schoss empor. Schaudernd wandte ich mich ab, der

Kopf schwindelte mir, kaum erreichte ich die Hütte, wo ich mich kraftlos auf einen Sessel niederliess.

Der Kampf war beendet. — Mein Freund rief mich wieder hinaus. Eine Gestalt, durch Schmutz und Blut ganz unkenntlich, suchte sich zu erheben, aber es gelingt ihr nur durch die Hülfe eines Mannes, in welchem ich den alten Vaquero erkannte. Der Verwundete war sein Sohn. Sein Feind lag auf dem Boden ausgestreckt, seine Freunde unterstützten ihn, aber er sollte sich nicht wieder erheben. Sein Röcheln wurde allmählich schwächer, seine Glieder reckten sich im letzten Todeskampf, und bald lag an der Stelle, die wenige Momente vorher ein lebendes, denkendes Wesen einnahm, eine starre, unkenntliche Leiche. Die Mineros, anfangs kleinlaut und still, brachen jetzt in laute Verwünschungen aus. Aber wir waren inzwischen nicht unthätig gewesen. Der junge Vaquero sowie seine ohnmächtige Mutter waren bereits in die Hütte geschleppt und die Thüren gut verbarrikadirt.

Vergebens donnerten die Kerle an dieselbe; die festen Eichenbohlen trotzten ihren vereinten Kräften. Auch ein über ihre Köpfe gerichteter Schuss, den ich aus dem kleinen Fenster abfeuerte, that seine Wirkung. Sie mochten wohl einsehen, dass sie nicht viel Nutzen von einem Angriff auf die feste und von Feuerwaffen vertheidigte Hütte haben würden, banden den Leichnam ihres erschlagenen Kameraden auf dessen Pferd, sassen auf und jagten unter wilden Drohungen und Geschrei davon.

Dem Verwundeten wurde jetzt das Gesicht gewaschen und noch dann hatte ich Mühe, in dieser bleichen hinfälligen Gestalt den noch vor kurzen Augenblicken so frischen und kernigen Sohn des Vaquero zu erkennen. Er hatte im linken Arm eine tiefe Wunde und eine andere leichtere in der Schulter. Sie wurden gereinigt und mit den Blättern des blutstillenden, heilenden „Sauco“ belegt. Noch in derselben Nacht sollte er mit seinem Vater nach den nördlicheren Distrikten reisen, um der gerichtlichen Nachsuchung, die unzweifelhaft erfolgen musste, zu entgehen.

Nachdem wir den Leuten, so viel in unsern Kräften stand, geholfen und sie getröstet hatten, setzten wir trüben Sinnes unsern Weg nach Catagilco fort.

Wir hatten so eben die menschlichen Leidenschaften in ihren zerstörendsten Wirkungen gesehen; es machte mich nachdenkend über die Tiefe des Elends, in welche sich der Mensch blindlings stürzt, um seinen thierischen Instinkt der Rache zu befriedigen. Auch noch in dieser

Tiefe Heuchler, erfindet er das Wort „Ehre“, um seinen niedrigsten Trieb zu bedecken, — Ehre, um Schande zu verhüllen.

Und das Resultat?

Auf der Seite des Opfers die verlorene Zukunft eines Menschen, das Unglück einer Familie, die ihren Ernährer verliert, auf der Seite des elenden Siegers das ewige Bewusstsein seiner Blutschuld, denn nur wenig hilft ihm nach begangener That der Mantel der Ehre, den er ihr umhängt. Immer wird er zweifeln, immer wird er sich fragen: bin ich Mörder oder nicht? Von Zweifel zu Zweifel geworfen, wird er den Genuss verloren haben, den das Leben allen Gewissensruhigen bietet.

Die verlorene Zukunft zweier Menschen!

Weniger zwar, als der gebildete Europäer, ist der rohe Natursohn dieser Länder für jene Handlung verantwortlich. Während jenem genau die Gränzlinie zwischen Laster und Tugend eingeprägt sind, während jener mit vollem Bewusstsein seine verbrecherische Absicht ausführt, ist dieser unbelehrt, unerzogen, weder fähig seine Leidenschaften zu zügeln, noch das Wahre zu erkennen.

Er wurde beleidigt, es drängt ihn, sich zu rächen. Sein Gewissen sagt ihm zwar: Selbsthülfe ist ungerecht, aber dem Gewissen kommt nicht der Verstand zu Hülfe. Das Beispiel seiner Väter, das Gaukelspiel der Ehre und die erhitzten Leidenschaften sind mehr wie hinreichend, die schwachen Schläge des Gewissens zu tödten.

Mit Gewalt riss ich meine Gedanken von diesem trüben Gegenstand. Die lachende Naturscene, die uns umgab, athmete Frieden. Die verlassene Blutscene erschien mir wie ein böser Traum, der wenig zu diesen sonnigen Plänen passte.

Wir verfolgten noch einige Leguas den Lauf des Flüsschens stromaufwärts. Seine beiden hohen, oft steil aufsteigenden Seitenwände fanden wir überall mit Oeffnungen grösstentheils verfallener Minen bedeckt. Neue Arbeit zeigte sich wenig. Nach und nach wurden die Seitenwände des Flüsschens ebener. Von hohen Bäumen bewachsen, bildeten diese hier und da kioskartige Wäldchen; — dichtes Gebüsch wechselte mit Lichtungen voll des üppigsten Grases. Zahlreiches und fettes Vieh weidete auf diesem. Diesen Zeichen der Fruchtbarkeit und des reichsten Pflanzenlebens waren jedoch die Merkmale der Zerstörung nur zu nahe, um den Eindruck der Ruhe und des Wohlbehagens, den der Anblick der Mutter Natur im Gemüthe erzeugt, ganz in uns aufzunehmen. Die schwellenden Gebirgswasser hatten an den Seitenwänden, viele Fuss über unsere Köpfe erhaben, ihre unverkennbaren Spuren zurückgelassen. Entwurzelte, halbverwitterte Baumstämme, mit den Wassern herbeigeschwemmt, lagen weit über dem Niveau unseres Pfades zerstreut. Ueberreste von Ranchos und frühere Zäune, unter der alten Wasserlinie belegen, zeugten von durch Wasser vertriebenen früheren Bewohnern. Einen melancholischen Anblick boten diese elenden Ueberreste. Die jetzt eingefallenen Erdmauern mochten wohl vor Kurzem noch glückliche Menschen umschlossen haben, die zum Theil verunglückt sind und zum Theil gezwungen waren, ihren väterlichen Heerd zu verlassen. Ein Schicksal, welches sich alljährlich in fast allen den zahllosen und bevölkerten Quebraden Chile's wiederholt.

IV.

Hacienda Catagilco. – Schafzucht. – Häuser der Hacienda. – Wasserarbeiten. – Colonisten. – Rückreise nach Pichuncavi. – Abreise von Pichuncavi. – Das Dörfchen Pucalan. – Hacienda del Melondas Higuelas. – Cerro de la Campana. – Ankunft in Ocoa. – Nachtlager. – Weiterreise nach San Felipe.

Wir verliessen bald den Fluss und folgten dem Weg, der landeinwärts nach den Häusern der Hacienda Catagilco abbiegt. Die Gegend wurde jetzt weniger malerisch; eine breite, trockne Ebene mit spärlichem Grase bewachsen, schien sich meilenweit auszudehnen. An drei Seiten von bald niedrigen, bald hohen Hügeln umschlossen, schien sie auf der vierten, nach welcher wir uns bewegten, unbegränzt zu sein. Wir begegneten hier mehreren Ranchos, von zahlreichen Schafheerden umgeben; die um die Hütten angebrachten Hürden oder Corräle besagten, dass ihre Bewohner die Hirten seien.

Die Schafe waren in keinem guten Zustande; man sagte uns, dass sie des veränderlichen Wetters wegen nur sehr schlecht gedeihen, und der Eigenthümer der Hacienda sich daher nur mit wenig Eifer mit der Zucht befasse. Bei näherer Besichtigung der Heerde fanden wir sie aus ganz gemeinen Schafen (oveja criolla) bestehend und nur ein- bis zweihundert waren Merinos. Die Eigenschaft des hiesigen Grases, welches man als zu fett für jenes Thier bezeichnet, mag wohl nächst der schon erwähnten Ursache des Witterungswechsels der Grund dieser Vernachlässigung sein.

Je weiter wir auf der Ebene fortschritten, je bevölkerter wurde sie. Die Ranchos, unter denen sich sogar einige der Zwittergeschöpfe zwischen Hütte und Haus gemischt hatten, wurden häufiger, und drängten sich bald zu einer weiten Gasse zusammen. Die einzeln Hütten waren meistentheils von kleinen Corrälen und etwas grösseren Gemüsegärten umgeben. Hühner befanden sich in jedem der Höfe in ziemlicher Anzahl. Anderes Geflügel war wenig vorhanden. — Ebenso sahen wir wenig anderes Vieh, als einige magere Schafe und Ziegen; hier und da wälzte sich auf den Misthaufen eine Sau mit ihren Ferkeln, aber sie gehörte zu den Seltenheiten. Nur Hunde fanden wir genug. Bei jedem Rancho, den wir nah oder fern vom Wege passirten, sprang eine zahlreiche Meute heraus. Sie benutzten unsere Ankunft, um ein so furchtbares Geheul anzustimmen, dass ich unwillkürlich des Geheuls der hungrigen Wölfe in den russischen Wäldern gedachte, von dem Reisende in jenen Theilen uns so schreckhafte Darstellungen geben.

Wir wurden jetzt am Horizont einige weisse Punkte gewahr, die mein Freund alsbald für die zweistöckigen Wohnhäuser des Hacendados von Catagilco erklärte. Auch andere Anzeichen thaten uns die Nähe dieser Häuser kund. Die Hecken, die die umfangreichen Felder, sorgfältig mit Gräben umzogen, umgaben, wurden regelmässiger und endeten bald in eine solide Steinmauer, wie sie wohl kein Inquilino herzustellen im Stande wäre. Waizen- und Gemüsefelder, sowie oft acht bis zehn Quadrat-Quadras grosse Weingärten zogen sich theils am Wege, theils zur Seite am Fusse der naheliegenden Hügel hin. — Ueberall waren zahlreiche Arbeiter beschäftigt, sowohl in den Feldern mit Pflügen, als an den Wegen, um diese auszubessern und oft ganz zu verlegen, theilweise um ihnen eine geradere Richtung zu geben, als auch um besseres Terrain als das, welches die alten Wege in ihren zufälligen Wendungen gefunden hatten, aufzusuchen. Selten hatte ich in Chile solche gute Wege gesehen, wie auf dieser Hacienda. Breite und bequeme Fahrstrassen durchziehen das Gebiet derselben nach allen Seiten, die in ihrer Durchführung durch tiefe Schluchten und über die hohen, oft felsigen Hügel eine furchtbare Arbeit gekostet haben müssen. Aber einem chilenischen Hacendado stehen viele Kräfte zu Gebot. Vorzüglich sind es seine Inquilinos oder Pachtbauern, die zu ihm in einem an Leibeigenschaft gränzenden Verhältniss stehend, die härtesten Frohndienste leisten müssen. Durch dieses Mittel einer Menge Arbeiter versichert, kosten ihm diese Verbesserungen seines Gutes und die Bestellung seiner Felder nur so viel, als er zu bieten für gut hält — Die Nahrung, die er dem Frohnleistenden giebt, besteht täglich aus zwei Eimern weisser Bohnen per zwölf Mann und einigem Salz und Fett. — Es ist dieses die gewöhnliche und fast einzige Nahrung der Arbeiter in diesen Distrikten: Bohnen ohne irgend eine andere Zugabe, als einmal in der Woche einige Stücke Charqui (ausgedörrtes Fleisch).

Zur rechten Seite unseres Weges, nur wenige Quadras von diesem entfernt, bemerkten wir ein collossales, ausgehöhltes Bassin, in welchem sich Hunderte von Arbeitern befanden. Wir erfuhren alsbald, dass dieses die neuen Wasserarbeiten der Hacienda waren, die schon binnen Kurzem ihrer Vollendung entgegensahen. Das ausgemauerte Bassin, von circa neun Quadrat-Quadras Oberfläche, war in einer natürlichen Tiefe des Bodens angebracht, und sollte dazu dienen, die Gebirgswasser zu empfangen, um während der trocknen Jahreszeit einen zur Befeuchtung des Bodens genügenden Wasservorrath zu haben. Das in dem Bassin gesammelte Wasser wird durch Schleusen und in Gräben nach den verschiedenen wasserbedürftigen Theilen der Hacienda geschafft. Diese trockenen Ländereien liegen zu hoch, als dass das Flusswasser sie zu bespülen vermöchte. Das Bassin liegt daher viele Fuss über dem Niveau des Flusses erhaben, und das Wasser wird schon hoch im Gebirge der Andes abgeleitet und hierher geführt. Die zu diesem Zwecke nöthige Wasserleitung von ihrem Ursprung bis zu ihrem Ende müsste vierzig Leguas in gerader Linie durchlaufen, wird aber durch die zahllosen Windungen des Niveaus über das Fünffache vermehrt. Rechnet man zu diesem die vielen nothwendigen Aquaducte, um das Wasser über die Abgründe zu führen, die schwierigen Arbeiten, die oft an fast senkrechten und felsigen Abhängen unternommen werden müssen, die bald durch fast undurchdringliche Wälder, bald durch Moräste, — dann durch Sandboden und oft durch harten Felsboden, der nur durch Sprengung zugänglich gemacht wird, sich fortführen, so wird man die ganze Schwierigkeit dieser kostspieligen Arbeit erkennen. — Aber einmal vollendet, liefert sie dem Unternehmer auch ein glänzendes Resultat. Der höherliegende Theil der Hacienda, bei weitem der überwiegendste, war bis jetzt seiner Trockenheit wegen zum Ackerbau untauglich; jetzt ist der höchste Hügelrücken mit Wassergräben durchschnitten, die all dies wüste Land befruchten. Wo sich früher kaum ein welkes Gras erhob, bilden sich jetzt die lieblichen umfangreichen Weingärten. Mit Staunen sieht der unwissende Nachbar dort jetzt wogende Getreidefelder, wo er ehedem kaum Gras genug für einige Kühe vermuthete. Die Quadra, die er ehedem mit kaum zwanzig Thalern bezahlte, würde er jetzt gerne für zwei- oder dreihundert nehmen.

Diesem Ziele, diesem ungeheuren Fortschritt geht die Hacienda Catagilco mit ihren Wasserleitungen entgegen. Neben diesen Anstrengungen des Fleisses deutet auch die natürliche Fruchtbarkeit dieses Distriktes auf eine wichtige Zukunft. Die Wälder liefern ein weit gerühmtes Holz: die chilenische Eiche, die Robla, Laurel, Cypresse und die chilenische Tanne finden sich reichlich vor. Am vorwiegendsten ist jedoch die Robla, und deren Holz besonders gesucht. In den Waldungen bildet dieser Baum abgesonderte Gruppen. Schon früher hatte ich Gelegenheit, auf diese aufmerksam zu machen. In diesen Wäldern zwitschern Vögel der verschiedensten Art: Der Tagaculo, die Tenca, der Tado (eine Art Staar) und die Loyca sind immer zu finden. Von Zweig zu Zweig hüpfen blitzschnell Hunderte und wieder Hunderte von Kolibris.

An dem Saum der Waldungen, in den tiefer belegenen Gegenden, breiten sich weite Saatfelder aus, Waizen und Mais sind die hauptsächlichsten; die Kartoffel, die weisse Bohne und Rüben finden sich in beträchtlicher Anzahl gepflanzt.

Uns mehr und mehr den Häusern des Hacendado nähernd, nehmen zunächst die Fruchtgärten unsere Aufmerksamkeit in Anspruch. Der Blumengarten findet sich mit diesem vereinigt. Neben den seltenen Blumen und Bäumen, von dem kunstsinnigen Eigenthümer aus den entferntesten Zonen herbeigeschafft, zeichnen sich unter den einheimischen vorzüglich die Feigen, Orangen, Pflaumen, Melonen, Oliven und Pfirsiche aus. Aus der Olive wird auf der Hacienda das kostbare Olivenöl bereitet. Auch die übrigen Früchte, vorzüglich Pfirsiche, werden getrocknet in grossen Quantitäten in den Handel gebracht.

Im Allgemeinen sind die genannten Früchte, wie auch Aepfel, Birnen und anderes Obst überall reich vertreten; jedoch kommen sie den europäischen an Güte nicht gleich, nur dort, wo ihrer mit besonderer Achtsamkeit und Geschick gewartet wird, erreichen und übertreffen sie dieselben. Dieses ist in Catagilco der Fall.

Im Hause Don Javine's wurden wir von seinem allein anwesenden Capataz aufs freundlichste empfangen und bewirthet.

Das schöngebaute Haus erschien unter den es umgebenden armseligen Hütten wie ein kleines Schloss. Inmitten der ganz im europäischen Style angelegten Gärten erhob es sich, in zwei Flügel abgetheilt. — Terrassenförmige Treppen führten zur Veranda. An den linken Flügel gränzten die Getreidespeicher (Graneros) und Stallungen. Unfern derselben befand sich eine Schmiede sowie eine geräumige Zimmer- und Tischlerwerkstatt. In demselben speicherartig gebauten Hause befanden sich die Wohnungen der Kolonisten, die grösstentheils aus Deutschen bestehen.

Erlaube man mir, hier einige Worte über den wichtigen Gegenstand der Kolonisation einzuschieben.

Die Privatkolonisten, d. h. solche Kolonisten, die nicht von der chilenischen Regierung contrahirt sind, sondern von hiesigen Privatleuten oder deren Agenten drüben in ihrem Lande angeworben und herübergeführt werden, erhalten ein Stück Land in Pacht, sowie die nöthigen Werkzeuge und Hülfsmittel, um es zu bebauen. Die Pacht bezahlen sie mit leiblichen Diensten, die sie dem Hacendado bei dessen Aufgebot leisten müssen.

Das Ungenügende und Zweideutige der Contracte, die zwischen den Agenten und den Emigranten abgeschlossen werden, geben oft zu sehr ernsten Folgen für die Letzteren Anlass. Sie sind gänzlich auf den guten Willen des Herrn angewiesen. Mit der knechtischen Abhängigkeit der einheimischen Inquilinos oder Pachtbauern, in welcher diese zu ihrem Grundherrn stehen, verbindet der Einwanderer noch den grossen Nachtheil, in einem fremden Lande zu sein, dessen Sprache und Sitten ihm gänzlich unverständlich sind. Bei wem sollen die Kolonisten sich beklagen, falls sie sich übervortheilt oder schlecht behandelt glauben? Der Richter des Dorfes ist nichts als ein Machwerk seines Herrn. Nach den Städten zu reisen, ist für den armen Fremden ein gar weitläufiges und kostspieliges Unternehmen, und auch dort ist es sehr fraglich, ob ihm, dem Unbekannten, oder dem allbekannten Millionär Recht gegeben wird, vorzüglich wenn der Letztere, wie dieses fast immer geschieht, sich auf den Contract beruft, der in unbestimmten Ausdrücken abgefasst, sich zu allen möglichen Auslegungen hergiebt. —

Schon bei seiner Ankunft wird häufig der Einwanderer chicanirt, wenn dieses im Interesse oder in der Laune des allmächtigen Hacendados liegt.

Das Grundstück, welches ihm angewiesen wird, besteht aus schlechtem, entweder steinigem oder trockenem Boden. Die Geräthschaften sind mangelhaft, die Nahrung schlecht, die zu leistenden Frohndienste werden so häufig verlangt, dass sie ihm keine Musse lassen, sein eigenes Land zu bestellen.

Nichts Traurigeres, als sich in dem Innern eines so fernen Landes, dessen Sprache und dessen Sitten wir nicht kennen, auf fünf, ja zehn Jahre, wie es häufig vorkömmt, verdungen zu haben. Der Willkür eines eigenmächtigen und launenhaften Herrn gänzlich preisgegeben, sucht der arme Ansiedler vergebens, seine Zukunft zu sichern, d. h. sich zur Unabhängigkeit hinaufzuarbeiten. Er arbeitet stark, ohne etwas anderes als eine traurige Gegenwart und eine hoffnungslose Zukunft zu erzielen.

Sehe der Auswanderer sich daher vor, wenn es noch Zeit ist; traue er nicht den lockenden Verheissungen der Agenten, sondern nur dem, was der Contract ihm bietet, und berathe er sich mit sachverständigen Leuten, um alle Zweideutigkeit und unbestimmten Ausdrücke aus demselben zu entfernen. Wohl würde er daran thun, wenn er sich den Contract in spanischer Sprache aufsetzen liesse, um alle Zweideutigkeit, durch Uebersetzung so leicht einzuschieben, zu vermeiden. Aber vor Allem verpflichte er sich nicht auf einen längeren Zeitraum als ein, höchstens zwei Jahre. Im Fall sich die glänzenden Versprechungen verwirklichen, so ist es dann noch immer Zeit, die Frist zu erneuern, sollte das Gegentheil der Fall sein, so verliert er eine verhältnissmässig nur kurze Zeit, die ihm als Lehrzeit jedenfalls etwas genützt hat. —

Dem Ansehen nach schienen sich die Ansiedler auf Catagilco in guten Umständen zu befinden. Reinliche Wohnungen, ein gutes, kräftiges Aussehen und ihre wohlbestellten Felder bewiesen, dass der Hacendado auf Catagilco die Landleute gut behandelte. Nach ihrer Aussage fehlte es wohl an diesen und jenen Kleinigkeiten, aber eben diese Klagen über das ewige Thema: „es könnte besser sein“ bewiesen, dass sie nichts von der unglücklichen Lage so mancher unserer Landsleute wussten, die sich in schlimmeren Händen wie sie befanden.

Am nächsten Morgen, nachdem wir von den Strapazen des letzten Tages ausgeruht, bestiegen wir wiederum unsere Pferde, um uns noch etwas in der Hacienda umzusehen und sodann auf unserm gestrigen Weg wieder zurückzukehren. Der Führer für meine weitere Reise, welchen ich hier durch meines Freundes Bemühungen zu finden hoffte, hatte sich schon angefunden. Es war ein angenehmer junger Mensch, und wurde mir von allen Seiten sowohl seiner Kenntniss des Weges als seiner erprobten Ehrlichkeit wegen empfohlen. Juan Gomez, oder wie man ihn gewöhnlich nannte „el zorro“ wurde von mir in Dienst genommen, um mich bis „Aconcagua“ oder „Santa Rosa de los Andes“ zu geleiten. Die Führerdienste, wie überhaupt der Arbeitslohn in dieser Gegend, sind billig; der gewöhnliche Taglohn der Arbeiter ist 1 Real per Tag nebst Beköstigung, oder 2 Real ohne dieselbe. Meinem Führer bezahlte ich zehn span. Thaler per Monat und eine geringe Vergütung für die Benutzung seines Pferdes. Berücksichtigt man, dass gewöhnlich nur vier bis fünf Tage zu dieser Reise nothwendig sind, so wird dies sehr billig erscheinen.

Nach der Andeutung Juan's war der Weg, welchen ich direct von Catagilco nach dem Hauptwege, der nach San Felipe und Santa Rosa führt, rauh und uneben, ich zog es deshalb vor, nach Pichuncavi zurückzukehren, um von dort den besseren Weg über Pucalan und Melon zu wählen. Nicht allein die Berücksichtigung des rauhen Weges liess mich diesen Umweg vorziehen. Der kürzere Weg, direct von Catagilco durch die Felder abbrechend, führt über einsames Land, aber der jetzt gewählte gab Gelegenheit, noch mehrere kleine Orte zu berühren.

Nach einigen Stunden scharfen Trabens erreichten wir die Hütte des Vaqueros, wo gestern der Zweikampf stattgefunden. Ich fand die Frau mit ihren Kindern allein; der alte Mann hatte bereits in der Frühe das Haus mit dem Verwundeten verlassen. Wir hielten uns nur wenige Minuten hier auf, und ohne uns weiter nach unsern alten Bekannten, den Mineros umzusehen, ritten wir rasch dem Dörfchen der Laguna zu. In diesem erquickten wir uns mit einem Frühstück und unsere Pferde mit einigen Handvoll Mais. Zwei Stunden später kamen wir wieder bei der erstaunten Familie meines Freundes Collado in Pichuncavi an.

Nächsten Morgen vier Uhr weckte mich Juan mit der Anzeige, dass unsere Pferde gesattelt seien. Ich nahm jetzt Abschied von meinem lieben Freunde Don Nicanor, sowie zum zweitenmal von meiner Wirthin. Nicht ohne Rührung trennte ich mich von diesen guten Leuten, deren offener, freimüthiger Character ohne Falsch sich ihren Freunden darlegte. Einsam setzte ich jetzt meinen Weg fort.

Einige kleine Hügel, dicht vor Pichuncavi belegen, umreitend, kamen wir in dem Thal von Pucalan an, welches sich circa drei bis vier Leguas hinziehend, an seinem anderen Ausgang das kleine Oertchen

4*

gleichen Namens anmuthig unter den Gebüschen und Colinen*) verbirgt. — Die bedeutenden Strecken unbebauten Landes in der Nähe dieses Oertchens waren auffallend. Auf nähere Erkundigung erfuhr ich, dass das Land zur Bebauung zu trocken sei; jedoch hatte man schon Anstalten gemacht, das Wasser aus den höherfliessenden Gewässern ab- und hierher zu leiten. Vorzüglich waren es die beiden Thalwände, die sich uns zur Seite rechts und links erhebend, nichts als wüstes Land mit Disteln und Steinen bedeckt zeigten; der Grund des Thales, durch welches uns unser Weg führte, war dagegen bebaut und zeigte in seinen Feldern überall die schönste Fruchtbarkeit.

Pucalan liegt recht hübsch an dem Ausgange des Thales. Gruppen von Obstbäumen, grüne Wiesen und dunkle, umgeackerte Felder bildeten seine Umgebung, durch welche sich ein kleiner Strom, nur selten aus dem dichten Gebüsch hervorblickend, hinzog. Uns dem Dorfe nähernd, fielen mir gewisse Gruppen Gebüsch auf, die sich in ungewohnter Regelmässigkeit zur Seite der Hütten hinzogen. Es waren dies die ausgedehnten Weingärten, aus denen die Pucalaner einen guten Vortheil zu ziehen wissen. Sie bereiten aus der Traube einen trefflichen Mostwein, der im Handel sehr gesucht ist. — Zahlreiche Heerden Kühe weideten auf mit Eisendraht eingezäunten Alfalfaweiden, die mit anderen Feldern abwechselnd zu beiden Seiten des Weges hinliefen. — Gleich nachdem wir Pucalan hinter uns gelassen, verengte sich das Thal zu einer schmalen Quebrada, deren ganze Breite eben nur unser Weg bildete. Die Seitenwände dieser Quebrada liefen fast in senkrechten Linien hinauf, trotzdem waren sie wohl beackert, und wie man mir mittheilte, mit Weizen besäet. Der Weg, die eine dieser Seitenwände ersteigend, entführte uns rasch der Tiefe. Eine Hochebene, von Hügeln durchkreuzt, breitete sich vor uns aus; überall bebaut, überall Bauernhöfe, gewährte diese einen genussreichen Anblick. Zur Rechten erhob sich eine besonders hohe Hügelreihe, deren steiniger Boden eine Ausnahme von der allgemeinen Vegetationsüppigkeit dieser Gegend macht. Ueber sie hinüber führte ein schmaler, und wie es mir von unten schien, nicht ungefährlicher Pfad nach Quillota. Unser Weg war breit und eben, nur stellenweis führte er durch etwas gebrochenes Terrain.

Es wurde bald die Hacienda del Melon erreicht. Der Weg führt durch die weiten flachen Wiesen dieses Gutes, auf welchem sich Tausende

---

*) Grünende Hügel.

von Kühen und Stuten befinden. Im vollen Galopp stürmten die Heerden der Stuten und Hengste auf uns zu, bis sie, dicht vor uns angelangt, plötzlich eine Schwenkung machten und wie der Wind davonstoben. Mehreremale wiederholten sie dieses Spiel. — Sie sowohl wie das Hornvieh befanden sich auf diesen üppigen Wiesen im günstigsten Zustande. Von dieser Hacienda biegt der Weg plötzlich wieder westlich ab, und nach wenigen Meilen erreicht man die grosse Vega von Quillota, die sich von den Cordilleren bis zum Meere hinzieht und in welcher sich der Fluss Aconcagua befindet.

Um drei Uhr Nachmittag kamen wir bei dem Flecken der „Higuelas“ an, circa 2 Leguas östlich von Quillota belegen. Der Fluss bespült die südliche Seite dieses Ortes und befruchtet seine Ländereien. Im Ganzen entspricht dieses Oertchen der schon gemachten Beschreibung anderer Plätze. Besonders sollen seine getrockneten Früchte sehr gesucht sein. Auch mehrere Wassermühlen, am Ufer des Flusses angelegt, werden von Leuten aus einem weiten Umkreise gesucht, um ihr Getreide zu mahlen. Rechts von den Higuelas, hoch über den wellenförmigen, mit Gras bedeckten Hügeln, erhebt sich eine starre Felsenkette, die sich zum Süden hinziehend, den Fluss Aconcagua und die quillotanische Vega einen weiten Umweg machen lässt, und die in ihrer weiteren Fortsetzung den Cerro de la Campana*) besitzt, der den Schiffern auf hohem Meer als Leitpunkt dient. Sich aus den niedrigen ihn umgebenden Hügelreihen wie ein Gigant unter Zwergen erhebend, zieht dieser Berg sowohl seiner Vereinzelung als auch seiner merkwürdigen Form wegen, den Blick unwillkürlich auf sich. Die Nähe dieses Berges zur Küste und seine gebrochene, zackige Umgebung, die gleichsam in allen ihren Theilen die Cordilleren en miniature darstellt, macht ihn zum Zielpunkt vieler Excursionen von Santiago und Valparaiso aus. Ich hatte leider nie Gelegenheit, mich einer derselben anzuschliessen, und fühle ich dies um so mehr, da ich weiss, dass Alle diejenigen, die sich die Mühe und theilweise Gefahren des Steigens nicht verdriessen liessen, reichlich durch die Merkwürdigkeit der Bilder und Schönheit der Aussicht von der Spitze belohnt wurden.

In diesen Bergen, die sich im Rücken der Higuelas erheben, bearbeiten die Bewohner der letzteren Kupferbergwerke, deren Thätigkeit sich in neuerer Zeit aber bedeutend vermindert hat, und, sollte man keine Entdeckung einer neuen gehaltvolleren Ader machen, bald gänzlich aufhören wird.

*) Cerro de la Campana heisst Glockenberg, und wird deshalb so genannt, weil seine Kuppel mit einer Glocke viele Aehnlichkeit besitzt.

Hinter dem Flecken, am Fusse der Sierra, breitet sich der Fluss auf einer weiten, flachen Ebene aus; die Furth war aus diesem Grunde niedrig und mit Ausnahme einiger morastigen Stellen passirten wir ihn sicher und ohne besondere Anstrengung. Jenseits desselben trat unser Weg mit der grossen Hauptstrasse, die von Valparaiso nach San Felipe führt, zusammen. Die herrlichsten Alleen der Alamos oder italienischen Pappeln, in deren Schatten wir, uns vor der warmen Sonne schützend, entlang ritten, führten uns nach dem ca. vier Leguas von den Higuelas entfernten „Ocoa". Bei einem freundlichen Bauer fanden wir bald ein Nachtquartier. Mit Wollust ruhten wir nach dem scharfen Ritte. Mit der grössten Sauberkeit wurde ein fast ganz europäisch zubereitetes Mahl aufgetragen. Auf diesen belebten Hauptwegen des Landes kennt man besser als auf den Nebenwegen, die ich bisher passirt, die Bedürfnisse der fremden Reisenden. Unser gastfreier Wirth sorgte auch sonst mit Fürsorge für meine Bequemlichkeit. Es half Alles nichts, am Abend musste ich wieder ins Ehebett, während die früheren Inhaber desselben mit dem Fussboden und wollenen Decken fürlieb nahmen.

Bei unserem Einritt in Ocoa war die Dunkelheit bereits angebrochen und da ich beabsichtigte, am nächsten Morgen vor Tagesanbruch weiter zu reisen, um das entfernte Santa Rosa zu erreichen, so hatte ich keine Gelegenheit, dieses Oertchen näher kennen zu lernen. — Nach den Mittheilungen meines Wirthes war es fruchtbar und zeichnete sich durch einen besonders guten Boden aus. In dieser Vega, die von dem Flusse Jahr aus Jahr ein bespült wird, konnte es nicht anders sein. Auch theilte unser Wirth uns mit, dass diese Gegend in der letzten Zeit durch Räubereien sehr unsicher gemacht sei; diese Mittheilung war die Einleitung zu verschiedenen Erzählungen, die man uns von der Verwegenheit und Grausamkeit der Banditen machte, und von denen ich eine meinen Lesern wiedergeben will, da der Erzähler, mein Wirth, bei dem Vorfall selbst eine Rolle spielte. Erlaube man mir, dieses mit seinen Worten zu thun.

„Vor wenigen Wochen", erzählte er, „ging ich nach Quillota, um dort ein Pferd zu verkaufen. Ich quartierte mich in meinem gewohnten Logis, einem Wirthshaus, dessen Eigenthümer mein Gevatter ist, ein. Da in diesem sehr viele Fremde verkehrten, war es auch zugleich der beste Ort, um einen Käufer für mein Thier zu finden. Kaum hatte ich meinem Gevatter den Zweck meiner Reise mitgetheilt, als er mir anzeigte, dass ein Fremder mit der Eisenbahn von Valparaiso gekommen, bei ihm eingekehrt sei und ein Pferd zu kaufen wünsche, um auf diese Weise seine

Reise nach San Felipe fortzusetzen; wahrscheinlich mochte ihm die Abfahrt der Postkutsche, die erst binnen einigen Tagen stattfand, nicht früh genug sein. Auf mein Verlangen brachte er mich zum Fremden und empfahl mich und mein Pferd. — Der Fremde begleitete mich in den Hof, um dieses in Augenschein zu nehmen. Es gefiel ihm und nachdem ich ihm genügende Nachweisung über seine Marke gegeben, kaufte er es. Er erwähnte zufällig, dass er des Weges nach San Felipe unkundig sei, und daher eines Führers bedürfe. — Da dieser Ort nur vier oder fünf Leguas von meiner Wohnung in Ocoa entfernt ist, verschmähte ich es nicht, ihm und mir ein gutes Werk zu thun. Ihm, indem ich ihm in meiner Person einen ehrlichen Führer zuwies, deren ein Fremder oft nur mit Schwierigkeiten findet, und mir, indem ich ein Stück Geld damals sehr gut gebrauchen konnte. Wir wurden alsbald des Handels einig und noch am selben Tage reisten wir ab. Es war schon 12 Uhr Mittags, als wir von Quillota fortritten. Ich hoffte, der Fremde, trotz seiner Eile vorwärts zu kommen, würde in Ocoa zu Nacht bleiben, aber als wir um fünf Uhr Nachmittags dort ankamen, schlug er mein Anerbieten eines Nachtquartiers aus. Ich setzte ihm auseinander, dass wir keinesfalls vor Mitternacht in San Felipe ankommen würden, auch auf die Gefahren des Weges, der häufigen Räubereien wegen, machte ich ihn aufmerksam. Doch Alles umsonst. Diese Gründe dienten nur, ihn zur grösseren Eile anzuspornen, und Eile war in der That nothwendig, wenn wir überhaupt heute noch unsere Reise fortsetzen sollten. — Ich sträubte mich daher nicht länger, mein kurzes Messer für ein längeres und schärferes und hastig mein bisher gerittenes Maulthier für meinen Lieblingshengst, dessen Kräfte, rasch, gewandt und gut genährt, nur für besondere Fälle aufgespart wurden, umtauschend, ritten wir von dannen. — Der Weg, der sich am Ufer des Flusses entlang durch die Vega hinzieht, ist eben, und daher besser für Reiter als der steile Weg durch die Sierra. Trotzdem wählte ich den letzteren, denn wie ich gehört hatte, sollten in der Vega einige Banditen hausen. Wir nahmen also den Weg über die Questa von San Felipe.

Es wurde dunkler, nichts liess auf das Vorhandensein einer Gefahr schliessen. Wir ritten daher langsam, unsern Pferden Erholung gönnend, den steilen Abhang hinan, der im Zickzack zur Spitze führte. Kaum oben angelangt, hörten wir ein lautes „Halloh“ hinter uns. Wir bemerkten, dass ein einzelner Reiter hinter uns hastig den Hügel hinanstieg. Auf sein wiederholtes Zurufen warteten wir und näher gekommen, erkannte ich bald einen Dienstjungen meines Hauses. Er theilte mir in fliegender Eile mit, dass meine Frau ihn uns nachgeschickt habe, um uns wo möglich zu erreichen und anzuzeigen, dass ungefähr eine halbe Stunde nach unserem Fortritt drei Reiter durch das Dorf galoppirten, nahe bei unserem Hause fragten sie einen Jungen, ob nicht zwei gewisse Reiter, uns bezeichnend, durchpassirt wären. Man hatte es ihnen bejaht. Meine Frau, durch Neugierde verleitet, rief den Jungen und erfuhr bald das, was sie uns sofort mittheilen liess. Sie wusste, dass wir den Weg über die Questa wählen würden, und richtig schliessend, dass die in solcher rasenden Eile Jagenden nur Verfolger sein könnten, schickte sie uns den Jungen nach. Diese Leute mussten den bequemeren Weg durch die Vega gemacht haben, sie würden uns sonst schon erreicht haben; doch konnten sie auch, durch irgend ein Hinderniss aufgehalten, noch zurückgeblieben sein. Dass der Junge sie auf seinem Herritt nicht gesehen, war kein Grund, um dieser Vermuthung zu widersprechen, denn es laufen zahllose Wege nach allen Richtungen von Ocoa nach San Felipe, die sich erst beim Ersteigen der Questa vereinigen. — Was war zu thun? Sollten wir umkehren, um vielleicht den Kerlen grade in die Hände zu fallen, oder sollten wir vorwärts gehen, wo diese Gefahr eben so gross war, denn zahlreiche, wenn auch nur den Erfahrenen bekannte Pfade liefen von der Vega hier herauf. — Wir beschlossen vorwärts zu gehen, im äussersten Fall glaubten wir drei Mann nicht allzusehr fürchten zu müssen. Der Fremde hatte gute Pistolen, ich ein gutes Messer und wir beide schnelle und starke Pferde, auf welche wir uns verlassen durften. — Der Junge war zu nichts nütze, aber er blieb bei uns, da er die Rückkehr allein, in der jetzt ganz hereingebrochenen Dunkelheit, fürchtete. — Ich vergass schon früher zu bemerken, dass der Fremde eine kleine Ledertasche mit sich führte, die von schwerem Gewichte gefüllt schien.

Da unser Weg jetzt bergab führte, ritten wir im rascheren Trabe durch die Nacht dahin. Wir mochten kaum auf diese Weise eine halbe Legua zurückgelegt haben, als plötzlich vor uns ein lauter gellender Pfiff ertönte. Zu gleicher Zeit glaubten wir den Hufschlag mehrerer Pferde zu vernehmen. Die Nacht war stockdunkel, so dass wir kaum einen Umkreis von zehn Schritten zu übersehen vermochten. Ein zweiter Pfiff folgte jetzt, und dieser letztere schien von der entgegengesetzten Seite, also von unserm Rücken zu kommen. Es musste jetzt gehandelt werden und zwar rasch, denn wir befanden uns in diesem Augenblicke auf einem schlechten Terrain, der gefährlichsten Stelle der Questa, von welcher wir so schnell wie möglich fortzukommen suchen mussten, denn ein Angriff hier konnte uns doppelt gefährlich werden. Der Weg, auf welchem wir uns befanden, war hoch in den Felsen eingehauen, so dass uns zu unserer Linken ein tiefer Abgrund entgegengähnte und zur Rechten die steile, unerklimmbare Felswand jedes Abweichen vom Wege unmöglich machte. Wir befanden uns in einem Engpasse. Vor und hinter uns hatten wir Pfiffe gehört, also waren wir von unsern Feinden umzingelt. — Es war jetzt Alles still, wir hörten keine Hufschläge mehr. Alle unsere Seh- und Hörnerven anstrengend, starrten wir in diese dunkle Nacht hinein. Was mochte sie für uns enthalten? Plötzlich vernahmen wir wiederum einen Pfiff in unserm Rücken, und zwar bedeutend heller, also bedeutend näher wie das Erstemal. Wieder glaubten wir von derselben Richtung sich Hufschläge nähern zu hören. Ich rief jetzt leise meinen Begleitern zu, vorwärts den Berg hinunter zu galoppiren. Sollte man uns dort selbst zum Ueberfall erwarten, so hoffte ich, auf unsere guten Pferde bauend, im Carriere an den Banditen vorüber zu kommen, und womöglich die nächsten Häuser am Fusse der Questa, das Dörfchen San Roque zu erreichen.

Wir stiessen den Pferden die Sporen in die Seite und rasch gings den Berg herunter. Wir mussten jetzt noch bei einem besonders gefährlichen Passe vorbei, wo sich der Weg bedeutend verengte. Wenn wir dort vorüber kamen, wusste ich, waren wir gerettet. Mit krampfhaftem Griff fasste ich mein Messer und gab meinem Hengste die Sporen. In tollen Sätzen brachte mich das edle Thier bald an die gefährliche Stelle. Plötzlich bäumte es sich, ganz nahe an meiner Seite sah ich einen Gegenstand, aber ein Satz des kräftigen Pferdes entfernte mich von ihm. Ich hatte mehrere Männer mit geschwungenen Lassos erkannt. Von meinen Gefährten war mir nur der Fremde auf seinem guten Pferde zur Seite geblieben. Auch sein Thier entkam schon der gefährlichen Gruppe in mächtigen Sätzen, aber plötzlich überschlug es sich, ein Lasso hatte sich um seinen Hals geschlungen und es stürzte mit seinem Reiter. — Ich hielt unwillkürlich an, aber fast wäre dies mein Verderben gewesen. Ein Lasso flog auf mich zu, und schlang sich um den Hals meines Pferdes, aber bevor er sich zuschnüren konnte, hatte mein scharfes Messer ihn durchschnitten und wieder floh ich den Berg hinunter. Noch jetzt glaubte ich das Geschrei der Verfolger zu hören, aber ich entkam diesen, Dank sei es meinem braven Hengste. — Nach einer Viertelstunde verzweifelten Dahinjagens hielt ich an, um mein Pferd etwas verschnaufen zu lassen. Ich hörte nichts mehr hinter mir.

Allein, da ich selbst nicht im Stande war, meinem unglücklichen zurückgebliebenen Gefährten zu helfen, so war es mindestens meine Pflicht, so schnell wie möglich Hülfe herbeizuholen. Wieder liess ich meinem Pferde die Zügel schiessen und nach halbstündigem Jagen erreichte ich die ersten Häuser von San Roque. Man kannte mich dort, und somit hatte ich keine Mühe, rasch einige wohlbewaffnete Männer zu vereinigen und mein eigenes ermüdetes Pferd gegen ein frisches umzutauschen.

Trotz unserer Eile kamen wir erst um Mitternacht auf dem Schauplatz unseres Ueberfalls an. — Aber alle Spuren von diesem waren verschwunden — Nichts zeigte uns an, dass sich auf jener Stätte etwas Schreckliches zugetragen hatte. — Keine Spur fanden wir weder von den Räubern, noch ihren Opfern; nach mehrstündigem scharfen, aber vergebenem Suchen und weiterem Vordringen auf dem Wege, beschlossen wir ein Feuer anzuzünden und den Tag abzuwarten.

Der Tag kam bald und mit ihm das Erkenntniss einer schauderhaften That. — In der Nähe unsers Feuers, zur Seite des Engpasses, fanden wir in den kleinen Aushöhlungen des felsigen Bodens geronnenes Blut. Es zeigte sich, dass dieses aus einer nahen kleinen Schlucht geflossen sein musste, die Spur wies uns dorthin. Wir standen jetzt vor dieser Schlucht, etwas Schreckliches musste sich uns dort enthüllen, unwillkürlich hielt ich mich hinter meinen Gefährten, als diese weiter vordrangen. Ihr Aufschrei liess mich meinen abgewandten Blick wieder auf die Stelle richten. Mit einem Lasso um den Stamm eines Baumes gebunden, sahen wir eine blutige unkenntliche Leiche — unkenntlich durch das geronnene Blut. — Wir traten näher: an der Kleidung erkannte ich jetzt den Fremden. — Die Gurgel war ihm durchschnitten, das Gesicht schrecklich verstümmelt; die zerschnittenen Hände deuteten darauf, dass der Unglückliche in das Messer gegriffen haben musste, um die Klinge von dem Halse abzuhalten. Wir banden die Leiche los, reinigten sie etwas und befestigten sie, so gut es gehen wollte, auf dem Pferde eines der Bauern, welcher sich bei einem Gefährten hinten aufschwang.

Still zogen wir unsern Weg zurück, dieses schauderhafte Verbrechen hatte uns alle versteinert. Unten in San Roque bei dem Friedensrichter angekommen, erfuhren wir, dass man unten in der Vega am Fuss des Felsens die Leiche eines Jungen und eines Pferdes gefunden habe. Ich ritt sogleich zur Stelle, und fand meinen Verdacht bestätigt. Es war der

Körper meines Dienstjungen; gänzlich zerschmettert von dem schrecklichen Fall von der Questa. Sein Pferd konnte gescheut haben, und in den Abgrund hinabgesprungen oder es konnte hinabgestossen sein.

Am selben Tage wurden beide Körper beerdigt. Friede sei ihrer Asche und Strafe den Mördern, die diese grausame That verübten.

Zwei Tage nach der Beerdigung kam eine Frau mit mehreren Kindern zu mir nach Ocoa von Valparaiso. — Sie war die Frau des Ermordeten. —"

Mein Wirth erzählte nicht weiter, aber eine Thräne rollte seine gebräunten Wangen herab. —

Niemand wird es mir verdenken, dass ich am andern Morgen den einsamen Weg, auf welchem so neuerdings diese That verübt worden, mit einigem Grausen zurücklegte. Die kleine Quebrada, wo der Leichnam gefunden wurde, der Engpass, wo die Räuber ihre Lasso's geworfen, waren für mich Objecte der genauesten Untersuchung, die nicht ohne Schaudern unternommen wurde. Es war in der That eine treffliche Gegend für Räubereien und von sehr grosser Gefahr für Reisende, da der zu beiden Seiten abgeschlossene Pfad, sowie das oft unterbrochene Terrain zum Legen von Hinterhalten vorzüglich geeignet war.

Die Hacienda Hayay, die wir zunächst nach unserer Abreise von Ocoa erreichten, reizend an den Ufern eines Baches belegen, bildete einen anmuthigen Contrast mit der sich unfern erhebenden grauen Felswand der Sierra. Der Weg, sich mehr und mehr diesen Bergen nähernd, führt uns endlich die Questa von San Felipe hinan. Der ca. fünf Schritt breite Weg ist mühsam in diese Steinmassen eingehauen und gesprengt und muss seiner Länge sowohl wie wegen der Schwierigkeit des Bodens, viel Geld und Zeit gekostet haben. Die Regierung hatte ihn erst vor Kurzem vollendet. Allmählich in Wendelkreisen den steilen und hohen Berg hinansteigend, ist der Weg jetzt eine bequeme, sich sanft neigende Chaussee. Oben auf der Spitze angelangt, zieht er sich jenseits wieder in sanften Windungen hinab. Unten angekommen, erreicht er eine hübsch und dauerhaft gearbeitete Brücke, die uns über einen Zweig des Flusses nach dem Oertchen San Roque führt. —

Sich fortwährend durch bebaute und von kleinen Gewässern durchflossene Felder schlängelnd, zeigt sich der Weg dem Reisenden fortan wie eine bevölkerte Landstrasse. Ueberall von San Roque die Vega hinauf bis San Felipe verfolgend, erheben sich Gebäude an Gebäude, Rancho an Rancho, und bilden streckenweise die belebtesten Strassen. Auch

Kapellen mengten sich hier und da unter dieselben. — Das Aussehen der Leute war überall dem Reichthum der Natur entsprechend. — Reinlich und oft mit Luxus gekleidet, strotzten ihre Gesichter von Gesundheit, welche nur ein fortdauernd materielles Wohlleben geben kann. Derbe Mädchen und Frauen arbeiteten überall in den Gärten, melkten Ziegen auf den angrenzenden kleinen Wiesen oder wuschen ihr Zeug in dem klaren Bach, welcher von dem Flusse abgeleitet, an der Chaussee entlang floss. — Wenn der Tag weiter vorrückt und die Sonnenhitze sich vermehrt, wird auch die häusliche Arbeit ausser dem Hause verrichtet. Vor der Hüttenthüre prasselt ein tüchtiges Feuer, an welchem die älteren Frauen des Hauses die Mittagsspeise, den allbeliebten Valdiviano, bereiten. Auch der Kessel mit heissem Wasser zum Mate darf niemals fehlen. Spinnende sahen wir häufig ihr flinkes Rädchen drehen; — die Männer verrichteten die härtere Arbeit des Feldes. — Ueberall, wo wir bei den Pflügern und den Säern vorbeireiten, ziehen sie's Käpplein und grüssen den Fremden mit ihrem treuherzigen „Behüt' Euch Gott“ oder „Dios le guarde“. — Auf der Landstrasse begegneten wir häufig Maulthiertrupps, auch grossen Heerden Kühe, von jenseits der Cordilleren kommend, die, einige Wochen von der beschwerlichen Gebirgsreise in Santa Rosa oder San Felipe ausgeruht, jetzt zur Schlachtbank nach Valparaiso geführt wurden. Ueberall herrscht Leben, Verkehr und Fleiss. Dieses ist der Character des Weges bis San Felipe.

V.

Ankunft in San Felipe. – Beschreibung dieser Stadt. – Einfangung eines Stieres. – Der Handel San Felipe's. – Lederfabriken. – Kleewiesen. – Umgebung der Stadt. – Ansicht der Gebirge. – Ankunft in Curimon. – San Rafael. – Mittagsruhe. – Ankunft in Santa Rosa. – Aussicht. – Quartiernahme. – Schreckliche Begebenheit in den Cordilleren.

San Felipe, eine Stadt von 22,000 Einwohnern und die Hauptstadt der Provinz von Aconcagua, liegt in der Mitte dieser herrlichen Vega, die von den Cordilleren allmählig sich bis zum Meeresufer hinunterzieht, und oft in den seltsamsten Windungen den nahen Gebirgen ausweicht. Der Strom, der durch diese Vega oder Thalebene fliesst, befruchtet den niedrigliegenden Boden und macht ihn der fruchtbarsten Cultur, der üppigsten Vegetation fähig. Dort wo sich die grösseren Städte befinden, deren diese Vega drei besitzt, verdoppelt sich dieser Reichthum der Vegetation. Die Kunst kömmt der Natur zur Hülfe. Diese drei erwähnten Städte sind Quillota, San Felipe und Santa Rosa und der Fluss, der sie bespült, ist der Aconcagua oder, wie er weiter seiner Mündung zu benannt wird: el Rio de Quillota.

San Felipe, an dem rechten Ufer dieses Stromes belegen, bietet mit seinen weissen Häusern, seinen Baumgruppen, seinen weiten Weingärten einen besonders schönen Anblick. — La perla de la Vega, „die Perle des Thales“ nennt sie der chilenische Dichter, und wohl verdient diese so anmuthig belegene Stätte ihre Benennung.

Aber inmitten meiner Begeisterung über diese herrliche Natur gedachte ich plötzlich der Gräuel des letzten Krieges, der noch vor wenig Monaten hier mit furchtbarer Grausamkeit gewüthet hatte.

Die schöne fruchtbare Natur liess nichts von diesen Kämpfen ahnen, in deren Folgen San Felipe mit seiner Umgegend eine grässliche Plünderung erlitt.

Wenige Monate haben genügt, die zertretenen Felder wieder zu ordnen und die Ruinen der verbrannten Gebäude zu beseitigen, um schöneren Platz zu machen. Wo noch vor Kurzem die barbarischsten Gräuel verübt wurden, ist jetzt alles Glück und Friede. Die Todten sind begraben, obwohl nicht vergessen, die Verwundeten geheilt, — nur die stillen Wunden des Menschenherzens, ob sie so leicht zu heilen sind? — Der Fremdling sieht keine von diesen, das bunte Leben und Treiben, die Schönheit, die Ueppigkeit der Natur sind ihm Zeichen des Wohlseins.

Der Reisende, von der Richtung des Meeres kommend, befindet sich am linken Ufer des Flusses. Eine gut gebaute Brücke, von massiven Pfeilern aus mächtigen Felsblöcken gehauen, und stark genug um dem wilden Andrang der Bergwasser zu widerstehen, führt uns hinüber nach San Felipe. — Wir hatten schon die Hälfte dieser Brücke zurückgelegt, als uns Jemand nachrief: zurückzukommen! Wer war er? Eine unerwartete Erinnerung an unsere lieben europäischen Sitten: der Brückenzöllner. — Ein Centavo per Kopf, der hunderste Theil eines spanischen Thalers, bezahlte ihn.

Das Innere San Felipes entsprach seinem Aeussern. Reinliche, regelmässige Gassen, zum Theil mit grossen und weiten, wenn auch grösstentheils sehr unsymmetrisch gebauten Häusern bedeckt, liessen auf wohlhabende Bewohner schliessen. Die glatten Dächer und inneren Höfe dieser Gebäude geben dieser Stadt, wie den meisten südamerikanischen Städten, ein morgenländisches Aussehen. Die Fahrwege, die uns nach unserem Hôtel hinführen sollten, waren breit, theilweise mit Grand bestreut. Zu den beiden Seiten dieser Wege an den Häusern liefen gleichfalls breite und gutgepflasterte Trottoirs hin.

Am Eingang der Stadt wurden wir durch die Einfangung eines Stieres aufgehalten, der sich losgerissen zu haben schien und eben aus einer Seitengasse hervorschoss. Zwei Reiter mit geschwungenen Lasso's folgten ihm im Fluge. Im nächsten Augenblick waren beide Schlingen, mit der an dem chilenischen Landmann so bewunderungswürdigen Geschicklichkeit, um die Hörner des Stiers geworfen, und da das andere Ende des Lasso's an dem Sattelgurt der Pferde befestigt war, so fand sich der Stier an diese gebunden. Um die Kraft des wüthenden Thieres rasch zu brechen, warfen sich jetzt plötzlich beide Reiter mit ihren Pferden herum. Die Pferde erlitten durch dieses plötzliche Aufhalten des Stieres in seiner tollen Carrière einen furchtbaren Stoss, welchem ein nicht gehörig abgerichtetes Thier nicht hätte widerstehen können, sondern unfehlbar von ihm zu Boden gerissen worden wäre. Aber diese kleinen chilenischen Pferdchen wissen es, diesem zuvorzukommen, und dem Stiere die Seite zukehrend, in welcher Stellung sie die meiste Kraft ausüben können, warfen sie sich im Augenblick des Stosses nach der entgegengesetzten Seite hinüber, um die Kraft desselben zu neutralisiren.

Der Stier, so plötzlich in seinem Rennen aufgehalten, machte einen mächtigen Luftsprung und stürzte nieder. Nach wenigem Sträuben war er gezähmt und konnte ruhig fortgeführt werden. Das Volk hatte sich in Haufen versammelt, und obwohl es dieses Schauspiel fast stündlich sieht, findet es doch darin immer ein erneutes Interesse; mit lautem Applaus belohnte es jede neue Anstrengung des Stieres und ebenso jede besonders geschickt ausgeführte Bewegung der Reiter.

Wir kehrten alsbald in einem französischen Gasthaus „Hôtel de Paris" ein, welches von einem Franzosen etablirt, gänzlich auf europäischem Fuss eingerichtet ist. Unsere Pferde wurden der Obhut des Stallknechts und ich der des Stubenmädchens übergeben. Sie wies mich in ein bequemes, ja luxuriös ausgestattetes Zimmer. Juan machte es sich vor der Stubenthür bequem, indem er schon am hellen Tage auf den Steinfliesen sein Bett bereitete, d. h. sein Sattelzeug und Poncho zu einem Lager umwandelte und sich darauf hinstreckte, zu nicht geringem Aerger des feinen französischen Wirthes.

Es war schon spät am Tage, und nachdem ich mich eingerichtet, hatte ich nur noch wenige Zeit, um die Stadt zu besehen. Sie ist in regelmässige Vierecke von 137 Yards Länge und derselben Breite, Quadras genannt, eingetheilt. Nur in wenigen Strassen wich sie von dieser Regel ab. Die Hauptstrasse führt zur Alameda, die an der Ostseite der Stadt belegen, den Einwohnern mit ihren weiten Alleen einen angenehmen Spaziergang darbietet. Verschiedene Kirchen, sowie die noch unvollendete Kathedrale in der Hauptstrasse zeugten von Pracht und Geschmack. Die Häuser sind, wie meistentheils in allen chilenischen Städten, grösstentheils von getrockneter Erde aufgeführt; selten sieht man deren von Holz erbaut und noch seltener von Mauersteinen.

Wie schon bemerkt, herrschte Reinlichkeit und Ordnung in den meisten Strassen, jedoch zur Regenzeit sollen viele von diesen ganz unpassirbar sein. Der jetzt trockne Sand- und Lehmboden verwandelt sich dann in tiefen Morast. Nur die gepflasterten Wege machen hiervon eine Ausnahme. Auch die Unebenheit des Bodens bildete manche Vertiefungen, die zur Regenzeit mit Schlamm und Wasser gefüllt, diesem keinen Abfluss gestatten und somit kleine Seen inmitten der Strassen der Stadt bilden, die schon häufig Ursache von Unglücksfällen gewesen und wodurch selbst Verlust an Menschenleben herbeigeführt sein soll.

Von allen diesen Unannehmlickkeiten fand ich jetzt nichts, welches ohne Zweifel dem trockenen Wetter zu danken war.

Die ganze Stadt ist von kleinen, wohl zwei Fuss tiefen und 1½ Fuss breiten Gräben durchzogen, deren Wasser aus dem nahen Flusse abgeleitet ist. Diese befeuchten die verschiedenen Wein- und Gemüse-Gärten innerhalb der Stadt und versehen die Bewohner mit Trinkwasser. Die Polizei wacht mit grosser Sorge auf die Reinlichhaltung dieser Canäle und belegt Uebertreter mit hohen Geldstrafen. — Die Wäscherinnen dürfen nur im nahen Fluss waschen; auch das Baden in diesen Gräben ist streng untersagt; trotzdem geschieht es häufig innerhalb der Gärten und Höfe, eine hässliche Sitte, und viele Bewohner ziehen es aus diesem Grunde vor, ihr Trinkwasser in Fässern aus dem ferneren Flusse holen zu lassen. — Das Wasser aus diesem wird als sehr gesund angegeben und soll sogar Heilkräfte besitzen; unmittelbar aus dem Gebirge fliessend, enthält es viele mineralische Bestandtheile und hat deshalb einen herben, aber durchaus nicht unangenehmen Geschmack. Selbst im höchsten Sommer bleibt es eiskalt, und ist daher ungemein kühlend.

Der Handel San Felipe's sowohl als Hauptstadt der Provinz Aconcagua, deren Bewohner zum grossen Theil ihre Bedürfnisse hier beziehen, als auch als Gränzstadt mit dem nahen Argentinien, von dem Tausende von Maulthieren monatlich Produkte bringen und andere mit sich hinwegführen, ist bedeutend. — Innerhalb der Stadt zeugen die Menge der Tienda's (Kaufläden von Zeugen) und Deshaschis (Kaufläden von Colonial-Waaren) von grossem Consum fremder Stoffe und Produkte. Wie schon bemerkt, bringen die Bewohner vieler Meilen im Umkreise ihre Produkte hier zu Markt: Wolle, Poncho's, Lederzeug, Vieh, Getraide und Wein, und beziehen dafür ihre Bedürfnisse. — In der Stadt selbst befinden sich mehrere Leder-Gerbereien, die sehr gute Geschäfte machen sollen, und deren zubereitetes Leder gewöhnlich noch dem berühmten Tucumaner vorgezogen wird. Die Rinde der Roble, wenn mit Kalk zubereitet, wird gewöhnlich zum Gerben gebraucht und giebt dem Leder eine röthliche Farbe. Der Chilene weiss sehr zierliches und dauerhaftes Lederzeug, unter denen sich vorzüglich das Sattelzeug wegen guten Fabrikats auszeichnet, zu bereiten, und giebt dieses dem europäischen an Güte nichts nach, wenn auch der Preis mit dem der überseeischen Fabrikate nicht immer zu concurriren vermag.

Dann wird in San Felipe ein ausgedehntes und sehr lucratives Geschäft mit den weiten Alfalfaweiden*), die ausserhalb der Stadt belegen sind, getrieben.

Die Treiber der von Argentinien kommenden grossen Viehheerden, die oft viele Tausende von Köpfen zählen, lassen gewöhnlich in Santa Rosa oder hier ihre ermüdeten und oft von der Reise über die Andesgebirge abgemagerten Thiere ein bis ein und ein halb und zwei Monate ruhen, um ihnen vor dem Verkauf in Santiago oder Valparaiso ihre Kraft und ihr Fett wiederzuersetzen und sie somit zum besseren Verkauf vorzubereiten. Eine gutbewachsene Alfalfawiese, vier bis fünf Quadrat-cuadra gross, wird für drei Unzen Gold (16 harte sp. Thlr. p. Unze) und in trocknen Zeiten oft für das Doppelte vermiethet, d. h. der Klee verkauft. Der Miether oder Käufer hat dann das Recht, sein Vieh auf die Weide zu treiben, um den Alfalfa abweiden zu lassen, oder diesen zu mähen. Gewöhnlich thut er das Erstere. Auch bedingt sich der Käufer eine ge-

*) Luzernen-Klee.

wisse Zeit, um es zu consumiren; die Länge derselben hängt natürlich von der Anzahl seines Viehes, sowie der Grösse der Weide ab. Diese Bedingung, sowie die Stärke der Gehege, die Anwesenheit eines Wassers, um das Vieh zu tränken, und andere Nebenumstände üben natürlich grossen Einfluss auf den Preis.

Eine andere, in der Gegenwart noch schwache Industrie ist die Bearbeitung der benachbarten Kupferminen.

Diese Kupferminen sind bisher nur mit geringen Kräften bearbeitet worden, trotzdem alle Anzeichen, nach dem Ausspruche erfahrener Bergleute, auf reiche Metalladern hoffen lassen.*)

Etwas entfernter befinden sich einige Kalkhügel, die von einigen Unternehmern aus San Felipe bearbeitet werden. Sie sind wegen ihrer Entfernung vom Meere und hohen Lage merkwürdig.

Schon vor Tagesanbruch nahmen wir am nächsten Morgen unsern Abschied von San Felipe. Kaum dem Gewirre der Strassen und später dem der die Stadt umgebenden Gärten und Baumgruppen entgangen, zeigte uns die aufgehende Sonne in scheinbar grosser Nähe die Spitzen der Andes. Schwieriger unterschieden wir die noch halb im Schatten liegenden Gletscher und Schneefelder. Von schmalen, schwarzen Streifen durchzogen, liessen diese die furchtbaren Abgründe errathen.

Wir befanden uns jetzt auf einem sehr günstigen Punkte, um die Andes zu betrachten, die sich uns fast vom Fuss bis zur Spitze klar darlegten. Weiter vorrückend würden wir ihrem Fuss zu nahe gekommen sein, um diese Aussicht so vollkommen geniessen zu können. Jedoch die beste Zeit, um dieses zu thun, ist am Nachmittage beim Sonnenuntergang, wenn der volle Schein der im Westen versinkenden Sonne den westlichen Abhang der Andes trifft. Die aufgehende Sonne lässt die untere Masse des Gebirges im tiefen Schatten und erleuchtet nur die höheren nach Süden oder Norden abgeplatteten Theile.

Wir sahen jetzt deutlich vor uns die westliche Seite des Aconcagua's. Seine Spitze zeigte sich uns nicht.

Einestheils fühlte ich mich höchlich erfreut, als ich diesen Anblick der, mit der schönen Glorie der aufgehenden Sonne umgebenen Gebirge

---

*) Nach wenigen Monaten, als ich bereits Chile verlassen und mich zu Catamarca in Argentinien befand, erhielt ich die Nachricht, dass auf dem Wege von San Felipe nach Santa Rosa reiche Silber- und Kupferadern nur in geringer Tiefe, fast auf der Oberfläche entdeckt waren Hunderte von Arbeitern und viele Unternehmer strömten hinzu, die alle ein günstiges Resultat aufzuweisen haben.

vor mir hatte. Mein so lang gehegter Lieblingswunsch, mich inmitten jener glitzernden Schneefelder zu befinden, sollte jetzt bald erfüllt werden. Anderntheils konnte ich mich eines Grausens nicht erwehren, wenn ich mich der Gefahren erinnerte, die dort zu bestehen waren. Diese hohen granitnen Mauern, diese tiefen Abgründe und die darüber schwebenden Lawinen, die ich ehedem nur aus Büchern kennen gelernt, ich sah sie jetzt vor mir. Freilich thun die Reisenden in ihren Büchern immer ihr Redliches, um diese Schrecken so viel wie möglich auszumalen, aber nicht diese allein, sondern auch die Erzählungen der Bewohner San Felipe's liessen keinen Zweifel, dass die Cordilleren auf mancherlei Art gefährlich sind und häufig Opfer verlangen.

An der rechten Seite unseres Weges, der von San Felipe nach Curimon führt, wenige Quadra ausserhalb der Stadt, erhebt sich eine Kette steiler Hügel, die theilweise aus soliden Felsen bestehen und als sehr mineralreich bekannt sind. An dieser Stelle befinden sich die verschiedenen, schon oben erwähnten Kupferminen. In einiger Entfernung von San Felipe, in der Nähe von San Roque hatten wir diese selbe Bergkette sich entfernter vom Wege hinziehen sehen. Oft bildeten ihre rauhen Gesteine merkwürdige Formen; auf einer Stelle, ca. zwei Leguas von San Felipe entfernt, nehmen sie die Form von colossalen Gefässen, „botigas“ an. Man sollte glauben, sie seien von Menschenhand, vielleicht von den Indianern geformt, wenn ihre unerreichbare Stellung nicht das Gegentheil bewiese. Der Distrikt oder das Kirchspiel, in welchem sich diese Naturmerkwürdigkeit befindet, hat man „las Botigas“ genannt. Auf einer andern Stelle erheben sich Schieferberge in spitzigen Zacken und läuft ihr Rücken lange Strecken haarscharf in der Form einer Messerklinge fort, bis sie sich plötzlich abrunden oder in mächtigen Vierecken die Gestalt einer Plattform und die der malerischsten Terrassen annehmen.

Dieses rohe Gestein, sich in seinen hohen starren Massen der lieblichen Thalebene, voll des üppigsten Pflanzenlebens, voll des thätigsten Treibens der menschlichen Industrie, gegenüberstellend, giebt dem Reisenden reichen Stoff zum Nachdenken. Anfänglich sieht er nichts in diesen colossalen Formen, als den Tod, den Stillstand der lebenden Natur, inmitten der immerwährenden Bewegung des Lebens. Aber bald wird er das Leben auch in jenen todten Steinen erkennen. Diese merkwürdigen Formen, die, sich immer verändernd, immer Gestalten wechselnd, am Horizont entlang ziehen, sind nicht der Schöpfung entrückt. Ihr Inneres birgt reiche Mineralien, die sich in thätiger, wenn auch langsamer Vegetation ausbreiten. „Auch der Stein wächst", ist eine längst bekannte, naturhistorische Thatsache. — Die menschliche Industrie weiss aus dieser Vegetation ihren Vortheil zu ziehen. In ausgedehnten Bergwerken schliesst sich ihr lärmendes Treiben dem stillen, unbemerkten, aber grossartigen der Natur an, — und doch bleibt es der Zukunft vorbehalten, aus dem Letzteren den gebührenden Vortheil zu ziehen. Die jetzt schon in Erstaunen setzende Thätigkeit und Ergiebigkeit der chilenischen Bergwerke wird sich verdoppeln, verdreifachen.

Die Zukunft ist für diese neuen Länder, was die Vergangenheit für manche der alten, die einst im ganzen Schmuck eines lebendigen Handels, eines allgemeinen Wohles prangten, und denen jetzt nichts als Ruinen, materielle und geistige, geblieben sind. Diese Felder, diese Bergwerke, diese Industrie, alle tragen den Stempel der Kindheit, und zwar nicht, wie in so manchen anderen der südamerikanischen Republiken, den einer kränklichen, schwächlichen, sondern den einer gesunden und robusten an sich, die für ein ebenso gesundes und robustes Alter die beste Hoffnung giebt.

Diese merkwürdig geformte Bergreihe, die so sehr die Aufmerksamkeit des Reisenden anzieht, bildet die eine Wand der grossen Vega, in welcher wir uns befanden. Die andere, diese Vega jenseits begränzende Wand zieht sich parallel mit der eben beschriebenen im Norden entlang, und ist wegen der Breite des Thales nur in bläulichen Umrissen sichtbar. Sich jedoch den Cordilleren nähernd, ziehen sich diese beiden Bergketten immer näher zusammen und engen das Thal ein, bis sich dieses innerhalb der Gebirge, wenige Meilen oberhalb von Santa Rosa, verliert.

Der Weg, langsam zu den Bergen aufsteigend, war hier wie überall in dieser fruchtbaren Vega, von einem Garten-ähnlichen Lande umgeben. Vorzüglich schienen die Weinpflanzungen hier besonders gut zu gedeihen. Auch Feigen und Orangenbäume, in eingehegten Gruppen, schmücken häufig den Weg. Weite flache Wiesen, mit Vieh bedeckt, bildeten den Hintergrund und schienen bis zum Fusse der jenseitigen Bergkette fortzulaufen.

Nach wenigen Stunden erreichten wir Curimon, einen kleinen Flekken, grösstentheils aus leerstehenden Ranchos bestehend. Bei dem Aufschwung, den neuerdings San Felipe genommen, haben sich fast alle Bewohner dieses Oertchens dorthin übergesiedelt. Die verwitterten alten

Mauern zeugen von hohem Alter desselben. Eine kleine Stein-Kapelle ist dessen einzige Zierde.

Wir ritten rasch durch die wenigen, öden Gassen, und erreichten bald das lebhaftere und hübsche San Rafael. Es mochte wohl jetzt Mittag sein. Trotzdem ich gerne etwas geruht hätte, mochte ich die Gastfreundschaft keines der Häuser in Anspruch nehmen, um die Leute nicht in ihrer Siesta zu stören. Wir suchten daher einen schattigen Platz, um uns und unsere Thiere etwas zu ruhen. In dem Corrale*), eines Hauses hatten sich einige Trupps Maulthiere gelagert, man hatte ihnen die Ladung abgenommen und Kisten und Ballen im Kreise, neben den zu ihrer Befestigung auf den Thieren gehörenden Riemen und Aparejos**), gestellt. Im Schatten eines nahen Feigenbaumes lagerten die Arriéros trotz der Mittagssonne neben einem tüchtigen Feuer und schienen ihren Mate mit besonderem Behagen zu schlürfen. Aus verschiedenen Anzeichen ihrer Kleidung, sowie aus der Ladung ihrer Thiere schlossen wir, dass es Mendoziner sein mussten. Ich gesellte mich zu ihnen, man empfing mich freundlich und gönnte mir gerne einen Platz an ihrem Feuer. Mich im Schatten lagernd und den gebotenen Mate annehmend, liess ich meinen Burschen die Pferde absatteln und die Lasso umlegen, um ihnen einige Mundvoll des reichlichen Grases zu gönnen, welches zur Seite des Weges wuchs. —

Die Arrieros über ihr „Woher“ und „Wohin“ befragend, vernahm ich bald, dass unsere frühere Vermuthung richtig war. Sie kamen mit Seife und Rosinen beladen von Mendoza und waren nach Valparaiso bestimmt. Ueber den Pass der Cordilleren gaben sie mir günstige Auskunft. Der Weg war frei von Eis und nur in der Nähe der Cumbre, des höchsten Engpasses, hatte sich etwas Schnee angehäuft. Doch sie warnten mich, nicht den Uebergang allein zu wagen, nicht sowohl der Gefahren der Berge, als der Menschen wegen; man hatte in der letzten Zeit von vielen Raubanfällen gehört. Am Ende der letzten Revolution wurden viele Flüchtlinge in die Gebirge versprengt und nährten sich dort durch Raub oder Schmuggelei.

Nachdem wir hinreichend ausgeruht hatten, setzten wir unsern Weg wieder fort. Langsam weiter reitend, kamen wir nun um zwei Uhr in Santa Rosa de los Andes, oder, wie man es kurzweg nennt, los Andes an.

---

*) Umzäunung eines Hofraums, gewöhnlich aus Pallisaden gemacht, um in der Nähe der Häuser das Vieh hineinzutreiben.

**) Lastsattel von rohem Leder mit Stroh ausgestopft.

Ich fand wenig Unterschied zwischen San Felipe und dieser Stadt. — Von gleicher Grösse und fast gleicher Einwohnerzahl (Santa Rosa zählt deren 2000 mehr wie San Felipe) bietet es ganz dasselbe Bild des regen Verkehrs und der Ordnung, auch in der Form der Häuser, der Strassen und Eintheilung in Quadrate, die sie umgebende Landschaft ist ebenfalls dem allgemeinen Character gleich. Man konnte glauben, noch in San Felipe zu sein. Der Ackerbau ist vielleicht weniger ergiebig in Santa Rosa, da die engere Vega hier nicht solche Ausdehnung der Felder zulässt wie dort. Auch das Klima Santa Rosa's ist bei weitem kühler, wie das einige hundert Fuss tiefer belegene San Felipe, — im Sommer ein Vortheil, ist dieses im Winter ein Nachtheil. Wohlhabende Bewohner dieser Provinz wohnen daher im Sommer hier und ziehen zum Winter nach San Felipe.

An Schönheit der landschaftlichen Lage steht los Andes dem letzteren unbedingt nach. Zwischen den sich hier bedeutend einengenden Thalwänden eingeklemmt, hat es nicht die Aussicht der Vega bei San Felipe.

Das Zollhaus, ein veraltetes Gebäude, befindet sich in Santa Rosa. Der jährlich eingenommene Zoll übersteigt nicht 15—20,000 span. Thaler. Dieser Zoll wird in seinem grössten Theile für eingeführtes Rindvieh, sowie Maulthiere und Pferde erhoben und beträgt 6% von dem Marktwerth der Thiere.

Ich hatte mich entschlossen, wenn möglich, nicht innerhalb der Stadt zu logiren. Ich wünschte freie Weide für mein Pferd zu finden, welches in der Stadt nicht möglich ist. Wir durchritten daher diese und quartierten uns ausserhalb derselben in einer Bauernhütte ein, wo die Leute uns wie immer mit Freundlichkeit aufnahmen.

Unmittelbar hinter der Stadt verlässt der Weg die hier sehr enge Thalebene und steigt die rechte Wand derselben hinan. Ich hatte dort Gelegenheit, den eben gemachten Weg und die Vega, soweit das Auge reichte, zu übersehen. Zu meinen Füssen, an dem Ufer des Flusses Aconcagua lag Santa Rosa. Seine wohlgeformten Quadrate, von diesem Standpunkte aus gesehen, zeigten sich wie ein wirres Durcheinander, ohne Plan, ohne Ordnung, trotzdem gewährten diese Häusermassen mit ihren platten Dächern und den sich über sie erhebenden Kuppeln der Kirchen einen schönen Anblick. — Dem Gewirre der Stadt entgehend, schlängelte sich der Fluss weiter durch die lieblichen Landschaften der Thalebene, um sich bald in den Wäldern und dem tieferen Bette zu verlieren. Weiterhin erkennt man die weissen Häuser von San Rafael, auch Curimon, obgleich undeutlicher, da die hinter ihm liegenden Berge ihren Schatten auf jene Gegend warfen, und dort, wo sich schon der Blick am Horizont verliert, sieht man kaum erkennbar die Waldungen von San Felipe, aus denen hier und da kleine weisse Punkte, Gebäude des Ortes, hervorlugten.

Der Bauer, bei dem ich Quartier genommen, war ein gütiger, wohlwollender Wirth. Er kam allen unsern Wünschen zuvor; unsere Pferde weideten bald auf der fetten Weide eines Nachbarn und auch wir wurden gut gepflegt. Auf meine Anfrage theilte er mir mit, dass es nicht schwer sei, einen Führer und Maulthiere zum Uebergang der Cordilleren aufzufinden, ja, er selbst erbot sich diese zu suchen. Ich gab gerne meine Zustimmung, und noch am selben Tage brachte er mir einen Führer. Es war ein junger, starker Bursche, Macario genannt. Da er mir gefiel, so wurden wir bald des Handels einig. Ebenso gelang es meinem zuvorkommenden Wirth, noch am selben Tage ein Maulthier für mich aufzufinden, welches frisch und kräftig in jeder Hinsicht zu einer schwierigen Reise geeignet war. Ich miethete das Thier für zehn span. Thaler, und verpflichte mich, es in Mendoza an einem bestimmten Ort abzuliefern. Der Vermiether läuft wenig Risico bei diesem Handel. Er vertraut sein Thier zwar einem Fremden, aber man bedenke, dass die Miethe den halben Werth des Thieres bezahlt. Zu gleicher Zeit sieht er sich gewöhnlich den Miether scharf an, und würde er schwerlich sein Thier dem anvertrauen, der nicht durch ein wohlhabendes Aeussere sein Misstrauen beruhigte. Ausserdem ist er gewöhnlich mit den Führern bekannt, die sein Gut in Obacht nehmen. — Macario, der sein eigenes Maulthier besass, bezahlte ich gleichfalls zehn spanische Thaler. —

Das Wetter war gut, und nach den Versicherungen meines Wirthes, sowie meines neuen Führers, der in den Gebirgen von Jugend auf gelebt hatte, waren alle Anzeichen für die Fortdauer dieses guten Wetters vorhanden. Ich beschloss deshalb, schon den nächsen Morgen meine Reise anzutreten, um mich vielleicht durch eine Verspätung nicht dem schlechten Wetter auszusetzen, welches in dieser Jahreszeit schon häufig eintritt. — Unter den gewöhnlichen Vorbereitungen zur Reise, dem Einkauf von Lebensmitteln, (gewöhnlich für eine Woche gemacht), sowie dem Beschlagen der Maulthiere, dem Nachsehen unserer Waffen und Sättel, verschwand rasch der Rest des Tages. Auch meinen guten Juan lohnte ich jetzt ab; trotz meines Anerbietens, Nachtquartier mit mir zu nehmen, trat er noch denselben Tag seine Rückreise an.

Der Abend verschwand mit Tanz und Spiel. Die Töchter meines Wirthes und einige junge Bauern, die sich aus der Nachbarschaft eingefunden hatten, tanzten den allbeliebten Zamaqueca bis spät in die Nacht.

Am nächsten Morgen wurde ich mit einer unangenehmen Nachricht geweckt. Das gemiethete Maulthier, sowie das Macario gehörige und mein eigenes Pferd waren aus dem Portrero verschwunden; sie waren durch die mangelhafte Hecke gebrochen und bis jetzt hatte man keine Spur von denselben auffinden können. Mein Wirth, um sein Unrecht, mir eine Wiese mit schlechtem Gehege nachgewiesen zu haben, wieder gut zu machen, war bei meinem Erwachen bereits fortgeritten, um im Verein mit Macario die verlorenen Thiere zu suchen. Es war schon 11 Uhr, als sie zurückkehrten und glücklicherweise die Thiere brachten, aber es war für heute zu spät, um noch an die Abreise denken zu können. Die Maulthiere hatten stark gerannt. Sie schienen ermüdet, ebenso mein Pferd. Ich durfte jetzt nicht daran denken, wie es früher meine Absicht war, dasselbe mit nach Mendoza zu führen, denn durch die letzte Anstrengung war es wund an den Füssen und etwas lahm geworden. Der anstrengende Weg in dem Gebirge musste es bald untauglich machen. Um es daher nicht ganz zu verlieren, verkaufte ich es nothgedrungen für den vierten Theil seines Werthes.

Im Laufe des Tages langte ein Gevatter meines Wirthes, ein Tropero mit seiner Truppe Maulthiere an. Er war in Mendoza ansässig und hatte einige Produkte von dort nach Santiago de Chile gebracht; er kehrte jetzt von dieser Reise zur Heimath zurück. Von Jugend auf mit den Cordilleren vertraut, die er hunderte Male passirt hatte, wusste er viel und interessant von diesen zu erzählen. Er machte mir Hoffnung, dass er schon nächsten Tages weiterreisen würde, falls sein Agent in Santa Rosa ihm keine Rückfracht nach Mendoza bereit halten sollte. Es musste mir natürlich sehr angenehm sein, falls ich in seiner Gesellschaft meine Reise über die Cordilleren machen konnte. Einerseits diente sie zur grösseren Sicherheit, sowohl seiner Kenntniss der Berge und ihrer Gefahren als auch der Banditen wegen, die es nicht wagen würden, eine solche Gesellschaft, die sich noch durch seine vier Peones vermehren würde, zu überfallen. Anderseits musste mir seine Unterhaltung auf den langwierigen Wegen der Gebirge zu Gute kommen.

Im Hofe um das Feuer sitzend, verbrachten wir den grössten Theil des Abends. Gemüthlich den Mate schlürfend, hörten wir den Erzählungen des Troperos aus den Cordilleren zu. Die Berge und ihre Schrecken waren sein Lieblingsthema. Eine dieser Mittheilungen machte einen besonders tiefen Eindruck auf mich. Sie interessirte den Erzähler persönlich und trug den Stempel der Wahrheit, denn der tiefe darin enthaltene Ernst, das tiefe Schweigen seiner Zuhörer, die seine Lebensbahn genau kannten, zeugten, dass hier keine Erdichtung im Spiele sei. Diese Naturmenschen würden es nicht verstehen, eine Unwahrheit durch poetische Ausschmückung interressant zu machen, sie würden nicht die Tiefe eines Gefühls beschreiben können, das ihr Herz nicht wahrhaft fühlte. Findet man Poesie bei ihnen, so ist es die Poesie der Wahrheit.

Von der Wahrheit seiner Schilderung überzeugt, wage ich es daher, sie dem Leser wiederzugeben. Erlaube man mir, es in seinen eigenen schlichten Worten zu thun.

„Es sind jetzt fünf Jahre," erzählte er, „als ich mit meinem schon betagten Vater, meinem Bruder und von zwei Peones begleitet, mich in Mendoza zur Reise über die Cordilleren anschickte. Wir hatten uns verpflichtet, eine Partie Yerba Mate, trotz der späten Jahreszeit, hinüberzubringen. Der erhöhte Frachtpreis sowie das günstige Wetter, welches bis jetzt, Anfangs April, geherrscht hatte, verleitete uns zu diesem Wagniss, wobei wir nicht viel zu wagen glaubten; haben wir doch Jahre gehabt, wo die Berge noch im Beginn und sogar bis Mitte Juni passirbar waren. Mit unsern schwerbeladenen Maulthieren reisten wir am dritten April von Mendoza ab. Wir kamen nur langsam vorwärts, da wir die Kräfte der Maulthiere für die Bergwege aufsparen wollten. Erst nach drei Tagen kamen wir in Uspallata, einem kleinen argentinischen Grenzorte an. Das Wetter war bei unserer Ankunft in diesem Orte wie immer mild und ohne Anzeichen irgend eines Wechsels und blieb auch so bis zum achten desselben Monates, dem Tage unserer Abreise. Am zehnten erreichten wir die „Punta de las Vacas" und am nächsten Morgen in der Frühe erreichten wir schon „los Baños", die nur wenig Meilen von dem höchsten Passe der Andes entfernt sind. Wir beeilten uns jetzt etwas mehr, als wir dies bisher gethan und unseren schwerbeladenen Thieren zuträglich war, denn in der letzten Nacht hatten wir ein dumpfes Getöse wahrgenommen, welches uns fürchten machte, dass sich Lawinen gelöst hätten. Auch an diesem Morgen war die Luft dunkel und grau geblieben, wir sahen mehrere Heerden Guanacos den tieferen

Schluchten zueilen, die Geier verschwanden vom Horizont und dicke Nebel wälzten sich an den Abgründen entlang. Alles waren Zeichen, dass ein Orkan im Anzug war. Von Minute zu Minute vermehrten sich die Nebel, der Wind wurde immer schärfer, es musste uns jetzt Alles daran liegen, so rasch wie möglich die nächste „Casucha" *) zu erreichen. Es fehlte uns noch eine halbe Legua, als wir plötzlich das dumpfe Donnern der Talca's hörten, welches aus dem Innern der Berge zu kommen schien. Immer lauter wurden diese Donner. Wir bekreuzigten uns und trieben unsere Maulthiere zu raschem Trabe an. Wir sahen jetzt die Spitze des nahen Tupungato gänzlich in dunkle Wolken gehüllt, und immer tiefer senkten sich dieselben wie ein dichter Nebel an ihm herab. Wenige Minuten fehlten und er musste uns erreichen, aber glücklicherweise erkannten wir schon die Casucha. Im Galopp ritten wir darauf zu, hatten auch noch Zeit, unsere Maulthiere abzuladen; doch kaum damit zu Ende, brach das Unwetter los. Ein dichtes Schneegestöber hüllte uns ein und liess uns keine Hand vor den Augen erkennen. Schon die Casucha zu gewinnen und die Oeffnung mit Kisten zu verdecken, wurde uns schwer. Wir dankten unserem Schöpfer, hier geborgen zu sein! Der, welchen dieser tödtliche Nebel, der aus nichts als aus dem dichtesten feinsten Schneegestöber besteht, in den Bergeinöden ohne Schutz trifft, ist rettungslos verloren. Der Athem wird ihm benommen, die wenigen Schritte, die er noch thäte, würden ihn in die nahen gähnenden Abgründe führen. Der Sturm würde ihn hinabreissen, wenn seine Füsse, durch Zufall geleitet, auf dem rechten Pfade bleiben sollten; aber der schlimmste Feind ist ihm die Kälte. Wenige Stunden genügen, ihn zu erstarren, sinkt er hin, so hüllt ihn bald der Schnee in ein dickes, undurchdringliches Leichentuch. In hundertfachen Gestalten bedroht den Unglücklichen der Tod! — Also hatten wir wohl Ursache, unserm Schöpfer zu danken, hier vor der Hand geborgen zu sein. — Das Unwetter wurde da draussen immer schauerlicher, dem Geheul des Orkans gesellte sich der Donner der Talcas zu, der stürzenden Lawinen. Trotz der Tageszeit umgab uns dicke Finsterniss. Zuweilen reinigten die furchtbaren Windstösse die Atmosphäre für Augenblicke und liessen uns durch das enge Fenster die Gegenstände draussen erkennen; nichts aber sahen wir, als eine weisse, unebene Fläche; der Schnee lag ellenhoch, von unsern Maulthieren konnten wir nichts ge-

*) „Casucha" die in den Bergen zum Schutze der Reisenden erbauten Häuserchen.

wahren. Gegen Abend wurde das Wetter stiller, das Schneegestöber und der Wind hörten allmählich auf, der jetzt aber eintretende Frost war ein um so schlimmerer Feind. — Wir versuchten, die Hütte zu verlassen, um uns nach der nächsten, den menschlichen Wohnungen näher belegenen zu begeben, aber unsere Anstrengungen in dieser Richtung wurden vereitelt. Der um die Casucha aufgethürmte Schnee war zu weich, um ein Auftreten zu erlauben; schon bei unseren Versuchen versanken wir nach wenigen Schritten und nur durch gegenseitige und angestrengte Hülfe konnten wir die Hütte wieder gewinnen.

Die Nacht mit ihrer furchtbaren Kälte trat jetzt ein, wir nahmen mehrere Schluck Branntwein, — er gab uns nur wenig Wärme; trotzdem unsere Lage uns allen Appetit genommen, assen wir von unseren geringen Vorräthen, und unsere Seele Gott empfehlend, versuchten wir zu schlafen. — Aber die Kälte war übergross, trotz der harten Arbeit am Tage hielt sie uns wach; wir versuchten mit einigen Aparejos, die wir mit hereingenommen, ein Feuer anzumachen, allein das wenige Stroh in denselben war rasch verbrannt und die härteren Theile qualmten nur und füllten den kleinen Raum der Casucha mit solchem Rauch, dass uns Erstickung drohte; wir mussten den Versuch wieder aufgeben. Diese neue Mühe und Aufregung ermüdete uns noch mehr, und die Nachhülfe eines guten Schluckes Branntwein brachte uns endlich den gesuchten Schlaf. — Es mochte wohl Mitternacht vorüber sein, als uns ein donnerndes Krachen weckte. Aus unserm leichten Schlafe emporgeschreckt, erkannten wir sogleich, dass in unserer unmittelbaren Nähe eine Lawine gestürzt sei. — Sollte uns die Lawine begraben haben? Dies war unser Aller erster und schrecklicher Gedanke; ich sprang auf, und das vorgeschobene Leder von dem Mauerloche oder Fenster entfernend, sah ich hinaus. Ueberall herrschte nichts als Finsterniss; schon glaubte ich, dass das Schlimmste geschehen sei, als plötzlich ein frisch hereinströmender Luftzug uns anzeigte, dass wir dieser Gefahr entronnen waren. Sich vom „lebendig begraben sein" errettet zu wissen, gab auch dem Schwächsten, dem Verzagtesten unter uns neuen Muth. Vertrauensvoller blickten wir auf die nahe Zukunft, so verzweiflungsvoll auch immer unsere Lage blieb und durch die sich vermehrende Kälte von Minute zu Minute noch verschlimmert wurde. Wir waren zu aufgeregt, um wieder einschlafen zu können, sehnsuchtsvoll sahen wir dem Tage entgegen, der aber, als er kam, uns wenig Vortheil brachte. Die Thür der Hütte öffnend, sahen wir vor uns nichts als die weite Schneedecke, — die niederen Abgründe waren verschwunden, — sie breitete sich über Höhen und Tiefen, nur die steileren Felsen waren unbedeckt.

Unser Versuch, den Schnee zu betreten, schlug wieder fehl. Wieder verging der Tag, ohne dass wir es wagen konnten, die Hütte zu verlassen; mit der immer zunehmenden Kälte kämpfend, versuchten wir noch mehreremale mit verschiedenen Gegenständen Feuer zu machen, aber immer vergebens. — In der Nacht begann wiederum der Schneesturm, und dauerte den ganzen nächsten Tag, den dritten, den wir in dieser Leidenshütte zubrachten. — Was wir in dieser Zeit gelitten, wer vermag es zu verstehen, der nicht ähnliche Qualen erduldet! Mein armer, schwächlicher Vater wurde jetzt von Minute zu Minute schwächer, und trotzdem wir ihn durch Reibung seines Körpers zu erwärmen suchten und alle uns zu Gebote stehenden Mittel aufwandten, um ihn zu stärken, blieben leider unsere Bemühungen vergebens. Wir konnten ihm seine Kraft nicht wiedergeben. — Auch unsere Lebensmittel gingen schon zu Ende. — Wohin wir sahen, sahen wir nur Tod und Verderben, Hunger, Kälte und die Lawinen.

Immer unerträglicher wurde die Kälte. In dumpfer Betäubung zu einem dichten Knäuel um den Greis zusammengedrängt, um diesen und uns gegenseitig zu erwärmen, sassen wir in der Hütte, — hoffnungslos! Der vierte Morgen brach an. Des Greises bleiches Angesicht, seine gläsernen Augen, die sich krampfhaft öffneten und schlossen, machten uns unruhig. Wir vergassen auf Augenblicke unsere eigene Lage, um unserem Vater zu helfen. Aber es war vergebens! Die körperlichen und geistigen Strapazen hatten ihn aufgerieben, um fünf Uhr Morgens gab er seinen Geist auf. — Eine dumpfe Verzweiflung bemächtigte sich unserer, in den matten Blicken, dem schrecklichen Aussehen der Anderen las jeder Einzelne sein eigenes Schicksal. Alle fühlten die Nähe des Todes. —

Wir legten den Leichnam jetzt ausserhalb der Hütte auf den Schnee; rasch hatte das dichte Schneegestöber eine Leichendecke über ihn ausgebreitet; — das erste der Opfer war gefallen.

Der Sturm wüthete jetzt mit abwechselnder Heftigkeit. O! der zahllosen Qualen, die wir während der nächsten vier Tage erlitten!

Auch mein Bruder und der eine der Peonen starben schon in der sechsten Nacht und folgten dem Vater in das eisige Grab; es waren Beide junge Männer von 16 bis 18 Jahren. Fast beneidete ich sie, wie sie endlich ausgelitten hatten und zur ewigen Ruhe eingegangen waren.

Eine schaurige Nacht war es, tiefe Finsterniss umgab uns in der engen Casucha, draussen donnerten die Lawinen und heulte der Sturm mit immer erneuter Heftigkeit. Aber noch mehr als vor diesen grausigen Stimmen der Natur bebte mein Herz vor den leisen, kaum vernehmbaren Klagetönen meines sterbenden Bruders. Eng hielten wir uns umschlungen, sein Haupt ruhte an meiner Brust. Endlich noch ein tiefer Seufzer, — ein leiser Krampf, und ich hielt eine Leiche in meinen Armen. — Welche schreckliche Stunde! auch der andere Peon, fast noch ein Knabe, hauchte in derselben Stunde seine letzten Seufzer aus. Auch sie deckte bald die weisse Schneedecke.

Meine starke Constitution, sowie die meines übrig gebliebenen Gefährten, trotzten noch immer den Einwirkungen der furchtbaren Kälte und des Hungers. Wir Beide waren starke Männer und standen in dem kräftigsten Alter, wir mochten uns in den mittleren 30 Jahren befinden. — Es war der neunte Tag unseres Aufenthaltes in den Cordilleren. — Die Schrecknisse, die uns umgaben, liessen uns wohl hundertmal den Tod wünschen, dennoch, als sich unsere Schwäche zusehends vermehrte, erfüllte uns ein tiefer Schrecken, und mit aller Zähigkeit der Verzweiflung stemmten wir uns gegen das Verderben.

Schon lange hatten wir keine Nahrungsmittel mehr; wir nährten uns von dem halbverbrannten Lederzeug der Aparejos und unsern Durst stillte der Schnee. Endlich, am neunten Morgen, hörte der Sturm auf. Der starke Frost hatte jetzt die Schneedecke fest genug gemacht, um unsern Körper zu tragen. Der Rückweg war uns eröffnet, und ein schwacher Hoffnungsschimmer erschien an unserm Horizonte. Doch war er nur schwach, denn wie konnten wir hoffen, Uspallata zu erreichen! Dem Frost, der uns fast in dem Innern der Casucha besiegte, — sollten wir ihm im Freien ohne Obdach widerstehen können? Wir, die wir uns kaum auf unsern Beinen zu halten vermochten, sollten hoffen dürfen, nahe an dreissig Meilen durch diese Wildnisse zu gehen? Wir durften nicht erwarten, Reisenden zu begegnen, solchem Unwetter würde sich kein Tropero freiwillig aussetzen.

Trotzdem verliessen wir mit einer nicht zu beschreibenden Freude die Hütte. Schon nach wenigen Schritten mussten wir uns wechselseitig stützen, um unserer Schwäche soweit Herr zu werden, dass wir gehen konnten. Wir durften nicht denselben Weg zurückgehen, den wir mit unseren Maulthieren gekommen waren; die Schluchten, durch welche jener hindurchführte, waren mit Schnee angefüllt, wir mussten uns auf dem Kamme der Bergreihen halten, die sich allmählich ins Thal hinuntersenken, um die Tiefen zu vermeiden. — Die hohen Schneemassen und Abgründe, die umgangen werden mussten, boten uns viele Schwierigkeiten, aber der Tod, der uns aus hundert Gefahren entgegenstarrte, gab uns den Muth der Verzweiflung und mit fast übernatürlicher Kraft besiegten wir die Hindernisse, die sich uns auf jedem Schritte entgegenstellten.

Glücklicherweise blieb das gute Wetter beständig. Am Mittag erreichten wir die nächste Casucha, eine Legua von der am Morgen verlassenen entfernt; aber nur kurze Rast gönnten wir uns, setzten unsern Weg fort und am Abend erreichten wir wiederum die nächste Hütte, zum Tode ermattet.

Aber rasch verschwand unsere Müdigkeit. Wer beschreibt unsere Freude, als wir die Ueberreste eines Feuers und einige Holzkohlen fanden; ein auf dem Boden liegendes und wahrscheinlich als schlecht weggeworfenes Stück Charqui brachte uns vollends ausser uns.

Wer würde in einer solchen Lage die Güte des Allmächtigen verkennen? Mit Thränen dankten wir ihm und wärmten uns und assen.

Der schwache Hoffnungsschimmer war zum leuchtenden Stern geworden. —

Trotz dem Fieber, welches in meinen Adern tobte, verliessen wir noch vor Tagesanbruch die Hütte. Kaum dämmerte es, als wir Spuren von Fussstapfen mehrerer Leute sahen, die sich auf unserm Wege hinzogen. Es mussten diese den Leuten angehören, deren Feuer in der Casucha uns so wohlthätig geworden war. Das glimmende Feuer, sowie die Frische der Spuren bewies uns, dass sie nur wenig Stunden vor unserer Ankunft in der Hütte fortgegangen waren. Wir durften wohl nicht hoffen, sie zu erreichen, aber diese Nähe menschlicher Wesen gab uns frischen Muth. Schon nicht mehr mit dem Muthe der Verzweiflung, sondern dem der Hoffnung verfolgten wir unsern Weg, die Fussstapfen gingen auf demselben entlang; — schon nach ein paar Stunden erreichten wir die nächste Casucha in der Nähe der Punta de las Vacas. Nur noch wenige Quadras entfernt, lag sie vor uns. Sollten wir unsern Augen trauen? Rauch stieg aus derselben auf! Die Freude machte mich sprachlos. Noch zwanzig Leguas voll Schnee und Eis zwischen den nächsten menschlichen Wohnungen und uns, ohne Lebensmittel, ohne Feuerung, wie durften wir hoffen, sie zu erreichen. Aber Gott hatte Erbarmen. —

Die Freude hatte uns schwach wie Kinder gemacht; kriechend näherten wir uns der Casucha, — wir wollten rufen, aber kein Laut entfloh unsern Lippen. So nahe der Rettung schwand unsere überspannte Kraft. — Ein Nebel umfing meine Augen, und ohne Besinnung fiel ich auf den Schnee nieder. —

Wieder zum Bewusstsein gekommen, befand ich mich in der Casucha, mehrere Leute waren beschäftigt, mir mit Branntwein die Schläfe zu reiben, ebenso meinem Gefährten, der mir zur Seite auf dem Boden lag. Wir erholten uns bald unter den vereinten Bemühungen unserer Retter. Es waren Peones aus Uspallata, die einige Thiere aufsuchten, welche sich bei dem letzten Sturm in den Bergen verirrt hatten. Mit einem guten Vorrath von Holzkohlen und von Kopf bis zu Füssen in Schaaffelle gehüllt, hatten sie dieses Wagniss unternommen.

Mein Gefährte befand sich scheinbar wohl und schien zur Weiterreise bereit, doch mein Zustand hatte sich verschlimmert. Ein heftiges Fieber kam zum Ausbruch, und wir mussten daher suchen, so schnell wie möglich nach Uspallata zu kommen. Man hüllte mich in Schaaffelle, die unsere Retter ihrem eigenen Körper entzogen, — und da meine Füsse mir den Dienst versagten, schleppten sie mich abwechselnd oder schleiften mich auf ebenen Stellen auf einer harten Ochsenhaut.

Erst nach zwei Tagen erreichten wir Uspallata, wo die Pflege der Einwohner mich bald wieder herstellte. Mein Gefährte kam nicht so gut davon; anfänglich stärker, unterlag sein eiserner Körper doch den übermässigen Anstrengungen. Eine langwierige Krankheit war die Folge, von der er nur als blinder Mann genass. Seine schwächeren Augen hatten den langen Anblick des Schnee's nicht ertragen können."

Er schwieg; eine Thräne, dem Andenken seines unglückliches Vaters und Bruders geweiht, bezeugte, dass jene Wunde noch nicht verschmerzt sei.

Unser Wirth erzählte mir später, dass jener Unglückliche, der sein Augenlicht bei der traurigen Begebenheit verloren hatte, noch von dem alten Arriero ernährt werde. —

VI.

Allgemeine Bemerkungen über den Handel Chile's. – Abreise von Santa Rosa de los Andes. – Eintritt in die Cordilleren. – Guardia nueva. – Schmuggler. – Guardia-viéja. – Nachtquartier. – Weiterreise während der Nacht. – Ojos de aqua. – Die erste Casucha. – Zusammentreffen mit einem Deutschen. – Die Casuchas. – Ankunft auf dem Kamm der Andes. – Ein geheimnissvoller See.

An der Gränze Chile's angelangt und im Begriff das argentinische Gebiet zu betreten, wird es, wie ich hoffe, dem Leser angenehm sein, bevor ich in diesen flüchtigen Reiseskizzen von diesem Lande Abschied nehme, noch etwas über seinen Handel zu erfahren, über den eine längere Anwesenheit dort mich befähigte, Beobachtungen anzustellen.

Dieser Handel Chile's verdankt seine Wichtigkeit sowohl seiner geographischen Lage, die die Häfen dieses Landes zum Stapelplatz der ganzen südamerikanischen Westküste machte, sowie der thätigen Industrie seiner Bewohner, die in dieser Hinsicht denen aller anderen südamerikanischen Länder überlegen sind. Dass der Reichthum seiner Bergwerke und die Fruchtbarkeit seiner Thäler zu den glänzenden Erfolgen des Chilenen am meisten beiträgt, ist natürlich, allein jene Bedingungen wären allein nicht genügend, sie herbeizuführen. Auch die übrigen Staaten Süd-Amerikas geniessen die Wohlthaten eines herrlichen Bodens, eines milden Klimas und mineralischen Reichthums, oft sogar in einem höheren Grade wie Chile, und trotzdem stehen sie in der Bedeutung ihres Handels und Verkehrs weit hinter jenem zurück. — Sie beuten ihre Naturschätze nicht aus. Die Pest Süd-Amerikas, die Bürgerkriege, verwüsten ihre blühenden Felder. Die unumgängliche Folge derselben, das Misstrauen der fremden Capitalisten und Arbeiter, sowie die Verminderung der Einwohnerzahl sind die Ursachen, dass sich ihre Industrie und ihr Handel nicht in dem Maasse zu entwickeln vermögen, wie es in Chile der Fall ist, wo nur selten ein kurzer Bürgerkrieg die Stille und die Wohlthat des Friedens störte. Aber alle diese Ursachen führen uns nur auf die erste Hauptursache, die Ueberlegenheit ihrer Bewohner über die der anderen Länder Südamerikas zurück. Der Ausdruck „Chile“ mit seinen nordamerikanischen Zuständen, wie ihn ein geachteter argentinischer Schriftsteller gebraucht, ist sehr bezeichnend.

Woher sich dieses Factum schreibt, ob es in dem Unterschiede der Racen, oder in der Anwesenheit einer grösseren Anzahl Fremder seinen Grund hat, dies zu untersuchen, würde uns zu weit führen. Genüge es uns, dass die Thatsache vorhanden ist, und wir sie als Ursache des verhältnissmässig bedeutenderen Handels Chiles bezeichnen können.

Des Ackerbaues, sowie der Bergwerke Chiles, dieser Hauptquellen seines Reichthums, deren Ausbeutung so gut von den Bewohnern verstanden wird, habe ich schon flüchtig hin und wieder auf meiner Reise durch das Land erwähnt, ich werde diesem hier noch einige Bemerkungen hinzufügen, die dem Leser interessant sein dürften.

Der Ackerbau, in früheren Jahren nur durch die gröbsten Werkzeuge gehandhabt, ist jetzt in Chile zu einem Studium geworden, und die neuen Erfindungen an Ackergeräthschaften haben fast überall bereitwillige Aufnahme gefunden. Nur die Weise, wie der Landmann das Getreide ausdrischt, lässt im Allgemeinen noch viel zu wünschen übrig. Die Getreidegarben werden in einem weiten Kreise von 10—20 Fuss Durchmesser um einen Pfahl auf dem Boden ausgebreitet, und sodann wird ein kleinerer oder grösserer Trupp Pferde, gewöhnlich Stuten, darauf getrieben, die im Kreise um den Mittelpunkt über das Getreide galoppiren, bis sich das Korn durch ihre Hufschläge von den Halmen gelöst hat. — Dieses Verfahren befähigt sie grosse Quantitäten Getreide in ungewöhnlich kurzer Zeit auszudreschen, aber der Verlust an Korn in diesem rohen Prozess wird auf 6 bis 7% geschätzt, welches, wenn man den jährlichen Betrag der Ernte auf 6 Millionen span. Thaler annimmt, eine hübsche Summe als Totalverlust ergiebt.

Mais wird in Chile sehr viel gebaut, jedoch im Verhältniss zu den Nachbarländern weniger als Waizen. Die Ursache von dieser Bevorzugung mag in der Qualität des Waizens liegen, dessen besondere Güte von wenigen Ländern Südamerikas und dessen Fruchtbarkeit von keinem übertroffen wird. In der Provinz von Aconcagua, in der Nähe von Santa Rosa, producirt z. B. der Waizen 50 bis 60 Fanegas*) pr. Quadra. Auch Gerste und die französische Bohne werden in grosser Menge geerntet und ins Ausland geführt.

Eine grosse Aufmunterung erhielt der chilenische Ackerbau in der

*) Faneja ist ein Getreidemaass von 12 Almuds und fasst 5,430,626 Cubikzoll. Das Gewicht einer Faneja Waizen ist 157 ℔

Eröffnung des californischen Marktes. Seine Preise verdoppelten sich plötzlich. Allein die chilenischen Hacendados wussten nicht den ganzen Vortheil aus diesem glänzenden Geschäft zu schöpfen. Nachdem sie einige Ladungen zu fabelhaft hohen Preisen verkauft hatten, wollten sie nichts von einer Erniedrigung dieses Preises wissen, und machten daher die Concurrenz fernerer Länder, vorzüglich der östlichen Theile der Vereinigten Staaten, die ihr Getraide um Cap Horn zu senden hatten, möglich. Dieser unzweckmässigen Maassregel verdankte der chilenische Getraidehandel zu jener Zeit eine grosse Abnahme in seiner Ausfuhr. — Später, als Californien seine eigenenen Bedürfnisse erzeugte und sogar schon binnen wenigen Jahren zur Ausfuhr bereit war, nahm der Export Chiles noch mehr ab, und musste sich auf seine anderen Märkte Bolivien, Peru, Australien, die La Plata-Staaten und Brasilien beschränken; ja selbst nach England gehen unter gewissen Umständen Getraideladungen ab.

1852 wurden 41 Millionen Pfund Mehl exportirt, während es 1850 68 Millionen Pfund waren. — Dieser Unterschied liegt in den bedeutenden Ladungen, die 1850 nach Californien geschafft wurden. Die Gerste, ein festerer Artikel, ist diesen Schwankungen nicht ausgesetzt, und vermehrt sich deren Export und Anbau daher jährlich.

Der Bergbau, seit der kostbaren Entdeckung der mineralreichen Distrikte in Alacama und Coquimbo, ist dem Ackerbau an Bedeutendheit seiner Ausfuhr weit überlegen. — Trotz des Reichthums der Silberminen nehmen die Kupferbergwerke fast einen gleichen Rang mit denselben ein.

Im Jahre 1852 war das Verhältniss folgendes:

Kupfer-Ausfuhr	2,100,000 Doll.
Silber-Ausfuhr	3,545,000 Doll.
Gold-Ausfuhr	320,000 Doll.

Kobalt, Nickel und Zink folgen mit untergeordneten Beträgen. — Viele andere Arten Mineralien werden gefunden, aber nicht bearbeitet. Unter diesen befindet sich das Alabaster in der Nähe der Hauptstadt. —

Die bedeutendsten chilenische Bergwerke finden sich in der Umgegend Copiapo's, der Hauptstadt der Provinz von Atacama, früher auch „San Francisco de la Selva" genannt. Von Copiapo führt eine Eisenbahn nach dem circa 51 engl. Meilen von ihm entfernten und an der Meeresküste belegenen Caldera, von Pabellon führt eine andere Bahn nach Copiapo. Beide Eisenbahnen gehören einer Unternehmung an; sie sollen

6

1,200,000 Piaster gekostet haben und hatten bis 1857 schon 15 % ihres Werthes bezahlt. In Caldera (übersetzt „Kessel") existiren eine grosse Anzahl Schmelzöfen, denen die Eisenbahn täglich eine ungeheure Quantität Mineralien zuführt. Das reiche Silberbergwerk von Chañarcillo bestreitet einen grossen, den bedeutendsten Theil dieser Zufuhr. Noch jetzt, da schon ein bedeutender Theil der Minen aufgehört hat zu produciren, wird noch ¼ Million Piaster monatlich an Silber gewonnen. — Das Bergwerk von Chañarcillo erhält seinen Namen von dem Berge Chañarcillo, in welchem es sich befindet. Dieser Berg, ca. 3600 Fuss hoch, liegt an der Südgränze der atacamischen Wüste — und findet sich in allen Richtungen von den reichen Adern durchbohrt, aber nur an der Südseite kommen sie zu Tage. — Man kann sich einen Begriff von dem Reichthum dieser Erze aus der Nothwendigkeit machen, diese fast massiven Silberstücke vor ihrer Extraction aus den Gruben zerschlagen zu müssen. Ohne diese Operation würden sie ihrer Grösse wegen nicht herauszubringen sein. Die „Grube Manto de la Mandiola" gab Stücke von reinem Silber, die 20 Quintales (à 100 Pfd.) wogen. Der glückliche Eigenthümer dieses Bergwerkes ist die Familie Gallo, die sie für nur 9000 Piaster von einem Bergmann Godoy kaufte. Natürlicherweise war zur Zeit jenes Kaufes ihr fabelhafter Reichthum noch unbekannt. Den Betrag, welcher von besagter Familie seit dieser Periode 1832 bis 1855 aus diesem einzigen Bergwerk gewonnen, schlägt man auf 90 Millionen Piaster an. — Dem Entdecker Juan Godoy wurde auf der öffentlichen Plaza in Copiapo ein Denkmal, seine Bronze-Statue darstellend, errichtet.

Die Productivität dieser Gruben hat in neuerer Zeit zwar abgenommen — aber immer werden neue Adern entdeckt, die, wenn auch ferner von der Küste und tiefer im Erdboden belegen, deren Bearbeitung daher minder einträglich als die früher zu Tage gehenden Adern sind, dennoch Chile's Bergbau eine noch langwährende und blühende Zukunft sichern. Die ergiebigsten jetzt bearbeiteten Minen sind: die „Descubridora", die schon 1400 Fuss tief geht und Silbererze von 95 % Reinertrag liefert; — die „Valenciana" mit 2600 Fuss Tiefe, — „San Francisquito" mit nur 600 Fuss Tiefe, — „Esperanza", „Santa Rila" u. s. w. In den Gruben werden lange Gänge ausgehauen, in welchen hin und wieder grosse Felsenpfeiler gelassen werden, um die Galerieen zu stützen. So viele sich auch durch Minenspeculationen in diesen Distrikten bereichern, so giebt es hin und wieder Manche, die von denselben zu Grunde gerichtet werden. Zu grossartige und kostspielige Arbeiten in metallarmen Gruben unternommen, sind eine Ursache der in den letzten 10 Jahren so häufigen Fallissements unter den Minenbesitzern. So z. B. hatte die Grube „la Mejicana", obwohl längere Zeit mit schweren Kosten und bis zu der bedeutenden Tiefe von 1500 Fuss bearbeitet, bis zum Jahre 1855 noch keinen Cent producirt. —

Die bedeutenden Entdeckungen, die vor einem Jahrzehend von Neuem in den Bergwerken von Copiapo sowohl, wie auch Coquimbo gemacht wurden, gaben zu einem grossartigen Minenschwindel Veranlassung, der vorzüglich die Kaufleute Valparaiso's ergriff und manche Verwüstungen unter denselben anrichtete. Gewissenlose Agenten gaben vor, die Entdeckung irgend einer reichen Ader gemacht zu haben, entnahmen von der Regierung die nöthigen Documente, die sie allein zur Ausbeute ihrer vermeintlichen Reichthümer berechtigten, und mit diesen versehen, verkauften sie auf dem Valparaiso-Markte verschiedene Antheile oder „Varas" der Grube. Hatten sie alle ihre Antheile verkauft, so machten sie sich aus dem Staube. — Die Valparaiso-Käufer sandten sodann Ingenieure nach den Bergwerken, um ihre Minen zu besichtigen und zu bearbeiten; — diese fanden aber nichts als einen Fels, gewöhnlich in einer öden, von der Küste entfernten Gegend, dessen Aeusseres auch nicht die geringsten Spuren eines mineralischen Gehaltes aufwies. Die Klügeren der Käufer, sobald sie diese Nachricht empfingen, machten einen Strich durch ihre Minen-Luftschlösser, — nicht so der grösste Theil derselben. — Der Enthusiasmus hatte sie einmal ergriffen und wohl oder übel wurde die Arbeit in dem tauben Gestein begonnen. Ruin konnte nur die Folge dieses sinnlosen Benehmens sein.

Nächst den Silberbergwerken sind die Kupfergruben, die von Jahr zu Jahr eine grössere Ausdehnung in Copiapo gewinnen, erwähnenswerth, wie obige Ziffer der Ausfuhr dieses Minerals 2,100,000 Doll. für 1852, zur Genüge darthut.

Ein anderer Industriezweig, der täglich mehr in Chile an Wichtigkeit zunimmt, ist die Gewinnung der Steinkohle. Schon vor mehreren Jahren ergaben die Gruben ein Resultat von 200,000 Tons pr. Jahr, doch jetzt bei der grossen Anzahl neu entdeckter Minen und dem wachsenden Bedarf muss sich dies sehr vermehrt haben. Coronel, Playa Negra, Robla Colorado, sind die Punkte, wo die bedeutendsten Kohlenlager entdeckt sind. Auch in der Magelhaensstrasse auf chilenischem Gebiet sind in der neueren Zeit bedeutende derartige Entdeckungen gemacht. — Die Kohle,

6*

nächst dem sehr bedeutenden Consum, den sie in Chile selbst, vorzüglich in den Schmelzöfen der Mineraldistrikte findet, ist auf den Märkten von Peru und Bolivien sehr gesucht. Im letzteren gleichfalls für die Schmelzöfen des mineralreichen Bezirkes von Colija und in Peru für die Fabrikation des Salpeters (Nitrato de Soda) in der Provinz Táragaca. — Die dann an Wichtigkeit folgenden Artikel, die Chile exportirt, sind:

Wolle	im Betrage von	160,000	Doll. jährlich	1853.
Getrocknetes Fleisch	„ „ „	31,000	„ „	
Ochsenhäute ...	„ „ „	20,000	„ „	
Guano	„ „ „	28,000	„ „	

Nach diesen reihen sich in minder grossen Beträgen, Holz, Feigen, getrocknete Pflaumen, Pfirsiche, Wallnüsse, spanischer Pfeffer, Wein, Branntwein, Knochen, Hörner, Leder, Fett, Butter und Käse.

Der Importhandel, von welchem Manufacturwaaren, englische Baumwollenstoffe und französische Seidenwaaren den grössten Theil bilden, gleicht sich in seinem Betrage fast mit dem Export aus. Die Einfuhr des Jahres 1851 belief sich auf 15 Millionen Dollars, während die Ausfuhr 13 Millionen betrug. 1850 überstieg die Ausfuhr die Einfuhr. — Die Ursache davon ist, dass ein grosser Theil der Chilenen wenig fremder Produkte bedarf. Der Landmann webt sich aus der Wolle seiner Schaafe seine eigenen Kleider. Selbst Fabriken, in denen gröberes Tuch fabricirt wird, sind im Lande etablirt. —

Die Jahreszahl, unter der ich meinen Lesern oben einige statistische Daten mittheilte, ist leider etwas zurück, allein es war mir bei der Schnelligkeit meiner Abreise aus Chile nicht möglich, neuere Daten zu erhalten, welches in diesen Ländern oft schwierig und umständlich ist. — Bei der in dieser neueren Zeit vorgerückten Schnelligkeit der Bewegung, der Transportmittel durch grossartige Eisenbahn- und Wegebauten, bei der seit jenen Jahren bedeutend vermehrten Bevölkerung, sind natürlich auch jene Ziffern um ein Bedeutendes gewachsen; doch in Hinsicht der Qualität der Produkte und dem gegenseitigen Verhältniss ihrer Menge ist keine bemerkenswerthe Veränderung eingetreten. Jene früheren Hauptartikel bleiben auch jetzt noch Hauptartikel und jene Nebenartikel sind auch jetzt noch verhältnissmässig gering im Export; vielleicht mit der einzigen Ausnahme des Holzes. — Das waldreiche Chiloé wird jetzt mit viel grösseren Mitteln als früher bearbeitet. Das chilenische Eichenholz, die Tanne, die Fichte wird in grossen Ladungen nach allen westlichen Küstenplätzen Südamerikas geführt, und der Betrag, der ehedem die Ausfuhr eines Jahres bezeichnete, mag jetzt wohl kaum für den eines Monats genügen. — Dasselbe Chiloé liefert auch die Kartoffel, mit der es jetzt einen einträglichen Handel nach Peru und Bolivien treibt.

Die Hoffnung, die ich mir gemacht hatte, in Begleitung des alten Arrieros die Reise über die Cordilleren zu machen, wurde nicht erfüllt. Seine Vorbereitungen mussten seiner grossen Truppe Maulthiere, sowie der Ladung wegen, die sich jetzt für ihn in Aussicht stellte, noch mehrere Tage dauern, die ich weder opfern wollte noch konnte. Ich beschloss also, mich mit meinem Führer Macario allein auf den Weg zu machen. Jeder auf einem munteren Maulthier, hinter dem Sattel den leichten Mantelsack mit einiger Wäsche und die wollenen Decken geschnallt, sowie die mit Lebensmitteln gefüllten Alforgas*) übergehängt, waren wir leicht und genügend equipirt. — Es wäre vielleicht nützlich, hier anzudeuten, wie Reisende am leichtesten und billigsten diese Reise antreten können. Die Reisenden, die grösseres Gepäck bei sich führen, thun immer am besten, sich den Arrieros, d. h. den Eigenthümern einer Truppe anzuvertrauen. Sie suchen einen der zahlreichen Arrieros auf, die mit Ladung nach Mendoza bestimmt sind; gewöhnlich führen diese eine gute Anzahl leerer Maulthiere mit sich, um die verloren gehenden zu ersetzen oder den ermüdeten die Last zu erleichtern. Sie übernehmen gern für einige dieser unbeladenen Maulthiere die Fracht der Reisenden, die ein Gewisses, gewöhnlich acht spanische Thaler für die zu reitenden und vier span. Thaler für die mit dem Gepäck zu beladenden Maulthiere zu zahlen haben. Dieses und die für 8 — 12 Tage anzuschaffenden Lebensmittel sind die einzigen Unkosten, die diese Reiseart erfordert. Natürlich wird's für den Reisenden unbequem, sich ganz nach dem Marsche der Truppe richten zu müssen. — Der Arriero ist so gut der gebietende Herr, wie der Kapitän auf seinem Schiff, und der Reisende nichts anderes als ein willenloser Passagier. — Eine andere Art zu reisen, wie ich sie erwählte, ist etwas kostspieliger jedoch für einen einzelnen Reisenden ohne alles Gepäck vorzuziehen. Man miethet sich ein Maulthier für

*) Satteltaschen, die über den Rücken des Thieres auf dem hintern Theil des Sattels gelegt werden. — An jeder Seite hängt eine der Taschen herab. Es ist nothwendig, in beiden das Gewicht gleich zu vertheilen, um sie nicht zu verlieren.

zehn span. Thaler und dingt einen berittenen Führer für gleichfalls zehn bis sechszehn Thaler; dieser letztere Preis ist es, der gewöhnlich bezahlt werden muss. — Man bleibt sodann sein eigener Herr und kann die Reise, falls das Maulthier gut ist, in der Hälfte der Zeit zurücklegen, als man sie mit einem Arriero und seiner Truppe machen würde. Wollten dagegen mehrere Reisende mit Gepäck beladen diese Reiseart vorziehen, so würden sie mehrere Maulthiere für ihre Ladung und Nahrungsmittel zu miethen, sowie mehrere Männer zu engagiren haben, auch Aparejos zu kaufen und anderen weitläufigen Ausgaben würden sie nicht entgehen. —

Am 13. März Morgens fünf Uhr, nach einem herzlichen Abschied von meinem Wirth, brachen wir nach den Gebirgen auf. — Die frische Morgenluft umwehte mich mit ihrem belebenden Hauche, die eben erwachende Natur in den dunklen Schluchten und auf den freieren Höhen, die wir im Anfange unseres heutigen Rittes passirten, gewährte eine reizende Scene, die wohl im Stande war, dem Reisenden den höchsten Genuss zu gewähren, die Lieblichkeit der Natur in ihren verschiedenartigen Bildern bewundern zu können.“ —

Schon nach wenigen Stunden fanden wir uns von der ganzen Natur einer wilden Berggegend umgeben. Zur linken Seite unseres engen Pfades erhoben sich steile Granitmassen, nur selten von einem einsamen, grünen Fleckchen unterbrochen. Diese grünen Fleckchen bildeten sich gewöhnlich in den Spaltungen der Felsen. Zur Rechten ist jetzt noch unabsehbare Tiefe, rauschte im engeingeschlossenen Felsbette der Bergstrom, eine der Quellen des Aconcagua. — Oft bildete dieser Strom hohe Wasserfälle, sein Rauschen verwandelte sich dann in ein heftiges, in den Bergen ein vielfaches Echo hervorrufendes Getöse. Selten war uns ein Blick in seine Tiefe gegönnt. Vorstehende Felsmassen und das reichliche Gestrüpp am Abhange, verhinderte den Anblick des Stromes. —

Schon glaubten wir in die ganze Wildheit der Cordilleren eingetreten zu sein, aber die Natur spielte mit unserer Vorstellung. — Plötzlich erweitert sich wieder die Aussicht vor uns und eine überraschende Veränderung geschieht mit unserer Umgebung. Eine Hochebene streckte sich vor uns aus. Wie eine Oase in der Wüste erschien sie mir. Die Abgründe ebnen sich, die Felsen ziehen sich im Hintergrunde hin, und machen einem fruchtbaren, sanft sich hebenden Hügellande Platz, der Strom verwandelt sich in einen, im ebneren Bette ruhiger fliessenden Bach, der die Hochebene befruchtet. An seinen Ufern wachsen hübsche

Spaltblumen, üppiges Gras, auf welchem Kühe und Schaafe weiden. Die Hütten finden sich etwas im Hintergrunde an den Abhängen der Berge gebaut. Der Bergbewohner baut sie dort, um vor den Winden geschützt zu sein, die Bequemlichkeit der Gefährlichkeit vorziehend. Auch Gemüsegärten und Gruppen von Obstbäumen, oft in bedeutendem Umfange, ziehen sich am Wege entlang. Aepfel- und Birnbäume, das rauhe Wetter der Berge am besten ertragend, bildeten die Mehrzahl unter letzteren.

Diese unverhofft gefundene Vegetation war gleichsam der Abschied der Natur von dem Lebenden; von hier begann die Welt des Starren, nur selten von dem kümmerlichen Wachsthum einer hohen Berggegend unterbrochen, deren Leblosigkeit sich nur durch plötzlich oder allmählich wirkende vulkanische Kräfte in Thätigkeit verwandelte. — Zwar der Geologe erkennt diesen Satz nicht an; in jedem einzelnen Steine will er das Leben der Natur erkennen. Diese erstarrten Massen sind für ihn mehr als die grünen Felder der Ebene, zu ihm sprechen sie als Zeugen vergangener Jahrhunderte, ja Jahrtausende, und einer immer rastlos und mächtig schaffenden Gegenwart.

Ein kleiner Theil dieser Gefühle ging auch auf mich, den Laien, über, als mich jetzt zum erstenmale diese hohen, sich tausende von Fussen hoch thürmenden Felsmassen, und die sich eben so tief senkenden Abgründe umschlossen. Ein schmaler Pfad, dessen Aushauen in die Steine eine ungeheure Arbeit gewesen sein muss, windet sich steil und im Zickzack aufsteigend an einer fast senkrechten Felswand hinauf. Diesen aus der Tiefe des Bergstroms ersteigend, bildet sich allmählich der Abgrund zur Seite des Reisenden. Der Dunstkreis verdichtet sich immer mehr, und verwandelt sich endlich in ein wolkenähnliches Gebilde, welches sich langsam zu unsern Füssen fortbewegt, und nur selten in klaren Zwischenräumen den Blick in die Tiefe gestattet. Zu unsern Füssen die ziehenden Wolken, über uns den, hohen Gegenden eigenthümlichen, tiefblauen Himmel, neben uns die immer höher strebenden Massen des Gebirges! Folgen wir letzteren!

Nicht zu lange darf das ungewohnte Auge des Reisenden auf jenen Felsmassen, auf dem Himmel und dem Abgrund haften bleiben, wenn er nicht dem Schwindel zum Opfer werden will. Starkes Unwohlsein und ein unsicherer Blick folgen gewöhnlich dem zu langen Betrachten der Umgebung und bringen dem Unvorsichtigen Gefahr, auf den schmalen Wegen in die Tiefe zu stürzen.

Das eben flüchtig beschriebene Bild bot sich uns schon an dem ersten Tage unseres Eintritts in die Berge dar. Desto erwartungsvoller wurde ich auf das, welches sich uns in jenen Schneefeldern und luftigen Kuppen entfalten würde, die noch viele tausende Fuss über uns erhaben lagen.

An diesem ersten Tage passirten wir la guardia nueva, die neue Wache der Aduana, die, in einem Engpasse angebracht, gegen jeden Angriff der zahlreichen Banden Schmuggler geschützt liegt, und zu gleicher Zeit den Weg soweit beherrscht, dass ein Ausweichen an diesem Orte des Gebirges unmöglich wird. Fünfzig Soldaten sind mit ihrer Bewachung beauftragt, ausser denen, die fortwährend als Grenzjäger in den Gebirgen umherschweifen.

Es ist diese Wachsamkeit sehr nothwendig. Der Schmuggler sind hier zu allen Zeiten nicht wenige gewesen, haben sich aber jetzt, in Folge des letzten chilenischen Bürgerkrieges, bedeutend vermehrt. Grosse Schaaren der überwundenen Aufrührer flüchteten sich in die Gebirge, wo sie sich zuweilen von Raub (gewöhnlich Viehdiebstahl), aber besonders als Schmuggler ernähren. Da sie noch Neulinge in diesem verzweifelten Handwerk sind, so ist es den Grenzjägern gelungen, in letzterer Zeit Viele derselben aufzuheben. — Vorzüglich wird der Schmuggelhandel von Argentinien nach Chile mit Taback betrieben. Die Einführung dieses Artikels ist ein Monopol der chilenischen Regierung, die die Erlaubniss der Einführung einer gewissen Quantität Taback an verschiedene Privatleute verkauft. Diese werden Estanceros genannt und sind numerirt. Nur ihnen im ganzen Lande ist es erlaubt, Taback zu verkaufen.

Die Höhe des Preises, welchen die Estanceros der Regierung für die ihnen gewährte Erlaubniss bezahlen müssen, sowie den hohen Verdienst, welchen sie selbst aufschlagen, macht die Schmuggelei dieses Artikels zu einem guten Geschäft, wenn sie glückt. Glaubhafte und in dieser Materie erfahrene Leute haben mir versichert, dass, wenn von zehn Expeditionen nur zwei mit Erfolg gekrönt werden, sie nicht allein den Verlust der acht übrigen decken, sondern auch noch Vortheil abwerfen. —

Dass die Schmuggler bei der Aussicht auf so glänzende Erfolge nicht abnehmen, ist selbst bei der grossen Wachsamkeit der Regierung, mit der bedeutende Ausgaben verbunden sind, nicht zu verwundern. Die geheimen Schluchten und einsamen Pfade, deren für diese kühnen Menschen die Cordilleras viele enthalten, leisten ihnen grossen Vorschub, da sie auf denselben leicht den verfolgenden Grenzjägern entgehen.*) — Auch auf andere Art suchen sie diese zu überlisten; indem sie den Taback in der vielfältigsten Art und Gestalt unter den Ladungen der Maulthiere oder dem Geschirr derselben zu verstecken wissen. — Das Aparejo, auf welchem die Ladung ruht, ist eine Art roher Sattel, unten mit Stroh ausgestopft. Gewöhnlich sind diese Aparejos oder Lastsattel aus rohem Leder bereitet und haben eine bräunliche, dem Taback sehr ähnliche Farbe. — Einem besonders schlauen Schmuggler gelang es, bedeutende Quantitäten durchzuschmuggeln, indem er die Aparejos seiner zahlreichen Truppe Maulthiere aus Tabacksrollen verfertigte, und diese Thiere dann, als unbeladen von Argentinien zurückkommende, durch die Zollwache trieb, wo man sie ohne weiteres Examen passiren liess. — Doch dürfte diese List, zum zweitenmale versucht, nicht mit gleich gutem Erfolge belohnt werden, da sie bald durch die Schwatzhaftigkeit der Knechte des Arrieros allgemein bekannt wurde.

Wenn die Schmuggler abgefasst werden, wie dies nicht allzu häufig geschieht, so lassen sie gewöhnlich ihre Maulthiere und Ladung im Stich und suchen sich selbst zu retten. Gewöhnlich gelingt ihnen dies auch, da die Verfolger genugsam ihre verzweifelte Gegenwehr kennen, um sie zu fürchten. Doch sollten sie umstellt sein und sich ihrer Haut wehren müssen, so kämpfen sie mit dem, diesen halbwilden Menschen eigenen wilden Muthe, und ergeben sich nur, wenn ihrer etliche bereits verwundet oder getödtet sind. —

Wenige Leguas weiter von der neuen Zollwache im Gebirge, befindet sich die alte Zollwache, die in harten Wintern zu hoch in den Bergen belegen, um ihren Zweck zu erfüllen, aufgegeben ist. Ein Gastwirth, durch, Gott weiss welche, Schicksale in diese unwirthlichen Regionen vertrieben, hat sich in dem verlassenen Gebäude eingerichtet. Der grösste Theil der Reisenden, denselben Weg wie wir kommend, macht in der Guardia vieja das erste Nachtquartier in den Cordilleren. Einige Weiden guten Grases, die der Wirth mit starkem Gehege umschlossen hält, liessen es wegen der Thiere sehr räthlich erscheinen, hier unsere heutige Tagereise zu beenden. Doch die kurze Distanz, die wir zurückgelegt hatten, (es sind nur 10½ Leguas von unserm Abgangspunkt bis

*) Mein Führer zeigte mir, bei unserm weiteren Vorrücken im Gebirge, die Richtung der Pfade, die die Schmuggler gewöhnlich einschlagen. Sie führen über senkrechte Felsen, die mir unersteigbar schienen, und durchschneiden den Kamm der Andes wohl noch 1500 Fuss höher als der 12,500 Fuss hohe Uspallata-Pass.

zu dem Hause der Guardia vieja) sowie die frühe Tageszeit verhinderten uns, diese Bequemlichkeit zu benutzen. Wir beschlossen, einige Stunden weiter zu reisen.

An diesem ersten Tage war der Weg nur stellenweis steil und schwierig, überall begleitete uns noch eine, wenn auch nur verkrüppelte Vegetation. Bäume, unter denen der Quillay vorherrschend war, Gesträuch und ein niedriges Gras, welches die schrägen Abhänge bedeckte; hin und wieder erschien ein Häuschen, von kleinen Gemüsegärten umgeben. Die letzten Leguas unserer ersten Tagreise wurde diese Vegetation seltener, schon längst hatten wir das letzte Hüttchen passirt und waren in das unbewohnte Gebirge gelangt. Erst am östlichen Fusse der Andes sollten wir menschliche Wohnungen wiedersehen. — Nur selten fanden wir vereinzelte Bäume.

Am Abhang eines kleinen Stromes, der gleichfalls seinen Beitrag zum Flusse Aconcagua liefert, überraschte uns endlich die Nacht. Unsere erste Tagreise von 16 Leguas war hier zu Ende. Wir machten Halt. Reichliches Gras, nahes, leicht zu erreichendes Wasser und in genügender Menge vorhandenes trockenes Gesträuch zum Feuer machen, gab uns die Aussicht auf ein besseres Quartier, wie ich es in den Cordilleren erwartet hatte. Doch theuer sollten wir es bezahlen. Wir suchten ein verstecktes Plätzchen aus, wo wir vor etwa Vorbeireisenden unbemerkt und dem sich mit der Abendkühle erhebenden Wind geschützt, uns niederliessen. Macario, der sich jetzt in seinem Elemente befand, entfaltete seine ganze Thätigkeit, welches um so nothwendiger war, als ich noch durch den ersten Anblick des Gebirges, durch die ersten Eindrücke der ungewohnten Umgebungen, sowie durch den angestrengten Marsch, sowohl geistig als körperlich erschöpft, mich bereits in meine Decken gehüllt und ins Gras niedergeworfen hatte, um auszuruhen.

Macario, nachdem er die Thiere entsattelt und der Zügel entledigt hatte, band sie mit dem Lasso an einen Strauch und liess sie weiden. Dann machte er in meiner Nähe mit dem trockenen Holze des Gebüsches ein wohlthätiges Feuer, wohlthätig, weil der einbrechende Abend uns eine gute Dosis Kälte mitbrachte, die sich von Minute zu Minute vermehrte. Er holte jetzt aus dem nahen Bache Wasser, und den kleinen Kessel ans Feuer setzend, war ich bald im Stande, vermittelst einer kleinen Kaffeemaschine, die ich in meinen Alforgas mitgenommen, einen guten wärmenden Kaffee zu trinken. Auch Macario wurde dieses Labsals theilhaftig. Unsere mitgenommene kalte Küche, sowie ein Stück Ochsenfleisch, welches an einem Spiess im Feuer aufgepflanzt, sich gar bald zu einem guten Braten umwandelte, schmeckte uns zu dem Cacho *) voll guten Kaffees vortrefflich. Nur der, der grosse körperliche Anstrengungen ausgestanden, kennt den wahren Werth eines frugalen Abendessens und der Ruhe.

Nachdem wir gesättigt waren, und Macario noch einmal nach den Thieren gesehen, sowie einige Arme voll trocknes Holz auf das Feuer geworfen, legte auch er sich auf seine wenigen, dünnen Decken nieder und nach mehreren vergeblichen Versuchen, eine Unterhaltung mit ihm anzuknüpfen, verrieth mir schon nach wenigen Minuten ein unharmonisches Schnarchen seinen festen Schlaf.

Mir wurde es nicht so leicht die gesuchte Ruhe zu erlangen. Ich zog zwar die Decke über den Kopf, zum Schutz gegen den Thau, und meine Waffen handgerecht legend, suchte ich einzuschlafen, doch verging noch manche Viertelstunde, bis mir dies gelang. Die neu empfangenen Eindrücke wälzten sich immer wieder von Neuem durch die erregte Einbildungskraft, aber endlich gingen auch sie in die mildere Form der Traumbilder über.

Schon nach wenigen Stunden weckte mich Macario, um, wie wir es verabredet, eine grössere Tagreise wie die vorhergehende zu machen, um so rasch wie möglich unser Ziel zu erreichen. Privatumstände liessen es mir besonders angelegen sein, in so kurzer Zeit wie möglich nach Mendoza zu kommen, daher diese Eile.

Doch schon hier, am zweiten Tage, stellte sich uns das erste Hinderniss entgegen in einer Gestalt, wie sie grade dem eiligen Reisenden am unangenehmsten sein muss.

Der Lasso, den Macario meinem Maulthier lang umgebunden, um diesem grössere Freiheit zu gewähren, hatte sich um das rechte Vorderbein des Thieres verwickelt, und in den vergeblichen Anstrengungen, den festen Lederriemen zu zerreissen, hatte dieser in den Fuss eingeschnitten und letzteren stark beschädigt. — In der Dunkelheit vermochten wir nicht die Tiefe der Wunde zu erkennen, doch da das Maulthier nur wenig hinkte, schien sie unbedeutender, als sie wirklich war. Wir brachen deshalb sofort auf. Es mochte um ein Uhr Morgens sein, als wir unsere Reise fortsetzten. Leider verschloss uns die Dunkelheit jede Aussicht auf diesen Theil der Cordilleren. Selbst die nahen Felsenmassen erkannten wir nur in undeutlichen Umrissen. Es gehört solche

*) Cacho ist ein ausgehöhltes Kuhhorn.

tiefe Kenntniss des Weges dazu, wie Macario sie besass, um uns nicht in den Schluchten zu verlieren.

Ungefähr nach anderthalb Stunden des unangenehmsten Reisens, doppelt unangenehm wegen des schneidenden kalten Windes, der von den Schneeflächen herunterblies, erreichten wir die erste Casucha. Nur ihre dunklen Umrisse vermochte ich in der Finsterniss zu erkennen. Auch einige bedeutende Lagunen mussten wir passiren. Das Wasser reichte unsern Thieren fast bis zum Sattel. Wir tranken es, es war eiskalt. — Diese Lagunen, oder wie sie der Eingeborne nennt, Ojos de Agua scheinen stehendes Wasser; doch ist dem nicht so, ihren Zufluss bilden die zahllosen Quellen und die Bäche des Schneewassers, welches von den Höhen herunterrauschte. Ihr Abfluss findet auf unterirdischen Wegen statt. —

Hoch an der Felswand, die sich vor uns erhob, erkannte ich einen kleinen lichten Punkt, der einem Stern nicht unähnlich war. Da wir den Hintergrund zu sehen nicht im Stande waren, so schien er frei in der Luft zu schweben; Macario bezeichnete dieses mir anfänglich räthselhafte Licht als den Schein eines Feuers, welches Reisende dort angezündet haben müssten. Im steilen Zickzack wendete sich jetzt der Weg hinauf, jenem Lichte zu. Nach einer Weile des mühseligsten Steigens auf dem schmalen Wege, den ich kaum mit dem Auge zu erreichen vermochte, machten wir auf einem kleinen Felsenvorsprung Halt, um unsere Thiere zu Athem kommen zu lassen. Auch unter uns erkannten wir jetzt in der Richtung des Weges zahlreiche Lichtpünktchen, selbst in der Nähe des Ortes, wo wir geruht hatten; mein Begleiter bezeichnete sie alle als Lagerfeuer der Reisenden und Arrieros.

An dem Fusse des Portillos, der letzten der colossalen Terrassen, die vor dem höchsten Punkt des Weges auf dem Kamme der Andes zu ersteigen ist, angelangt, erreichten wir jetzt das Feuer, welches uns so lange als Stern in stiller Nacht vorgeschwebt. Es hatte sich hier ein Preusse mit seinen Arrieros und Gepäck gelagert, und wie er mir flüchtig in unserer Nachtunterhaltung mittheilte, reiste er im Auftrage seiner Regierung für wissenschaftliche Zwecke. Sein Arriero hatte einige seiner Maulthiere verloren; es war mir daher nicht möglich, mit ihm zusammenzureisen, wie es mein Wunsch gewesen wäre. Wir eilten vorwärts, denn es war meine Absicht, vor Tagesanbruch die Cumbre, den höchsten Punkt des Weges über die Andes, zu erreichen, um die Sonne über den Gefilden Argentiniens, jenseits der Cordilleren, aufgehen zu sehen. Die Aussicht auf diesen Genuss begeisterte mich, und liess mich meinen guten Macario immer zu erneuerter Eile anspornen, wenn auch der oft gefährliche Pfad ein langsameres Vorschreiten erheischte. Doch nicht allein das Schauspiel des Sonnenaufgangs liess es wünschenswerth erscheinen, den Kamm des Gebirges zu erreichen, sondern auch die furchtbaren, orkanartigen Winde, die, den frühen Morgen ausgenommen, auf dem Kamm der Andes mit furchtbarer Heftigkeit wüthen, und schon manchen Reisenden in die Tiefen geschleudert haben. An dem Fusse des Portillo fanden wir eine umgestürzte Casucha, die einen Beweis von der Kraft des Windes lieferte. Man hatte unvorsichtiger Weise die Thür nach der Windseite gebaut, der Wind fasste hinein und warf das kaum sechs Fuss hohe Häuschen, mit zwei Fuss dicken Stein- und Kalkmauern, in den Abgrund. Nur die Trümmer bezeichnen jetzt die Stelle, wo das Häuschen seinen Platz hatte. — Diese Casuchas sind auf der chilenischen Seite des Gebirges fast gänzlich neu, fest, in zweckmässiger Lage und in geringer Entfernung von einander gebaut. Auf der argentinischen Seite ist dieses nicht der Fall, in weiten Zwischenräumen stehend, wird es für manchen Verunglückten eine Unmöglichkeit, sie zu erreichen. Diese letzteren wurden von dem argentinischen General San Martin bei seinen Feldzügen nach Chile und Peru erbaut, und sind schon ihres Alters wegen nicht in dem besten Zustande. — Die Casucha ist eine ungefähr hundert Quadratfuss einnehmende und circa 6—8 Fuss hohe, aus festen Steinmauern in rundlicher Form erbaute Hütte; dies letztere, um der Gewalt des Windes weniger Widerstand entgegenzusetzen. Ausser der Thür mit einem Loch, einer Schiessscharte ähnlich, an der Seitenwand versehen, dient dieses dazu, den Schutzsuchenden Licht zu geben, sowie dem Rauch ihres Feuers Abzug zu gewähren; die Thür ist niedrig und aus dicken Eichenbohlen verfertigt. In den argentinischen Casuchas fehlen diese Thüren gänzlich, da die Reisenden sie zum Feuermachen verbrauchten. Auf der chilenischen Seite unterlässt die Regierung niemals, sie, sobald die Jahreszeit es erlaubt, zu ersetzen. — Häufig sieht man die innern Wände dieser Häuserchen mit Inschriften bedeckt, unter denen manche eine traurige Grabschrift enthalten. — Welche verzweifelte Scenen mögen in diesen kleinen Räumen gespielt haben!

Wir stiegen weiter, der kleinen Zinne des Kammes entgegen, die wir schon in der ersten schwachen Dämmerung erkennen. Trotz meiner fieberhaften Spannung, vor der Sonne jenes Ziel zu erreichen, mussten wir jetzt langsam und mit der äussersten Vorsicht reiten. Eine grosse

Gefahr erwuchs uns aus der Glätte des Pfades. Steil und im Zickzack an der Seite eines Felsens hinaufführend, ist der schmale, oft nur wenige Fuss breite Weg mit Eis bedeckt, welches das Maulthier nur sehr unsicher Fuss fassen lässt. Der Instinkt dieser Thiere ist bewundernswerth. — Mit ängstlicher Genauigkeit suchen sie sich stets den besten Platz, um ihren Fuss zu setzen, und gemeiniglich, wenn sie bei einer besonders steilen Klippe ihrer ganzen Kraft und Gewandtheit gebrauchen, überlässt der Reiter sich ganz ihrer Leitung; mit gespitzten Ohren, den Kopf zum Boden gerichtet, setzt das kluge Thier Fuss vor Fuss, und bringt den Vertrauenden sicherer hinüber als den, der es am Zügel nach seinem eigenen Ermessen regieren will. Aber gebe der Reisende wohl Acht, seinen Sattel gehörig zu befestigen; ist dieses ausser Acht gelassen, so verschiebt das Gewicht des Reiters den Sattel sehr bald nach dem Hintertheil, wenn es bergauf geht, und nach dem Hals des Thieres, wenn dieses niedersteigt. — In diesem Falle verwirrt sich das sonst so umsichtige Thier und sucht sich oft in wilden Sprüngen seiner Last zu entledigen. Schon Manchen hat diese kleine Unvorsichtigkeit Glieder, ja selbst das Leben gekostet. —

Nach mehreren Stunden des mühevollstens Steigens, theils zu Fuss, das Maulthier hinter uns führend, theils reitend erreichten wir den Kamm der Cordilleren, und bald die Cumbre, die höchste Spitze des Weges über die Andes. Es war eine schmale, längliche Ebene. Der Tag begann jetzt die Nacht zu verdrängen, und unsere Umgebungen enthüllten sich allmählich. Im fernen Osten erkannten wir die herrliche Morgenröthe, aus der sich allmälich der lichte Tag erhob. — Unter uns enthüllte sich jetzt eine Bergesspitze nach der andern. Wir richteten unsere Blicke ostwärts, auf den östlichen Abhang der Andes. — Die neben uns höher hinanstrebenden Gipfel, unter ihnen der mächtige Tupungato, waren mit Schnee bedeckt; grauenvolle mit riesigen Eiszapfen behangene Abgründe, die in dieser klaren, durchsichtigen Luft nur wenige Schritte von uns entfernt schienen, durchfurchten die Berge nach allen Richtungen. Colossale Granitblöcke, einer auf den andern gethürmt, verloren sich bald in dem Schnee und Eise. — Auf der anderen Sette eines Abhanges, der uns zur Rechten hinlief, sahen wir die weite, klare Fläche eines Sees, der Laguna del Inca, der wenig niedriger wie unser Standpunkt, nahe an 12,000 Fuss über dem Meeresspiegel erhaben liegt. — Aus dem Schmelzen der ewig sich erneuenden Schneemassen der nahen Berge seinen Zufluss erhaltend, ist dieser See, obgleich nur von kleinem Umfange, von einer so bedeutenden Tiefe, dass diese bis jetzt nicht ergründet werden konnte; viele halten dessen Becken für einen todten Krater, die Form des Berges, die dieser merkwürdige See krönt, scheint für diese Annahme zu sprechen. Im Volke sind die sonderbarsten Sagen darüber im Umlaufe; schon sein Name „Ojo del Mar" (Meeresauge) bezeichnet eine derselben. Es existirt kein sichtbarer Abfluss dieses Wassers; es bahnt sich durch tiefe, unterirdische Gänge seinen Abzug. In Jahren grosser Dürre in dem Departement von Aconcagua erboten sich mehrere Ingenieure, einen Abzug für die ungeheure Wassermasse dieses Sees herzustellen, um dieselbe in die Thäler zu leiten. Aber der Aberglaube der Leute war so stark, dass sie sich gegen diese wohlthätigen Projecte auflehnten, aus Furcht, das Meer werde dort ausströmen. Die Regierung, würde sie sich ernstlich des Unternehmens annehmen, müsste natürlich dieses Hinderniss der irregeleiteten Meinung beseitigen. Doch die Schleusen, die nothwendigerweise angelegt werden müssen, um das plötzlich entströmende Wasser aufzuhalten, würden grosse Summen Geldes kosten, die das wahre Hinderniss bilden.

In der Stille dieser Berggegend belegen, von Schnee und Eis und den ungeheuren Abgründen umgeben, macht der Anblick dieses Sees einen merkwürdigen, fast gespensterhaften Eindruck auf den Reisenden, vorzüglich wenn er sich der daran knüpfenden Sagen erinnert. Doch nur kurze Zeit währen diese Gefühle, denn durch grössere und schönere Bilder wird seine Aufmerksamkeit bald abgezogen, um sich diesen ganz zuzuwenden. —

VII.

Auf den Andes. – Herabsteigung am östlichen Abhange. – Der Cerrocho. – Gefahren des Weges. – Ermüdung. – Nachtlager. – Gebirgsgegend. – Verlust eines Maulthiers. – Folgen dieses Unfalls. – Zusammentreffen mit einer Truppe. – Weiterreise. – Punta de las Vacas. – Beschreitung eines gefahrvollen Weges. – Unvorsichtigkeit und Gefahr eines Gefährten. – Nachtreise. – Ankunft in Uspallata.

Die Sonne ging auf, im Osten herrscht bereits der Tag, doch am westlichen Abhange der Andes kämpft die Nacht noch mit der ersten Dämmerung. Nur allmählich zogen die Nebel sich auch dort zurück und ein

Theil dieses hehren Bildes nach dem andern rollte sich vor unsern Augen auf.

Die tieferen Thäler blieben noch im Dunkel, doch die höheren Pläne und die zahllosen Spitzen der Berge, bald als Gletscher und mit Schnee bedeckt, bald als graue Felsen beleuchtete der rothe Wiederschein der Morgensonne.

Zu unsern Füssen, wohl tausend Fuss unter uns, rauschte ein Bergstrom, über die Felsmassen in weiten Bogen springend und sich in dem Dunkel des Thales verlierend.

Die Ferne begränzte ein dunkelblauer Horizont; dem bewaffneten Auge zeigte sich deutlich die Fläche des stillen Oceans. —

Uns von dem westlichen Abhange weg und mit wenigen Schritten der entgegengesetzten Seite der Cumbre, dem östlichen Abhange der Andes zuwendend, breitete sich vor uns die argentinische Sierra aus in ihren nicht minder erhabenen Massen.

Der 20,000 Fuss hohe Tupungato*) erhob sich vor uns. Die Höhe unseres Standpunktes liess ihn mir minder hoch erscheinen, als ich es vermuthet hatte. Trotzdem erkennt man auf den ersten Blick den Riesen. Seine Wände, auf einer Stelle tausende von Fussen in senkrechter Linie fallend und nichts als den grauen Felsblock zeigend, neigen sich auf einer anderen in schrägerer Linie hinab; dort sind sie von Abgründen und Schluchten unterbrochen. Ueber den Tiefen hängen, oft selbst in der Ferne, umfangreich scheinende Schneemassen, weit die Abhänge überragend erwartet man jeden Augenblick ihren Sturz in die Tiefe. — An jenen Bergwänden, die sich zur Seite des Tupungato erheben, ihn gleichsam unterstützend, ziehen sich blanke, schmale Linien in die Tiefe, die die aufgehende Sonne als Silberfäden erscheinen lässt. Es sind dies beträchtliche Bergströme, die von hier aus, durch die hohen Quellen der Andes gebildet, den langen Weg durch die Steppen Argentiniens zum atlantischen Meere antreten; in ihrer unmittelbaren Nähe, kaum durch den schmalen Rücken des Bergkammes getrennt, sahen wir die Ströme einen entgegengesetzten Lauf verfolgen, um auf dem kürzeren Weg durch Chile's Thäler sich in den stillen Ocean zu ergiessen.

Der Standpunkt des Reisenden, welcher dieses Bild betrachtet, ist eine kleine Platform; sie ist von zwei granitnen Bergspitzen eingeengt und wird von einem theils natürlich, theils künstlich geformten Wege in der

*) Er ist nicht der höchste Berg der chilenischen Andes. Der Aconcagua, Nachbar des Tupungato, wird auf 400 Fuss höher geschätzt.

Breite von ca. zehn Schritt durchbrochen. Diese Plattform, auf dem höchsten Punkte des Wege, also auf dem Kamme der Andes belegen, beherrscht die beiden Abhänge des Gebirges. Doch die aus Granit bestehenden Seitenwände verwandeln dieses kleine Plateau oder den Weg über dasselbe in einen Engpass und verschliessen auf jener Seite im Norden und im Süden die Aussicht.

Von Chile kommend, sind wir so eben einem tiefen Abgrund entstiegen, dessen Zickzackweg sowohl seiner Enge als seiner Steilheit wegen, den Reisenden gefährlich wird, vorzüglich, wenn der im Herbst eintretende und im Frühjahr noch verharrende starke Frost diese schmalen Wege mit einer Eiskruste überzieht. Oben angekommen entfaltet sich dem Reisenden das langersehnte Bild; sich auf einer Höhe über die Meeresfläche von 12,600 Fuss, auf dem Rücken der Andes befindend, umfasst er mit einem Blicke das chilenische und argentinische Gebirgsland. Wenige hundert Fuss über seinem Standpunkte erhaben, sieht er die Spitzen schneebeladener Berge, unter ihnen den „Cerro del Plata" und „Cerro de la Iglesia", weisse Ebenen und Gletscher, deren Seitenwände sich in die Tiefe hinabsenken. In diese reicht unser Auge nicht, denn noch sind sie von Nacht bedeckt.

Das chilenische Gebirgsland zieht sich rasch hinunter, deutlich unterscheidet man die sich allmählich senkenden, parallel laufenden Ketten der Sierra; nicht so das argentinische, eine noch ca. 2000 Fuss höhere Bergkuppe, wie der Standpunkt des Reisenden, ein Nachbar des Tupungato, verbirgt dort die Aussicht, die sich nur zur Seite in südöstlicher Richtung hin öffnet. Dort zieht sich das Gebirge nach den Ebenen hinab, doch das Auge erreicht dieses nicht. Die Sierra de Uspallata mit ihren riesigen schwarzen Porphyrfelsen begränzt den Horizont. —

Nur die schrägeren Wände der Berge sind mit Schnee bedeckt, die steileren Abhänge lassen das Ansammeln desselben nicht zu, und bieten dem Auge nur die graue Farbe des Felsens, die hin und wieder merkwürdig polirt erscheint. Wo sich dieser Glanz zeigt, sind sie mit Eis überzogen, die Gletscher der Andes.

Worte sind schwach, um die Empfindungen zu schildern, die uns auf dieser Stelle des grossartigsten Naturgemäldes bestürmen. Mitten unter ewigem Schnee und Eis, zwischen diesen ungeheuren Felsen und immer höher strebenden Bergen, wo alles ein wildes Chaos scheint, und trotzdem, trotz seiner Leere und Oede, das Gepräge einer harmonischen Schönheit an sich trägt, fühlt sich unser Geist merkwürdig ergriffen. —

Zwar äussert sich die Schönheit der Natur und ihrer Harmonie in jedem, auch dem kleinsten Bilde auf der Erde, doch der Laie beachtet sie wenig in dem Wirbel des alltäglichen Lebens. Mit dem ungeübten Auge nicht im Stande, in seinen nächsten Umgebungen das immer Neue und die Schönheit zu entdecken, oder abgestumpft durch die Macht der Gewohnheit, bedarf es eines besonderen Reizes, um seine Empfänglichkeit zu erwecken. Er bedarf etwas Grossartiges und ihm Neues, um seine Aufmerksamkeit zu fesseln.

Hier, in diesem Anblick auf dem Rücken der Andes, findet er es. Alles ist fremdartig, grossartig. Dem vertrocknetsten Alltagsgemüthe predigen diese Steine Poesie, und erheben ihn aus der Sphäre seines Egoismus.

> Auf den Bergen ist Freiheit! Der Hauch der Grüfte
> Steigt nicht hinauf in die reinen Lüfte;
> Die Welt ist vollkommen überall,
> Wo der Mensch nicht hinkommt mit seiner Qual.

Gleichsam um die Grossartigkeit dieses Bildes zu vervollständigen, eröffnete sich unsern Blicken eine neue gewaltige Erscheinung.

Im Südwesten hüllte sich der Horizont in ein köstliches Roth. Der junge Tag bleichte es rasch, doch plötzlich tauchte sich jener Theil des Horizonts in ein Flammenmeer. Mit seinem grellen Lichte beleuchtete es die verborgenen Thäler und Schluchten und umgab die Bergspitze mit einer glühenden Farbe. Wir erschraken fast vor dieser plötzlichen Helle; selbst die Maulthiere wurden unruhig und suchten zu fliehen. Doch nur einen Moment dauerte dieses Phänomen, bald erlosch selbst die leiseste Spur davon.

Es war ein vulkanisches Feuer, das plötzlich, wie es häufig geschieht, einem der nahen Vulkane entstiegen sein musste. Oft wird es von unterirdischem Donner und Erderschütterungen, ja selbst von Ausbrüchen der Berge begleitet. Wir vernahmen glücklicherweise nichts von diesen.

In diesem Gebirge und seiner Umgebung sind überhaupt die grossartigsten vulkanischen Phaenomene in beständiger Thätigkeit begriffen. Es ist bekannt, dass an der chilenischen Küste sich das Meer im November 1820 fast zwei Quadras oder 6 Fuss senkrechte Höhe zurückgezogen hat, ebenso zeigt sich eine oft plötzliche, oft allmähliche vulkanische Bewegung und Veränderung in den Cordilleren selbst. Langsam heben und senken sich diese ungeheuren Bergmassen. Häufig äussert sich die vulkanische Kraft der Andes bald in Erdbeben, bald in feuerspeienden Bergen. Mehrere der letzteren, der Osorno, Villa-Rica, Antuco und San José sind fast in beständiger Thätigkeit, die oft von furchtbaren und verheerenden Ausbrüchen begleitet werden.

Die Beobachtungen berühmter Geologen hatten zur Folge, dass die vulkanische Thätigkeit der südamerikanischen Gebirge in ihren Wirkungen näher bekannt wurde. Die zwei Hauptketten, die von Nord nach Süd und parallel mit einander fortlaufend, die Cordilleren vorstellen, von denen aber eine die Hauptkette, die eigentlichen Andes, und die andere die Cordilleren sind, wurden durch plötzliche vulkanische Thätigkeit gehoben, senkten sich dann wieder, um in einer dritten Periode langsam wieder emporzusteigen. — Später in der Tertiärperiode senkten sie sich wiederum, bis sie theils durch plötzlich vulkanische, theils durch allmählich wirkende Kräfte ihren jetzigen Standpunkt erreichten. Zwischen den eigentlichen Andes und den ihnen im Westen parallel laufenden Küsten-Cordilleras befinden sich weite Hochebenen, die sich oft bis zu wenigen hundert Fuss über dem Niveau des Meeres senken und die von den erschütterndsten Erdbeben heimgesucht werden.

Die Stelle der Andes, nahe dem Aconcagua, auf welcher ich mich jetzt befand, zeigt keine der langen, sich hinziehenden Flächen, wie sie die Hochebenen zwischen den beiden Gebirgsketten, sowohl im Norden wie im Süden, zeigen. Grosse zackige Felsmassen, denen der Geologe eine unserer Periode sehr nahe Zeit beilegt, durchbrechen sich in allen Richtungen, aus denen die hohen Spitzen der Bergriesen hervorragen. Es wird daher angenommen, dass dieser Theil der Andes besonders von den vulkanischen Ausbrüchen zu leiden gehabt.

Doch kehren wir zu unserem Standpunkt auf dem Rücken der Andes zurück.

Vergeblich wäre es für mich, eine regelrechte Beschreibung dieses Bildes versuchen zu wollen. Von seinem neuen, überraschenden Eindrucke fand ich mich betäubt. Die Gefühle überwältigten mich und und liessen wohl den Genuss, aber keine klare Auffassung zu. Nehme daher der Leser mit der gegebenen flüchtigen Schilderung vorlieb, durfte ich doch nur wenige Augenblicke dem Genusse des Beschauens weihen. Es war mir nicht die Zeit gegönnt, das Empfangene in meinem Innern zu ordnen; wie etwas überaus Erhabenes aber Ungenaues, wie ein schöner Traum prägte sich „die Berglandschaft der riesigen Andes im Morgennebel“ mehr dem Gefühle wie dem Gedächtnisse ein, unvergesslich für das ganze Leben, aber auch unbeschreibbar.

Mehrere Umstände waren es, die mich vom längeren Betrachten abhielten. Der Cerrocho, wie ihn der südamerikanische Bewohner der Berge nennt, machte immer weitere Fortschritte in meinem Hirn. Dieser Cerrocho, auch Puna genannt oder Alpenschwindel, ergreift gewöhnlich den Neuling in stärkerem oder gelinderem Grade, je nach seiner besonderen Constitution. Ich erlag fast unter ihm, wie es gewöhlich sanguinischen Naturen ergehen soll. Ein starker Schwindel, ein krankhaftes, mich ermattendes Gefühl überwältigte mich fast. Die feine Atmosphäre auf dieser bedeutenden Höhe, sowie der ungewohnte Anblick der Höhen und Abgründe, des Schnees und der colossalen Felsmassen verursachten diese Leiden, von denen der Bergbewohner nichts verspürt.

Wie das Meer, so fordern auch die Berge ihren Zoll von dem zuerst in sie Eindringenden.

Merkwürdige Verhältnisse der Natur! Ueberall, wohin sich der Mensch wendet, werfen sich ihm Hindernisse entgegen, schreibt ihm die Natur ihre Bedingungen vor! Unaufhörlich strebt er, sie zu beseitigen. Gewöhnlich gelingt es ihm nach hartem Ringen, aber mit diesem Ringen wächst seine Kraft, an diesen Hindernissen schärft er seine Fähigkeiten, sie führen ihn allmählig weiter, einem unbekannten nur geahnten Ziele zu. Sollte man nicht glauben, diese Hindernisse, diese Bedingungen seien für den Zweck geschaffen, sich dem Menschen entgegenzustellen? Wohlthätig wäre dieser Zweck, denn was würde der Mensch ohne jene sein? Jeder Schritt, welchen er physisch oder moralisch vorwärts thun will, zeigt ihm eine zu übersteigende Wand. Würden sich alle diese Hindernisse von selbst ebnen, was würde uns zu thun übrig bleiben? So lange der Mensch Mensch bleibt, wird er sich neue Hindernisse zu schaffen suchen, denn nur ihnen verdankt er seine ganze Thatkraft, sein Wirken, seine fortschreitende Bildung, und somit bilden sie den Nerv seines Daseins. —

Mit diesem Lobspruch der Hindernisse suchte ich mich zu trösten, als sie mir den weiteren Genuss eines hehren Anblickes versagten, und mich von der Höhe wieder in die Tiefe trieben. Doch der Cerrocho war es nicht allein, der dieses Hinderniss bildete. Auch die durchdringende, strenge Kälte machte sich uns, trotz der warmen Umhüllungen, immer fühlbarer, je länger wir auf diesem Punkte aushielten. Die ihr ausgesetzten Theile des Körpers: Hände, Füsse und Gesicht, waren fast erstarrt und gänzlich fühllos geworden. Kaum vermochte ich den Zügel des Maulthieres zu halten; der Schwindel und die Kälte, von einem heftigen Kopfweh beleitet, warfen mich fast zu Boden. Von einer nie gekannten Mattigkeit gedrängt liess ich mich nieder, um auszuruhen; doch der Wind blies immer stärker über die nahen Schneekuppen zu uns herüber, im Thale hofften wir Linderung sowie auch Erleichterung für mein Unwohlsein zu finden. Ich erhob mich daher nicht ohne Anstrengung, und mit Schmerzen stieg ich von meinem Thron herunter.

Die Grenze zwischen Chile und Argentinien, die sich auf dem Cordon oder dem Kamme der Andes hinzieht, war jetzt überschritten, und wir begannen den östlichen Abhang des Gebirges hinabzusteigen.

War das Hinaufsteigen beschwerlich und gefahrvoll, so wurde uns das Hinabsteigen auf den steilen und engen Pfaden noch in viel stärkerem Grade beschwerlich. Der schmale, wieder im Zickzack hinunterlaufende Weg enthielt nicht das Glatteis der westlichen Seite des Gebirges, doch ward er häufig durch Steingerölle unterbrochen, über das mit der grössten Vorsicht geklettert werden musste, um diese Bruchstücke nicht in Bewegung zu setzen und mit ihnen in die Tiefe zu rollen. Meinem, seine ganze Kraft und Gewandtheit bewährenden Führer war dieses Kinderspiel, doch mir, dem von der ungewohnten Anstrengung übermässig Angestrengten, — dem vor Frost Zitternden, wurde dieses eine schwere Arbeit.

Häufig war ein Stück des Pfades durch irgend eine der hier so häufigen vulkanischen Erschütterungen, oder durch Wasserfälle, welche der im Frühjahr ausschmelzende Schnee gebildet, losgerissen und in den Abgrund geschleudert. Wenn es das Terrain erlaubt, muss diese Lücke vorsichtig umklettert oder sonst übersprungen werden, welches zuweilen mit den ermatteten Gliedern ein nicht ungefährliches Wagniss ausmacht. Trotz des dünnen, wasserreichen Nebels, der sich auf Höhen und Thälern lagerte und eine Charakteristik dieses Theils der Andes bildet, übersah ich jetzt meine Umgebung in ungleich klarerem Lichte, als dies beim Ersteigen des westlichen Abhanges der Fall gewesen war. Auch die Gefahren dieses schwierigen Weges erkannte ich jetzt besser; hatte mein Maulthier in der vergangenen Nacht einige male Sätze gemacht, so glaubte ich, es geschähe aus Scheu vor irgend einem, meinen schwächeren Augen unsichtbaren Gegenstande; wenig vermuthete ich, über wie gefährliche Stellen mich diese Sätze hinwegführten. Jetzt sah ich deutlich diese Gefahren vor mir liegen, die, wie Macario mir versicherte, auf dem schon zurückgelegten Wege nicht weniger bedeutend gewesen waren.

Sowohl ich wie mein Führer stiegen zu Fuss hinunter. Die Maulthiere gingen, Schritt vor Schritt bedächtig auftretend, vor uns her. Auf den breiteren Stellen des Pfades setzte ich mich, um auszuruhen; das Gefühl des Schwindels hatte mich verlassen, aber eine bleierne Schwere lag mir in den Gliedern, — meine Kniee schlotterten, so dass ich häufig beim Gehen in die Knie sank und erst nach Minuten wieder Kraft fand, aufzustehen. Meinem Begleiter schien dies weiter nicht aufzufallen, er versicherte mir, dass oft die Reisenden, die nicht an diese Bergreisen gewöhnt sind, vorzüglich Frauen, die steileren Theile des Abhanges hinuntergetragen werden müssten.

Nach mehrstündigem Steigen erreichten wir eine geneigte Ebene, die zwischen zwei Bergketten liegend, der Boden eines Thales scheint, aber in Wahrheit den breiten Kamm einer dritten, tiefer belegenen Kette bildet. Zu seinen beiden Seiten, dem Reisenden nur bei genauerer Prüfung sichtbar, ziehen sich Abgründe hin. Sich sanft neigend, nur selten zur Schroffheit übergehend, führte uns der Weg auf diesem Kamme entlang in die tieferen Regionen der argentinischen Sierra.

Seitdem wir am vorigen Abend aufgebrochen waren, hatte ich an meinem Maulthier ein leichtes Zucken in seinem verwundeten Bein verspürt, ohne dieses weiter zu beachten, da es dem raschen und leichten Tritte des Thieres keinen Eintrag that. Doch ich bemerkte jetzt, dass das Bein stark angeschwollen war, und nach genauerer Untersuchung fanden wir, dass der Lasso tiefer eingedrungen war, als wir es geglaubt hatten. Wir beklagten jetzt bitter unsere Unvorsichtigkeit, das Thier nicht mit mehr Aufmerksamkeit behandelt und die Wunde verbunden zu haben, denn augenscheinlich hatte ein starker Blutverlust stattgefunden, da das Thier aussergewöhnlich erschöpft schien. Es war vorauszusehen, dass, am Ziele unserer heutigen Tagereise angekommen, das verwundete Bein mit der Ruhe steif und das Thier dadurch gänzlich unbrauchbar werden würde. Es schien uns daher am räthlichsten, diese Tagereise so weit wie irgend möglich auszudehnen und rascher zu reiten, so weit es die Wege erlaubten, um wo möglich eine Truppe Maulthiere einzuholen, deren Abreise von Santa Rosa Macario bekannt war und die einen Tag Vorsprung vor uns hatte.

Doch so sehr wir uns und unsere Thiere über Gebühr anstrengten, um drei Uhr Nachmittags musste Halt gemacht werden, das verwundete Maulthier vermochte keinen Schritt weiter zu thun. Anstatt die vor uns reisende Truppe zu erreichen, mussten wir uns begnügen, die nächste uns nachkommende zu erwarten.

Unser Nachtlager war auf der Paramillo de las Cuevas unfern der berühmten warmen Quellen; sie lagen wenige Leguas hinter uns. Denselben wird eine besondere Heilkraft beigelegt und werden dieselben aus diesem Grunde von Mendoza, San Juan und selbst ferneren Gegenden häufig besucht. Doch wahre und schwer Erkrankte suchen sie selten auf, und wenn dieses der Fall ist, so nützen sie denselben in der Regel weniger, als sie ihnen schaden. Die harten Beschwerden des Weges, verbunden mit der Trostlosigkeit des Aufenthaltes in jenen Einöden, die starke Kälte und die furchtbaren Sturmwinde, welche sehr unfreundlich sind, können auf längere Zeit, wie sie zu einer Kur nothwendig sein würde, nur von gesunden und kräftigen Menschen ertragen werden.

Um die erwartete Maulthiertruppe nicht etwa in der dunklen Nacht unbemerkt vorbeiziehen zu lassen, zündeten wir unser Feuer auf dem Wege selbst an, so unangenehm uns dies auch wegen der unbeschützten Lage sein musste, sowohl unbeschützt gegen die umherziehenden Strauchdiebe, als gegen den Wind, der die hochbelegene, freie Strasse von allen vier Seiten bestreichen konnte. —

Ich betrachtete unsere Umgebung. Vor uns, den tieferen Thälern zu, sahen wir die bläulichen unbestimmten Umrisse der Punta de las Vacas, eine, einen Kegel darstellende Bergspitze, die sich inmitten der Hochebene zwischen zwei Bergreihen erhebt. Es scheint, als ob dieser merkwürdige alleinstehende Berg den Weg versperrt. In der That thut er dies; ein enger Pass führt über ihn hinaus. — Uns zur Linken, auf der etwa vierhundert Fuss breiten Hochebene, stürzt sich jählings ein Abgrund hinab. In einer Tiefe von wenigen hundert Fuss rauscht ein mächtiger Bergstrom, dessen geneigter Lauf, oft durch bedeutende Felsblöcke unterbrochen, sich in Katarakte verwandelt. Jenseits des Stromes erheben sich weit über unsere Ebene hinaus die Spitzen der schneebedeckten Sierra. — Hinter uns lagen die Kuppen des Aconcagua, von seinen minder hohen Nachbarn umgeben. Die meisten derselben haben weisse Häupter. —

Uns zur Rechten, kaum hundert Fuss von unserm Standpunkte, dem Wege, entfernt, erhob sich eine wohl nahe an tausend Fuss hohe Granitwand. An ihrem Fusse hatte sich durch überstürzte Blöcke und Steingerölle ein sanfterer Abhang gebildet. Es schien unmöglich, dass auf jener, dem Auge als vollkommen senkrecht erscheinenden Fläche irgend ein lebendes Wesen Fuss zu fassen vermöchte, trotzdem hüpften auf derselben die munteren Guanacos (Camelus Huanacus) von Stein zu Stein. Dutzende von riesigen Geiern, die nahe an der Wand vorbeirauschten, liessen es erkennen, dass die Guanacos vor diesen gefährlichen Feinden flüchteten. Auch verschwanden sie alsbald in den Spalten des Felsens, aus welchen sie später nach vorsichtigem Umschauen sich nur langsam und allmählich hervorwagten und, ihre Feinde fern erblickend, sich wieder lustig zwischen den Steinen und auf der Ebene umhertummelten, oft in sehr kurzer Entfernung von unserem Lager. Ein gut gezielter Pistolenschuss hätte sie erreicht.

Im Winter und selbst im Herbst, wenn die Guanacos sich den tieferen Theilen des Gebirges zuwenden, nahen sie sich oft in Haufen den Reisenden und den Arrieros, scheinbar ohne Scheu. Es werden ihrer dann viele durch die Bolas, seltener durch die Kugel erlegt. In den auf der argentinischen Seite der Andes sich auf den Hochebenen befindenden Estancias stellt man häufig grosse Jagden nach diesen Thieren an, deren Fleisch gern von den Jägern gegessen wird und deren Fell ihnen ein gutes Kleidungsstück liefert.

Die Hochebene, auf welcher wir uns befanden, war mit einem, wenn nicht üppigen, doch überall verbreiteten Grase bedeckt. Dieses und einiges niedriges Gebüsch bildet das einzige Wachsthum dieses Theils der Sierra. Dieser Mangel an Vegetation ist überhaupt ein Charakterzug derselben. Wir finden hier nicht, wie in den nördlicher belegenen Andes, in den peruanischen Cordilleren die dichten Wälder und den üppigen Pflanzenreichthum, der sich dort entfaltet. Es kann dieses der Kälte nicht allein zugeschrieben werden, denn in anderen Theilen des umfangreichen Gebietes dieses Gebirges sehen wir eine reiche Entwickelung der Vegetation von einem stärkeren Kältegrad begleitet, wie ihn im Allgemeinen die chilenischen Andes besitzen. — Die Trockenheit des Erdreichs, die Vulkanität des Bodens mögen viel zu diesem Charakterzug des Gebirges beitragen. Die baumlosen Pampas, denen wir uns jetzt mit raschen Schritten nähern, sind eine ähnliche Erscheinung.

Die Nacht brach rasch herein, doch fand sie uns schon im Bette, d. h. auf unsern Satteldecken und den Ponchos niedergestreckt. Die vierzehnstündige Jornada auf den beschwerlichen Bergwegen hatte uns sehr ermüdet. Mit wonnigem Behagen streckte ich meine steifen Glieder auf das harte Lager und beachtete kaum den pfeifenden Wind, der eisigkalt von den nahen Schneeflächen herunterblies. Nach einem frugalen Abendessen suchte ich alsbald zu entschlummern, und wohlthätiger als in voriger Nacht schloss der Schlaf rasch die müden Augenlider.

Nach einer, durch den erquickenden Schlaf schnell vollbrachten Nacht weckte mich Macario, um mir die unangenehme Anzeige zu machen, dass sein Maulthier, welches er am vorigen Abend in unserer Nähe festgebunden hatte, nirgends zu finden sei. Ein zurückgebliebenes Stück des zerrissenen Lassos sagte uns, auf welche Weise es entkommen war. Macario begann sogleich, den Fussspuren des verschwundenen Thieres folgend, dieses aufzusuchen, doch nach zwei Stunden kam er zurück, ohne seinen Zweck erreicht zu haben.

Wir befanden uns in keiner beneidenswerthen Lage; es konnten Tage vergehen, ohne dass die nächste Truppe, die die meines Landsmannes sein musste, hier ankommen konnte. Die beladenen Maulthiertrupps reisen gewöhnlich mit einer grossen Langsamkeit, selten mehr wie sechs bis acht Leguas per Tag zurücklegend, und dann konnte die Truppe, die wir erwarteten, noch lange wegen der verlorenen Maulthiere aufgehalten worden sein. Auch war es ungewiss, ob genug Thiere vorhanden sein würden, um uns mitnehmen zu können. Für den eilig Reisenden sind dieses keine geringe Sorgen. Auch den, noch ca. 30 Meilen weiten Weg nach Uspallata zu Fuss anzutreten, war für uns kaum möglich, da unsere Ausrüstung, für Reitende freilich nur leichtes Gepäck, aber für Fussreisende, vorzüglich auf den beschwerlichen Gebirgswegen, das Gegentheil werden musste, nicht der Gefahren zu gedenken, die sich Fussreisende in diesen öden Gebirgen, der nicht seltenen Räubereien wegen, aussetzen. Doch mehr wie diese Gründe wog ein dritter, um mich lieber in Geduld auf dem Flecke, wo wir uns befanden, beharren zu lassen, — die unüberwindliche Scheu der argentinischen Bauern, auch nur die geringste Entfernung zu Fuss zu gehen, von der mein jetziger Führer stark angesteckt war. — Das Pferd ist ihnen gleichsam eines ihres Gliedmassen, — es ihnen nehmen, heisst ihnen die Mittel zur Fortbewegung nehmen. Das was man in früheren Zeiten von den zu Pferde bettelnden Armen in Buenos-Ayres sagte, ist im Innern der argentinischen Confoderation noch sehr anwendbar. Der Grund dieser Sitte, die sich zur Unsitte ausgebildet hat, liegt nicht sowohl in der Trägheit der Einwohner, als in dem Character des Landes; in den ausgedehnten Pampas liegen die verschiedenen Orte und selbst die einzelnen Häuser auf dem Lande in grosser, immer nach Meilen zu berechnender Entfernung, die oft durch den Mangel an Wasser, durch andere mannigfaltige Gefahren der Einöde vermehrt wird, und nur einen raschen, zu Pferde ausgeführten Durchzug möglich machen. Bringt man mit dieser Nothwendigkeit die Leichtigkeit der Erreichung der Mittel in Verbindung, welche diese Leute besitzen, und die ihnen dieselben Pampas anbieten, so wird man sich über die Erscheinung nicht wundern, dass allmählich aus dem Gebrauche jenes Mittels eine tief eingewurzelte Gewohnheit entsteht. Dieses Mittel besteht in der fast zahllosen Menge der Pferde, die ihnen, Dank sei es den ungeheuern Grasebenen des Landes, zu Gebote stehen, sowie in dem Charakter des Bodens, der in seiner ganzen ebenen Ausdehnung dem Berittenen ein günstiges Terrain bietet.

Macario, ein thätiger Mensch, aber auch ein Sohn der Pampa, sträubte sich daher mit ganzer Kraft gegen mein Ansinnen, den Weg zu Fuss zu machen. Ich sah ein, dass es umsonst war, ihm zuzureden, da nur die grösste Noth, der Hunger oder ein plötzlicher Schneesturm ihn zu dem, für ihn so verzweifelten Mittel einer Fussreise gezwungen hätte. Zu beiden war keine Aussicht vorhanden, da wir reichliche Vorräthe an Lebensmitteln noch bei uns führten und das Schneewetter der Cordilleren sich noch Monatelang hinausschieben konnte. — Allein zu gehen wurde mir, wenn nicht unmöglich, doch mit grösseren Mühseligkeiten und selbst Gefahren verknüpft, als wir bei dem Aufenthalt einiger Tage in dem Gebirge zu fürchten hatten. Ich beschloss daher zu bleiben, bis die nächste Truppe eintreffen würde.

Meine Sorgen abschütteld, so weit dieses möglich war, suchte ich die Zeit, die wir im Gebirge verleben mussten, zu geniessen. — Der Wind, der uns die Nacht so kühl gemacht, hörte jetzt auf und ein milder wohlthuender Herbsttag brach über uns Einsame an. Ein riesiger Lämmergeier schwebte in geringer Entfernung über unsern Häuptern, am entfernten Horizonte erkannten wir mehrere derselben. Am Felsenabhange in Entfernung von wenigen hundert Schritten erschien zuweilen mit blitzähnlicher Schnelligkeit ein Guanaco, um eben so plötzlich in einer der zahlreichen Spalten des Felsens zu verschwinden. Uns unfern rauschten die Cascaden des Bergstromes durch die zerrissenen Felsklüfte. Trotz des Mangels des Pflanzenlebens enthält das Bild vor uns einen eigenthümlichen Reiz. Die schneebedeckten Gebirge des Hintergrundes, deren hoch emporragende Spitzen von leichtem Nebelgewölk umgeben waren, — der tiefblaue Himmel, — die einsame uns umgebende Berggegend, jetzt mit ruhigem, mildem Antlitz sich zeigend, aber unter ihrer

Oberfläche, gleichwie das ruhig scheinende Meer, den wildesten Gegensatz zu diesem Frieden verbergend, — die auf den Höhenpunkten belegenen und weit sichtbaren Casuchas, — die tiefe Stille, die sich über dieses fremdartige Gemälde ausgoss, erfüllt den Schauenden mit merkwürdigen Gefühlen. Den tiefen Sinn, den die Natur in ihre grossartigen Bilder für uns gelegt hat, und welchen unser grosser Humboldt so trefflich zu bezeichnen wusste, nur allmählich fassend, schwanken unsere Gedanken zwischen den verschiedenartigsten Ansichten. Es ist uns zwar klar, dass wir nach Etwas streben, doch nur allmählich erkennen wir, dass dieses Bild ein Ruf der Mutter Natur an ihren Sohn, den Menschen ist, sich an ihren Brüsten auszuruhen, und aus denselben Wissen und Erkenntniss zu saugen. Doch wie Wenigen ist es vergönnt, diesem mütterlichen Rufe zu folgen. Eine richtige umfassende Anschauung der Natur ist nur durch das Studium ihrer einzelnen, auch der kleinsten Theile möglich, und nur der, welchen ein günstiges Schicksal leichten Umständen in die Arme warf, mag diesem Genuss leben. Wir Armen, die wohl den Ruf hören, aber im Drange des praktischen Lebens ihm nur auf Minuten folgen dürfen, müssen uns mit der Anschauung ihrer Aussenseite genügen lassen, ohne tiefer in ihr geheimnissvolles Wirken einzudringen und das Streben zur Erkenntniss, welches uns in jenen Augenblicken ergreift, mit der Hoffnung auf „Einst“ beschwichtigen.

Die Stunden des Tages zogen langsam an uns Unbeschäftigten vorüber. Um den Weg beobachten zu können, durften wir uns von unserem Bivouac nicht entfernen, es würde mir sonst ein grosser Genuss gewesen sein, die nahen Thäler zu besuchen und die Alpenscenen näher kennen zu lernen. Auch bedauerte ich, keine Kugelflinte mitgenommen zu haben, wie dies früher meine Absicht war, aber in dem raschen Drang der Abreise vernachlässigt wurde. Die Guanacos boten ein herrliches Ziel. — Doch unser unfreiwilliger Aufenthalt sollte kürzer sein, als wir es gefürchtet hatten.

Am frühen Nachmittage, es mochte gegen ein Uhr sein, hörte ich Macario plötzlich einen lauten Freudenruf ausstossen. Ich blickte verwundert nach der Richtung, wohin er wies, und erkannte bald, auch zu meiner Freude, eine lange Reihe Maulthiere, die langsam einen entfernten Abhang hinunterschritten, allmählich auf der Ebene erschienen und auf unsern Haltepunkt zukamen. Wir erkannten alsobald die Truppe meines Landsmannes, deren Quartier wir gestern Nacht vor dem Portillo passirten. — Wir konnten uns nur schwer mit dem Eigenthümer der Truppe verständigen. Es war ein alter, griesgrämlicher Kerl, der seine grosse Lust, uns hier sitzen zu lassen, unverhohlen ausdrückte. Um diese böse Lust zu besiegen, mussten wir ihm fast den Werth der beiden zu miethenden Maulthiere bezahlen, um uns bis Uspallata, welches, wie gesagt, noch dreissig Leguas entfernt war, mitzunehmen. Es wurde dabei ausbedungen, dass Macario, dessen Dienste ich bis Uspallata nicht benöthigte, zurückreiten durfte, um sein verlorenes Maulthier zu suchen. Nachdem ich ihm den grössten Vorrath der Lebensmittel überlassen und die grösste Eile anempfohlen hatte, wandte er sich daher zurück, während ich mich meinen neuen Gefährten anschloss. Ausser dem schon erwähnten Deutschen bestand die Reisegesellschaft aus mehreren französischen Handwerkern, die sich in Valparaiso ein kleines Vermögen erworben hatten, und sich jetzt anschickten, nach ihrer Heimath zurückzukehren, um dort das Erworbene zu geniessen. Um diese Rückreise pikanter zu macheu, hatten sie die Ueberlandreise nach Buenos-Ayres gewählt, um sich in jenem Hafen einzuschiffen. Mehrere von diesen muthigen, aber schon jetzt von den ungewohnten Strapazen hart mitgenommenen Leute hatten ihre geladenen Büchsen vor sich auf dem Sattel zum Gebrauch in Bereitschaft liegen, da sie, trotz der friedlichen Versicherung des Arrieros und der ihres erfahrenen deutschen Reisegefährten, jeden Augenblick einen Ueberfall fürchteten. Dieses Misstrauen unerfahrener Leute ist sehr natürlich, wenn man der übertriebenen Gerüchte von den Gefahren gedenkt, die über das Innere des südamerikanischen Continents im Umlauf sind.

Der Weg führte uns zunächst über die Brücke del Inca*), die aus einigen morschen Baumstämmen, auf eine natürlich gebildete Steinunterlage gelegt, besteht und über den bereits oben erwähnten Strom führt. Der Uebergang, wenn nicht gefährlich, war doch höchst unbequem, vorzüglich, da der enge Pfad diesseits und jenseits der Brücke sehr gebrochen und steil ist. Dem zunächst erreichten wir die Punta de las Vacas; wir hatten diesen in die Mitte der Ebene geschobenen Berg zu umgehen. Es vereinigen sich hier drei Wege, die sämmtlich ins Gebirge hinein- und über dasselbe hinwegführen. Der südlichste Weg ist der „de la Dehesa“, welcher unmittelbar am Fusse des Tupungato vorbei führt, — der mittlere Weg, den wir gekommen waren, ist der eigent-

*) Diese Brücke, die erwähnten Baumstämme abgerechnet, durchaus natürlich gebildet, besteht aus diversen Ablagerungen von Kalk und Eisentheilen der Gebirgswasser. Ihre Länge ist circa 60 Fuss, ihre Breite 10 Fuss.

liche Uspallataweg, auch Weg „de las Cuevas“ genannt, er führt fast in grader Richtung zum Westen und ist der am meisten betretene; — der letzte und der nördlichste der Wege endlich folgt dem Laufe des kleinen Flusses „de las Vacas“ in das Herz der Andes, und ist der am wenigsten gebrauchte. — Auf dieser Stelle des Kreuzweges engte sich der Weg zwischen einer Schlucht immer mehr ein, bis die eine Wand derselben plötzlich gänzlich wegfällt und ein Abhang erscheint, der den schmalen, steil hinunter gehenden und mit Steingeröll gefüllten Weg höchst gefahrvoll machte. Der Weg mochte im Ganzen drei Fuss breit sein, selten übertraf er dieses Maass, aber häufig verringerte es sich, bis er an einem terrassenförmigen Abhange angelangt, sich in den Abgrund und zu dem Ufer des dort fliessenden Bergstromes hinunterzog. Alle Mitglieder unserer Reisegesellschaft, selbst die Arrieros, zogen es vor, diesen Weg zu Fuss zu machen, ihre Maulthiere am Zügel hinter sich her führend; nur einer der Franzosen hatte die Vermessenheit hinunterzureiten. Mochte er den warnenden Ruf des Arrieros, wenigstens erst seinen Sattel zu befestigen, überhört oder nicht verstanden haben, genug, er begann seinen gefährlichen Ritt, ohne sich weiter darum, noch um unsere vereinten Warnungsrufe zu kümmern. — Unsere Befürchtungen sollten nur zu sehr gerechtfertigt werden. Kaum war er einige Schritte auf dem sich fast senkrecht hinabziehenden Pfade vorgegangen, als der Sattel nach dem Hals des Thieres glitt. Dieses machte einen mächtigen Satz, warf seinen Reiter kopfüber ab, und suchte im rasenden Galopp an dem einige hundert Fuss vorangehenden Madrinero*) vorbei zu kommen. Aber der Pfad war für beide zu schmal, und das Maulthier stürzte, sich überschlagend, in den Abgrund, während der Madrinero seine, durch den heftigen Stoss des anprallenden Maulthieres scheu gewordene Stute nur mit Mühe beruhigte.

Wir näherten uns dem, auf dem Pfade hingestreckten Manne; er blutete stark aus einer Wunde am Kopf, die bei näherer Besichtigung sich glücklicherweise nur als leicht erwies. Diese und einige geringe Quetschungen, die er bei dem Fall gegen die Felswand erlitt, ausgenommen, hatte er keinen Schaden genommen. Sein Kopf wurde nothdürftig verbunden, und sich allmählich von seiner Betäubung erholend, war er,

*) Der Madrinero ist der Leiter der Stute, die dann Madrina genannt wird, welche gewöhnlich einer reisenden Truppe Maulthiere vorangeführt wird. Die Maulthiere gewöhnen sich ungemein an diese leitende Stute und folgen derselben mit Aufbietung aller ihrer Kräfte; eben so trennen sie sich nur von derselben, wenn sie erschreckt werden.

von einem Knechte unterstützt, stark genug, den verhängnissvollen Pfad hinunterzugehen; unten angelangt und nachdem man den Sattel des todten, aufgefundenen Maulthieres herbeigebracht, war er bereits im Stande, ein anderes Thier zu besteigen. Wir Alle wünschten ihm Glück zu seiner Rettung. Es war in der That fast ein Wunder, dass er, von dem Maulthiere abgeworfen, nicht in den gähnenden Abgrund, sondern auf den engen Pfad selbst fiel. Er kam jetzt mit einer kleinen Verletzung und dem Verlust einiger Thaler, die er dem Arriero für sein getödtetes Maulthier als Vergütigung zahlen musste, davon.

Der schmale Pfad, auf welchem der eben geschilderte Unfall, der so leicht ernstere Folgen hätte haben können, stattfand, läuft in ziemlicher Länge hin, und wird daher doppelt gefährlich, falls eine andere Truppe in entgegengesetzter Richtung ihn eingeschlagen haben sollte. Sich auf diesem Pfade begegnend, ist es den beladenen Maulthieren nicht möglich auszuweichen oder umzukehren. Diese Gefahr wird noch vermehrt, wenn die entgegenkommende Truppe aus Hornvieh bestehen sollte. Ehe sich daher eine solche in diesen Engpass hineinwagt, schickt der Capataz oder Führer derselben einen Mann voraus, der den Weg in seiner ganzen Länge auszukundschaften hat; findet er diesen leer, so giebt er mit einer Pfeife ein Zeichen, dass die Truppe ihren Weg antreten kann. Er selbst bleibt an dem Ausgang des Weges, um etwa später von der entgegengesetzten Seite herankommende Reisende zu warnen. Selten findet hier eine Unachtsamkeit statt, die von den verhängissvollsten Folgen begleitet sein würde. Auf der Mitte des gefährlichen Weges begegneten wir einem sogenannten Vaquero, der im Begriff war den Weg zu untersuchen; ihm folgte eine Ochsenheerde von 2000 Köpfen. Der Transport derselben auf diesen Wegen geht sehr langsam, vorzüglich auf den engen Pfaden, wo ein Thier hinter dem andern schreiten muss. Wären wir eine Viertelstunde später gekommen, so hätten wir die Nacht an dem Ausgange warten müssen.

Nachdem wir den Pass verlassen, führte uns ein Weg nach dem Bett des Flusses de las Vacas hinunter, welches sich hier ausdehnend, dem Strom nur eine geringe Tiefe giebt. In trockener Jahreszeit zieht der Arriero diesen Weg einem andern, über die Kämme der Gebirge führenden vor, da das ebene trockne Flussufer ein gutes Terrain bietet, doch wenn der schmelzende Schnee der nahen Berge den Strom anschwellt, und dieser seine Ufer um viele Fuss übertritt, muss der wegen seiner rauhen Pfade verrufene, über die Berge führende Weg gewählt werden.

Die verschiedenen Zögerungen hatten uns inzwischen sehr aufgehalten; als wir am Fusse des Abhanges und am Ufer des kleinen Bergstromes anlangten, war die Dämmerung schon angebrochen. Trotz der finsteren Nacht und der noch fünfzehn Leguas betragenden Entfernung von Uspallata, beschloss der Arriero nach kurzer Berathung mit seinen Passagieren, die Nacht durchzureisen, um am nächsten Morgen früh in Uspallata anzukommen. — Einigen Maulthieren, die zu ermüdet schienen, wurde die Ladung abgenommen, um anderen bisher unbeladen gegangenen aufgelegt zu werden; am Fluss wurden die Thiere zur Tränke geführt. An scherzhaften Vorfällen, durch die Unbeholfenheit der Handwerker herbeigeführt, fehlte es nicht, die aber doch die unangenehme Folge hatten, uns länger aufzuhalten, als uns wünschenswerth sein musste. Eine derselben will ich mir erlauben zu erzählen. Unsere unerfahrenen Reisegefährten, den Arrieros nachahmend, nahmen die Zügel ihrer Maulthiere ab, ohne den Sattel zu verlassen, um sie auf diese Weise zur besseren Bequemlichkeit beider Theile, des Thieres und des Reiters, saufen zu lassen. Nachdem die Thiere sich satt getrunken, waren jedoch ihre Reiter nicht im Stande, das Gebiss des Zügels wieder in's Maul zu bringen. Die klugen Maulthiere, die wohl schon lange den Werth ihrer Reiter kennen gelernt hatten, merkten rasch, dass sie frei waren und liefen sogleich ganz nach ihrem Behagen, einige in die tieferen Stellen des Strömchens, andere nach dem steilen Abhange eines nahen Hügels, auf welchem ein spärliches Gras sie zu locken schien. Die bedauernswerthen Reiter hielten sich krampfhaft am Sattelknopf und an der Mähne ihrer Thiere fest, und mussten noch manche Angst ausstehen, bis die spottenden Knechte des Arrieros die Thiere wieder eingebracht und ihnen die Zügel angelegt hatten. Eines derselben, besonders muthwillig, musste mit dem Lasso eingefangen werden. Die geschwungene Schlinge, anstatt dem Thiere, fiel dem Reiter um den Körper, vielleicht von dem Werfer dorthin geleitet. Der Gefangene wurde wie der Blitz von seinem Thiere heruntergerissen, aber der weiche Sandboden der Schlucht liess ihn keinen Schaden nehmen. Doch glaube ich, dass eine kleine Schramme ihm lieber gewesen wäre, als die Spottreden der Arrieros und selbst seiner Gefährten.

Ein jeder Anfänger im Reiten oder ein jeder unerfahrene Reisende hat es in seiner Macht, dem Spotte seiner Umgebung wegen Ungeschicklichkeit zu entgehen, wenn er diese Ungeschicklichkeit oder vielmehr Unkenntniss eingesteht und den Rath seiner erfahrenen Gefährten annimmt; wenn er, anstatt dieses zu thun, sich den Anschein einer Geschicklichkeit giebt, welche er nicht besitzt, wird er natürlich selbst für den Vernünftigsten lächerlich und setzt sich nicht selten grossen, ihm vielleicht unbekannten Gefahren aus.

Unsere Vorbereitungen zur Weiterreise wurden unter diesen Unterhaltungen nur langsam zu Stande gebracht, so dass, als wir endlich aufbrachen, es schon völlig dunkle Nacht war.

Vorauf der Madrinero; das Glöcklein seiner Stute ermunterte die schwerbeladenen, ächzenden Maulthiere, die ihm in langem Zuge folgten, untermengt von den treibenden, aufmunternden Arrieros. Diesen folgte die schweigende Gruppe der sich immer mehr ermüdenden Passagiere, aus der nur selten eine vereinzelte Stimme den Versuch machte, durch den Gesang irgend eines beliebten Volksliedes Leben in die Gefährten zu bringen. Doch war es vergebliche Anstrengung. Immer blieb die dritte oder vierte Strophe in der ermatteten Kehle stecken.

Doch auch diese lange Nacht nahm ihr Ende. Um drei Uhr Morgens kamen wir endlich in dem langersehnten Uspallata an, wo wir bald unter dem Dache eines Wirthshauses die gewünschte Ruhe fanden.

Der in der Nacht zurückgelegte Weg war im höchsten Grade gebrochen und steinigt, wie es das häufige Stolpern unserer Thiere bewies, doch die Dunkelheit der Nacht liess keine nähere Betrachtung zu. Ich erlaube mir daher, den Leser auf die treffliche Beschreibung unseres Landsmannes Dr. Burmeister aufmerksam zu machen, die dieser in seinem jüngst erschienenen Werke über die Sierra von Uspallata giebt.

VIII.

Uspallata. – Abreise von Uspallata. – Quebrada de Villa Vicenzia. – Gewitter. – Ankunft in Mendoza. – Naturscene. – Charakter der Mendoziner. – Ruinen Mendoza's.

Schon nach wenigen Stunden der gepflegten Ruhe wurde ich durch heftiges Pochen an die Thür meiner engen Kammer geweckt. — Macario war so eben angekommen. Ein glücklicher Zufall hatte ihn sein verlorenes Maulthier schneller finden lassen, als ich es erwartete. — Erfreut und dem Himmel für unser Glück dankend, erhob ich mich sogleich, um Alles zu meiner Weiterreise vorzubereiten, und diese so schnell wie möglich in's Werk zu setzen. Macario erklärte sich gern bereit, (er hatte gleichfalls während der Nacht geritten) sogleich weiterzureisen, da auch er ein grosses Verlangen trug Mendoza zu erreichen, um seine Familie, die sich dort aufhielt, nach langer Trennung wiederzusehen.

Während an dem im Hofe des Hauses eilig angezündeten Feuer der Charqui geröstet, der stärkende Kaffe bereitet wurde und Macario sich zu den wenigen in und um Uspallata wohnenden Bauern oder vielmehr Viehhütern begab, um ein für mich zu miethendes Maulthier zu suchen, benutzte ich die Augenblicke, die Oertlichkeit unseres Aufenthaltes näher in Augenschein zu nehmen.

Der Reisende, der auf diesem Wege aus den höheren Regionen der Andes niedersteigt und sich Uspallata nähert, gewahrt ein ausgedehntes Bergplateau, welches nach drei Richtungen von den Granitmassen der Gebirge, die sich bald in eine fast nebelige Ferne zurückziehen, bald dem sich auf dem Hauptwege befindenden Reisenden näher rücken, begrenzt wird; im Osten bleibt die Aussicht offen und lässt dort in dem gesenkten Horizont die Pampas ahnen: doch ist dies eine Täuschung, denn selbst an jenem bergfreien Horizont zieht sich noch eine gewichtige Bergkette als Nachläufer der Andes hin, doch bedeutend tiefer wie das Plateau von Uspallata liegend, bleiben sie dem Auge des auf jenem sich Befindenden unsichtbar.

Dieses Plateau, von einem Strom durchflossen, der den nahen Bergen entquillt, und mit einem fruchtbaren Boden begabt, bietet nicht allein den Estancieros für ihr Vieh ein reichliches Futter in dem fetten Grase, sondern giebt auch dem Bebauer des Bodens ein reichliches Produkt. Weizen und Mais heben sich besonders unter diesen Erzeugnissen hervor. Auch weite, in üppiger Blüthe sich ausbreitende Kleefelder geben von der Produktivität des Bodens, selbst auf dieser bedeutenden Höhe, ein gutes Zeugniss. Zwar fallen nicht immer die Erndten günstig aus; ein harter, plötzlich eintretender Frost gehört im Herbst und selbst im Spätsommer nicht zu den Seltenheiten, und verdirbt oft das Resultat der Arbeit des ganzen Jahres. Es beschäftigen sich daher nur wenige der Bewohner mit dem Ackerbau; die Viehzucht bietet denselben grössere Vortheile. Wenn das kräftigere Gras der weiten Bergplateaus und das ärmere der Schluchten sich im Herbste unter dem Froste oder der Schneedecke verliert,

8

wird das Vieh den tiefer belegenen Gründen zugetrieben oder steigt auch aus eigenem Antrieb hinab, wenn Kälte und Hunger es zwingen, ein milderes Klima, eine fruchtbarere Gegend aufzusuchen. — Vermeidet der Viehhirt durch diese Wanderung seiner Heerden einerseits die gänzliche Zerstörung derselben, so knüpfen sich an diese Operation anderseits auch schwere Opfer. Bald ist es die Auffindung eines geeigneten Platzes in den bevorzugten Gegenden, bald die Beschwerlichkeit des Weges durch die Gebirge mit abgemagertem Vieh, welches ihm sowohl bedeutende Geldopfer wie auch Verlust an Vieh kostet. Trotzdem wird ihm seine Mühe und ausgelegtes Kapital mit Wucherzinsen durch die Vermehrung des Viehes vergütet.

Die sich vor uns erstreckende Hochebene, sowohl ihrer Höhe — 5500 Fuss über der Meeresfläche — wie ihrer frei belegenen Lage wegen, da der eisige Sturmwind, von den nahen Schneefeldern der Andes heruntersausend, sie nach allen Seiten bestreicht, ist dem plötzlichen Wechsel der Witterung sehr ausgesetzt. Dieses hindert aber nicht, dass in der warmen Jahreszeit die Estancieros hier vorzugsweise verweilen. Neben der Fruchtbarkeit des Bodens giebt es noch eine andere Ursache, die sichtbar auf diesen Vorzug einwirkt; der viel betretene Weg, ja der Hauptweg, der von den belebtesten Theilen Chile's nach Argentinien führt, durchschneidet die Hochebene von Uspallata. Den Maulthiertrupps, wenn sie nach dem sechs- bis achttägigen beschwerlichen Marsch durch die Einöden der Cordilleren auf diese Ebene stossen, wird es zur Nothwendigkeit, mit ihren Thieren zu rasten, sowohl um denselben einige Erholung zu gönnen, als auch um sie zu dem bevorstehenden Marsche durch die gebrochenen und mühevollen Wege der Quebrada der Villa Vicenzia zu stärken; ebenso wird es den von Mendoza kommenden und tüchtig abgearbeiteten Thieren nothwendig, sich hier zu erfrischen, bevor sie die grössere Reise durch die Gebirge antreten. So ist es eine allgemeine Nothwendigkeit geworden, hier zu ruhen, die selbst von flüchtigen einzelnen Reisenden nicht umgangen werden kann; Uspallata ist der Ruheplatz. — Bei dem bedeutenden Verkehr, der auf diesem Wege zwischen den reichsten Provinzen Argentiniens und denen Chile's herrscht, ist es kein Wunder, das weite Plateau in dem grössten Theile seiner Ausdehnung mit Alfalfaweiden bedeckt zu sehen. Dass die Eigenthümer derselben sich bereichert haben, ist wohl erklärlich; für jedes Thier wird ihnen 1 Real argentinischer Münze, circa 5 Schillinge hamb. Cour. Futtergeld für

12 Stunden bezahlt. Unter Umständen verdoppelt und verdreifacht sich dieser Preis. Daher der Vorzug, den man dieser Gegend vor andern giebt.

Die weiten, eingezäunten Kleewiesen, die seltenen Getreidefelder, unter denen hier und da die niedrigen, aber festen, gegen Wind und Wetter gut verwahrten Häuschen zerstreut liegen, der kleine Strom, der sich durch diese hinzieht und, in seinem unebenen Bette oft kleine Caskaden bildend, den tieferen Gegenden zueilt, die bläulichen Umrisse der entfernteren Berge und die schwarzen Massen der näheren, zu einem Bilde vereinigt, machen auf den Reisenden einen freundlichen Eindruck. — Er sieht hier zwar noch immer eine spärliche Vegetation, und wo sie aufhört, dieses zu sein, die Zeichen der Mühe und Arbeit, mit der sie der Natur abgerungen sind, aber der Unterschied mit den kurz vorher durchreisten Einöden des Gebirges macht ihm selbst den Anblick der spärlichen Fruchtbarkeit Uspallata's zum Genuss.

Sich von dem vegetabilischen Leben ab und dem thierischen zuwendend, bietet sich ihm in diesem Bilde ein neues Interesse, welches seine neugierigen Blicke auf sich zieht. Hier offenbart sich ihm zuerst das argentinische Leben in seinem ganzen schneidenden Contraste mit dem chilenischen: das Leben eines Viehzucht treibenden Volkes mit dem eines ackerbauenden.

Die weiten, mit den zahlreichen Rindviehheerden, Pferden und Maulthieren bedeckten Wiesen, die nur spärlich von unbedeutenden Getreidefeldern unterbrochen werden, fallen ihm zuerst auf. Zwar erkennt er hier noch nicht die Unermesslichkeit der Pampas und ihrer Millionen Thiere, aber doch ahnt er ihre Nähe in hundert kleinen Eigenheiten des Bodens und der Bewohner.

Der Gaucho, vom frühesten Morgen auf seinem Rosse die Gegend durchstreifend, um das Vieh zu hüten, in seiner Kleidung, die aus dem „Chiripá“ *), dem „Poncho“, den Pferdestiefeln **) (Botas de potro) besteht, und kaum eine andere Fortbewegung als die zu Pferde zulässt —

*) Chiripá ist ein die Beinkleider ersetzendes Kleidungsstück. Es besteht aus einem viereckigen Stück gewöhnlich buntem Wollenzeuge, welches sich der Argentiner schräg um die Hüften schlägt. Er hebt sodann die herunterhängenden Zipfel sowohl zwischen als auch um die Schenkel auf und befestigt sie im Gurt, wodurch er sich ein im Reiten äusserst bequemes, aber im Gehen äusserst unbequemes Kleidungsstück verschafft.

) Die „Botas de potro“ sind nichts anderes, als das den geschlachteten Stuten abgezogene Beinfell. Frisch abgezogen und gereinigt zieht sie der Gaucho über sein nacktes Bein, um sie sich diesem beim Trocknen anpassen zu lassen. — Seydlitz soll auf diese Weise seinen Reitern die ledernen Hosen angepasst haben. — Der Gaucho lässt die Zehen seine Bolas *), die von ihm unzertrennlich am hinteren Theile seines Sattels befestigt sind — die kleinen dreieckigen, hölzernen Steigbügel, aus dem biegsamen Aste der Edeltanne geschnitzt — Alles sind fremdartige Erscheinungen, die auf kein ruhiges, Ackerbau treibendes, sondern auf ein Reiterleben schliessen lassen.

Wie der Geier, der über der Schafheerde seine Kreise zieht und, bevor er niederstösst, sich sein Opfer auszusuchen scheint, umkreist der Gaucho im weiten Bogen seine Heerde; mit geschwungenem Lasso, mit vorn übergebeugtem Körper scheint er gleichsam dahinzufliegen. Die Kuhheerde, sowie sie den fremden Reiter gewahr wird, erhebt sich unruhig. Die Stiere brüllen ihn fast mit einem fragenden Tone an, sollte er vorüberreiten oder ist's auf sie abgesehen? Sie sehen jetzt, dass er den Bogen um sie zieht, — sogleich bewegen sie sich alle, brummend über die unwillkommne Störung, den Corrälen zu, ohne dass es eines weiteren Treibens bedarf. Der Reiter, sicher, sie in den Hürden wiederzufinden, jagt einer entfernteren Heerde zu, um auch diese auf dieselbe leichte Weise einzubringen. Die Gewohnheit übt auch hier ihren Einfluss. — In den Corrälen, gewöhnlich aus Pallisaden oder aus festem Buschwerk bestehende Einzäunungen) werden die Thiere gezählt, einzelne gemolken und andere zum Schlachten ausgesucht. Der Werth einer mageren Kuh ist 3 – 5 span. Thlr., der einer fetten aber bedeutend höher und wechselt von 8—12 Thlr. Ein sich im guten Zustande befindender wilder, zum Schlachten bestimmter Ochse wird mit einer Unze bis 20 sp. Thlr. bezahlt; einige Thaler mehr erlangt der gezähmte, zum Arbeiten bestimmte Ochse. Nur den Viehheerden, die auf den Alfalfaweiden grasen, wird die Auszeichnung der täglichen Eintreibung zu Theil. Es sind dies gewöhnlich Thiere, die kurz vorher von den vieh-

---

seiner Füsse unbedeckt, um zwischen der grossen Zehe und der nächstfolgenden den Rand des Steigbügels einzukneifen. Fast mit der Gelenkigkeit der Hand fasst sein Fuss die Steigbügel. Kauft der wohlhabendere Gaucho einmal europäische Stiefel, so schneidet er diesen die vordere Hälfte ab, um die Zehen frei zu haben.

***) Die Bolas sind dem Gaucho eine Waffe und ein Werkzeug. Ein lederner Riemen, von dem drei kleinere auslaufen, an deren Enden schwere Steine, seltener Bleistücke, befestigt sind, bildet dieses merkwürdige Instrument. Der Hauptriemen ist gewöhnlich $2\frac{1}{2}$ Fuss lang, die Zweigriemen sind circa $\frac{1}{3}$ kürzer. Der Eingeborne schleudert die Bolas mit grosser Geschicklichkeit dem Thiere, welches er zu fangen beabsichtigt, zwischen die Beine, die von den Riemen so umstrickt werden, dass das Thier stürzt. — Im Kampfe spielen gleichfalls die Bolas eine grosse Rolle, sie dienen seltener zur direkten Zerstörungswaffe, als zum Verderben des Pferdes des Feindes. Der Gaucho, dem es zuerst gelingt, das Pferd seines Gegners zum Sturz zu bringen, bleibt gewöhnlich der Sieger.

reichen nördlichen Provinzen des Landes angekommen sind, um nach Chile getrieben zu werden, oder auch solche, die von den nahen Estancias in den Bergen, als krank oder zu sehr abgemagert, um sich rasch zu erholen, für einen oder zwei Monate auf die nahrungsreicheren Kleeweiden verwiesen werden.

Das Vieh in den Estancias wird, nur mit der Marke des Eigenthümers versehen, ohne alle Fürsorge in die Wildnisse losgelassen. Befindet sich Wasser zum Tränken der Thiere in der Nähe und genügendes Gras zum Fressen, so bewegen sie sich selten von der Stelle, aber im entgegengesetzten Falle muss der Estanciero wohl aufpassen, dass sie sich nicht verlieren. —

Die Regierung der Provinz, auf Uspallata als einen wichtigen Mittelpunkt des Verkehrs aufmerksam geworden, hat hier eine Zollwache errichtet, um die einpassirenden Güter zu inspiciren. Der Tropero erhält hier einen Zollschein, den er bei seiner Ankunft in Mendoza oder San Juan vorzeigen muss. Es geschieht dies, um zu verhüten, dass Waaren auf dem Wege zwischen Uspallata und Mendoza gelassen werden. — In letzterer Stadt wird der Importzoll bezahlt, der je nach den Artikeln von 15 bis 6% abwechselt. — Auch die einzelnen Reisenden werden soviel wie möglich in Uspallata controllirt, d. h. ihre Namen, Herkunft und Bestimmung verzeichnet. Ein Pass ist hier wenig mehr als dem Namen nach gekannt. Die aufgezeichneten Daten über passirende Tropas und Reisende werden wöchentlich der Provinzial-Hauptstadt zugeschickt. — Eine kleine Militärwache unterstützt die Autorität der Zollbeamten, deren Macht nicht unbedeutend ist, da alle männlichen Bewohner des Ortes die Verpflichtung haben, sie immer mit ihrer körperlichen Kraft zu unterstützen, wenn dieselben ihre Hülfe in Anspruch nehmen wollen.

Neben der niederen, aus Lehmerde aufgeführten Zollhütte befindet sich das Wirthshaus, ein für diese Oertlichkeit nicht unbedeutendes Gebäude, dessen weiter Raum in zahlreiche kleine Zimmer für die logirenden Reisenden eingetheilt ist. Mehr als ein Nachtlager wird selten von den Reisenden in Anspruch genommen; denn ausser dem Umstande, dass die Speisen schlecht zubereitet und nicht selten die dazu genommenen Materialien von schlechter Qualität sind, werden auch so enorm wucherische Preise dafür gefordert, dass es selten Jemandem einfällt, etwas zu bestellen. Aus dem eigenen Schnappsack speist der wohlversehene Reisende billiger und besser.

Weite Corräle, aus hohen Pallisaden bestehend, ziehen sich neben dem Hofe des Gasthauses hin, um die angekommenen Trupps Maulthiere und Hornvieh vorläufig aufzunehmen, bis sie abgeladen und abgeschirrt nach der Weide entlassen werden. Zur Weiterreise fertig, treiben die Arrieros ihre Thiere wieder hinein, und die Beladung derselben beginnt von Neuem. Fast immer, vom frühen Morgen bis zum späten Abend, nimmt man das Gewühl der zahlreichen abgehenden und ankommenden Heerden und Tropas wahr.

Ein eigener Anblick war es für mich, als ich in den Hof hinaustrat. Mitten unter dem Lärm der sich rüstig tummelnden Arrieros sah ich die Knechte unsers gestrigen Capitains, sowie auch diesen selbst schnarchend um den noch glimmenden Aschenhaufen liegen. Einige lagen, gleich dem Guanaco, welches diese Gewohnheit haben soll, mit dem Kopfe zwischen Steinen versteckt, um dem schneidenden Winde zu entgehen, Andere ihre Ponchos fest über das Gesicht gezogen. Nur ein junger Bursche, in welchem ich unsern gestrigen Madrinero erkannte, lag mit seinem so frühzeitig abgehärteten Körper unbedeckt, sein Gesicht der kalten Morgenluft preisgegeben, mit den Haaren spielte der Wind. Seine Physiognomie war keine gewöhnliche; Form und Farbe verriethen die araukanische Abstammung, von jenen energischen Indianern, Voreltern und noch jetzt Nachbarn der Chilenen. Selbst im Schlafe gab sich im Gesicht des jungen Indianers ein energischer, trotziger Zug kund, der jenem Völkerstamme eigen ist. Seine massiv gebaute Stirn schien Intelligenz zu verrathen. Vielleicht verbargen sich unter diesem rohen Aeusseren ungewöhnliche Eigenschaften, geistige, moralische Fähigkeiten, die nur entwickelt zu werden brauchten. Ein Saatkorn, welches des fruchtbaren Bodens bedarf! Aber unter diesen Umständen, den lasterhaften Gewohnheiten der Arrieros, die den grössten Strapazen ausgesetzt immer die ihnen nächstliegende Erholung in Befriedigung der niedrigsten Leidenschaften suchen, was kann er anders werden, als Einer von so Vielen; seine missgeleitete Energie wird sich in dem Extreme des Bösen Luft machen. Ohne Erziehung, mit grossen Leidenschaften von der Natur ausgerüstet, die durch keine ausgebildete Denkkraft ihr Gleichgewicht erhält, giebt er sich diesen ohne Zügel hin. Halb Indianer, halb Europäer des Mittelalters, ist die Bezeichnung seines Characters.

Macario kam schon nach wenigen Augenblicken zurück; er brachte mir ein starkes, sogar hübsches, aber scheues Maulthier. Man hatte ohnehin die Absicht gehabt, es nach Mendoza zu senden, wo sein Eigenthümer wohnte. Seine Benutzung wurde mir daher für eine nur geringe Vergütung überlassen. Nachdem ich der Aufforderung des Zollbeamten nachgekommen, ihm Auskunft über mich zu geben, sowie unser karges Frühstück eingenommen, ritten wir sogleich ab. Ich fand keine Gelegenheit, von meinen gestrigen Reisegefährten Abschied zu nehmen, sie ruhten noch im festen Schlaf von den gehabten Beschwerden aus.

Trotz der Eile, mit welcher wir unsere Abreise betrieben hatten, war es schon ein Uhr Mittags geworden, als wir in raschem Trabe das Gasthaus verliessen und die Ebene Uspallata's durchmassen. Ich hatte gehofft früher fortzukommen, um wo möglich bei Tage mehrere, der häufigen Räubereien wegen verdächtige Stellen des Weges zu passiren. Wir suchten jetzt durch Eile die verlorene Zeit einzuholen. Schon nach wenigen Ruthen theilt sich der breite, ausgetretene Weg in zwei kleinere; der in nordöstlicher Richtung auslaufende führt nach San Juan, der südöstliche nach Mendoza führende war der unsrige. Der angenehme Weg durch die Felder der Hochebene wurde mir durch mein Maulthier vergällt, welches zum erstenmal wieder nach monatlangem Aufenthalt in den Alfalfa-Weiden geritten wurde und sich für einen ermüdeten Reisenden zu scheu und lebhaft geberdete. Es dauerte längere Zeit, bis ich seiner Herr werden konnte, doch auch dann musste ich immer auf meiner Hut sein und fest im Sattel sitzen; jeder geringfügige, im Wege liegende Gegenstand gab ihm Veranlassung zu den tollsten Seitensprüngen.

Die Ebene setzte sich in der vorhin beschriebenen Weise fort, doch jemehr wir uns im Laufe des Nachmittags ihrem Rande näherten, verwandelte sich das flache, erdige Terrain in gebrochenes und steiniges, welches nur noch ein spärliches Gras und Moos aufwies. Hier und da untermischten sich die Farrnkräuter und Moose, und etwas entfernter vom Wege sahen wir einige riesige Arten der Igelcereus; Bäume blieben noch äusserst selten, nur das Dornengestrüpp schoss überall reichlich zwischen den Steinen hervor und gab der Gegend den Anschein einer Fruchtbarkeit, die sie nicht besass. Allmählich erreichten und überschritten wir die Grenze der Ebene und ritten in eine Felsschlucht ein. Die Dämmerung brach bereits an; doch hofften wir, der unbewölkte Sternenhimmel würde uns genügend auf unserem Wege leuchten.

Die Schlucht, in die wir einritten, enthielt merkwürdige Steingebilde. Der Boden derselben, grösstentheils aus Lehmerde bestehend, war von den Bruchstücken der Steine, die sich von den Seitenwänden losgebröckelt hatten, bedeckt. Der Basalt jener Seitenwände, der sich oft in einzelnstehenden Säulen, oft in zusammengedrängten Massen erhob, nahm die abenteuerlichsten Formen an, die bei der unsicheren Beleuchtung der engen Schlucht in der Abenddämmerung fast einen grausenden Eindruck auf die Einbildungskraft des einsam hinziehenden Reisenden machen. Die Benennungen, die der Eingeborene jenen Bildungen des Zufalls giebt, dienen nicht dazu, diesen Eindruck zu mindern. Dort steht der Gaucho neben dem Mönch, das Gespenst neben der Kuh, denen andere, noch phantastischer geformte und benannte Steine folgen. Der Eingeborene geht nur ungern durch diese Schlucht. Ein kleines Kreuz, welches nahe am Wege steht, halb unter den Kardendisteln versteckt, bezeichnet die Stelle, wo vor Kurzem zwei Brüder angefallen und getödtet wurden; diese Thatsache, im Vereine mit der romantischen Wildheit der Gegend, hat diese, als von Gespenstern heimgesucht, verrufen gemacht, und selbst mein Macario, sonst ein tapferer junger Kerl, unterliess nicht sich zu bekreuzen und ein Ave Maria gegen den Einfluss böser Geister zu sprechen. Ueberall findet der Mensch Gespenster; im alten Europa in den Ruinen verwitterter Gebäude, im neuen Amerika in den Tiefen der Wälder oder den Schluchten der Berge. Es beweisst dies, dass selbst in dem unerzogenen, ungebildetsten denkenden Wesen die Ahnung einer andern Welt ausser seiner Sinnenwelt existirt. Ist es nicht derselbe Trieb, der den Einen zum Aberglauben und den Andern zum Glauben führt? Das erste ist die Missleitung und das andere vielleicht die richtige Leitung jenes Triebes.

Die Sierra von Uspallata ist reich an Mineralien. 1820 wurden die ersten Versuche gemacht, eine ergiebige Ader aufzufinden, und schon nach wenigen Varas unterhalb der Oberfläche des Gesteins fand man im Bleiglanz Silbererze, die 2 bis 250 Marcos Silber pro Cajon*) enthielten. Diese ergiebige Ader oder „Veta“, wie sie der argentinische Bergmann nennt, verlor sich aber bald, und es schien sich dann auch die Lust bei den Unternehmern zu verlieren, neue Versuche anzustellen. Erst 1825 finden wir die Arbeiten wieder begonnen, und wie es schien, wiederum mit grossem Glücke, als unter den Mustern von aufgefundenen Adern, die man zu jener Zeit nach Buenos-Ayres schickte, sich Erze von 1000—1500 Marcos pro Cajon befunden haben sollen. In Folge dessen brachte man in Buenos-Ayres rasch eine Actiengesellschaft zum Zweck

*) Der Cajon enthält 6000 spanische Pfund — die Marco ist ½ spanisches Pfund oder 230 Grammen.

der Bearbeitung jener Bergwerke zusammen, aber in den bald darauf erfolgenden bürgerlichen Wirren zwischen den „Federales“ und „Unitarios“ löste sie sich wieder auf. Kaum angefangene Arbeiten mussten aufgegeben werden und wurden erst 30 Jahre später (1855) wieder begonnen, indessen nicht für Rechnung jener Actiengesellschaft, sondern für die einzelner unternehmender Mitglieder. Aber auch diese sollen die Arbeit aus Mangel an Capitalien schon nach einer kurzen Periode wieder eingestellt haben. — Die Kupfer-Minen sind jetzt die einzigen, welche bearbeitet werden.

In der Nähe des Engpasses, in welchem wir uns befanden, waren mehrere derselben vorhanden. Die Erze werden unweit der Minen in Oefen geschmolzen, die mit Jarilla-Holz (den Myrtaceen angehörend) geheizt werden, und das gewonnene Kupfer nach Chile gesandt*). Auch Goldwäschereien befinden sich mehrere an den Ufern der zahlreichen kleinen Ströme, die diesen Theil des Gebirges zu gewissen Jahreszeiten durchfliessen. Die Bergleute, gewöhnlich aus der rohesten Klasse der Eingeborenen oder Chilenen bestehend, üben oft ihr Unwesen auf diesem Wege aus und Raub-, selbst Mordthaten gehören nicht zu den Seltenheiten. Diese nicht sehr angenehme Mittheilung, die mir mein leichtsinniger Führer erst jetzt machte, vermehrte mein Grausen an diesem fast gespensterhaften Orte, aber auch meine Wachsamkeit. Rasch durfte auf dem unebenen, mit Steingeröll gefüllten Wege nicht geritten werden, vorsichtig und langsam schritten unsere Thiere vorwärts; meinen Revolver hielt ich bereit und suchte mit aufmerksamen Augen und Gehör die Windungen und Höhlen der engen Quebrada zu erspähen. Ich nahm wahr, dass auch mein Begleiter diese Vorsicht theilte, aber ich wusste nicht, fürchtete er sich mehr vor den Gespenstern oder den Anfällen der Räuber. Ich glaube fast, vor Ersteren! — Ein sehr sicherer Telegraph, um die sich nahende Gefahr anzuzeigen, ist, kaum sollte man es glauben, das Ohr des Maulthieres. Ich habe es durch spätere Erfahrung bestätigt gefunden. — Schon von weitem spüren diese klugen Thiere auf einem öden Wege das Fremdartige, und die langen, vorher schlaff zur Seite herabhängenden oder gleichgültig zurückgebogenen Ohren richten sich plötzlich steif in die Höhe. Das ganze Thier gewinnt eine andere Gestalt,

---

*) Don Felix Correa ist der Eigenthümer dieser Gruben, in deren Nähe, abseits vom Wege, sich die nöthigen Schmelzöfen befinden. Das reine Kupfer wird in Barren von 6 Arrobas à 25 Pfd. Gewicht zusammengeschmolzen. — Jede dieser Barren ist eine Maulthierladung, die Fracht einer solchen bis Valparaiso wechselt von 1½ bis 2 Piaster.

es erhebt den Kopf, es schnarcht mit den Nüstern und sucht seine Furcht oder Freude auf jede mögliche Art zu beweisen. Selbst für die Gefahr scheint das Thier einen besonderen Instinkt empfangen zu haben. Nähert sich ein Puma, der diese Gegend häufig heimsucht, so ist es erklärlich, wie das Maulthier vermöge seiner scharfen Sinne den gefährlichen Feind wittert. Es theilt diese Voraussicht mit allen Thieren. Nicht so die Gefahr vor nahenden oder versteckten Menschen, die Böses im Schilde führen. Ausser dem Hunde und dem Maulthier giebt es, glaube ich, kein anderes Thier, welches die Fähigkeit besitzt, in dem herannahenden Menschen Freund und Feind zu unterscheiden, ohne dass dieser etwas zu einem Verdachte beigetragen hat. Manches Wild z. B. flieht vor dem Jäger, aber bleibt, wie der grosse Trappe, wenn jener sich verkleidet, — das Maulthier würde auch den verkleideten Jäger erkennen; halten sich Wegelagerer versteckt, um dem kommenden Reiter aufzulauern, dann wird es sicher die Gefahr wittern und sie seinem Herrn anmelden. Es ist hiermit nicht gesagt, dass dieser Instinkt die Thiere immer das Richtige errathen lässt; wie alle lebenden Wesen, die Fähigkeiten besitzen, besitzen einige derselben sie im höheren, andere im geringeren Grade. Es giebt Maulthiere, die einen nicht zu täuschenden feinen, ja wunderbaren Instinkt haben und andere, die sich fast immer täuschen, aber die Mehrzahl gehört ohne Zweifel der ersteren Klasse an. Ich fand es daher nicht sonderbar, dass Macarios Aufmerksamkeit mehr auf den Kopf seines Thieres, als auf den Weg selbst gerichtet war. Er kannte sein Maulthier und wusste, dass er sich mehr auf dessen, als auf seine eigenen Sinne verlassen konnte. —

Glücklicherweise erreichten wir das Ende der Schlucht ohne Abenteuer. Aber wir blieben nicht lange im Freien. Kaum war die Nacht hereingebrochen, als sich uns eine andere dunkle Schlucht, die Quebrada de Villa Vicenzia, aufthat. Diese Quebrada, von dem kleinen Rio de Mendoza durchzogen, die allmählich den Reisenden von den uspallatischen Gebirgen in die Ebene hinunterführt, läuft fast zwölf Leguas in ununterbrochener Linie fort; auf die Länge wird es ungemein ermüdend, diesen an beiden Seiten hoch eingefassten Weg entlang zu reisen. Bis um Mitternacht vermochten wir ziemlich schnell zu reiten, da die Nacht hell genug war, um die Natur des Bodens wahrzunehmen, aber allmählich bewölkte sich der Himmel. Der helle Sternengrund trat immer mehr zurück, und bald bedeckten ihn rasch dahinjagende Wolken. Die enge Schlucht, schon früher düster, hüllte sich jetzt in die tiefste Finsterniss, und nur mit Mühe fanden unsere Maulthiere ihren Weg, mehr durch ihren Instinkt als durch das Auge geleitet. Wir durften jetzt nur im langsamsten Schritt reiten; trotzdem stolperten die Thiere häufig über die sich im Wege vorfindenden Baumwurzeln.

Der Sturm, der nach dem flüchtigen Zuge der Wolken zu urtheilen, schon längst in den oberen Luftschichten gerast haben musste, erreichte auch jetzt die tieferen Regionen. Ein eisiger Wind begann durch die Schlucht zu heulen, und nur mit Mühe vermochte ich mich im Sattel zu halten; meine Füsse erstarrten fast in den eisernen Bügeln, nur lose fassten die steifen Hände den Zügel. Die tiefe Dunkelheit, die Kälte, der Sturmwind waren schlechte Reisegefährten, aber bald zeigten sich noch unangenehmere. — In der Ferne rollte der Donner, der gefürchtete Laut näherte sich rasch und brach schon im nächsten Augenblick mit Gekrach über unsern Häuptern los. Das Gewitter überraschte uns, ohne dass wir im Stande waren ein Obdach zu erreichen, obgleich die Häuser oder Hütten Villa Vicenzia's kaum eine halbe Legua entfernt liegen konnten. Es blieb uns nichts anderes übrig, als langsam unsern unangenehmen Weg fortzusetzen. Doch das Unwetter wurde immer heftiger, Blitz folgte auf Blitz, der Donner füllte die Zwischenräume, der Regen ergoss sich in Strömen und im Nu fanden wir uns bis auf die Haut durchnässt. Plötzlich erdröhnte ein furchtbarer Donnerschlag, wie ich ihn nie vorher gehört. Der Boden schien unter uns zu zittern. Mein Thier wurde scheu, nur mit Mühe hielt ich mich, selbst halb bewusstlos, im Sattel.

Macario kam jetzt an meine Seite. Er hatte mir mehreremale zugerufen, aber trotz unserer Nähe — wir mochten uns kaum fünf Schritte von einander entfernt befinden — hatte ich ihn nicht verstanden. Noch jetzt, dicht an meiner Seite, musste er laut rufen, um sich verständlich zu machen. Er schlug mir vor, auf einem nahen Punkte, der in etwas durch eine Wand der Schlucht geschützt war, die Verminderung des Orkans abzuwarten. Ich gestand es gern zu, mein scheues Thier zitterte fortwährend und scheute bei jedem neuen Blitze, so dass es mir fast unmöglich wurde, auf diese Weise unsern Weg fortzusetzen.

Die Felswand, die sich hinter unserm Ruheplatz erhob, bot uns nur wenig Schutz; trotzdem ergriff mich, kaum hatte ich mich auf den feuchten Boden niedergelassen, eine unwiderstehliche Müdigkeit. Die angestrengten Märsche in den letzten Tagen hatten mich aufgerieben, und ich würde bald, trotz des Donners und des Regens, mich dem Schlafe ergeben haben, hätte mein Begleiter mich nicht davon abgehalten. Vorsichtiger und erfahrener in den Beschwerden der Reise, kannte und fürchtete er die Gefahr des Schlafes auf dem nassen Boden. Die Dünste, die ihm entsteigen, würden dem Ruhenden bald ein gefährliches Fieber über den Hals bringen.

Nachdem das Unwetter etwas nachgelassen, setzten wir unsern mühsamen Weg durch die stockfinstere Nacht fort. Der Regen tröpfelte allmählich leiser, aber die Dunkelheit klärte sich nicht auf; der Weg in dem losen, lehmartigen Erdreich hatte sich in einen Morast umgewandelt; äusserst vorsichtig mussten wir ihn entlang reiten, um die tieferen Pfützen zu vermeiden. Doch das Maulthier erkennt diese selbst in der dunkeln Nacht mit einer ungemeinen Geschwindigkeit. Mit Sicherheit setzt es den Fuss in die flachen Löcher und vermeidet mit derselben Genauigkeit die tieferen. Auch die Ströme Wassers, die mit grosser Gewalt die steile Quebrada hinab und uns — nur gehört, nicht gesehen — zur Seite rauschten, boten nicht geringe Gefahr. Jeden Augenblick erwartend, hinabzustürzen, mit Mühe das Maulthier dem tiefen Schlamme, den wir durchwateten, entreissend, bis auf die Haut durchnässt, vor Frost erstarrend, und kaum im Stande, den schlimmsten Feind, den Schlaf zu besiegen, wurde diese Nacht zugebracht.

Am jenseitigen Ufer des Stromes, in kurzer Entfernung seitwärts vom Wege, liegen zerstreut die Ranchos und Häuser der Villa Vicenzia, die von den Eigenthümern und Hirten der Estancias der Umgegend bewohnt werden; da das Wetter sich gelegt hatte, wollte ich mich der Gefahr nicht aussetzen, den Strom umsonst zu passiren. Es war mehr als wahrscheinlich, dass man uns in der Mitte der Nacht kaum einlassen würde, denn der Argentinier, trotz seiner Gastfreundschaft, lässt sich nur schwer bewegen, unbekannte Reisende zur Nachtzeit aufzunehmen, und bedenkt man die Unsicherheit des Landes, wie oft sich Diebe der List bedienen, in der Nacht als Reisende in einsam liegenden Häusern Einlass zu begehren, um die Bewohner zu berauben und zu morden, darf man ihnen diese Maassregel nicht verdenken.

Allmählich erhellte sich die Atmosphäre, die Schlucht erweiterte sich und wir durften hoffen, in's Freie, in das langersehnte Land der Pampas zu kommen; aber erst, als wir um 4 Uhr bei den Cerillos, einer kleinen Hügelreihe in der Nähe von Mendoza, ankamen, sollte uns ihr Anblick zu Theil werden. Wir erreichten diese Hügel, die mir Kalk-Gebilde zu sein schienen; ein erfrischender, kühler Wind, der Vorläufer des Morgens, strich über die noch dunkle Ebene, die Natur und auch uns erquickend. Mit Wohlgefallen athmete ich diese frische Luft, die mit den Wohlgerüchen einer fruchtbaren, pflanzenreichen Gegend angefüllt schien. Noch bevor ich sie sah, ahnte ich eine reizende Umgebung, und meine Spannung wuchs, den schwarzen Schleier, der sie mir noch verhüllte, hinweggezogen zu sehen. — Es ist wahr, Macario hatte das Seinige dazu beigetragen, in mir die Einbildungen über ein schönes Land wachzurufen; wie alle naturwüchsigen Menschen liebte er seine Heimath und glaubte, dass es in der Welt kein zweites Mendoza gebe. „Siehe Neapel und stirb!" ruft auch er, nur mit anderen Worten aus.

Am fernen östlichen Horizonte graute der Tag. Ein schmaler, blassrother Streifen brach sich allmählich durch die Dunkelheit Bahn und nach und nach erleuchtete sich das Panorama. Der Zauber des kommenden Morgens vereinigte sich jetzt mit dem des Anblicks einer fremdartigen, eindrucksvollen Natur. — Der erstaunte Reisende sieht ein neues, ungekanntes Land vor sich. Der Contrast zwischen diesen weiten Ebenen und dem kurz vorher verlassenen Gebirgslande ist merkwürdig, ist grossartig. Die Natur schlägt ein Blatt in ihrem Buche um, von dem Reiche der riesenhaften Andes, der colossalsten Gebirge dieses Continents, bringen wenige Stunden den Reisenden in's Reich der ausgedehntesten Steppen. Es sind zwei Extreme, die sich berühren! Von dem „nur Steinreich" zu dem „nur Pflanzenreich"! — Noch voll von den erhabenen Eindrücken des Anblicks der Berge, der Gletscher, des ewigen Schnee's, bietet sich ihm hier ein anderes Bild, gleichen Anspruch an seine Aufmerksamkeit, seine Begeisterung fordernd. Kaum weiss er, wie ihnen zu genügen. Hat sich in die Seele ein Gegenstand der Begeisterung gesenkt, so ist es schwer, einem anderen gleichen Raum dort zu schaffen. — Jede Ansicht trägt einen Stempel der Individualität, die ihr die Natur aufdrückt. Erhabenheit, Lieblichkeit, Unermesslichkeit! — schwer ist es, diese drei Eigenschaften vereinigt zu finden. Die Landschaft um Mendoza erfüllt diese Bedingung.

Noch zwei Leguas von Mendoza entfernt, sieht der von dem Gebirge kommende, auf hohem Terrain stehende Reisende sich die Thürme der Stadt am Horizont abzeichnen; näher kommend, entfaltet sich ihm ein Panorama, dessen Pracht mit Wenigem verglichen werden kann. Im Hintergrunde, am Fusse einer vereinzelt aus den Andes hervorspringenden Bergkette, der Sierra de Paramillos, lag die üppige Stadt. Jene Bergkette war mit Schnee bedeckt, die aufgehende Sonne gab ihr einen wunderbaren, glänzenden Schimmer. Rings um Mendoza breitete sich die sorgfältigste Cultur aus. Weite Saatfelder, dichte Baumgruppen, alles scheint ein grosser üppiger Garten, aber klein im Verhältniss zur Unendlichkeit der Pampa, die, nur vom Horizont begrenzt, den Reisenden glauben lässt, den Ocean vor sich zu sehen. Nur im Südosten zeichneten sich am Himmel einige schwache Linien ab, die das grüne Steppenland zu begrenzen schienen. Ich fühlte mich versucht, sie für Wolken zu halten, — es war die Sierra von San Luis; ein spitzer, kaum wahrnehmbarer Punkt, der sich über dieselbe erhob, war der „Giganto", die höchste Spitze jenes Gebirges. Die Entfernung desselben von Mendoza wird zu 60 Leguas in gerader Linie angenommen, was einen Begriff von der Feinheit der Luft giebt, die diese Fernsicht gestattet. —

Mendoza*) selbst, welches nach neueren Angaben 2300 Fuss über dem Meeresspiegel erhaben ist, liegt in seiner Umgebung etwas vertieft, oder erscheint dies den von den Bergen kommenden Reisenden nur so? Es ist möglich, dass der etwas erhöhte Standpunkt, auf welchem er sich befindet, und die unermesslichen Flächen, die sich wie der Meeresspiegel in der Ferne scheinbar erhöhen, ihn das Opfer einer optischen Täuschung werden lassen. — Kaum eine Legua von der Stadt entfernt, die überall von dichten Gruppen „Alamos" (Pappeln) umgeben ist, sehen wir nur die zahlreichen Thürme und die Miradores der höheren Gebäude, hinter uns die dunkeln Felsen der Cordilleren, vor und um uns die üppige aber wilde Vegetation der Pampa, untermischt mit den Gärten und Anpflanzungen. Dort erstreckt sich eine Zunge der tiefgrünen Weizenfelder in das Meer des blasseren Pampagrases, weiter sehen wir Gruppen des Granatbaumes, der Feige, der Orange, von den riesigen, baumhohen Cactus-Arten umgeben, — weite Pfirsichgärten, fast möchte man sie Pfirsichwälder nennen, begrenzt von den wildwachsenden Algarobas, und tausend andere verschiedene Arten fremder Pflanzen, eine immer herrlicher wie die andere, bieten sich dem Auge dar. — Auch das Thierreich bringt seine Schätze; hin und wieder springt ein flüchtiges „Vicuña" durch die Ebene, um sich rasch in die nahen Schluchten der Berge zu verlieren. Wehe ihm, erreicht es jene nicht zeitig genug! Gierige Condore kreisen überall, als kleine schwarze Punkte schweben sie in einer Höhe von mehreren tausend Fuss, aber gewahren sie ein Opfer, so genügt ihnen ein Moment, um den Boden zu erreichen.

---

*) Nach den Beobachtungen La Berge's beträgt Mendoza's Höhe über dem Meeresspiegel 777 Mètres und liegt auf 32 ° 53 ' s. Breite — 69 ° 53 ' w. Länge, berechnet über dem Pariser Meridian.

Der Sandboden des Weges ist von den kettenartig laufenden Spuren der Rebhühner und denen der Strausse durchfurcht. Auch die des amerikanischen Löwen, des Puma, trifft man nicht selten. — Die verschiedenartigsten Singvögel, unter denen ich das Blaukehlchen zu unterscheiden glaubte, zwitschern fröhlich dem Morgen ihren Gruss entgegen; hin und wieder fliegt gackernd und schwerfällig eine Martineta auf, die am Wege gelagert, durch den nahenden Lärm aufgeschreckt wurde. — Welches Feld für den Jagdliebhaber!

Trotz des langwierigen nächtlichen Rittes fand ich mich durch den Anblick dieser Scene wunderbar erfrischt. Ein langgehegter Wunsch, Mendoza, die Pampastadt zu sehen, war mir erfüllt worden. Was waren alle Gefahren der Cordilleren, alle Mühen der Reise gegen den Genuss dieses Augenblicks! und nicht allein gab er mir Vergessen der vergangenen Beschwerden, sondern auch Muth, noch grösseren und schwereren entgegen zu gehen, um tiefer in jene Steppen einzudringen. Diese unabsehbaren Ebenen, die ein Sinnbild der Unendlichkeit zu sein scheinen, üben auf den Menschen eine merkwürdige Anziehungskraft aus; sie verlocken uns, in sie einzudringen. Jener leichte Nebel, der sich an ihrer äussersten Grenze hinzieht, jene wogende Bewegung des fusshohen Grases, welche sich bis ins Unabsehare fortpflanzt, erwecken in uns eine fast sehnsüchtige Bewegung. Den Nebel wollen wir zerreissen, wir wollen wissen, was er uns verbirgt, ermüdet und kaum im Stande, den alten zerbrechlichen Körper aufrecht zu halten, schafft sich die Phantasie doch noch einen weiten Spielraum!

Wir näherten uns rasch der Stadt. Die Thiere, das nahe Ziel der Reise instinktmässig erkennend, gingen im raschen Schritt. Wir holten mehrere Tropas ein, die, ebenfalls von Uspallata kommend, in der Pampa übernachtet hatten; die Arrieros sagten uns, dass sie von einem Orkan nichts verspürt hätten; sie mochten in einer Entfernung von 16—17 Leguas von dem Punkt gewesen sein, wo uns das Unwetter überraschte. Auch von Mendoza kamen Hunderte beladener Maulthiere, einige für Villa Vicenzia, andere für die zahlreichen am Fuss der Berge liegenden Kalköfen, wieder andere für Uspallata, die meisten aber für jenseits der Andes bestimmt. Leicht erkennt man die letzteren heraus. Die länglichen Seifenkisten, die kürzeren der Rosinen, bilden bei allen einen wesentlichen Theil der Ladung. Eins oder zwei, selbst mehrere Thiere, im Fall es eine grössere Tropa ist, sind mit Mundvorräthen beladen. Auch der Arriero equipirt sich vollständiger für die Reise nach

Chile, als für die ihm unbedeutende Distanz nach Uspallata, die etwa 30 Leguas betragen mag.

Der dichte Staub, der sich auf dem Wege durch den lebhaften Verkehr erhob, die brennende Sonnenhitze, die uns trotz der Frühe des Tages auf's Hirn brannte, liess uns sehnlichst baldige Ankunft wünschen. Endlich lenkten wir in eine Allee, bestehend aus einer doppelten Reihe italienischer Pappeln mit Cypressen untermischt, ein; das wilde Wachsthum der Pampa hörte hier gänzlich auf, selbst Getreide- und Gemüsefelder machten den Gärten, Hütten und Häusern Platz, die in einer unabsehbaren Reihe fortliefen. „Unabsehbar" ist für den ermüdeten Reisenden ein schweres Wort. Auch dauerte es noch eine gute halbe Stunde, bis wir die Stadt selbst erreichten. Durch die Chimba, eine der Vorstädte, gelangten wir endlich nach derselben, wo mich bald im bequemen Zimmer des Hôtel de Paris ein wohlthuender Schlummer die gehabten Mühen vergessen liess. — „Hôtel de Paris", „Café de Paris", diese Worte enthalten mehr als mancher sich träumen lässt. Ueberall, in dem erbärmlichsten Dorfe, in den neuen Ansiedlungen an der indianischen Grenze, in Wüsteneien, wo wir glauben allein mit den Söhnen der Pampa zu sein, wo wir hoffen, endlich einmal einen Ort zu erreichen, wo noch kein Europäer vor uns den Fuss hingesetzt, tritt uns plötzlich ein höflicher Franzose mit der Devise entgegen! „Hôtel de Paris!" In wie vielen Orten fehlen Schulen und Kirchen, aber gewiss kein „Hôtel de Paris", und wenn es auch nur ein alter, abgedachter Rancho ist, der mehr dem Namen zur Folie dient, als dieser jenem. Der erste Schritt, den die Civilisation nach einem Orte thut, ist eben nichts anderes als ein „Hôtel de Paris". —

Die Beschreibung Mendoza's wäre hier nutzlos, es würde die Beschreibung einer gewesenen Stadt sein. Jenes Mendoza oder la bella Mendoza, wie die Poeten dieser Länder es mit Recht benannten und wie ich es kannte, existirt jetzt nur in Ruinen. Wo damals die hübschen Paläste, die Kirchen, der Dom und die Tausende von Häusern standen, wo sich damals die lange Reihe der Läden, die hübschen Cypressen- und Pappelalleen, die reichen Lustgärten hinzogen, existiren jetzt nur Trümmer. Das Erdbeben im März 1862 hat Alles zerstört, — kein einziges Gebäude in der Stadt blieb verschont, nach den authentischen Berichten sind 6000 Menschen, fast der dritte Theil der gesammten Bevölkerung, in jener Schreckensnacht umgekommen, und wie umgekommen?! Erstickt, verbrannt, zerquetscht waren nicht die schlimmsten Martern.

Hunderte wurden lebendig unter den Trümmern begraben, und unterlagen erst nach tagelangen, ja wochenlangen Qualen. Den zerstörenden Elementen gesellt sich immer ein anderer Zerstörer hinzu: der Mensch selbst. Kaum sollte man es glauben, dass solche Ungeheuer existiren, die die allgemeine Verwirrung, das allgemeine Unglück benutzen, um ungestraft zu rauben und zu morden. Ungestraft von der menschlichen Gerechtigkeit, aber Manchen ereilte auch das verdiente Schicksal. Achselzuckend sagt so Mancher: die „Grausamkeit der Gauchos!" aber dem ist nicht so: die Gaucho's, das ist die Masse des argentinischen Volkes, sind wild, ungezähmt, aber gutmüthig und keines Treubruchs fähig. In allen Ländern, zu allen Zeiten giebt es eine solche Hefe des Volkes, einen Auswurf, der mehr Thier als Mensch zu sein scheint. In dem civilisirten Lissabon, wie hausten die Räuber nach dem Erdbeben? Wir finden auch in unsern deutschen Städten immer Elende, welche die Feuersbrunst benutzen, um zu rauben! Sie sind eine Plage, die alle Länder gemein haben, und die man keinem Volke zurechnen darf. Sie gehören keiner Nation an.

Die ganze Bevölkerung Mendoza's wurde von dem Gipfel des Wohlseins in die Tiefe des Elends gestürzt. Doch schon soll sich ein neues Leben kund geben. Die Menschen verschwinden, aber die Thätigkeit bleibt. Ueber den Ruinen erheben sich neue Bauten. Die Thätigkeit dieser Leute ist in der That bewundernswerth; berücksichtigt man die Hülflosigkeit, in welcher sie sich befinden, die wenigen Mittel und Arbeitskräfte, über die sie inmitten einer Wüstenei verfügen, die massenhafte Auswanderung der überlebenden Bevölkerung nach Chile und dem Osten Argentiniens: so dürfen wir wohl Zweifel über die Berichte so mancher Reisenden hegen, die den Südamerikaner zu einem entnervten, unthätigen Wesen machen. Von 19,000 Einwohnern blieben nach dem Erdbeben nur wenige Hunderte in oder in der Nähe der Stadt; Berichte, die vom 15. October 1862 datirt sind, setzen die Zahl der neuen Einwohner schon auf 5000 fest, für die 596 Häuser erbaut und etwa 80 im Bau begriffen sind.

Die Mendoziner kamen mir, wie überhaupt jedem Fremden, beim Eintritt in ihre Gesellschaft freundlich entgegen. Immer ist der Fremde, weiss er die gebildeten Familien aufzusuchen, gern gesehen und wird mit Gastfreiheit empfangen. Auch findet er gewiss Annehmlichkeit und Genuss in den Zirkeln, zu deren Zulassung eine anständige Aufführung der beste Empfehlungsbrief ist. Nichts ist irrthümlicher, als die Meinung mancher Reisenden, dass die Gesellschaft dieses Landes sich nicht zu benehmen weiss, dass sie keinen Ton besitzt; diese Meinung ist gewöhnlich der Ausdruck der Einseitigkeit des sie Hegenden. Ich spreche nicht allein von den Mendozinern, sondern von den höher gestellten Argentinern im Allgemeinen; sie wissen sich sehr gut und cavaliermässig zu benehmen. Auch eine andere Aufstellung, dass die Eingebornen keinen Sinn für Wissenschaft und schöne Künste haben, — dass ihr ganzes Dichten und Treiben nur auf Geldmachen gerichtet ist, ist durchaus der Wahrheit entgegen; — dem flüchtig Passirenden, — Reisende sind selten etwas anderes, — mag dieses so erscheinen; ebenso wie in unserm Europa findet er immer gewissenlose Gastwirthe, die es sich zur Pflicht machen, seinen Beutel so viel wie möglich zu erleichtern. Der Betrogene macht sodann seinen Zorn in Ausrufungen gegen Land und Leute Luft, ohne zu bedenken, dass er vielleicht nur seinen eigenen Landsmann verdammt (Gastwirthe in diesen Ländern sind gewöhnlich fast immer Fremde. Ich selbst habe keine einzige Ausnahme erlebt.) — Hunderte schreien sodann dem Voreiligen sein rasches Urtheil nach; auf diese Weise bildet sich in Europa nicht selten eine allgemeine Meinung, die ein ganzes Volk verdammt. Ein Reisender, der nur wenige Tage an einem Orte verweilt, muss sich wohl in Acht nehmen, ein voreiliges Urtheil über die Leute zu fällen, besonders, wenn er beabsichtigt, dies zu veröffentlichen. Um sie richtig zu würdigen, ist es fast nothwendig, längere Zeit ihre Sitten und natürlichen Neigungen studirt zu haben. — Dass in dem neuen Amerika, in dem Innern dieses Landes, wo noch vor einem halben Jahrhundert wenig mehr als wilde Indianerstämme hausten, dass in den Orten, die noch jetzt an der Grenze der civilisirten Welt liegen, im Allgemeinen nicht die Bildung der höheren und selbst mittleren Gesellschaftsschichten Europa's herrschen kann, ist anzunehmen, ohne dass es uns gesagt wird. Mit diesem Maassstab dürfen wir jene Leute nicht messen. Berücksichtige man ihre mangelhafte Erziehung, ihr oft entnervendes Klima, ihre Vereinsamung inmitten dieses grossen öden Continents, ja ihre Abstammung, dann werden wir sehen, dass sie sich allerdings auf einem verhältnissmässig nicht geringen Grad der Bildung und des Fortschritts befinden. Es ist wahr, sie haben keine oder nur eine unbedeutende Literatur, sie besitzen nur wenige Kenntnisse, sie sind unwissend, aber nicht abergläubisch, und sind nicht unfähig jenes zu erlangen. Im Gegentheil, sie sind wissbegierige Kinder. Dass sie ihre Energie nur nach der Richtung des „Geldmachens“ zuwenden, wie sich ein edler, nicht unbekannter Reisende in jene Gegend, ausdrückt, ist eine natürliche Folge ihres primitiven Zustandes. Frei von so manchen Vorurtheilen des alten Europa, ist dies junge Volk thatkräftig, wenn auch roh, lernbegierig, wenn auch unwissend. Der gebildete Europäer wird hier rasch in eine Stelle versetzt, die ihm zukommt, die des Lehrenden. Der Eingeborne fragt den Fremden immer, er besitzt die Eigenschaft der Kinder „Inquisitiveness“ im höchsten Grade. Er befragt den Europäer über die Zustände seines Landes, über seine Industrie, über seine Erfindungen und über seine individuellen Ansichten. Diese letzteren schätzt er immer höher als die seiner eigenen Landsleute, und selbst die lächerlichen Uebertreibungen, die sich so mancher Europäer in seiner Unterhaltung mit den Eingebornen zu Schulden kommen lässt, mindern wohl seinen Respekt dem Individuum gegenüber, aber gewiss nicht seine Anerkennung der Superiorität der Fremden. Gewöhnlich erkennt er mit seinen praktischen Lebensansichten rasch die richtigen und falschen Aussagen des von ihm Befragten, aber selten lässt seine Höflichkeit es zu, sich jenem gegenüber auszusprechen. Das Wort „condescendiente“ ist bei ihm allmächtig. Es wird mit Herablassung übersetzt, soll aber Höflichkeit ausdrücken. Selbst der wilde, nur in den einsamen Pampas lebende Gaucho ist immer höflich, nicht allein den Fremden, sondern auch seinen Blutsverwandten gegenüber. Der zerlumpteste Bettler heisst „Caballero“, die ärmste Bauernfrau „Señorita“.

Der Eingeborne ist im höchsten Grade practisch. Ackerbau und Bergbau sind die Lieblingsthemata seiner Unterhaltung. Viele treiben Mathematik, in der letzten Hälfte des Jahres 1860 wurden in Mendoza siebzehn Einheimische als öffentliche Landvermesser examinirt. — In seinem Familienleben fehlt die Gemüthlichkeit nicht, und wo diese fehlt, füllt das Wort „condescendencia“ so manche Lücke aus, die in andern Ländern viele Familien auseinanderreisst. Die Frauen hängen mit Liebe an ihren Gatten und an ihren Kindern, sie sind vergnügungssüchtig, weil ihnen Beschäftigung fehlt. Die von den Spaniern vererbte Sitte oder besser Unsitte verbietet ihnen, gute Hausfrauen zu sein. Diese Unthätigkeit ist hier wie überall die Quelle mancher Laster und Ausschweifungen. Arme Frauen! das System verdirbt sie. Was diesem Schuld gegeben werden muss, hat man oft ihren natürlichen, schlechten Neigungen zugeschrieben; gebt ihnen Arbeit, gebt ihnen Raum zur Thätigkeit, und sie werden ihren wahren Charakter zeigen. — Es ist nichts

9*

melancholischer, als solche herrliche Blüthen zu Grunde gehen zu sehen. Von Jugend auf wird dem jungen Mädchen nichts als das „sich schmücken“ gelehrt. Ihre Eitelkeit ist die einzige Fähigkeit, die man übt, und diese wächst und wächst gleich den arbeitenden Muskeln. Die Religion ist der einzige, und in diesem ausgearteten Formenwesen nur schwache Trieb zur Ausbildung ihres inneren Lebens. Darf man es ihnen verdenken, dass sie ausarten? Trotzdem brechen sich nicht selten die guten Eigenschaften Bahn; manche natürlich Begünstigtere verschafft sich trotz der Ungunst der Umstände Selbstbelehrung, Selbstbildung. Auch ein mildes weibliches Wesen und Herzensgüte sind Grundzüge, die ihnen nicht leicht verloren gehen, wenn auch oft aus einem mangelhaften System entstandene Schwäche sie auf Abwege führt. —

Die Masse der niederen Volksklasse ist von der obigen Beschreibung des argentinischen Charakters insofern verschieden, als sie mit denselben Neigungen, derselben naturwüchsigen, geistigen Constitution auf einer bei weitem tieferen Stufe der Ausbildung steht. Ihre Leidenschaften haben folgerecht eine grössere Herrschaft über sie erlangt; dieses gilt vorzüglich von dem Charakter des Gaucho. Gaucho*) ist der Argentiner in seiner schlechten Bedeutung, wenigstens in der mendozinischen Mundart. Aber was wir in Chile über den Chilenen sagten, muss auch bei ihnen wiederholt werden; in dem natürlichen Zustande, in welchem sich der Argentiner befindet, verbindet er schlechte Eigenschaften mit anderen guten, die unsere Civilisation gänzlich auszuschliessen scheint; er besitzt letztere freilich im geringeren Grade als der Chilene. Die Entwickelung eines Ackerbau und Handel treibenden Küstenvolkes muss die eines Hirten und Steppenvolkes weit überflügeln. Der häufige Verkehr, den der Handel zwischen den Menschen erzeugt, befördert die geistige Entwickelung. Man lernt sich einander kennen, man wird mittheilsam und lernt und lehrt auf diese Weise. Man empfängt die Erfahrungen des Anderen und giebt seine eigenen. Auch der

*) Das Wort „Gaucho“ wird sehr verschieden, selbst von den Südamerikanern gebraucht. In Chile versteht man unter Gaucho nichts als den Bewohner der Pampa, in einigen Theilen Argentiniens, vorzüglich den südlichen Provinzen, bezeichnet man den Bauer, den Landbewohner mit diesem Wort. In anderen ist es der Ausdruck für Räuber, — wieder in anderen der eines in der Viehzucht und im Viehtreiben sehr geschickten Mannes. In den östlichen Provinzen: Cordova, Santa Fé, wird das Wort auch von derselben Person, bald in diesem, bald in jenem Sinne genommen, und nur die Zusammenstellung des Satzes zeigt dem Hörer an, welcher Begriff dem Worte untergelegt werden muss. Man leitet das Wort „Gaucho“ von dem araukanischen Worte „gatchu“, Ausdruck für „Gruss“ her.

Ackerbau, d. i. eine stete Lebensweise, trägt viel zum Fortschritt eines Volkes bei. Das Sprichwort, welches im Falle eines Einzelnen nicht recht passen will, passt sehr wohl in Beziehung einer Nation: „Der rollende Stein nimmt kein Grün an!“ Vorzüglich bedingt der Ackerbau Gemeindeleben, welches immer bildend auf den Menschen einwirkt. Die Viehzucht im Gegentheil verlangt zum Gedeihen die möglichste Zerstreuung über einen weiten Flächenraum. Die Culturgeschichte des Menschen lehrt uns, dass von dem rohen Jägerzustand der Mensch zu dem zweiten schon fortgeschritteneren, dem Nomadenleben, und von diesem zum Ackerbau, zur Industrie und zum Handel überging.

Obgleich das argentinische Volk ein Viehzucht treibendes genannt wird, ist darunter nicht zu verstehen, dass der Ackerbau, die Industrie und der Handel nicht gedeihen, sondern nur: das Uebergewicht der Viehzucht über andere Erwerbzweige. Mendoza machte indessen zu der Zeit, in welcher ich es besuchte, eine Ausnahme von dieser Regel. Ackerbau und Handel waren zu jener Zeit von weit grösserer Wichtigkeit als die Viehzucht. Viele natürliche Vortheile ruhen auf diesem Punkt der Thätigkeit, und diese mögen auch wohl die Hauptursache des raschen Wiedererbauens der Stadt sein. Die Provinz enthält weite, schöne Strecken des fruchtbarsten Landes, welches durch seine hohe Lage den Vorzug eines kühlen, gemässigten und gesunden Klimas über viele seiner Nachbar- und vorzüglich der Nordprovinzen bietet. Die nahen Gebirge versorgen jene Länderstrecken mit dem zur Befruchtung nöthigen Wasser, welches der Mendoziner durch Ableitung der Flüsse über Flächen von Hunderten von Quadratmeilen zu verbreiten weiss. Waizen, Gerste, Hafer, Mais gedeihen am besten hier in der ganzen argentinischen Republik. Auch ist es die erste und wichtigste Kornkammer des Landes. Die südlichen Provinzen San Luis, Cordová und Santa-Fé, sowie manche der nördlichen, unter denen sich vorzüglich Santiago del Estero und Rioja durch die Grösse ihres verhältnissmässigen Consums hervorheben, beziehen den bedeutendsten Theil ihres Getreides aus Mendoza. Sie geben dafür ihre Produkte; Tucuman und Salta Taback, Reis, Zucker, Rioja Mineralien und Cochenille, Rosario de Santa Fé seine überseeischen, europäischen Waaren. Von allen Provinzen treffen zahlreiche Heerden Hornvieh, an denen vorzüglich das fruchtbare Salta Ueberfluss hat, sowie Pferde und Maulthiere ein. Selbst die entfernte Provinz Buenos-Ayres sendet im Verein mit überseeischen Gütern, bedeutende Trupps Maulesel und Pferde, die ihrer

Grösse und Schönheit wegen allen anderen Argentiniens vorgezogen werden. Der kleinste Theil dieser Produkte wird in Mendoza consumirt, sie wandern mit den zahlreichen Produkten der Provinz, unter denen Rosinen, getrocknete Früchte aller Art, Seife, Talg und Schmalz besonders hervorzuheben sind, nach Chile. Auch das übrige Argentinien bezieht die letztgenannten Früchte Mendoza's. Wirft man einen Blick auf die Karte und sieht die weiten Ländermassen, die Städte, die sich rings um dasselbe herumziehen, seine Nähe an den bevölkertsten Theilen Chile's und den bedeutendsten Städten desselben Landes, seine Lage am Hauptwege zwischen demselben und Argentinien, auf welchem es den Mittelpunkt bildet, so wird man erkennen, von welcher Wichtigkeit der Handel dieses Ortes sein musste, und dass Handel und Wandel, im Verein mit dem Ackerbau die besten Stützen sind, an denen Mendoza sich wieder emporrichten wird, obgleich der noch fortwährend in seiner Nähe finster grollende Vulkan, das fortgesetzte Erzittern der Erde und vor Allem seine unsichere geologische Lage es immer mit der Gefahr einer plötzlichen Zerstörung bedrohen werden.

Ich lernte verschiedene Familien in Mendoza kennen, deren Gastlichkeit und Güte mich besonders anzogen. Dem Dr. Neta, einem äusserst gebildeten Argentiner, der seine Studien in Paris gemacht hatte, verdanke ich besonders die Erlangung eines tieferen Einblickes in das mendozinische Gesellschaftsleben. Er ist jetzt nicht mehr; bei dem letzten Erdbeben wurde er durch einen stürzenden Balken schwer verwundet, was die Amputation eines Beines nothwendig machte, in Folge deren er starb. — Eine Bekannte, die Frau des Beamten Ferrari, hat ein besseres Schicksal gehabt. Sie befand sich zufällig mit ihren acht Kindern und ihrem Gemahl auf dem Lande und entging dadurch einem grausen Schicksal. Konnte ich beim Empfang der schrecklichen Nachricht über das Unglück Mendoza's eine Freude empfinden, so war es über diese Rettung einer in jeder Beziehung würdigen und zartfühlenden Frau, der ich für viele angenehm in ihrem Familienkreise verflossene Stunden immer Dank schuldig bleiben werde. Ich bin überzeugt, dass so manche Reisebeschreiber, die das argentinische Volksleben über die Achsel ansahen, ihr Urtheil gewiss umändern und sich eines Besseren bescheiden würden, wenn sie Gelegenheit nähmen, Familienkreisen, wie die hier geschilderten, sich zu nähern.

IX.

Abreise von Mendoza. – Reisegefährten. – Oede des Weges. – Verlust des Weges. – Ankunft in Cocoli. – Beschreibung dieses Oertchens. – Nachtlager. – Ermüdende Jornáda. – Ankunft in Guanacache. – Nähere Notizen über meine Gefährten. – Pampabrand. – Abreise von Guanacache. – Am Wege aufgesteckte Menschenschädel. Pié de Palo. – Ankunft in San Juan.

Ich war noch unentschlossen, welche Richtung von Mendoza aus zu nehmen, ob nach Osten oder Norden. Die Bekanntschaft eines englischen Kaufmannes, Mr. Hunter, die ich zu dieser Zeit machte, bestimmte mich. Er beabsichtigte eine Geschäftsreise nach Salta zu machen, und um des Vortheils theilhaftig zu werden, in Gesellschaft zu reisen, beschloss ich, ihn zu begleiten und die Bereisung der östlichen Provinzen später vorzunehmen. Wir kamen überein, alle Kosten, wie die des Führers, der Peones und der Maulthiere, gemeinsam zu bestreiten. Diese Reise erforderte in der That einige weitläufigere Vorbereitungen, als es meine bisherige gethan. Zunächst mussten wir uns mit mehreren Maulthieren versehen, um die Thiere abwechselnd reiten zu können, denn auf unserem Wege durch das westliche, am Fusse der Andes sich hinziehende Argentinien findet man selten brauchbare Maulthiere zu Kauf, und ist dies der Fall, so werden so enorme Preise gefordert, dass man in Mendoza für denselben Preis deren vier oder fünf erlangen könnte. Postpferde, wie sie in mehreren und den meisten Provinzen zu erhalten sind, findet man auf diesem unbewohnten Wege nicht. Es ziehen sich Strecken von zwanzig bis dreissig deutsche Meilen hin, die gänzlich öde und wüst liegen und ein Postsystem unmöglich machen. Auch ist es unbedingt für den Reisenden billiger, seine eigenen Thiere zu kaufen. Wir kauften für vier Personen acht Maulthiere für 120 Thlr., während die Post uns für die bis Salta gerechneten 330 Leguas, ca. 220 deutsche Meilen, à 1 Real pro Pferd und Legua, 41¼ Thlr. für jede Person, also 165 Thlr. für unser gesammtes Personal angerechnet hätte. Selbst die in Provinzen, wo das Postsystem etablirt ist, reisenden Personen ziehen aus dem erwähnten Grunde nicht selten vor, mit eigenen Thieren zu reisen, welche, nachdem man sie benutzt, immer wieder verkäuflich sind, gar nicht von der Unabhängigkeit in seinen Bewegungen zu sprechen, die der Reisende durch den Besitz seiner eigenen Thiere erlangt. Futter kosten sie nicht, die weiten Pampas haben Ueberfluss an Gras, nur wollen sie in Acht genommen sein. — Wie gesagt, mit zwei Maulthieren pro Mann hofften wir trotz der bedeutenden Entfernung von 330 oder eigentlich, die Rückreise mitgerechnet, 660 Leguas genug zu haben, da wir das beste Vertrauen in die Ausdauer dieser Thiere hatten. Ja, mancher will die Reise von Mendoza nach Rosario de Santa Fé hin und zurück nicht allein mit einem einzigen Maulthiere gemacht haben, sondern dies soll auch auf dem Wege fett geworden sein. Eine mässige Anstrengung, eine zweckmässige Behandlung lassen dieses Thier allerdings Wunder an Ausdauer verrichten; umsomehr fühlten wir uns in unserer Hoffnung befestigt, unsere Reise mit einer doppelten Anzahl Thiere bequem ausführen zu können. — Mit Lebensmitteln hatten wir uns nur karg ausgerüstet, da wir erwarten durften, auf dem Wege bis San Juan (auch San Juan de la Frontera genannt) keinen Mangel zu leiden. In letzterer Stadt beabsichtigten wir, uns besser in dieser Beziehung auszurüsten. — Wollene Decken, warme Kleidung und Waffen fehlten uns nicht. Die Winter-Jahreszeit brach an, und die Wege, die oft durch kleine, von den Cordilleren ablaufende Zweiggebirge führen, heben sich nicht selten bis zur Höhe von 7—8000 Fuss, wo eine gar arge Kälte herrscht. Aber das Nothwendigste, um jene Gegenden zu bereisen, sind Waffen und zwar gute Feuerwaffen. Die verrufenen Llanos de la Rioja, die Hochebenen von Catamarca, wurden uns als von Gauchos gefüllt geschildert, deren einziges Geschäft das Rauben und Stehlen ist, welches sie an unbewehrten Reisenden ungestraft ausüben dürfen. In ihren weiten, wüsten Ebenen, von meilenweiten Algarobawäldern durchzogen, sind sie auf ihren flinken kleinen Pferden sicherer wie der Adler auf seinem Horst. Man hat dort auf keinen anderen Schutz als auf seinen eigenen zu rechnen, und man thut daher wohl daran, sich mit guten Feuerwaffen zu versehen, deren blosser Anblick dem Gaucho schon einen heilsamen Respect einflösst, den er von seinen indianischen Vorfahren ererbt zu haben scheint.

Eine andere Schutzmaasregel, ohne welche ihm selbst die ausgezeichnetsten Waffen nichts nützen, muss die Auswahl eines zuverlässigen, treuen Peones und Führers sein. Zu oft vertrauen sich Reisende dem Ersten Besten an, gewöhnlich weil sie sich zu sehr auf ihre eigene Wachsamkeit verlassen; aber gar Mancher hat diese Unvorsichtigkeit mit dem Leben gebüsst. Unter den Gauchos giebt es heimtückische Leute, deren ungebundene Lebensweise, ihre fortgesetzten Kämpfe unter sich und mit den indianischen Stämmen, ihre häufigen Jagden ihnen eine grosse Verachtung des fremden Lebens gelehrt haben. Um den hübschen Rock oder Poncho des Reisenden zu erlangen, schneiden sie diesem im Schlafe ohne viele Umstände die Kehle ab. Solche Leute sind glücklicherweise selten, aber der unachtsame Fremde kann dennoch leicht mit ihnen zusammentreffen, da sie gerade diesen, seiner Unerfahrenheit im Lande wegen, aufsuchen und ihm ihre Dienste anbieten. Man betrachte es daher als die grösste Nothwendigkeit zur Bereisung dieser Gegenden, sich nicht mit verdächtigen Leuten einzulassen. Es hält nicht schwer, einen rechtschaffenen Mann zu finden. Mit Leichtigkeit erhält selbst der Unbekannte Bericht über den Charakter der Peones; man frage den Friedensrichter oder irgend eine im Orte ansässige, Achtung einflössende Persönlichkeit, immer werden diese geneigt und fähig sein, die gewünschte Auskunft zu geben. Befindet man sich jedoch in Verhältnissen, die solche Vorsicht nicht gestatten sollten, so wache man und ahme das Beispiel jenes französischen Reisenden nach, der am Tage seine Leute immer vor sich reiten liess und des Nachts, schlief er im Walde oder in der Pampa, sich mit dem Sattelgeschirr der Thiere verbarrikadirte und den Leuten einschärfte, sich ihm nie ohne Warnungsruf bis auf eine gewisse Entfernung zu nähern, widrigenfalls er auf sie schiessen würde. Dieses System ist zwar unbequem, aber nothwendig.

In den übrigen Provinzen sind diese Vorsichtsmaassregeln vielleicht nicht so nothwendig, wie in den im Westen belegenen. Es tritt selten der Fall ein, dass man dort nicht im Stande sein sollte, in Häusern oder Hütten zu übernachten. Eine gut zugestemmte Thür thut alsdann den Dienst der Wachsamkeit.

Was unsere Leute anbetraf, blieb uns nichts zu wünschen übrig. Don Romualdo, unser Führer, der über der eigentlichen Klasse der Peones steht, wie schon sein Titel besagt, war ein etwas ältlicher, gutmüthiger Mann, der von Jung und Alt in Mendoza als Ehrenmann gekannt war. Ebenso Nicolás, ein jüngerer Mann, war wohl empfohlen und schien unser Vertrauen zu verdienen.

Am 27. April verliessen wir Mendoza. Ein frischer Luftzug kühlte den warmen Morgen. Im Schatten der am Wege gepflanzten Pappeln ritten wir an Gärten und Wiesen entlang, den Anblick der herrlichen Schöpfung geniessend. Mannigfach wechselte ihr Charakter; hier auf grauem Kalkboden wurde die Vegetation sparsamer, — dürre, trockene

Stellen, brachliegend und mit spärlichem Grase bewachsen, unterbrachen die üppige Pflanzenwelt, doch nur selten. — Hinter den oft ein bis zwei Meilen fortlaufenden Weingärten prangen die verschiedensten Baumgruppen, von den dürren Nadelhölzern, die der Mendoziner ihrer Seltenheit wegen anpflanzt, bis zu dem südlichen Orangen- und Feigenbaum. Die rothe Granatfrucht lockt den Vorbeireitenden zum Genuss, aber im höheren Grade die zarteren Pfirsichbäume, die, in voller Blüthe prangend, mehr Früchte wie Blätter zu zählen schienen. Auch reichbeladene Apfel-, Birnen- und Pflaumenbäume mischten sich unter die Gruppen. Selbst der rothe Maulbeerbaum zeigt sich nicht selten in den Anpflanzungen, auf dessen Aesten die Seidenraupe *) ihre feinen Cocons spinnt. Auch manche Art wilder Tulpen, untermischt mit zahllosen Sträuchern der hübschen Fuchsia, und umschwärmt von den kaum zwei Zoll langen Kolibris, vervollkommnen das Naturbild. Zahllose Heerden Papageien, die die Bäume ganzer Alleen bedecken, betäuben fast mit ihrem Geschrei den Vorbeigehenden, und nur in den wenigen Pausen, die sie machen, ertönen die angenehmeren Laute der Singvögel. Nur wenige Stunden dauerte diese Scene. Der Weg führt rasch aus diesem Wirrwarr von Strassen, Villa's, Gärten und Anpflanzungen heraus und durchschlängelt dann bebaute Felder, mit Alfalfa besäete und mit Vieh bedeckte Wiesen, bis diese noch plötzlicher der weiten Pampa in minder üppiger, wilderer Vegetation Platz machen. Das Erscheinen der Pampa zeigt uns an, dass wir Mendoza verlassen haben. Im Norden der Stadt geht der Wechsel von der bewohnten, volkreichen, angepflanzten Gegend zur menschenleeren Grassteppe rasch vor sich. Noch glaubt man, die Häusermassen, die dichten Haine der Bäume, die Gärten, die lustigen Gruppen der Reiter vor sich zu sehen, den Lärm des Verkehrs einer grossen Stadt zu hören, wenn uns schon die einsame Pampa umgiebt. Dem an den Verkehr der Vorstädte gewöhnten Europäer scheint dieser Wechsel fast unnatürlich, ein fremdartiges Gefühl beschleicht ihn, dem des Landmannes vergleichbar, wenn er zum erstenmal von dem belebten Hafen in See geht; noch saust in seinen Ohren der ungewohnte Lärm des Verkehrs, wenn ihn schon die Stille der Wasserwüste umgiebt.

Der Weg führte uns in nordwestlicher Richtung den Cordilleren wieder zu; fast am Fusse der äussersten, sich am meisten nach der Pampa

*) Es ist von mehreren Capitalisten Mendoza's der Versuch gemacht worden, den Seidenbau einzuführen. Man sah dem Gelingen entgegen, als das Erdbeben die Hoffnungen in dieser Hinsicht zerstörte.

vorschiebenden Bergkette angelangt, ändert sich diese Richtung und lenkt zum Norden. Man glaubt auf dem Meere zu sein, die grauen Massen der nahen Berge, die sich uns zur Linken erheben, stellen täuschend ähnlich die nahe Küste dar; die Ebene um uns, mit ihrem unbegrenzten Horizont, das fusshohe Gras der Pampa, welches im leichten Westwind wellenförmig hin und her wogt, vollendet die Täuschung, die uns erst in der Nähe Guanacache's durch kleinere Hügelketten, die wie Zweige von den Andes ausgehen und die Ebene durchbrechen, genommen wird. Der Weg war, im Ganzen genommen, herzlich schlecht, wie es uns auch für unsere ganze Reise prophezeit worden war, und wie es in solcher Nähe der Gebirge, in einer öden Berggegend nicht anders sein konnte. Der Charakter des Bodens, häufig aus weicher Lehmerde oder losem Sande bestehend, vermehrte nicht wenig diesen Nachtheil. Die in den abgeschlossenen Thälern durch Regengüsse gebildeten Moräste und der harte Felsboden der Berggegenden mit seinem Steingeröll und seinen abschüssigen, halsbrechenden Pfaden, sind Hindernisse, die auf die Länge der Zeit nur von einem guten Maulthier besiegt werden. Auch die Natur wird zuweilen in ausgedehnten Strecken äusserst karg, grosse wasserlose Wüsten, von wenigem oder vertrocknetem Grase bedeckt, machen es oft nothwendig, forcirte Märsche anzuwenden und 24—36 Stunden mit kurzen Unterbrechungen scharf zu traben, um den entfernten Quell zu erreichen. Nicht selten haben wir in der Folge diese harte Nothwendigkeit kennen gelernt. Schon vom frühen Morgen, noch ehe es anfängt zu tagen, geht es im raschen Schritt oder langsamen Trott bis zwölf Uhr Mittags fort, dann wird eine Viertelstunde geruht, um die Thiere verschnaufen zu lassen und das eigene karge Mahl einzunehmen; um 9 Uhr Abends wird wiederum, und zwar eine halbe Stunde geruht, um sodann die Nacht bis zum Tagesanbruch durchzutraben und nach wenigen Minuten Ruhe den Rest der Travesia oder Wüste zu durchmessen. In heissen Tagen ist diese Anstrengung in fast tropischen Gegenden keine Spielerei; mit welchem Behagen streckt sich aber auch dann nach der Ankunft der Ermattete auf den weichen Grasboden, den sternbesäeten Himmel über sich als Zimmerdecke, eine einfache Pferdedecke zum Lager und seinen Sattel zum Kopfkissen! Selbst das Brüllen des Jaguars oder die schneidende Kälte, die uns der West von den nahen Schneekuppen der Gebirge zuführt, stört kaum diesen Genuss. Nur eins vermag den Ruhebedürftigen auf die Beine zu bringen: der Gedanke an seine Maulthiere; er steht auf, um nochmals nachzusehen, ob Alles in

Ordnung, ob die Thiere in der Nähe grasen und die leitende Stute gehörig befestigt ist. Ein Versehen hierbei, und der Verlust der Thiere wird nicht selten dem Reisenden verhängnissvoll. Wie darf er hoffen, die nächsten vierzig bis fünfzig Meilen zu Fuss zu machen, da diese Strecke vielleicht nichts als eine gänzlich wasserarme Wüste ist? — Gewöhnlich wird im Falle des Verlustes der Thiere es versucht, diese wieder einzufangen. Misslingt es, so mag man sich auf das Schlimmste gefasst machen.

Aber ich eile unserer Caravane zu sehr voraus. Wir mussten noch manche Tagereise zurücklegen, um in den Bereich jener Gefahren zu kommen; für jetzt drohte uns nur ein kleineres Unglück, nämlich das uns zu verirren. Unser Führer war nicht so wohlbewandert auf diesem Wege, als es wünschenswerth gewesen wäre. Er mochte ein sehr ehrlicher Mann sein, gewiss aber war er sehr unwissend in Allem, was Kenntniss der Gegend anbetraf. Von dem grossen Hauptwege führen in der Nähe Mendoza's viele kleinere Zweigwege ab, die den nahen, umherliegenden Estancia's zuführen, oft in fast derselben Richtung wie der grosse Weg, nur nach und nach wenden sie sich vom Norden dem Osten zu. Für den Unbewanderten ist es nicht leicht, den richtigen Weg von dem falschen zu unterscheiden, da beide fast unter dem hohen Pampagrase verschwinden. Dieser Umstand hatte zur Folge, dass wir schon nach wenigen Leguas dem Nordosten, statt dem Norden zuritten. Unser Taschencompass konnte uns hier gute Dienste leisten, obgleich dies sehr zeitraubend ist, da der Nadel Zeit gelassen werden muss, sich von den Schwingungen, durch die Bewegung des sie Handhabenden hervorgebracht, zu erholen. Wir nahmen unsern Weg jetzt, die Pampa durchschneidend, nordwestlich, aber noch oft zögerten wir unseres alten Don Romualdo wegen, der sich durchaus mit dem fremdartigen Wegweiser, den wir aus der Tasche gezogen, nicht einverstanden erklären und immer eine andere Richtung, als die vom Compass angegebene einschlagen wollte. Es dauerte aus diesem Grunde mehrere Stunden, bis wir den richtigen Weg wieder auffanden, und erst am späten Abend erreichten wir die Estancia von Cocoli, die, nur 7 Leguas von Mendoza entfernt, in vier Stunden hätte erreicht werden sollen. Der Capataz der Estancia öffnete unseren Thieren den Alfalfa-Potrero (Kleewiese), der gewöhnlich zur Aufnahme der hier übernachtenden Tropas dient. Wir selbst mussten uns mit einem Nachtlager im freien Felde begnügen, da ein Theil seines engen Ranchos (der überdem von Ungeziefer wimmelte), den er uns anbot, kaum Platz für einen Mann enthielt. Uns einen trockenen, etwas erhöhten Platz aussuchend, machten wir aus dem umherliegenden trockenen Holze ein Feuer. Ein Stück Kuhfleisch wurde auf einem hölzernen Spiesse an diesem geröstet, der Kessel zum Mate mit Wasser gefüllt, und gleichfalls ans Feuer gestellt. Unser heutiges Abendessen war trotz dieser wenigen Vorbereitungen nicht frugal, wir hatten genügend kalte Küche von Mendoza mitgenommen, um wenigstens die ersten Tage nicht zu darben.

Einen wenig interessanten Anblick bot uns Cocoli am nächsten Morgen dar. Kleine, mit Mais besäete Strecken, mehrere Wiesen mit niederem Klee bildeten nebst einem Dutzend Feigenbäumen die einzige Cultur. Die Pampa, die rings die kleine Ansiedelung wie das Meer die Insel umgiebt, ist nur mit dürrem, vertrocknetem Grase bedeckt. Einige Tage Regen würden dieses Gelb in Grün verwandeln, aber dieser Regen, so reichlich er in manchen Jahren fällt, ist in anderen sehr selten. Auf fliessendes Wasser ist nur in einigen Gegenden zu rechnen. Die reichliche Wassermasse, die den Gebirgen entquillt, zieht sich bald nach ihrem Ursprung in Lagunen und grösseren fliessenden Gewässern zusammen. Letztere durchströmen die bevorzugteren Ländertheile und bilden dort die lieblichsten Thäler; das milde Klima in den tiefer belegenen Gegenden, die grosse Fruchtbarkeit des neuen Bodens üben dann ihren Einfluss und überschütten diese Strecken mit dem ganzen verschwenderischen Reichthum der südamerikanischen Vegetation. Aber die zwischen diesen fruchtbaren Länderstrecken, diesen Flüssen liegenden unermesslichen Ebenen sind stiefmütterlich behandelt. Zur Zeit eines fortgesetzten Mangels an Regen verwandeln sie sich in wahrhafte Wüsten. Nur in seltenen Fällen ist der Mensch hierher gedrungen, um durch seine Kunst das Gleichgewicht wiederherzustellen, um den wasserreichen Gegenden, wo oft grosse Strecken durch das Uebermaass des Wassers brach liegen, dieses Element (ich folge dem Sprachgebrauch) zu entführen und mit demselben den ferner liegenden, höheren Boden zu befeuchten, — um Deiche für die Bewahrung des in gewissen Zeiten reichlich fallenden Regenwassers zu erbauen. Diese Wassernoth verhindert nicht allein den Ackerbau, auch der Viehstand leidet häufig darunter. Das ausgedörrte Pampagras genügt nicht, um die Thiere zu erhalten, ja, das zum Trinken nöthige Wasser fehlt oft nicht allein ihnen, sondern auch den Menschen. Rioja, ein Theil Catamarca's, Santiago del Estero und im Süden San Luis haben traurige Erfahrungen in dieser

Hinsicht gemacht. Das von den letzten Regengüssen in den sogenannten Represas nur kümmerlich bewahrte Wasser ist theilweise verbraucht, theilweise vertrocknet. Die Regenzeit vergeht, ohne dass ein einziger Tropfen den durstigen Boden nässt, die wenigen leichten Schauer nützen nichts; — denke man sich diesen Zustand zwei, drei Jahre fortgesetzt und diese Dürre auf Hunderte von Quadratmeilen ausgedehnt, so wird man sich das Elend der Bewohner vorstellen können. Sie warten von einem Tage zum andern auf den Regen; umsonst stellen sie feierliche Prozessionen an, umsonst bezahlen sie ihre Priester für Messen und Nothgebete, es hilft Alles nichts, der Regen bleibt aus. Die Einwohner ganzer Distrikte, ganzer Dörfer wandern aus, aber gewöhnlich zu spät, zu ausgemergelt, um die bedeutenden Entfernungen nach dem nächsten Flusse zurückzulegen. Glücklich, wenn sie ihn erreichen! Von den in bevorzugteren Gegenden Wohnenden werden sie immer mit Wohlwollen empfangen. In der Hauptstadt Santiago del Estero langen nicht selten ganze Caravanen dieser Unglücklichen an. — Sind Privatleute ausser Stande, ihnen über den Verlust ihrer Habe zu helfen, so thut es die Regierung. Andere sind nicht so glücklich, das ersehnte Ziel zu erreichen; von Hunderten von Elenden hört man nichts wieder, als bis ihre bleichenden Gebeine von späteren Reisenden gefunden werden. Welches Studium für Victor Hugo, um eine neue Schattirung seiner „Elenden" zu erlangen: „Die Elenden der neuen Welt."

Cocoli, nur 7 Leguas vom Flusse Mendoza's entfernt, erfährt nie die ganze Strenge der Trockenheit. Man hat das Wasser aus jenem Flusse hierher geleitet, zwar dürfen sie es nur wenige Tage im Monat gebrauchen, um nicht der Stadt selbst das so nöthige Wasser zu entziehen, aber schon dieses genügt, um eine, wenn auch nur magere Cultur hervorzubringen und ist immer mehr als genügend, um die zum Tränken des aus 600 Köpfen bestehenden Viehes nöthigen Wasser-Represas zu füllen. Der kleine Ort Guanacache, welcher 18 Leguas von der Estancia Cocoli entfernt liegt, bietet einen angenehmeren Anblick als dieses. Dicht bei den Lagunen de Guanacache belegen, ist der Boden von Natur feucht und mit weiten Kleewiesen bedeckt, um das Vieh in der dürren Jahreszeit aufzunehmen. Auch Gemüse- und Getreidefelder, untermengt mit dünnen Gruppen Fruchtbäumen, ziehen sich hinter dem Dutzend Ranchos, aus welchen das Dorf besteht, hin. Der Boden der Pampa, welcher Guanacache und seine bebauten Felder umgiebt, besteht zum grössten Theil aus schwarzer, fruchtbarer Erde, ohne ein anderes Wachsthum, als ein mageres Gras, mit Kardendisteln untermischt, zu besitzen. Nur selten zeigt sich der Algarobabaum. Der Mangel an Wasser macht aus diesem Boden, der sowohl seiner Qualität, wie des ausgezeichneten Klimas dieser Gegend wegen, ein Paradies zu erzeugen fähig wäre, eine unfruchtbare Wüste. Geringe Mühe und verhältnissmässig geringe Kosten würde es einem wohlhabenden Unternehmer machen, grosse Strecken dieser jetzt werthlosen Grassteppe aus den Lagunen oder durch die in sie hineinmündenden Flüsse zu bewässern und in werthvolles Ackerland umzuwandeln. Bis jetzt wird von den Bewohnern des Landes nur der Boden bearbeitet, der sich in nächster Nähe des permanenten Wassers befindet oder sich vor anderen durch periodische Regengüsse auszeichnet. Auf solchen Fleckchen ziehen sie ihr Vieh und bebauen ihre Felder. Arbeiten, die über diesen Zweck hinausgehen, scheuen sie sich, und zwar mit Recht, mit ihren geringen Kräften anzufassen. Guanacache giebt uns ein Beispiel in dieser Hinsicht. Die Nähe der Lagunen in Verbindung mit periodischen Regengüssen und einem kleinen vereinzelten Bache, der, aus den nahen Cordilleren entspringend, im Sommer einen mühsamen Weg durch die ausgedörrte Ebene sucht, und im Winter und Frühling, durch Regengüsse und den in den Bergen geschmolzenen Schnee genährt, sich in einen reissenden Strom umwandelt, geben dem Ackerbau besondere Vortheile. Wir müssen uns deshalb wundern, dass wir kaum aus den Feldern und bebauten Strecken Landes tretend, den mit schöner, schwarzer Erde ausgestatteten Boden brach liegen sehen; selbst das Stückchen vorhandene Ackerland scheint der Natur abgerungen. Der erste uns begegnende Bewohner wird uns dieses Räthsel erklären. Manches Jahr erwartet er vergebens den Regen, selbst das kleine Flüsschen findet seinen Weg nicht mehr; bevor es Guanacache erreicht, wird es schon von dem allzudurstigen Boden aufgesogen. Nur das nothwendigste Gemüse sucht man dann durch die so schwierige Bewässerung des Begiessens zu erhalten. Diese trocknen Zeiten sind zwar selten, aber sie hindern die mittellosen Bauern, grössere Strecken zu bebauen.

Wir langten in diesem Orte spät am Abend an; zwei und zwanzig Leguas von Cocoli entfernt, mussten wir den ganzen Tag hindurch in der glühenden Sonne reiten, ohne dass wir am Wege eine einzige Hütte und, einige wenige riesenmässige Cactusarten ausgenommen, einen einzigen Baum angetroffen hätten. Selbst die Grasebene verschwand streckenweise, um blossem Sandboden, in welchem unsere Thiere nur langsam fortzuschreiten vermochten, Platz zu machen. In Guanacache angelangt, und kaum abgesattelt, warfen sich die Maulthiere erschöpft und erhitzt in eine kleine schmutzige Lagune, die aus Regenwasser gebildet, sich in der Mitte des Dorfes befand. Nachdem sie ihren Durst gelöscht, kostete es uns viele Mühe, sie wieder herauszubringen. Einzeln mussten sie mit dem Lasso herangeholt werden. Um Futter für sie und Obdach für uns zu erlangen, mussten wir uns an den Friedensrichter (Juez de Paz) wenden, da wir an drei oder vier Hütten vergebens angeklopft hatten. Die späte Zeit diente den Bewohnern zur Entschuldigung. Der Friedensrichter bot uns „Willkommen“, wies uns auch, was die Hauptsache war, für die Thiere eine gute Kleewiese an, uns selbst aber den Corral, oder vielmehr wir zogen letzteren auf seinen Vorschlag, zwischen diesem und seinem Hause zu wählen, vor, um unseren Thieren nahe zu sein. Man hatte uns schon früher vor den häufigen Thierdiebstählen, denen man auf dem Wege zwischen Mendoza und San Juan ausgesetzt ist, gewarnt; unser Wirth wiederholte diese Warnungen jetzt, ob mit dem löblichen Zweck uns zu nützen, oder sein Haus von wahrscheinlich unwillkommnen Gästen zu befreien, bleibt zweifelhaft. Fast machte seine höchst eindringliche Zurede, zu unserem eigenen Besten das Nachtlager im Corral zu wählen, das letztere wahrscheinlich. Genug, wir zogen vor, im Freien zu schlafen; es war eine milde, angenehme Sternennacht, die immer dem Innern eines dumpfen Ranchos vorgezogen zu werden verdiente.

Mit welchem köstlichen Wohlbehagen lagerten wir uns nach der Anstrengung des Tages um das Feuer und nahmen, die Erlebnisse besprechend, unser Abendessen ein.

Ich glaube, es würde hier am Platze sein, einige Worte über meine Begleiter zu sagen, da der Leser in den nachfolgenden Begebenheiten wissen muss, mit wem er es zu thun hat. Mr. Hunter war ein sogenannter unternehmender Character, wie schon die Thatsache dieser unbequemen Reise oder vielmehr der Zweck dieser Reise, die lediglich in Geschäften unternommen war, bewies. Ein grosser Theil der in der Provinz Salta consumirten europäischen Waaren wird von den Salteños aus Valparaiso bezogen, da der Gütertransport von diesem Hafen nach Cobija in Bolivien, und von dort über Land nach Salta weniger kostspielig ist, als der von Buenos-Ayres oder Rosario de Santa Fé, und es auch bleiben wird, bis die Schifffahrt des Bermejo verwirklicht ist. Für diese Waaren schickt Salta Viehheerden nach Chile, aber am meisten Gold und Silberbarren oder in Ermangelung dessen baares Geld. Aber nicht selten geschieht es, dass die Schuldner in diesen Retour-Rimessen saumselig werden; es pflegen sich dann die Gläubiger in Valparaiso zu vereinen, um eine Person, die ihr Vertrauen verdient, zur Einkassirung jener gewöhnlich beträchtlichen Geldsummen, die zuweilen in schon verfallenen Schulden 60—80,000 $ betragen, abzusenden. Die Vergütigung oder Commission, die diesem Abgesandten zugestanden wird, ist in Berücksichtigung der langwierigen und gefahrvollen Reise natürlich eine bedeutende; sie wechselt je nach der Höhe des Betrages und der Qualität der Schuld. Es giebt schlechte, mittlere, gute und sehr gute Schuldner. Von ersteren wird nicht selten dem Einkassirer der dritte Theil des erlangten Geldes zugestanden, von letzteren 8—15%. Auch die Grösse der Summe beeinflusst diesen Commissions-Cours. Wer würde es nicht vorziehen, 5% von 1000 $ als 20% von 100 $ zu verdienen? Mancher dieser Agenten ist im Stande, mit einer einzigen Reise ein kleines Vermögen zurückzulegen.*) — Mr. Hunter führte ein Geschäft dieser Art nach Salta; er war ein erfahrener, schon bejahrter, aber noch kraftvoller, energischer Mann, und was fast eben so viel werth

---

*) Der mit den im Innern Südamerika's herrschenden Verhältnissen unbekannte Kaufmann wird fragen, weshalb, anstatt wie es Usance ist, ein Haus in derselben Stadt, wo die Einkassirungen vorgenommen werden sollen, mit diesen zu beauftragen, schickt man eigens eine Person, was mit so grossen Unkosten und auch Zeitverlust verbunden ist? Weil eine Krähe der andern die Augen nicht aushackt. In dem kleinen abgeschlossenen Salta, wo fast nur Verwandte den Handel in Händen haben, würde kein chilenischer Kaufmann einen unparteiischen und so strengen Einkassirer, wie er ihn wünscht und nothwendig braucht, zu finden glauben; andererseits würde der in Salta ansässige Agent die grossen Summen Silber, die gewöhnlich viele Maulthier-Ladungen ausmachen, dem chilenischen Hause für dessen Rechnung und Gefahr zusenden. Für dies schwere Risico, und einem solchen sind die werthvollen Güter auf ihrem Transport durch die Pampa und über die Cordilleren im höchsten Grade ausgesetzt, existirt bis dato keine Versicherung, und wird dies daher eine sehr wichtige, oft eine Existenzfrage für die Interessirten. Diese wagen es deshalb nicht, einen solchen Transport von ihnen unbekannten Personen geleiten zu lassen, sondern ziehen es vor, eine Person, die ihnen persönlich bekannt ist und ihr Vertrauen verdient, sowohl zur Begleitung und Behütung des Schatzes, als zum Einkassiren desselben in Salta abzusenden. Eine dritte Ursache vereinigt sich mit den beiden vorhergehenden; der Arbeit, das Geld aus so vielen Quellen zu schöpfen, von so vielen Schuldnern zu collectiren, setzt sich selten ein nur vermittelndes Haus aus. Es ist oft nothwendig, die Provinz in die Kreuz und Quer zu bereisen, da viele der Schuldner in den kleinen Provinzial-Plätzen wohnen. Dann, nachdem der Einkassirer das Geld in Händen hat, darf er, um das in Chile nicht coursirende bolivianische Geld (es wird seines geringen Silbergehaltes wegen in Valparaiso und Santiago nur mit 25% Diskont angenommen) in Silberbarren oder Gold umzusetzen, nicht die Reise nach dem entfernten Juyuy oder der bolivianischen Grenze scheuen. — Sich diesen Weitläufigkeiten und Mühen zu unterziehen, ist natürlich von keinem Commissionshause zu erwarten; also schon aus diesem Grunde ist die Absendung eines besonderen Agenten den chilenischen Kaufleuten eine Nothwendigkeit.

ist, als solcher bekannt, der ganz und gar zu diesem etwas delikaten Geschäft des Einkassirens passte. So angenehm mir gewiss einerseits die Begleitung eines solchen Mannes sein musste, so brachte mich anderseits diese Geschäftsreise, „trip of business", wie er es nannte, manchmal aus dem Concept. Wir reisten in derselben Richtung, und auch nicht. Sein Ziel war Salta, mein Ziel die Reise; wo ich betrachten wollte, wollte er vorwärts. Ich verlor unter diesen Umständen manche Gelegenheit, die Gegenden, die wir durchreisten, zu beobachten; auch einige Reibungen, wenn auch unbedeutender Art, konnten nicht ausbleiben; auf der Rückreise vermehrten sie sich, bis sie eine Trennung zur Folge hatten. Bei dem Beginn unserer Reise zeigte sich von diesem Unterschiede in unserm Zwecke nichts. Die Neuheit unserer Freundschaft liess uns diese Dissonanz übersehen oder mit dem Mantel der Höflichkeit zudecken.

Ueber unsern Führer Don Romualdo ist wenig zu sagen; er war einer jener polternden Alten, die wir zuweilen in Lustspielen auf die Bühne gebracht sehen. Wie schon erwähnt, besass er nur geringe Kenntniss des Weges. Er hatte uns in Mendoza versichert, dass er mehrere Male diese Reise gemacht habe, setzte aber nicht hinzu, dass er damals Madrinero, der Junge, der die leitende Stute reitet, war. Es mochte fast ein halbes Jahrhundert zwischen dem Jetzt und Damals liegen, welches wohl im Stande war, seine Erinnerungen zu verwischen. Höchst naiv war die Art, wie er uns selbst von dieser uns sehr interessanten Thatsache unterrichtete. Im Gespräch mit mir machte er einige laute Selbstbetrachtungen, sich über den Weg und die Umgebungen wundernd, die ihm so altbekannt und doch so neu vorkamen und ihn besonders an seine liebe Jugendzeit erinnerten. Erstaunt, fast erschreckt wandte sich Hunter um und fragte, wie lange es denn her sei, dass er diesen Weg nicht gesehen? Die complacente Antwort: sieben und vierzig Jahre, hatte fast die Wirkung eines Blitzes auf den armen Hunter, der nicht geringe Eile hatte und jetzt hundert und wieder hundert kleine Verzögerungen, Verirren u. s. w. vorhersah. Ich konnte nicht unterlassen, den selbstbewussten Gesichtsausdruck des Alten und den erschreckten des Schotten betrachtend, eine laute Lache aufzuschlagen, in die der Letztere endlich mit einstimmte, und in der That war es lächerlich, dass wir nicht vorher genauere Zeugnisse über die Art seiner Wegekenntnisse verlangt hatten. Mir konnte es inzwischen ganz recht sein, da durch die Hin- und Herzüge im Lande, die nothwendig durch die Unkenntniss des Weges verursacht werden mussten, mir Gelegenheit gegeben wurde, manche Gegend, die ich sonst nie gesehen hätte, kennen zu lernen. — In etwas machte Don Romualdo seinen Fehler wieder gut, und zwar durch eine gründliche Camp-Erfahrung, die Hunter und mir sehr abging. Mit dem Lasso und den Bolas wusste er trefflich Bescheid; wie die Thiere am besten unterzubringen, — wie sie zu heilen, wenn der Sattel sie wund gedrückt, — wie ihrer Spur zu folgen, sollten sie verloren gehen, — wie unser Nachtlager am besten einzurichten, — wie Gefahren zu vermeiden, darüber konnte uns Niemand besseren Rath geben, wie er. Besonders in der letzterwähnten Fähigkeit hatte er es weit, etwas zu weit gebracht, wie wir weiter unten Gelegenheit zu sehen haben werden.

Unser Peon Nicolás war ein gutmüthiger, ehrlicher, etwas schmutziger junger Bursche; halb Gaucho, halb Indianer, besass er eine ausserordentliche Geschicklichkeit, durch die Pampas den Spuren der Thiere zu folgen. Wo das europäische Auge auf dem dürren Grase nichts als einen unbedeutenden Eindruck gewahr wird, weiss er die Spuren der verschiedenartigen Thiere heraus zu erkennen. Nicht allein sagte er uns, ob jene Spur einem Pferde, Maulthier oder Hornvieh angehörte, sondern er wusste auch, durch die Stärke des Eindrucks geleitet, zu bestimmen, ob das Thier beladen, beritten oder frei ging. Die Spuren unserer Thiere kannte er einzeln, und aus vielen andern heraus. In dem waldreichen Norden geschah es nicht selten, dass die Thiere grasend in die Algarobawälder eindrangen; mit der grössten Aufmerksamkeit verfolgten wir die Spuren, aber oft rief Nicolás uns von den falschen fort, und verwies uns auf die richtigen. Er wusste von jeder Spur zu sagen, welchem unserer Thiere sie angehörte. Auch ich wurde mit der Zeit erfahrener in dieser Kunst, und konnte auf lehmigem oder feuchtem Boden, auf welchem sich die Fusstritte am besten abdrücken, die Spuren unserer Thiere erkennen. Kein Huf ist dem andern gleich, man möchte sagen ein jeder hat seine besondere Charakteristik. Form und Grösse wechseln immer, aber nur nach langer Uebung erlangt man die Fähigkeit, diesen Unterschied in den Spuren wahrzunehmen, aber nie erlangt man die fast instinktartige Fertigkeit der Eingebornen in dieser Kunst, von deren Ausübung oft ihr Leben und Sicherheit des Eigenthums abhängt.

Wir waren im Begriff, uns zur Ruhe zu legen, als ein plötzliches unnatürliches Licht die Nacht erhellte. Am fernen östlichen Horizont erhob sich ein glänzend rother Schimmer, wie er sich bei einer entfernten Feuersbrunst zu zeigen pflegt. Es war in der That ein Pampa-

10*

brand, der sich unsern Blicken darbot, und von einem frischen Wind getrieben, rasch auf uns zukam. Bald unterschieden wir die rothen, spielenden Flammen, die das Dorf im Halbkreis umschlossen. Kleine, schwarze, sich oft zu einer dunklen Masse zusammendrängende und schnell bewegliche Punkte schienen im Feuer zu spielen; es waren die Gauchos und das Vieh, das sie zusammentrieben, um es nach sicheren Gegenden zu bringen. Fernes Geschrei, der Galopp der Reiter und der geängstigten Thiere tönte deutlich zu uns herüber. — Das verwelkte Gras des vorigen Jahres hemmt den Wachsthum des diesjährigen frischen Grases ebenso sehr, wie ihn die Asche der vom Feuer verzehrten Pflanzen befördert. Aus diesem doppelten Grunde zündet man das fusshohe Gras der Pampa an, welches welk und ausgedörrt sich mit Leichtigkeit entflammt; die Eingebornen achten selbstverständlich darauf, ihr Vieh vor dem Feuer in Sicherheit zu bringen, obgleich ihnen dieses nicht immer gelingt, da der Wind zuweilen den Flammen eine grössere Ausdehnung giebt, als sie beabsichtigten, und Verlust, oft bedeutender Verlust an Vieh sind die Folgen. Auch Menschenleben gehen nicht selten verloren, wenn das entfesselte Element mit dem Terrain unbekannte Reisende erreicht. — Der Brand kam inzwischen näher als uns lieb sein konnte; doch die Aussagen der sich in unserer Nähe angefundenen neugierigen Knechte unseres Wirthes lauteten, dass Maassregeln genommen seien, um jede Gefahr von den Hütten des Dorfes und den Getreidefeldern abzuhalten. Wir konnten nicht recht aus ihnen herausbringen, worin diese Maasregeln bestanden. Die Sache schien uns verdächtig, und schon waren wir im Begriff, unsere Maulthiere von der Weide zu holen und sie in dem Coral unterbringen zu lassen, als es uns schien, als ob das Feuer seine Richtung veränderte. Der Wind hatte in der That gewechselt und trieb es dem Süden zu, und ersparte uns auf diese Weise, wenn auch keine gefährliche, doch gewiss eine unruhige und schlaflose Nacht. Erst jetzt genossen wir mit Gemüthsruhe den Anblick des Brandes. Die hüpfenden Flammen mochten einen Raum von wenigstens zwei Leguas Breite einnehmen; dichtgedrängte Viehheerden und die ihnen wie der Blitz folgenden und sie flankirenden Gauchos mit ihren im Winde flatternden langen Ponchos, ihren Lassos und den geschwungenen Bolas schienen sich fast mit dem Flammenmeer zu vermengen. Langsamer wie es gekommen, entschwand uns allmählich das grossartig schöne Nachtbild, und liess bald nichts als einen rothen, erblassenden Streifen am Horizont zurück.

Um 8 Uhr Morgens brachen wir von Guanacache auf, durchritten eine weite Strecke der Brandstätte, auf der der Boden meilenweit nichts als eine schwarze, verkohlte Fläche zeigte. Trotz der Frühe des Tages empfing uns eine heisse, verzehrende Atmosphäre, die der Asche entströmte; auch unsere Maulthiere gingen uns fast im Galopp davon, ohne Zweifel verursachte ihnen die Berührung mit dem Boden Schmerzen. In der That fanden wir später bei einigen derselben, welche längere Haare oberhalb des Hufes gehabt hatten, die Haut an jener Stelle versengt.

Unser heutiger Ritt sollte uns bis San Juan bringen, es mussten also sechszehn Leguas zurückgelegt werden. Die Natur des Bodens blieb dieselbe, wie wir sie gestern wahrnahmen; nur selten, wenn sich der Weg den zur Linken hinlaufenden Bergen mehr wie gewöhnlich näherte, verlor er seinen flächenartigen Charakter, und wurde von Hügeln und kleinen Schluchten durchbrochen. Eine kleine Abwechselung bot sich uns in den Veränderungen der Vegetation; in den Defileen verschwand das Pampagras und machte dichtem Buschwerk, Disteln und kleineren Cacteen Platz, während von diesen in den ebenen Gegenden nichts zu finden war. Mit Ausnahme der Ranchos und der verkrüppelten Pappel-Alleen einer Estancia, die sich ungefähr in der Mitte des Weges zwischen Guanacache und San Juan befinden mag, unterbrach nichts die traurige Einförmigkeit dieser Gegend. Es war eine Wüste, die sich nur in 6 bis 7 Leguas Entfernung von San Juan in magere Wiesen und Anbauungen, aber in grösserer Nähe in ein üppiges Gartenland verwandelte.

Wenige Leguas diesseits Guanacaches trennt sich der von San Juan kommende Weg in zwei Theile, von denen der von Mendoza kommende der unsere war. Der andere wendet sich den Andes, und zwar Uspallata zu, und ist derselbe, dessen Ausgang ich in jenem Orte wahrnahm. Am Wege, wenige Schritte zuvor, ehe er diese Kreuzung erreicht, fanden wir Stecken mit drei darauf gesteckten Todtenköpfen, die wenige Monate vorher in San Juan erschossenen Missethätern angehörten, welche auf dieser Stelle einige Reisende ermordet hatten. Ein kleines Kreuz, jenen Stecken gegenüber am Wege errichtet, war dem Andenken der Verunglückten geweiht, deren Namen sich in dem Holze eingeschnitzt fanden, — hier die That, dort die Strafe, — hier warnt man den Reisenden, mahnt sie zur Vorsicht, dort warnt man den Uebelthäter, indem man ihm die schrecklichen Folgen des Verbrechens vorhält.

Aber Mancher findet mehr als eine Warnung in diesen Zeichen; obwohl stumm, reden sie zu ihm. Auf der einen Seite hört er das Gestöhn der Ermordeten, die Klage der verwaisten Familien über ihre verlorenen Hoffnungen, auf der anderen das grössere Klagelied der Schuld, die sich allmählich von früher Jugend an wie eine Giftpflanze in der menschlichen Brust emporrankt und, keine Gärtnerhand findend, die sie herausreisst, endlich ihre Früchte trägt. — Eine solche That erzeugt nicht der Augenblick, sie reift nur in Jahren. Oft schon von Geburt ein moralischer Krüppel, geben Manchem die Umgebungen nur Gelegenheit, die brutalen Eigenschaften seiner Seele auszubilden und seine intellectuellen und moralischen Kräfte zu vernachlässigen. Das Böse wird ihm zur zweiten Natur und producirt früher oder später die Schuld! Ist es wirklich Schuld?

Man soll das Verbrechen strafen, aber nicht rächen. „Mein ist die Rache,“ spricht der Herr, und zwar, weil Er allein im Stande ist, die Tiefen des menschlichen Herzens zu ergründen und wie weit in diesem die Schuld existirt! Was weiss der Richter, welche Ursache den Missethäter zum Verbrechen verleitete! Weiss es dieser oft selbst? Welches Maass muss für ihn angewandt werden, mit welchem schlimmen Triebe, mit welchem Grade der Leidenschaft, mit welchem niederen Geistesvermögen wurde er geboren? — welche Erziehung hat man ihm gegeben, und welches waren seine Umgebungen? Der Richter kennt nichts als die That, und die Bedeutung des „schuldig“ oder „unschuldig“ ist für ihn nichts als eine Umschreibung der Frage: Hat er die That verübt oder nicht? Mancher könnte antworten: „Ich habe sie verübt, bin aber unschuldig!“

Trotzdem muss die That, die der Gesellschaft Schaden bringt, bestraft werden; aber „strafen“ ist nicht „rächen“; strafen ist gewaltsam bessern, bedeutet das Recht, welches die Gesellschaft über das Individuum, die Regierung über den Beleidiger der Gesetze erlangt, ihn durch Abschluss aus dem allgemeinen Kreise unschädlich zu machen. Dieses Recht in Verbindung mit unserer Pflicht als Menschen und als Christen gebracht, den Verbrecher zu bessern, constituirt die Strafe. Sollte unser Gott, der Gott der Liebe, die Strafe anders verstehen? — Die Strafe, so erklärt, verwandelt sich aus einem Unding in eine menschliche, und noch mehr in eine wahrhaft christliche That. Kommen unsere Strafanstalten, kommt vorzüglich die Todesstrafe diesen Bedingungen nach? —

Die meisten unserer modernen Gefängnisse sind nichts als moralische Kloaken, wo durch den ungestörten Contact des Schlechten mit dem Schlechten sich dieses natürlich vermehrt. Dass Mancher als ein guter

Mensch hineingeht, und als ein schlechter herauskommt, ist keine neue Erfahrung. Das System ist in manchen Ländern um eine Stufe verbessert, aber nur um eine Stufe. Die Vereinzelung des Gefangenen und die körperliche schwere Arbeit bezeichnet diese Verbesserung. Lasst jene Isolirung mit Bedingungen stattfinden, z. B. sie nur auf die erste Zeit oder so lange ausdehnen, bis sich eine Besserung in den Ideen des Mannes und seiner Moral zeigt, und ihn dann mit den schon Gebesserten seiner Mitgefangenen zusammenführen, — und vor Allem fügt der körperlichen Arbeit geistige Arbeit hinzu, gebt ihm Lehrer, die ihn unterrichten und ihn lehren, seine Pflichten als Mensch besser zu verstehen, als wie er sie bisher verstanden hat, und ihr werdet das System vervollkommnet haben.

So viel über die Gefängnissstrafe. Die Todesstrafe ist keine Strafe, sie ist nichts als ein Act der Rache, zuweilen aus Leidenschaft, öfter aus Irrthum herbeigeführt. Selbst eine sogenannte „gerechte Indignation“ darf kein unpartheiischer Richter gegen den Ausüber des schrecklichsten Verbrechens hegen. Sie blendet ihn und nimmt ihn zum Voraus gegen den zu Beurtheilenden ein. Unterscheide er wohl die That und den Thäter, verabscheue er erstere und enthalte er sich vor dem Urtheil jeden Gefühls gegen den zweiten. — Die Todesstrafe rächt die Gesellschaft und befreit diese von einem Missethäter, aber nicht von der Schuld; bessert Ihr aber den Gefangenen, so befreiet Ihr Euch sowohl von dieser wie von jenem. Man hat oft zu Gunsten des Schaffots die Nothwendigkeit citirt, aber kann die Nothwendigkeit eine Ungerechtigkeit entschuldigen? Ueberdies existirt diese Nothwendigkeit nicht. Die Statistik der Verbrechen der verschiedenen Länder zeigt uns im Gegentheil, dass mit der Verminderung der Todesstrafe die Verbrechen abnehmen. Es beweist dies zwar nicht, dass Ersteres Ursache des Zweiten ist, aber gewiss, dass durch Verminderung oder Aufhebung der Todesstrafe sich die Verbrechen nicht vermehren. Dass Furcht vor dem Tode keinen Verbrecher von dem Begehen einer schlechten That abhält, ist ebenso gewiss, als dass der Anblick einer Hinrichtung in manchem Menschen den ersten Keim zur Mordlust erweckt hat. Auf die Mehrzahl übt jener einen demoralisirenden Einfluss.

Das Kreuz schien mir daher hier am Wege nicht hinzugehören. Symbol für die grösste Liebe, die grösste Selbstverleugnung, hat man es hier als ein Zeichen der erfüllten Rache hingestellt, — die Wahrheit gegenüber dem Irrthum, die vergebende Liebe gegenüber der vergeltenden Rache!

Schon eine halbe Legua, nachdem wir Guanacache verliessen, sahen wir die Umrisse des bekannten Pié de Palo sich am nördlichen Horizonte abzeichnen. Dieser Berg mit seiner runden Gestalt bietet von allen Seiten dieselbe runde, gleichförmige Ansicht und ist daher besonders geeignet, den in den nahen Pampas sich verirrt habenden Reisenden die Richtung ihrer Reise anzugeben. Am Fusse seines südlichen Abhanges liegt die Stadt San Juan. — Im Laufe des Tages trat er uns allmählich deutlicher vor die Augen. Fast vereinzelt steht er unter den niederen, sich nördlich und südlich hinziehenden Hügeln und bildet das Verbindungsglied der Gebirgskette, die aus den Andes auf der Breite des Ortes Jachal unterhalb des Vulkans Coquimbo entspringt und, sich zum Südosten wendend, ihren letzten Ausläufer in den Bergen von San Luis findet. Die Erklärung seines Namens „Holzfuss" findet sich in den dichten Waldungen, die den unteren Theil des südlichen Abhanges bedecken und aus denen sich die Bewohner San Juan's mit Feuerungsmaterial versorgen. Bei meiner jetzigen Anwesenheit in San Juan erzählte man mir von den Sagen, die über den fabelhaften Minenreichthum dieses Berges in Umlauf wären; kaum 6 Monate später erfuhr ich, dass man dort wirklich Entdeckungen von Silberadern gemacht habe.

Vier Leguas von San Juan entfernt erscheint uns wiederum der Wechsel von den ausgedörrten Grasebenen zu den lieblichen Fluren einer cultivirten Gegend. Ein bläulicher, nebelartiger Dunst, der sich am Fusse des Pié de Palo über der Ebene lagerte, und aus dem sich allmählich dunkle Schatten in baumartigen Umrissen hervorheben, bezeichnet die Lage der Stadt mit ihren Alameden; doch währte es fast noch vier Stunden, bevor wir diese erreichten. Durch die Gegend des Pozito's, halb Dorf, halb Vorstadt, wo später im Januar 1861 die grausame Schlächterei der Aufständischen stattfand, ritten wir im Schatten der sich meilenweit hinziehenden schlanken Pappelreihen der Stadt zu. Der Charakter dieser Gegend ähnelt dem Mendoza's fast in auffallender Weise. Pflanzen, Thiere und Menschen, alles scheint dasselbe. Dieselbe Bauart der Ranchos und der Häuser, dieselben Baumgruppen, dieselben Bergjoche, die sich von den Andes in die unbegrenzte Ebene hinausziehen, die wir in Mendoza wahrnahmen, wiederholt sich hier. Trotzdem ist der Total-Eindruck, den diese Scene auf den Reisenden macht, von dem Mendoza's sehr verschieden, und dieser Unterschied entscheidet sich nicht zu Gunsten San Juans. Viel mag der bei weitem günstigere Gesichtskreis des auf dem Uspallata-Wege in der Nähe Mendoza's erhabenen Standpunktes zu diesem Vorzug beitragen, manches auch die Spannung des Reisenden, die Pampa zu sehen, der die Umgegend Mendoza's auf eine so überraschende, glänzende Weise Genüge thut, aber in mancher Hinsicht übertrifft auch wirklich die südliche Stadt die nördlicher belegene. Jene Vegetation, welche in dünnem Unterholz besteht und sich östlich von San Juan an dem Fusse der niedrigen Bergkette des Pié de Palo hinzieht, nimmt eine trockene, fast bräunliche Farbe an; sowohl dort wie in dem Grase, welches im Verein mit buschartigen Disteln die sanft aufsteigende Pampa schmückt, vermisst man das frische, saftstrotzende Grün der mendozinischen Ebene. Ein weisser, blendender Streifen, der die weit sichtbare Ebene zu begrenzen scheint, und welcher dem Reisenden als eine wüste, sandige Strecke bezeichnet wird, überzeugt ihn, dass wenn San Juan ein schönes, fruchtbares Land genannt wird, dies nur von der Umgegend der Stadt selbst, in einem Umkreise von 20—25 Leguas zu verstehen ist. Ausserhalb dieser Linie findet man selten etwas anderes als culturlose, ausgetrocknete Flächen oder bergigtes Land, welches mit seinem ärmlichen Grase die weidenden Heerden kaum ernährt. Die Provinz Mendoza zeigt nur an ihrer nördlichen Grenze diese Trostlosigkeit der Gegend. Wer von der mendozinischen Hauptstadt gen Osten vorwärts dringt, wird sich die üppigste Cultur ununterbrochen bis Villa de la Paz fortsetzen sehen. Wenige Meilen jenseits letzteren Ortes bezeichnet der salzige Fluss „Desaguadero", dessen steile Ufer so oft der Schauplatz indianischer Ueberfälle sind, die Grenze Mendoza's und der Provinz San Luis, und von hier an beginnen die wasserarmen, oft gänzlich wüsten, mehr hügeligen als ebenen Strekken, die sich erst jenseits der Stadt San Luis in fruchtbarere Gegenden verwandeln. Gegen Süden bietet Mendoza dasselbe Bild der Fruchtbarkeit dar, nur dass in dieser Richtung die Pampa ausser wenigen Estancias noch keine Cultur aufzuweisen hat. Mit ihrer wilden, üppigen Vegetation, ihren zahlreichen Gewässern, ihren fruchtbaren, reizenden Gegenden, von denen die selten in jene Regionen Eindringenden Wunder erzählen, sind diese Ebenen ein noch für die Menschheit verschlossenes, gelobtes Land; noch soll es den Kanaaniten entrissen werden.

Je näher man sich der Stadt San Juan befindet, desto mehr schränkt sich der Gesichtskreis ein; die dichten, uns allmählich umringenden Baumgruppen lassen nur den Blick in die nächste Umgebung zu. In derselben finden wir den ganzen Reiz einer bebauten, üppigen, fruchtbaren Gegend. Durch die seltenen Lücken der den Weg einfassenden

Trauerweiden, Álamos und der hinter denselben stehenden dichten Hölzer erkennt man die sich weit in die Ferne ziehenden Weingärten, Kleewiesen, Getreidefelder, mit anmuthigen Villa's, im leichten italienischen Styl gebaut, durchmischt.

Wir ritten nicht sogleich in die Stadt ein, sondern suchten unserer Thiere wegen ausserhalb derselben ein Quartier zu bekommen, welches wir auch im Hause eines gastfreien San Juaninos, Don Alberto Duran, fanden.

X.

San Juan. – Drohende politische Wetterwolken. – Industrie. – Bedeutender Vermittelungshandel. – Ackerbau. – Bewässerungssystem. – Ausfuhr. – Unser Quartier in San Juan. – Excessiver Viehdiebstahl. – Das System der Marken. – Das Dorf Angaco – seine geographische Lage. – Gewohnheit der Siesta. – Die Stadt San Juan – ihre geographische Lage. – Census. – Industrie. – Gastfreundschaft. – Excursion nach der Sierra. – Abreise zum Norden. – Wüste. – Tiger. – Ankunft in Móquina. – Beschreibung dieses Fleckens. – Excursion nach Jachal. – Verlust des Weges. – Tucumucu. – Cruz de Piedra. – Ankunft in Jachal. – Beschreibung seiner Industrie. – Politik. – Der Chacho.

Bei unserer Ankunft ahnte San Juan noch nichts von den schweren Wetterwolken, die an seinem politischen Horizont hingen, alle Gräuel eines barbarischen Krieges sollten bald über die unglückliche Stadt hereinbrechen*). Nur eine grosse, allgemeine Unzufriedenheit gegen die Gewaltthätigkeiten des Gouverneurs Virasoro gab sich kund, ohne dass aber Jemand die schrecklichen Folgen derselben voraussah. Wie in Mendoza befand man sich am Rande eines Abgrundes, ohne es zu ahnen. San Juan mit seinen weiten schönen Landschaften, seinen Gärten, seinen reinlichen Strassen, die überall von gehenden und kommenden Trupps der friedlichen, schwer beladenen Maulthiere gefüllt waren, ein Bild des tiefsten Friedens, gab keinen Raum zu schwarzen Ahnungen. Auch der Character der Bewohner rechtfertigte jede sonnige Hoffnung einer friedlichen, fortschreitenden Zukunft. Leutselig und gastfrei bis zu einem hohen Grade, verbinden

*) Siehe Kapitel XIX.

sie mit diesen Eigenschaften eine Biederkeit, eine Gradheit, die dem Deutschen deutsch erscheint. Diese Vorstellung wird noch durch die Bedächtigkeit vermehrt, die sich in ihrem Wesen ausspricht und die man uns nördlichen Völkern im Gegensatz zu den heissblütigen, südlichen zuspricht. Die Eigenschaften, die man gewöhnlich letzteren anheftet: ungeduldig, unbeständig, leidenschaftlich, immer zum Extrem übergehend, nimmt man im Allgemeinen bei den San Juaninos in weit geringerem Grade als bei den Bewohnern der übrigen argentinischen Provinzen wahr. Man findet sie im Gegentheil standhaft im Unternommenen, bedächtig in dem zu Unternehmenden, äusserst betriebsam und arbeitsliebend, letzteres fast ein Phänomen als allgemeiner Volks-Character in Süd-Amerika. — Diese Eigenschaften tragen ihre Früchte. Auf allen Wegen eines grossen Theiles dieses Continents, von den peruanischen Ufern des Amazonenstromes bis zum Paraná und Plata, von Lima und Cuzco bis in die unwirthbaren Ebenen des südlichsten Argentiniens dringen die San Juaninischen Maulthier- oder Carreten-Trupps, um die Produkte der verschiedensten Zonen umzusetzen. Von Peru und den warmen Gegenden bringen sie die Rinde des Cinchona (Fieberrinden-Baumes), Reis, Zucker, Yerba-Mate, Kaffee, Indigo, Tamarinde, Taback u. v. a., und geben in Zahlung die Produkte der südlichen Provinzen, Weizen und Mais, für Rioja und Catamarca, denen sie bedeutende Quantitäten Metall, vorzüglich Kupfer entführen; ihre Maulthiere, Pferde, selbst Esel für Salta, Bolivia und Peru. Salta und Tucuman geben ihnen ausser den Produkten des Ackerbaues zahlreiche Rinderheerden, die sie nach San Juan und Mendoza in die Luzerne-Wiesen zur Fettmachung und von dort nach Chile zum Verkauf führen. Ueberall auf den Wegen von Santa-Fé, Cordova, Tucuman, Salta bis zur Grenze Juyuy's begegneten uns die Maulthier- oder Carreten-Trupps der unermüdlichen San Juaninos, mit den verschiedensten oben angeführten Produkten des Landes oder überseeischen Waaren beladen. Daher diese Wohlhabenheit des kleinen Völkchens, welches, wie aus statistischen Berichten hervorgeht, fast ein Drittel des Transports im gesammten argentinischen Territorium besorgt.

Der Boden, der die Stadt umgiebt, ist wie in Mendoza ungemein fruchtbar, vorzüglich giebt der Mais reiche Resultate, doch haben die Kleewiesen eine um das Vierfache grössere Ausdehnung wie die übrigen Anpflanzungen. Es ist dies erklärlich; die Alfalfa-Weiden sind für die Plätze im Innern das, was der Hafen für eine Seestadt ist. San Juan, welches, wie oben bemerkt, eine so grosse, jede andere argentinische

Provinz überflügelnde Transport-Thätigkeit ausübt, muss Platz haben, um die Tausende von Maulthieren, die monatlich ab- und zugehen, zu beherbergen und zu nähren, nicht einmal der zahlreichen Hornvieh-Heerden zu gedenken, die auf ihrem Durchmarsche nach Mendoza sich nothwendig in San Juan erholen müssen. • Nördlich und südlich von dieser Stadt ziehen sich auf 20 bis 30 deutsche Meilen wüste Flächen hin, die von den Thieren nur, wenn sie sich in gutem Zustande befinden, zurückgelegt werden können. — Die San Juaninos haben daher bald die Wichtigkeit der Kleewiesen eingesehen und als die Grundpfeiler ihrer Wohlhabenheit kennen gelernt. Sie haben es aus demselben Grunde versucht, jene so viel wie möglich zu erweitern, und zu diesem Zweck keine Kosten noch Mühen gescheut. Vorzüglich sind es ihre Wasserleitungen, die von ihrem Fleisse Zeugniss geben. Der Fluss San Juan, der die nördliche Seite der Stadt bespült, wenige Meilen oberhalb derselben aus den Andes de los Patos entspringt und in die Lagunen von Guanacache mündet, besitzt ein nur flaches aber ausgedehntes, kaum 6 Fuss tiefes Bett, welches sich trefflich zu diesen Wasserleitungen eignet. Verfolgt man von San Juan aus seinen Lauf eine kurze Strecke stromaufwärts, so wird man die verschiedenen Ableitungen des Wassers aus seinem Bette gewahren. Dieses Wasser wird der Stadt und ihren Umgebungen in einem Umkreise von fast 20 deutschen Meilen zugeführt, aber nur in wasserreicher Jahreszzeit von allen Theilen dieser weiten Strecken zugleich bezogen. In regenarmen Sommern reducirt sich die Wassermasse des Flusses nicht selten auf ein Dritttheil seines mittleren, aber auf ein Sechs- und Achttheil seiner bedeutendsten Masse. Plötzliche Regengüsse im Gebirge oder das Schmelzen des Schnees in dessen höheren Regionen und im Gegensatze zu diesem die Trockenheit des Sommers sind die Ursachen dieser grossen Ab- und Zunahme des Wasserstandes. Ist dieser niedrig, fällt er bis auf einen gewissen Grad, den die Polizei San Juans an eigens dazu aufgestellten Tafeln misst, so werden sofort die Leitungen, die nach gewissen Dörfern führen, zugedammt, um die ganze Wassermasse den übrigen Dörfern und der Stadt zuzuführen; aber schon nach mehreren, gewöhnlish 6 Stunden, werden diese Leitungen wieder geschlossen, um das Wasser dann den zuerst geschlossenen Leitungen wieder zuzuführen. Auf diese Weise wird die Wohlthat des Wassers gleichmässig unter den Bewohnern vertheilt. Beim ersten Fallen des Wasserstandes theilt man es in zwei Hälften, beim zweiten Fallen in drei u. s. w. Oeffentliche, amtliche Bekanntmachungen zeigen den verschiedenen Gegenden die Zeit an, während welcher sie das Wasser erwarten dürfen. —

Bei der Verschiedenheit der Witterung, ob trocken oder feucht in den Jahreszeiten, bei dem geringen Vertrauen, das man auf den Regen setzen darf, ist es natürlich kein Wunder, dass der Vortheil des künstlichen Bewässerns dem nur natürlichen gegenüber sich wie Eins zu Tausend verhält. Aber selbst wenn der Regen im Ueberfluss erscheint, ist er nicht im Stande, der gleichmässigen, ausdauernden Befeuchtung durch Leitungen und Gräben Concurrenz zu machen. In regnerischen Jahren erhält der erfahrene Ackerbauer von den künstlich unbewässerten Länderstrecken zwei Erndten, während derselbe von demselben Lande, künstlich bewässert, zwei Korn- und drei Alfalfa-Erndten zu erhalten berechtigt ist. Ueberdem geben ihm die um das künstlich bewässerte Feld gepflanzten Pappeln, die sich rasch entwickeln, nicht geringen Nutzen; schon nach 10 Jahren geben sie ihm Balken und Bretter von 12 Zoll Dicke. — Der Vortheil der Quantität wird von dem der Qualität begleitet. Dies äussert sich vorzüglich in den Pflanzen, die eines fortwährend angefeuchteten aber nicht überfeuchten Bodens bedürfen. Auch der Alfalfa gehört zu diesen. Der Argentiner glaubt, dass der auf nur natürlich benässtem Boden gewachsene Klee nicht die Kraft und Süsse des auf dem künstlich bewässerten besitzt. Nicht selten äussert diese Meinung ihren Einfluss auf den Preis des Klee's und selbst auf den des Viehes. Der Käufer, der im Stande ist, Kenntniss zu erlangen, mit welchem Futter dieses oder jenes Thier fett geworden, wird, wenn auch mit geringem Unterschiede, einen höheren Preis für die auf durch Acéquias bewässerten Alfalfafeldern, einen noch höheren für die mit Gerste genährten, einen niederen für die auf unbewässerten Kleewiesen, und den niedrigsten für die auf dem nätürlichen oder Pampagrase fett gewordenen Thiere zahlen. Besonders wichtig ist für den Reisenden, der Thiere für sich zu kaufen genöthigt ist, die Auswahl unter den gegebenen Umständen. Ein mit dem Pampagrase fett gewordenes Maulthier oder Pferd wird trotz seines guten, abgerundeten Körpers schon nach einer Woche oder wenig darüber merklich abmagern und ermüden, während dasselbe Thier mit Gerste aufgefüttert, trotz seines dünneren Aussehens, ihm Monate ohne Abnahme der Kräfte dient. Bei dem Hornvieh äussert sich dieser Unterschied noch im höheren Grade als bei den Pferden und Maulthieren. Ein geschlachteter, fetter Ochse, der auf dem gemeinen Grase fett geworden, giebt nur 2½ bis 3 Arrobas Fett, während der dieselbe Zeit mit Alfalfa oder Pipirigallo (spanischer Klee) genährte vier bis fünf Arrobas zu 25 Pfund giebt. Nicht selten kommen in San Juan Ochsenheerden von Salta oder Tucuman an, die, abgemagert und von der Reise ermattet, nicht mehr wie 10—12, seltener 14 $ per Ochse werth sind. Diese können nach sechs Monaten, während welcher sie sich in den Kleewiesen erholen und fett werden, über die Andes nach Chile getrieben und dort nach kurzer Erholung schon zum Verkauf ausgestellt werden. Ein in Mendoza sechs Monate im guten Alfalfa genährter Ochse wird in Santiago de Chile oder Valparaiso mit 35 und 40 $ und in Copiapo mit 45 und 50 $ bezahlt.

Aus den angeführten Gründen ist daher die Cultur des Klee's bei weitem die vorwiegende. Man könnte diese weiten, tiefgrünen Wiesen eine Charakteristik der Umgegend San Juans nennen. Gewöhnlich ist es der Luzerner oder Schnecken-Klee, der sowohl hier als in Chile und dem gesammten Argentinien gesäet wird. Selten trifft man den Steinklee oder den gemeinen Wiesenklee. — Unter den Getreidearten tritt Mais am bedeutendsten hervor. San Juan führt weder Mais noch Waizen aus, es bedarf dessen zum eigenen Consum, ja in sehr trocknen Jahren, oder wenn durch plötzliches Niederschlagen des Frostes die Ernte schlecht ausfällt, muss Mendoza, diese grosse Kornkammer Argentiniens, sein Getreide hergeben, um den Bedarf zu decken. Ueberhaupt bestand bei meiner Anwesenheit in San Juan die Thätigkeit jener Stadt weit mehr im vermittelnden Verkehr als in selbst erzeugender Industrie. Dieses Verhältniss soll sich in neuerer Zeit geändert haben, da die neuentdeckten Bergwerke der Sierra des schon erwähnten Pié de Palo jetzt bedeutende Quantitäten Silbererze, weniger Kupfer zu Tage fördern, und diese dem Betrage des Exports hinzufügen. Nächst den Silbererzen sind es die Produkte der Viehzucht, die den grössten Theil an der Summe der Ausfuhr haben; diesen folgen getrocknete Früchte aller Art, unter denen sowohl durch Quantität wie Qualität sich die Orejones (getrocknete Pfirsichfrüchte) auszeichnen. Auch Weinbau wird im grossartigen Maassstab betrieben, um Rosinen zu gewinnen, die nach Chile und nach Rosario de Santa Fé ausgeführt werden.

Unser Wirth Duran that Alles, um es uns in seinem Hause angenehm zu machen. Auch er wiederholte die Klagen über den bedeutenden Viehdiebstahl, die wir schon in Guanacache hörten, und warnte uns vor Unachtsamkeit mit unsern Thieren. Wir beschlossen daher, einen Peon, der uns von Duran empfohlen wurde, für diese Nacht zu miethen, um die Maulthiere zu bewachen. Der Reisende kann in der That nicht genug auf seine Thiere achten. Selbst die grössten Vorsichtsmaassregeln werden oft durch die Schlauheit der Diebe vereitelt, die an Geschicklichkeit den arabischen Pferdedieben nichts nachgeben. Die Leichtigkeit, die geraubten Thiere in der Steppe jeder Nachsuchung zu entziehen und dieselben, ohne sich einer Beobachtung auszusetzen, nach entfernteren Gegenden, wo sie verkäuflich sind, zu führen, verleitet viele Gauchos, aus diesem einträglichen Handel ein Gewerbe zu machen. Das eingeführte Markensystem ist höchst fehlerhaft und beeinträchtigt selten den Dieb, sondern gewöhnlich unschuldige Käufer aus der dritten und vierten Hand. Dieses System befiehlt allen Thierbesitzern des gesammten Landes, ihre Thiere mit einem ins Fleisch eingebrannten Zeichen zu versehen. Bei den Maulthieren geschieht dies gewöhnlich am Halse und bei den Pferden und Rindern an den Schenkeln. Jeder dieser Leute besitzt natürlich sein besonderes Zeichen, welches er dem Richter seines Bezirkes aufgeben muss. Verkauft der Eigenthümer sein Thier, so ist derselbe verpflichtet, dieselbe Marke oder Zeichen zum zweitenmale dem Thiere einzubrennen. Dieses zweite Zeichen ist die Contramarca und zeigt an, dass das erste ungültig, mithin das Thier gleichsam zeichenlos ist, und der Käufer ist dann verpflichtet, seine eigene Marke dem gekauften Thiere einzubrennen. Da diese Transaction des Kaufens und Verkaufens oft 10 bis 20 Mal mit demselben Thiere vorgenommen wird, so mag man urtheilen, welches bunte Aussehen dieses erlangt. Zwanzig bis vierzig verschiedene Marken, eine jede gewöhnlich 6—7 Zoll lang und ebenso breit (auch Marken von einem Fuss Länge und derselben Breite sind nicht selten) durchkreuzen mit ihren weiten Narben den ganzen Körper des Thieres. Ein besonderes Studium gehört dazu, sie zu entwirren und zu erkennen, ich habe in dieser Beziehung erfahrene Leute halbe Stunden vor einem einzigen Thiere stehen sehen, um die Hieroglyphen zu entziffern, und trotzdem erfolglos. — Fast ebenso sehr wird das Erkennen der Marke durch die Aehnlichkeit und oft vollständige Gleichheit derselben mit denen anderer Provinzen erschwert. Jede Provinz Argentiniens hat ihre besonderen Markenverzeichnisse, die man nie mit denen der anderen Provinzen vergleicht. Unter so vielen tausenden Estancieros oder Thiereigenthümern giebt es daher viele, die ganz gleiche Zeichen aufgegeben haben. Derjenige, der die verschiedenen Provinzen in ihrer Reihefolge durchreist, ist am besten im Stande, dies zu beobachten. So fand ich z. B. das Zeichen eines Ankers in Mendoza,

San Juan, Cordova und Tuçuman vertreten. Vier verschiedene Eigenthümer hatten also ein gleiches Zeichen, so dass, würde der Mendoziner mit seinen Thieren eine Reise nach Tucuman unternehmen, der San Juaniner, Cordoveser und Tucumaner jene Thiere als ihr Eigenthum beanspruchen könnten. Durch langen Zeitverlust und schwere Kosten würde er vielleicht im Stande sein, sich ein Attest von der Mendozinischen Polizei kommen zu lassen, aber fast unmöglich dürfte es ihm werden, zu beweisen, dass diese Thiere nicht die nämlichen sind, die einst dem Kläger nach dessen Angabe gestohlen wurden. Diese Schwierigkeit, den wahren Eigenthümer herauszufinden, die richtige Marke zu erkennen, macht es den Dieben so ausserordentlich leicht, unerkannt zu bleiben, es sei denn, dass sie auf der That ertappt werden. Auch besitzen sie eine ausserordentliche Geschicklichkeit, die Marke mit einem glühenden Nagel nachzuzeichnen, und somit dem geraubten Thiere die Contramarca zu geben. Die Verwirrung im Eigenthumsrechte, die durch diese verschiedenen Proceduren entstehen muss, ist schwer auszumalen, vorzüglich in einem Lande, wo sich nahe an 20 Millionen Stück Vieh befinden und wo dieses fast die gangbare Münze bildet.

Man hat seine Thiere fast ebenso sehr gegen die Diebe als gegen die Bestohlenen zu hüten. Findet irgend ein guter Nachbar eine gewisse Aehnlichkeit mit seiner eigenen Marke, und besitzt das Thier keine Contramarca, oder ist diese nicht zu erkennen, so macht er dem Richter Anzeige, dass sich ein vor so und so vielen Jahren ihm gestohlenes Thier wieder angefunden habe. Der Richter sendet seinen Adjutanten, um die Marke zu vergleichen; findet er sie richtig, so nimmt er das Thier in Beschlag und händigt es dem Kläger ein, und der Reisende mag sich hüten, gegen diesen Beschluss Einwendungen zu machen, da der Richter ihn so lange festsetzen lassen kann, bis er sich von dem Verdachte, das Thier gestohlen zu haben, gereinigt hat. Nur durch die Schnelligkeit unseres Reise, die den Leutchen keine Zeit liess, den Adjutanten des Richters zu holen, entgingen wir mehreremale dem Schicksal, auf besagte Weise einige unserer Thiere zu verlieren.

Am nächsten Mittage ritten wir dem, schon jenseits San Juan belegenen Dorfe Angaco zu. Der Weg selbst führte uns durch die Mitte der Stadt, welche nach Moussy auf 31° 30′ s. Breite, 69° 40′ w. Länge und 704 mètres über dem Meeresspiegel liegt. Die Bauart der Häuser und Strassen glich der Mendoza's und der in chilenischen Städten. In gleiche Quadrate von 120—140 Ellen Länge und eben solcher Breite theilt sich die ganze Stadt. Es ist diese Abtheilung zur Förderung des Transports ausserordentlich praktisch, zu gleicher Zeit vermehrt sie unbedingt die Schönheit des Ortes. Die Strassen, die wir bei unserm Durchreiten passirten, waren breit, stellenweis gut gepflastert und fanden sich nur dort, wo sie sich dem Rande der Stadt näherten, vernachlässigt. Die todtenähnliche Ruhe, die über der Stadt lagerte, hatte nichts Neues für mich. Die Häuser waren geschlossen, selbst die Fenster durch Läden verdeckt. Von Kaufläden, die man an den breiten Thüren erkennt, war kein einziger geöffnet; kein lebendes Wesen war in den Strassen zu sehen, kein Geräusch rollender Wagen und der Gassenjungen, kein Laut liess sich hören. Dem Neuling wird in solcher unnatürlichen Stille einer grossen Stadt am hellen Tage unheimlich zu Muthe. Das Wort „Siesta" erklärt dieses Phänomen. Von 12 bis 2 Uhr Mittags, wenn in unseren europäischen Städten der Lärm des täglichen Verkehrs seinen Höhepunkt erreicht, wird in San Juan der Tag zur Nacht gemacht. Um Mittag schliessen sich plötzlich alle Thüren; sowohl Geschäftsläden wie Privathäuser werden wie zur Nachtzeit verwahrt, denn von dem Herrn des Hauses bis zum letzten Diener giebt sich Alles dem Schlafe hin. Der Arbeiter, sei er auf dem Felde oder mit den Leuten beschäftigt, der Handwerker, der Kaufmann, ein Jeder zieht sich nach seiner Wohnung zurück, um sich dort eine längere oder kürzere Zeit zur Ruhe zu legen. Die Siesta ist diesen Leuten ein unabweisbares Bedürfniss geworden. Von 12 bis 2 Uhr schläft die gesammte Stadt, ja ein grosser Theil derselben bis 3 und ein nicht unbedeutender bis 4 Uhr. — Die Hitze, die um diese Tageszeit herrscht und wahrhaft entnervend auf die Constitution einwirkt, mag diese Sitte, oder besser gesagt Unsitte entschuldigen, aber gewiss nicht rechtfertigen. Ich bin überzeugt, dass, würde man sich nur während einer Woche der Siesta enthalten, die Gewohnheit bald im entgegengesetzten Sinne wirken und es dann eben so schwer machen würde, sich dem Schlafe hinzugeben, als sie ehedem den Widerstand gegen den Schlaf erschwerte. Beschäftigung, und geistige Beschäftigung vielleicht mehr wie körperliche, ist in der Regel das beste Mittel gegen die Erschlaffung und Abspannung, die gewöhnlich eine grosse Hitze mit sich führt.

San Juan, nach neueren aber immer nur ungenauen Zählungen besitzt nur 17,500 Einwohner, in welcher Zahl sich die Bewohner der umliegenden Dorfschaften, die oft nur eine Fortsetzung der Stadt selbst bilden, nicht mit eingeschlossen finden. Die ganze Provinz zählt 64,000

Bewohner und beträgt ungefähr, ich sage ungefähr, da die Scheidungslinie immer noch nicht genau gegen die sie begrenzenden Provinzen, im Norden gegen Rioja, im Nordosten gegen Santiago del Estero, im Osten gegen Cordova und im Süden gegen San Luis und Mendoza, bestimmt ist*), 2900 □Leguas, wonach, berechnet man die Zahl der Bewohner der die Hauptstadt umgebenden Dörfer auf 2500, für den Rest der Provinz, mit Ausschluss des Distriktes der Hauptstadt, man ca. 15 Bewohner auf jede Quadratlegua annehmen kann, eine Durchschnittszahl, die uns ungemein niedrig erscheinen muss, aber im Verhältniss zu verschiedenen seiner Nachbar-Provinzen, wie San Luis und die Rioja, und in Berücksichtigung der ausgedehnten Strecken unbewohnten und wüsten Landes, die niedrig angenommen sich auf 7/8 des gesammten Territoriums der Provinz belaufen, noch immer glänzend genug ausfällt. Dieses wüste Territorium besteht zum Theil aus mit Gras bewachsenen Ebenen und Hügelland, welches von den Estancieros zur Viehzucht, seltener zum Ackerbau benutzt wird, zum grossen Theil aber auch aus wüsten, vegetationsleeren Sand- und Salz-Ebenen, die sich besonders nach der Grenze Santiagos del Estero zu ausbreiten. Der Charakter der ersteren ist, wie schon bemerkt, nicht von der Fruchtbarkeit des südlicheren Mendoza begleitet. Wassermangel ist das grosse Uebel, welches jedes Aufkommen eines frischen Pflanzenlebens verhindert, und nur in späteren noch weit entfernten Zeiten, wenn sich die zunehmende Bevölkerung immer mehr in die Pampa hineindrängt, wird man durch Wasserleitungen Mittel finden, den Boden zu befruchten. Die Wohlhabenheit, die Thätigkeit der Provinz concentrirt sich fast gänzlich in den wenigen kleinen Städtchen, die die Provinz aufzuweisen hat, und in der Hauptstadt San Juan selbst. Die industrielle Thätigkeit der Stadt ist ausser der Verarbeitung natürlicher Produkte gering und beschränkt sich fast nur auf die Gewerbetreibenden. Grobe wollene Stoffe zum Bedarf der Bewohner der niedern Klasse werden von diesen gesponnen, aber da das Material, die Wolle des gemeinen Schafes (oveja criolla), nur in geringen Quantitäten im Lande producirt wird, so fehlt es ihnen oft, und sie finden sich daher genöthigt, die in Mendoza oder Tucuman fabricirten Stoffe zu kaufen. — Aus den Häuten ihrer zahlreichen Heerden Leder zu fabriciren, wie es mit Ausnahme von nur zwei Provinzen im ganzen Argentinien geschieht, hindert sie der Mangel eines geeigneten Gerbemittels. Obwohl man eine

*) Nur im Westen bestimmt der Kamm der Andes genau die Grenze zwischen San Juan und Chile.

Wurzel entdeckt hat, die den Anforderungen der Gerber Genüge thut, ist bis jetzt die Gerberei nur im Kleinen ausgeübt. Den grössten Theil ihres Leders und schon verfertigten Lederzeuges, von dem vorzüglich die Recados (Landessättel) eine wichtige Rolle spielen, dessen sie für ihren Consum bedürfen, beziehen sie aus Tucuman und Salta.

Deutsche giebt es wenige in der Stadt. Ausser Italienern und Franzosen, deren Zahl man auf 1500 schätzt, findet sich fast keine Nation vertreten. Dass diese Provinz mit ihren weiten, unbebauten Ländermassen der Emigration ein grosses und nicht unvortheilhaftes Feld eröffnen würde, ist eben so natürlich, als dass Einwanderer en masse erst nach vielen Jahrzehnten ihren Weg durch die weiten Steppen Argentiniens oder über den hohen Andesrücken hierher nehmen werden, denn bevor sie dieses Land erreichen, finden sie Tausende von Quadratmeilen gänzlich unbewohnten und doch natürlich fruchtbaren Landes, welche der Küste näher, den Vorzug über das entfernte San Juan erhalten werden. Ich stehe daher ab, die günstigen und ungünstigen Verhältnisse für Einwanderer hier anzudeuten, deren Beschreibung ich mir in den östlichen, dem Meere näher belegenen Provinzen zur Pflicht machen werde.

Da nicht daran zu denken war, unsere Absicht, Lebensmitel für unsere Reise zu kaufen, zur Siestazeit auszuführen, so beschlossen wir, dieses von dem Dorfe Angaco aus zu bewerkstelligen, um so mehr, da es nothwendig war, dort unseren Maulthieren einige Ruhetage zu gönnen, sowohl um sie sich von den gehabten Beschwerden erholen zu lassen, als auch um Kräfte für die Weiterreise zu sammeln. Wir waren im Begriff, in die wasserleeren Flächen der Riojanischen Llanos einzudringen, und wohl bedurften wir kräftiger Thiere, um uns auf sie verlassen zu können.

Angaco, an dem Fusse des Pié de Palo belegen, ist ein reizendes Dorf. Von San Juan und über den Fluss desselben Namens kommend, gelangt man in ein ebenes Gebiet, welches von zahlreichen, zuweilen natürlichen, meistens künstlichen Canälen, Arme jenes Flusses, durchzogen und befruchtet wird. Landhäuser, nur die ärmeren mit Stroh, die wohlhabenderen mit flach gelegten Mauersteinen bedacht, mit Asphalt überzogen*), alle mit einer lieblichen Schlingpflanze, bald weissen und rothen Passionarien (Passionsblume), bald Weinreben bedeckten Veranda versehen, liegen überall zwischen den Gärten und Feldern zerstreut, oder

*) Ich nahm in San Juan kein einziges mit einem schrägen Ziegeldache versehenes Gebäude wahr.

11*

schmücken die Seiten des Weges. Vier deutsche Meilen zieht sich dieser Weg hin, bis Angaco erreicht wird. Eine zierliche, wenn auch kleine, weissgetünchte Kapelle zieht schon von weitem die Aufmerksamkeit der sich dem Dorfe Nahenden auf sich. Die Fruchtbarkeit, die üppige Vegetation, die sich in den Gärten und Feldern auf dem Wege hierher zeigt, verdoppelt sich in der unmittelbaren Nähe des Dorfes. Dichtgedrängte Baumgruppen, unter denen sich vorzüglich die südlichen Fruchtbäume, Orangen, Feigen, Oliven durch ihre Menge hervorthun, wechseln mit den unabsehbaren, dichtbelaubten Weinpflanzungen und den noch ausgedehnteren Kleewiesen, Blumen- und Gemüsegärten; Getreidefelder in geringerem Umfang. — Aber Alles scheint dicht gedrängt, jeder, auch der kleinste Raum zur Saat benutzt. — Nur zu grosse Ursache hat der Bauer dieser Gegend zu dieser Beschränkung. Der Boden, der sich flächenartig und allmählich erhebt, je mehr er sich von dem in der Tiefe fliessenden Gewässer entfernt, wird öder und öder, bis plötzlich die letzte Alfalfawiese von dem dürren, sandigen Boden der Wüstenei begränzt wird. Wählt man in Angaco einen günstigen Standpunkt, auf welchem keine Baumgruppen und Gebäude den freien Blick hindern, so erkennt man diese allmähliche Erhöhung des Bodens, von der allmählichen Abnahme der Ueppigkeit in der Vegetation begleitet. Amphitheatralisch hebt sich die Umgegend und legt sich dadurch in ihren fernen Winkeln den Blicken bloss. In dem freieren Theile des Naturbildes, welche gewöhnlich die sanft ansteigenden Kleewiesen bezeichnen, erkennt man selbst eine weisse Linie, die scharf begränzend sich im Halbkreise um das tiefe Grün legt. Diese weisse Linie ist in dieser Richtung die Grenze der Vegetation, nicht allein der des Dorfes Angaco, sondern der Provinz San Juan. Sie ist der Beginn der Wüsten, welche theils aus verdorrtem Grase bestehen, die sich am östlichen Fuss der Andes fast ununterbrochen vierzig deutsche Meilen hinziehn, um dann, von den lieblichen Thälern des „Rio Fertil“ durchbrochen, jenseits derselben in der Salzwüste eine noch grössere Fortsetzung zu finden. — Jene weisse Linie bildet eine traurige Zugabe zu dem Gemälde, welches sich uns in dieser Gegend entfaltete, und sie erklärte nur zu gut die Emsigkeit der Bewohner, die auch den kleinsten Raum zur Bebauung benutzen. Die dunklen Umrisse des Pié de Palo unterbrachen jene Linie am östlichen Ende ihres Halbkreises. Der Berg ist auf diesem Abhang dicht bewaldet, die hohen Fichten und Nadelhölzer, mit denen er bedeckt ist, erschienen uns kaum grösser wie wenige Fuss hohes Buschwerk. Nur der obere Theil desselben ist kahl und zeigt die grauen, theilweise mit Nebel bedeckten Felsen, die sich im Winter mit Schnee überziehen.

Wir fanden kein Gasthaus im Dorfe, doch bald bot sich uns ein, unsern Wünschen entsprechendes Quartier. Die Leute, die uns von ihren Häusern aus suchend umherreiten sahen, winkten und boten uns Obdach; aber Vielen mussten wir ihr freundliches Anerbieten trotz ihrer uneigennützigen Güte und Gastfreundschaft abschlagen, denn wir durften nicht so sehr unsere eigene Bequemlichkeit zu Rathe ziehn, als die unsererer Thiere, um derentwillen wir ja eigentlich zu rasten beschlossen hatten. In dem Hause, wo wir abstiegen, fand sich das Wichtigste: gute Weide für die Thiere mit einiger Annehmlichkeit für uns vereinigt. Unsere Wirthin, eine äusserst gutmüthige Frau, unseren deutschen wohlhabenderen Bäuerinnen nicht unähnlich, schien unsere Ankunft als ein festliches Ereigniss betrachten zu wollen. Da wurde gereinigt, gescheuert, die Knechte herausgerufen, um den Maulthieren die Sättel abzunehmen, die Mägde hier und dorthin getrieben, um Feuer zu machen, Eier zu suchen, einem Huhn den Hals umzudrehen, Wasser zu holen. Gross war der Wirrwarr, und ähnlich dem in kleineren deutschen Gasthäusern auf der Landstrasse bei Ankunft einer wichtigen Person, nur mit dem Unterschiede, dass dort wo möglich jeder Schritt, jeder Athemzug, den der Wirth und die Wirthin für den Gast thun, schwer bezahlt werden muss, während hier dem Benehmen unserer Wirthin nichts als eine liebenswürdige Gutmüthigkeit, eine edle Gastfreundschaft zu Grunde lag. Auch fanden wir uns bald gemüthlich; unser Abendessen, mit so freundlichem, uneigennützigem Gesicht gegeben, schmeckte mir vortrefflicher, als die grossartigen Diners, denen ich zuweilen Gelegenheit hatte, in grösseren Städten beizuwohnen. Selbst die etwas grobe, ächt englische Zumuthung Hunters konnte die Freude unserer Wirthin nicht stören. Er hatte nämlich unter den Speisen, die man uns auftrug, einen ausgezeichneten Schinken entdeckt, ein Bissen, welcher ihm besonders munden mochte. Er fragte die Frau, wie viel der Schinken kostete. Sie antwortete etwas piquirt, dass sie nicht gewohnt sei, ihren Gästen Geld abzunehmen, und dass er also nichts koste. Hunter blickte erstaunt auf. „Nichts soll er kosten," rief er, „gut, so bringt mir einen zweiten!" Gewiss in dieser Lage eine schlechte Witzelei, aber so recht Character bezeichnend, und zugleich eines jener vielen Beispiele, wie oft die edle Gastfreundschaft der Eingebornen von rohen Fremden gemissbraucht wird. —

Die Frau theilte uns mit, dass ihr Mann noch in der Chacra arbeite und wir ihn erst am Feierabend sehen würden. Spät am Nachmittage, à la oracion, kam dieser auch zu Hause; wir fanden ihn eben so freundlich, wie seine liebe Hälfte, so dass unser heutiges Quartier uns nichts zu wünschen übrig liess. Selbst der alte Don Romualdo, der immer etwas zu tadeln fand, schien vollkommen befriedigt.

So sehr unsere Thiere der Ruhe bedurften, um sich für kommende Beschwerden vorzubereiten, so sehr war es uns selbst, nachdem wir einen Tag geruht, unmöglich, längere Zeit mit Nichtsthun zu verbringen. Der nahe Pié de Palo mit seinen düstern Nadelhölzern, seinen romantischen Klüften und den zahllosen Sagen und Erzählungen wahrer und falscher Abenteuer, die über denselben im Umlauf sind, und deren uns unser Wirth mehrere zum Besten gab, zogen uns zu sehr an, als dass wir der Versuchung, einen Ausflug nach jenem Berge zu machen, hätten widerstehen können. Von unserem Wirth, der seinen unterdrückten Seufzern nach zu urtheilen sich nach jener Zeit zurücksehnen mochte, wo er als junger, flüchtiger Gaucho die Wildnisse durchstreifte, ging dieser Vorschlag, von dem Anerbieten seiner Dienste als Führer begleitet aus, und wir gingen auf seine Pläne mit desto grösserem Vergnügen ein, als er versprach, uns für diese Excursion mit frischen und starken Pferden zu versehen. Wir beschlossen, auf eine gewisse Höhe des Berges zu gelangen, um von dort aus auf einem Felsenvorsprung das Thal San Juan fast aus der Vogelperspective zu übersehen; allein, wie gesagt, mehr als diese Aussicht, die, wenn sie auch die Mühe des Ersteigens jener Höhe werth war, dem Reisenden jedoch ein zu bekanntes Schauspiel ist, als dass er ihrer selbst willen die Arbeit unternommen hätte, trieb uns die Lust zur Abwechselung und die Hoffnung auf Abenteuer, die wir dort, wo so viele interessante Begebenheiten stattgefunden haben sollten, auch für uns erwarten zu können glaubten. Jene Erzählung der Kämpfe mit wilden Thieren, dem Löwen und Jaguar, mit den Gauchos, die von den berüchtigten Ebenen der Rioja sich in diese Berge wagen, wunderlich vermischt mit Sagen aus der alten Indianerzeit, von Gnomen, die die reichen Schätze der Bergwerke bewachen, und von dem fabelhaften Mineralreichthum des Berges, umgeben denselben mit einem romantischen, geheimnissvollen Nimbus. Unter dem Nebelschleier, den man während des grössten Theiles des Jahres über ihn ausgebreitet sieht, glaubt man die mannigfaltigsten Bilder zu sehen. Kinder der momentan erregten Phantasie, zerstreuen sie sich bald, lassen aber eine heisse, eine geheimnissvolle Sehnsucht zurück, in jene wilden, selten betretenen Einöden einzudringen. — Wir beschlossen, Nicolas zurückzulassen, um die Maulthiere während unserer Abwesenheit zu hüten; unser Wirth, Hunter, Don Romualdo und ich ritten am nächsten Morgen vor Sonnenaufgang in der Richtung des Berges ab. Ersterer hatte sein Versprechen gehalten, unsere Pferde waren gut, sie gehörten einer kleinen, ausdauernden Race an, die in dem südlichen, flachen Argentinien seltener wie in dem nördlichen, bergigen ist. Mit Ausdauer verbinden sie Kraft und eine Gewandtheit im Ersteigen der Anhöhen, die der des Maulthiers fast gleich kommt, während sie diesem an Schnelligkeit weit überlegen sind. Ein Freund unsers Wirthes, von welchem dieser sie gemiethet hatte, soll sie von Juyuy mitgebracht haben.

Ich will dem Leser diese Wanderung nicht näher schildern. Nichts Neues bieten ihm diese dunklen Fichtenwälder, diese rauhen Gebirgswege; auch wie es zu erwarten war, ein Abenteuer wollte uns nicht begegnen. Die engen, steilen Pfade führten uns bald zwischen hohen Baumgruppen, bald durch niederes Dornengestrüpp einem frei über der Tiefe hängenden Felsen zu, von welchem wir weit und breit das Thal übersahen. Es war drei Uhr Nachmittags vorüber, als wir dort anlangten, und die Nacht wurde daher in der Nähe verbracht; eine kalte, schaurige Nacht war es. Wir lagen zitternd und frierend auf dem harten Felsboden, Jeder mit seiner Pferdedecke bedeckt. — Der Reif, der weit und breit den Boden und die Aeste der Bäume überzogen hatte, leuchtete in dem fahlen Mondlichte wie frischgefallener Schnee. Das Geheul der hungernden und frierenden Füchse, die sich in unserer Nähe versammelt hatten und uns um unser Feuer zu beneiden schienen, wurde dann und wann von dem heiseren, brüllenden Ton des Berglöwen unterbrochen und zum Schweigen gebracht. Es war eine allerliebste Nachtmusik, die im Verein mit der angenehmen Witterung uns selbst an den Versuch eines Einschlafens nicht denken liess. Am nächsten Morgen, anstatt weiter in diese unwirthbare Gegend einzudringen, wie es unsere Absicht gewesen war, wurde Kehrt gemacht, und wir eilten, so rasch wie möglich wieder zu dem freundlichen Hause unsers Gastfreundes im Thale zurückzukommen. Ich tröstete mich auf eine spätere Zeit, da ich dann die Absicht hegte, mit Musse und allen nöthigen Vorbereitungen ausgerüstet, in diese Berge einzudringen, um seine mineralogischen Vortheile näher zu untersuchen. — „La sierra les ha acobárdado", (der Berg hat sie muthlos gemacht), sagten uns die Nachbarn, die sich bei unserer Rückkehr im Thale versammelten, aber dem war nicht so. — Würden wir mit einem anderen Zweck, als eine unbestimmte Neugier zu befriedigen, in jene Wildniss gedrungen sein, so hätten die Hindernisse in der That gross sein müssen, die uns von dem Ausführen unsers Vorhabens abgehalten hätten. Das, was uns zurückschlug, war unsere Zwecklosigkeit, die uns mehr oder weniger jede mühsam zurückgelegte Meile als verlorene Arbeit erachten liess.

Von San Juan bis zum nächsten Ort im Norden, Moquina, werden dreissig Leguas gerechnet. Diese Strecke ist durchaus wüst und mit Ausnahme einiger erbärmlichen Hütten, die sich ungefähr halbwegs zwischen San Juan und Moquina befinden, auch gänzlich unbewohnt. Jene Hütten, die man vom Wege aus wie zwei oder drei Punkte am Horizont wahrnimmt, sind von den Hütern des wenigen in diesen öden Strecken weidenden Hornviehs bewohnt. Als wir uns am Nachmittage in ihrer Nähe zu befinden glaubten, schauten wir jedoch vergebens nach denselben aus.

Der Weg, der sich allmählich in dem tiefen Sande verlor, wurde nur mit Mühe von unsern Führern erkannt. Schwerfällig schritten die Maulthiere auf dem unsicheren Boden fort; ihre Müdigkeit theilte sich ihrem Reitern mit. Von 4 Uhr Morgens ritten wir, mit Ausnahme einer einzigen Ruhestunde, die unsern Thieren unbedingt nothwendig geworden war, bis um 9 Uhr Abends. Wir rechneten, dass wir etwa 24 bis 25 Leguas gemacht haben mussten. Diese ungewohnte Anstrengung, und noch mehr die glühende Sonnenhitze, die wir fast während des ganzen Tagemarsches erlitten hatten, hatte uns alle sehr ermüdet. Ich, der an forcirte Märsche am wenigsten Gewöhnte, litt am meisten und erlag zuerst den Anforderungen des Körpers. Trotzdem würde ich meine Gefährten vielleicht nicht zum Halten aufgefordert haben, aber die ungewissen Antworten Don Romualdo's liessen uns nur zu sehr fürchten, dass der Weg verfehlt sei. Wir fanden uns daher der Wahrscheinlichkeit ausgesetzt, diese schwere Anstrengung ohne Resultat zu erdulden, ohne zu wissen, ob wir, anstatt unserm Ziele näher zu kommen, uns nicht von ihm entfernten. Es ging, ich gestehe es, über meine Kräfte, den Weg fortzusetzen, und obwohl inmitten dieser Oede ein Nachtlager von nicht geringen Gefahren begleitet war, beschlossen wir, uns diesem lieber auszusetzen, als todtmüde in der Nacht umherzuirren. Trotzdem wurde dieser Entschluss nicht ausgeführt, ohne uns ernstlich berathen zu haben. Die Gegend dieser Ebene war der Menge der Tiger wegen, die hier hausen, höchst verrufen. Von dem nahen Llanos der Rioja kommend, durchstreifen sie häufig diese Wüsten, um sich von den Viehheerden der nördlichen Estancias von San Juan zu mästen. Diese boten nicht das einzige Risiko; unsere durstigen Thiere, die seit unserer Abreise am Morgen nicht getränkt worden waren, würden gewiss versuchen zu entkommen, wenn wir uns in der Nähe Moquina's befinden sollten. Der Instinkt dieser Thiere, aus der Ferne das Wasser zu wittern, ist bewundernswerth; ein Vortheil, der manchem Verirrten zu gute gekommen ist, ja wohl manches Menschenleben gerettet hat, der uns aber der Gefahr des Verlustes der Thiere wegen höchst fatal werden konnte. — Am Fusse eines vereinzelten Algaroba lagerten wir uns; rings im Kreise wurden mehrere grosse Feuer angezündet, um die wilden Thiere abzuhalten. In das Innere des so gebildeten feurigen Zirkels trieben wir die Maulthiere, indem wir zur grösseren Sicherheit mehrere derselben, die uns als besoders scheu bekannt waren, die Vorderfüsse mit einem Riemen lose zusammenbanden; diese Bande hindern die Thiere nicht am langsamen Fortgehen, wohl aber am Fortlaufen. Auch die leitende Stute wurde derselben Operation durch die „manea" unterworfen. — Der alte Romualdo, Nicolás und mein Freund Hunter theilten sich in die Wache der Nacht. Die Arbeit des Wachthabenden bestand in der Unterhaltung der Feuer sowie im fortgesetzten Umreiten des Lagers. Auch ich wünschte meinen Theil an der Wache zu haben, allein meine Gefährten mochten wohl meine jetzige Unfähigkeit einsehen, besonders war es der Alte, der sich am stärksten gegen mein Anerbieten auflehnte. Gewöhnlich im hohen Grade egoistisch, schien er jetzt nur von Theilnahme für mich beseelt; überhaupt that er Alles, was in seinen Kräften stand, um uns durch zuvorkommendes Benehmen, wie es der ermüdete Reisende so gern an seinen Begleitern sieht, den neuen Bock, den er als unser Führer geschossen hatte, vergessen zu machen. Mir war dies Ausschliessen von der Arbeit dieser Nacht nur zu genehm. Eine bleierne Schwere lag mir in den Gliedern, ein fast unerträgliches Kopfweh schien meine Schläfe sprengen zu wollen. Trotz der Kälte der Nacht fühlte ich eine starke innere Hitze, die von plötzlichen kalten Schauern unterbrochen wurde. Ich schien mit einem Wort auf dem besten Wege, die Terziana zu bekommen. Die Terziana ist ein in diesen Gegenden sehr gefürchtetes Wechselfieber, welches alljährlich manche Opfer fordert. — Meine Gefährten, die eigene Müdigkeit vergessend, gaben mir ein tüchtiges Schwitzmittel ein, ich hüllte mich in meine Decken, denen man noch diverse hinzufügte; doch noch lange währte es, bis ich nach fieberhaften Träumen aus einem halbwachen Zustande in einen ununterbrochenen, erquickenden Schlaf verfiel.

Auch meinen Gefährten mochte die Nacht unruhig genug verflossen sein. Als ich etwa um 9 Uhr erwachte, umstanden sie mein Lager, und mit nicht sorgenlosem Tone fragten sie nach meinem Befinden. Glücklicherweise befand ich mich weit besser, — kein Zeichen war mehr von dem gefürchteten Fieber zu merken, — die fieberhaften Schläge der Pulse hatten aufgehört, — ebenso spürte ich nichts vom Kopfweh. Was wir für Terziana gehalten, war nur eine Folge der Abspannung gewesen. Ich konnte Gott für diese Gunst danken, und that dies gewiss mit aufrichtigem Herzen. — Aber war ich diesmal einer ernstlichen Krankheit entronnen, so sollte ich später nicht so gut davon kommen. Noch hatten wir das krankhafte Klima Tucumans und das in gewissen Gegenden noch krankhaftere Salta's zu passiren. In jenen Orten sollte mein Freund Hunter noch traurige Erfahrungen machen.

Obwohl Moquina nur noch etwa drei Leguas von unserem Ruheplatz entfernt war und auch der Weg vom alten Romualdo beim ersten Grauen des Tageslichtes erkannt wurde, kamen wir doch erst um zwölf Uhr daselbst an. Die Maulthiere wurden durch den oft fusstiefen, losen Sand zu langsamem Gehen gezwungen. In dem kleinen Oertchen angekommen, wurden wir gastfrei von den Bewohnern empfangen, und nachdem wir unsere Thiere gut untergebracht, fielen wir Alle, trotz des Nachtlagers in der Pampa, in tiefen Schlaf. — Die Erschlaffung, die ich vorzugsweise auf dieser Jornade gefühlt habe, war nicht so sehr Folge der körperlichen Anstrengung, als der wirklich furchtbaren Sonnenhitze, wie ich sie schon auf früheren Reisen durch die Wüste Atacama und der südlichsten Provinz Peru's, Tarajacá, gefühlt habe, aber nicht von dieser plötzlichen Veränderung der Temperatur begleitet. Die Abwechselung von übermässiger Hitze zur übermässigen Kälte ist wahrhaft überraschend. Wenn während der Nacht der von den nahen Schneeflächen und aus den Schluchten der Andes herstürmende Wind über die Steppe fegt, so wird es Winter, trotzdem der Kalender den Sommer anzeigt; der Gaucho hüllt sich zähneklappernd in seinen wärmsten Poncho, nicht selten verdirbt der Frost seine kleine Erndte an Gerste oder Mais. Der Boden bedeckt sich mit einem schneeähnlichen Reif, ja die kleineren Lagunen gefrieren in strengeren Nächten; aber plötzlich wechselt der Wind, gewöhnlich beim Anbruch des Tages, oft aber auch in der

Nacht, und geht vom Westen zum Norden oder Nordost. Dann füllt sich die Atmosphäre mit den heissen trocknen Luftströmen, die sich von den nördlichen Wüsten lösen. Von 8—10° Kälte wechselt der Thermometerstand plötzlich bis zu 25—30° Wärme. Wo man sich vorher vor der Kälte in seinem Mantel zu schützen suchte, vermag man einen Moment später, wenn dieser Wind aus der Pampa ansetzt, kaum zu athmen, die heisse Luft beklemmt die Brust, vergebens setzt sich der Neuling dem Wind aus; anstatt Kühlung, die er erwartet, erstickt er fast an dem heissen Strome, der ihm Kehle und Brust zuzuschnüren scheint. Dieser Wechsel, den wir so recht auf unserer Jornada zwischen San Juan und Moquina kennen gelernt, war die Hauptursache unseres furchtbar ermatteten und aufgeriebenen Zustandes, der auf andere Weise kaum erklärt werden kann.

Der kleine Flecken Moquina ist trotz seiner Unbedeutenheit, trotz seiner fast hässlichen Lage dem Reisenden immer willkommen. Mag er kommen, von welcher Richtung es auch sei, immer wird er lange, wüste Strecken durchschritten haben, und dieses kleine, öde Moquina mit seinen dünnen Algarobahölzern, welches, wenn in einer fruchtbaren Umgegend belegen, man eine Wüstenei nennen würde, erscheint in dieser trostlosen Nachbarschaft als ein hübscher einladender Ort. An einem kleinen Flüsschen belegen, welches den Andes entquillt, ist Moquina wegen des geringen Wassergehalts desselben, der in trockenen Sommern nicht selten gänzlich versiegt, nur immer ein unbedeutender Ort geblieben. Der salzige Boden, der einen grossen Theil der Umgegend einnimmt, lässt auch in regenreichen Jahren kein rechtes Gedeihen aufkommen. Das Hornvieh, welches in Südamerika selbst in den Wüsten zu gedeihen scheint, selbst dieses ist nur im Stande, in nächster Nähe des Flüsschens Moquina zu leben. Der geringe Viehstand findet daher keine Vermehrung, und befindet sich den grössten Theil des Jahres in sehr schlechtem Zustande, nur wenn die Frucht des Algaroba reift, bessert sich dieser etwas, da nur dann die Thiere im Stande sind, sich vollkommen zu sättigen. — Die Bewohner finden sich daher auf den Ackerbau angewiesen, und dieser im Verein mit den Kleeweiden, die sie den zahlreichen durchwandernden Trupps der Reisenden vermiethen, giebt ihnen nicht allein die nöthige Nahrung, sondern hat sogar Manchen aus ihrer Mitte bereichert, obwohl im Ganzen der Wohlstand selten genug sein mag. Hat einer der Bauern ein kleines Kapital erspart, so hält er es nicht lange in diesem öden Winkel aus, er zieht mit Hab und

Gut nach San Juan, um dort mit leichterer Mühe und grösserer Aussicht auf ein günstiges Resultat seinen Acker zu pflügen. Merkwürdig ist eine solche Familienkaravane anzuschauen: auf einem Gaul oder Maulthier reist die ganze Sippschaft. Der Vater sitzt im Sattel, vorn auf dem Halse des Thieres ein junges Bürschlein haltend, die Mutter auf den Schenkeln des Thieres, gleichfalls mit einem oder zwei kleinen, nackten, dunkelbraunen Amoretten beladen; zu beiden Seiten des Thieres baumeln die gewichtigen Alforgas und womöglich noch drei oder vier Töpfe — ein zweites Maulthier mit Lebensmitteln und Trinkgeschirren beladen folgt dem ersten, an dessen Schweif es mit einem nicht zu langen Lasso festgebunden ist. — „Glaubt Ihr mit diesen schwerbeladenen Thieren die dreissig Meilen nach San Juan machen zu können?“ fragte ich den Führer einer solchen Reisegesellschaft, die bei dem Hause unseres Gastfreundes in Moquina langsam vorüberzog. — „Es hat keine Noth, mein Herr,“ antwortete der Mann, „wir werden quer durch die Pampa gehen, wo wir mehrere Estancieros antreffen, die uns Thiere leihen werden.“ — Ich erfuhr später, dass überhaupt einzelne eingeborne Reisende selten den Hauptweg, der die Pampa immer in gradester Richtung durchscheidet, nehmen, sondern sie ziehen nach den Estancias, die weit verbreitet über die Pampa oft in 15 — 20 Leguas Entfernung vom Wege liegen. Auf diese Weise machen sie den Weg von einem Orte zum andern im grossen Zickzack, und wo der grade Weg zwanzig Leguas misst, machen sie dreissig und vierzig, aber sie umgehen dadurch oft das höchst beschwerliche Durchreiten der Wüsten, wie dieses mit jener oben erwähnten Famile auf ihrem Wege zum Süden der Fall war.

Noch erwähnenswerth ist in Moquina die Ernte der Johannesbrodfrucht, die die glücklichste Episode des Jahres der Moquinianer bildet, obgleich sie für diese lange nicht die Wichtigkeit wie für die Bewohner der mittleren wüsten Distrikte Rioja's und stellenweis Catamarka's besitzt. In jenen Provinzen werden wir auf diese Wichtigkeit, die oft Lebensfrage wird, zurückkommen.

Wir hielten uns nicht lange in Moquina auf. Hunter hatte einige Geschäfte in dem Städtchen Jachal abzumachen, das fast in grader Linie zwanzig Leguas westlich von Moquina, also nicht auf unserm Wege zum Norden lag. Um daher nicht alle unsere Thiere der Arbeit und konsequenten Ermüdung dieses weiten Umweges auszusetzen, beschlossen wir, Hunter und ich, allein auf zwei starken Maulthieren den Umweg über Jachal zu machen, während das Hauptcorps unserer Expedition unter dem Alten und Nicolás den graden Weg zum Norden verfolgen sollte. In Salinas, einer bekannten Estancia, die ungefähr im Scheitelpunkt des zu 40° geneigten Winkels liegt, an dessen Schenkelpunkte sich Moquina und Jachal befinden, sollten sie uns erwarten, da wir direct von Jachal nach Salinas gehen würden. — Es war dieser Plan um so zweckmässiger, als der Umweg, den wir zu machen beabsichtigten, uns als ungewöhnlich rauh geschildert wurde, und was die unzureichenden Kräfte zweier Thiere für diese lange Strecke betraf, so hatte Hunter Gewissheit, bei seinen Freunden in Jachal deren geliehen oder gemiethet zu bekommen. Auch wegen unsers alleinigen Ausfluges nach Jachal hatten wir keine Furcht; da man uns sagte, dass der Weg den Lauf des Flüsschens stromaufwärts verfolgte, fürchteten wir nicht, ihn zu verfehlen; aber wir sollten Grund haben, diese Unachtsamkeit zu bereuen. Schon nach wenigen Leguás trennt sich der Weg von dem Flusse, indem er in südlicher Richtung eine bedeutende Abweichung von der geraden Linie zu durchschneiden sucht. Schon nach wenigen Augenblicken verloren wir den Fussgang aus den Augen; wir hatten nichts als den Weg, uns weiter zu finden, allein nicht selten verschwand dieser unter dem fusshohen, trocknen Grase oder verlor sich in den Büschen. Ja, als wir nach mehreren Stunden endlich den Weg erreichten, wer beschreibt unser Erstaunen, als wir uns plötzlich auf der rechten Seite des Flusses, anstatt auf der linken befanden, von welcher wir von Moquina ausgegangen waren. Es war ein umwölkter Tag, und so wurden wir erst beim zu Rathe ziehen des Taschencompasses, den Hunter unter derbem Fluchen aus der Tasche zog, gewahr, dass wir gen Osten, also zurück nach Moquina ritten. Bei dem Aufsuchen des Weges hatten wir unserer früheren Richtung allmählich den Rücken gekehrt, ohne es gewahr zu werden, wie es verirrten Reisenden nicht selten geschehen soll.

Obwohl wir bei Tagesanbruch von Moquina fortgeritten waren, wurde es dennoch Abend, bevor wir das 12 Leguas von jenem Orte entfernte Tucumucu erreichten. Der Fluss, der in dieser Gegend viele salzige Theile enthält, die sich merkwürdig genug in seinem weiteren Laufe bei Moquina wieder bis auf's Unwahrnehmbare verringern, enthält genügende Wassermasse, lässt aber eben der Qualität derselben wegen keine ordentliche Vegetation aufkommen; niedriges Buschwerk, Disteln, Pampagras, hin und wieder vereinzelte Algarobas, einige Araucarien, häufiger Weiden, bilden das Pflanzenreich an den Ufern des Flüsschens, bis Tucumucu selbst erreicht wird. Dort verändert sich diese Aussicht zu ihrem Vortheil. Der Fleiss der wenigen Bewohner, im Verein mit einem ausgezeichneten, fetten Ackerboden, mit dem die Natur dieses Fleckchen Erde begabt, hat hier, wenn auch kein Paradies, doch einen lieblichen, fruchtbaren Ort geschaffen, der sich dem Ankömmling des grellen Contrastes mit der öden Umgegend wegen, im besonderen vortheilhaften Lichte zeigt. Nicht unbedeutende Weizen- und Maisfelder, Gemüsegärten und Alfalfawiesen, hin und wieder mit Tabacksfeldern untermischt, umgeben das kleine Dorf, welches malerisch unter den Weiden, den angepflanzten Pappeln- und Fruchtbäumen versteckt liegt. Neben dem Ackerbau gewährt ihnen die Viehzucht gute Vortheile, wenn auch in geringerem Grade wie jener. Das Völkchen könnte trotz seiner Abgeschlossenheit von der Welt zufrieden sein, wenn der Fluss, einerseits ihr Wohlthäter, ihnen nicht anderseits Ursache zu fortgesetzten Sorgen böte. So gesucht sein Wasser im Sommer ist, so gefürchtet ist es im Winter oder vielmehr im Frühling. Das ihm naheliegende flache Land, welches nur wenige Fuss über seinem Niveau beim mittleren Wasserstande liegt, wird dann von der aus den Bergen strömenden Wassermasse überschwemmt und gefährdet häufig die Felder, ja die Gebäude und das Leben der Bewohner. — Am nächsten Morgen kamen wir in Cruz de Piedra oder Steinkreuz an, ein Tucumucu in jeder Beziehung ähnliches, nur vielleicht an Grösse um die Hälfte übertreffendes Dorf. Auch hier fanden wir ausgezeichneten Ackerboden, und die Felder im üppigen Zustande, wenn gleich die Bewohner sehr über die wechselvolle Temperatur klagten, durch welchen Uebelstand so manche Ernte missräth. Allmählich merkt man auch schon, dass man sich in grosser Nähe der Berge befindet. Der felsige, oft steil auflaufende Weg, — das Verschwinden der Ebene, — das Erscheinen der Quebradas, — ebenso die veränderte Vegetation zeigen uns unsern Eintritt in das Reich der Andes an. —

Jachal, eine kleine Stadt von 15—1600 Einwohnern, denen es jedoch ehedem zur Blüthezeit des Handels zwischen diesem Orte und Copiapó, ungefähr vor einem Jahrzehnt, über zweitausend zählte, gehört noch zur Provinz San Juan. Wenige Meilen nordwärts der Stadt zieht sich aber schon die Grenze zwischen jener und Rioja entlang. — Der Reisende, der sich der Stadt von Osten kommend nähert, wenn er die letzte der Anhöhen erstiegen hat, die ihn von dem Jachal-Thale trennen, befindet sich auf dem höchsten Punkt eines im Halbbogen sich hinziehenden Bergrückens. Andere gewaltige Bergjoche schliessen sich diesen gleichfalls bogenartig und in scheinbar kurzen Zwischenräumen an, so dass die bergige Umgebung des Thales einem eine weite Ebene umschliessendem Ringgebirge gleicht. Jene Ebene läuft gen Westen meilenweit fort, und verliert sich dort in dem bläulichen Nebel der Ferne, der am Fusse des gegenüberliegenden mit schneebedeckten Kuppen geschmückten Gebirges lagert. Einzelne Theile jenes Gebirges, welches schon den Andes angehört, treten in deutlichen Umrissen auf dem blauen Grunde hervor. — Den längsten Durchmesser dieser ovalförmigen Ebene schätzte ich auf zehn bis zwölf deutsche Meilen, den kürzesten auf sechs bis sieben. Später erfuhr ich aber, dass die doppelte Ziffer meiner Schätzung noch um einige Quadras hinter der Wirklichkeit zurückbleiben würde. Die Durchsichtigkeit der Luft erreicht selbst in den tieferen Theilen des Landes, sowohl in Argentinien wie in Chile, einen wahrhaft erstaunenswerthen hohen Grad, aus welchem Grunde es für den Fremden sehr schwer wird, die Entfernung nach dem blossen Augenmaass richtig zu beurtheilen.

Der feine Nebel, der in dieser Jahreszeit fast unausgesetzt über dem Jachalthale liegt, hindert den sich auf der Höhe Befindenden, den Charakter jener Gegend zu unterscheiden. Nur langsam enthüllen sich ihre Einzelheiten dem Hinabsteigenden. — Sollte man nicht glauben, ein Stück der lieben Heimath vor sich zu haben, — ein Herbstbild auf dem Lande in Norddeutschland! Selbst die sonst in Argentinien so seltenen, in Jachal aber fast allgemein gebräuchlichen Strohdächer*) vermehren diese Aehnlichkeit, die sich jedoch auf die Thalebene beschränkt. Jene Umgebung, die riesenhaften Massen der Berge mit ihren ewig weissen Spitzen, entreissen uns der Täuschung. — Monat Mai gehört hier zu den Herbstmonaten, und dieses erklärte die Kälte, die uns empfing; aber der Charakter der Vegetation, die hohen Tannen, die dunklen Fichtenhölzer, die die Ebene durchziehen, die zwergigen Pappeln und Fruchtbäume, die die Wohnhäuser hier und da umgeben, machen ihn aufmerksam, dass er sich allmählich den höheren Regionen wieder genähert hat. — In der That liegt Jachal fast 6000 Fuss über dem Meere, und besitzt deshalb auch während der Sommermonate ein für diese Breite ausserordentlich rauhes Klima. Auch plötzlich eintretender Frost ist im Januar oder Februar, den wärmsten Monaten dieses Con-

*) Es erklärt sich deren Anwesenheit in Jachal durch die bedeutende Anzahl Chilenen, die sich in diesem Städtchen angesiedelt haben, und die sich an die flachen Dächer nicht gewöhnen wollen.

tinents, nicht selten ein unwillkommener Gast, der die junge Saat auf den Feldern schon im Keime erstickt. Mit diesem Umstand vereinigt sich der eines zum Bebauen nicht allzugeeigneten Bodens, dessen Salzgehalt grosse Strecken gänzlich unbrauchbar macht, um die Landcultur mit schwerer Arbeit und häufigem Verluste zu verbinden. — Um so mehr findet man sich veranlasst, nach dem Grunde einer so bedeutenden Einwohnerzahl zu forschen, die in dieser unwirthbaren Gegend einer kargen Natur ihre Erzeugnisse abringt, während wenige Tagereisen südlicher, in dem fruchtbaren Mendoza, grosse Landesstrecken nur auf den Bebauer warten, Strecken, die mit dem achten Theil der Mühe und Kosten ein vielleicht achtmal so gutes Resultat liefern würden. Die Ursache dieser Erscheinung ist erstens die Lage Jachals an einem Hauptwege, der über die Andes nach den nördlichen Provinzen Chile's führt, und dessen sich die nördlichen Provinzen Argentiniens ausschiesslich, und auch jetzt noch, obwohl nicht in demselben Grade wie ehedem, bedienen. Freilich giebt es der Pässe mehrere in den Andes, die direct von Rioja, von Catamarca oder Salta in das chilenische Gebiet führen, allein der Reisende, der jenen Weg wählt, würde sich dort in der Wüste Atacama befinden, deren Durchreisen mit hundert Schwierigkeiten, ja für grössere und schwerbeladene Karavanen mit Unmöglichkeiten verbunden ist. Man zieht es aus diesem Grunde vor, an der östlichen Seite der Andes bis zu den südlichen Pässen hinabzuziehen, um jenseits derselben schon in die fruchtbareren Theile Chile's niederzusteigen. Der erste Pass, der auf diese Weise von den nördlichen Argentinern aufgesucht wird, befindet sich im Süden von Rioja, allein auch diesem wird wegen der furchtbaren Rauhheit, ja Gefahren seiner Pfade, der Pass bei Jachal vorgezogen. Ehedem wurde letzterer jedoch häufiger benutzt, als es heute der Fall ist. Der Verlust eines nicht geringen Theils seines sonstigen Verkehrs rührt einerseits von der Arbeitseinstellung in vielen der Bergwerke her, die näher und entfernter um Jachal liegen, und die ihre Erze nach den Schmelzöfen in Chile sandten, anderntheils ist es die Veränderung der Reiseroute einer grossen Anzahl Viehheerden, die sonst über Jachal nach Copiapó getrieben wurden. Durch die schwere gefährliche Passage über diesen Theil der Andes und durch die hinter denselben liegenden noch immer wüsten Distrikte Chile's verliert das Vieh durch den Verlust seines Fettes und seiner Kräfte an reellem Werth, steigt aber der Kosten des Transportes halber im Preise zu sehr, als dass es bei seiner Ankunft auf den Märkten den südlichen Viehhändlern Concurrenz machen könnte. In früheren Jahren existirte diese Concurrenz der Händler aus dem Süden nicht. Der Uspallata-Pass war dazumal gefährlicher als der Jachal-Pass, und die jachalesischen Viehhändler konnten beim Verkauf ihres Viehes ihre eigenen Bedingungen stellen. Diese Umstände sind die Hindernisse für das weitere Fortkommen Jachals geworden; — Umstände, die in einer grösseren Stadt vielleicht nur von Wenigen gefühlt, von den Meisten erst bei Durchsicht der statistischen Tabellen bemerkt werden, werden in einer kleinen Stadt verhängnissvoll. — Die Bergwerke*), die aufhören zu arbeiten, ernährten Hunderte von Arbeitern, die zu ihrem Consum manchen Handwerker und manchen Handelsmann benöthigten; — die wichtigen Capitalien, die den Bergen entrissen wurden, führten viele Ansiedler herbei, die wiederum von ihren Bedürfnissen begleitet wurden. — Capitalisten brauchen Luxus, Handwerker lassen nicht lange auf sich warten, die ihren Anforderungen zu genügen wissen. — Die Leichtigkeit des coursirenden Geldes erleichtert den Credit und mit ihm den Unternehmungsgeist; — auf diese Weise entsteht das Leben und die indrustrielle Thätigkeit in Wüsten. Hört aber plötzlich die Hauptursache dieses Wohlstandes auf zu existiren, haben die Bergwerke ihre Capitalien erschöpft, so wird all' die Thätigkeit, dieser ganze Reichthum, dieser fast zauberhaft zusammengeführte Verkehr wie eine Seifenblase zerplatzen, wenn sich nicht inzwischen eine andere Industrie eingefunden hat, die jenes Leben zu erhalten fähig ist. Wie häufig finden wir den Fall z. B. in Peru und in Bolivien, wo grosse Volksschaften sich durch und um ergiebige Minen in wenigen Decennien gebildet haben, aber der vierte Theil der Zeit genügt, um sie wieder zu zerstreuen, wenn die Berge zu geben aufhören. Weder Industrie, Handel, Ackerbau noch Viehzucht haben sich in jenen Orten zu einem Lebensprincip heranbilden können, und folgerecht musste der Ort unterliegen, sobald das nicht producirende Kapital verzehrt war. Der Verfasser dieses hat manche solcher Städte gesehen, die mit öffentlichen Gebäuden, Kirchen, grossen Häusern, Wegebauten, Wasserleitungen durchaus einsam dalagen, von keiner einzigen menschlichen Seele bewohnt. Alles war ausgewandert, um eine neue Stadt, um eine andere Mine, oder eine bessere, fruchtbarere Gegend zu gründen. — Jachal leidet an demselben Uebel, wenn gleich dieses hier eine andere Phase zeigt. Anstatt rasch hinzusterben, nimmt es langsam ab, da die früher

*) 1850 existirten im Departement von Jachal ein und dreissig Goldminen und sechs Mühlen, um das Erz zu mahlen.

so häufigen Kapitalien die Entwickelung des Ackerbaues und der Viehzucht zu einem hohen Grade gebracht haben, wenn auch nicht zu einem genügenden, um den Ort in seinem ganzen früheren Wohlstande zu erhalten. Langsam verliert es seine Bewohner, und wird deren verlieren, bis eine Anzahl bleibt, die im Verhältniss zu seiner jetzigen Productionsfähigkeit steht. Die Bergwerke, unter denen sich vorzüglich die Silbergruben zu „Famatina", ein kleiner Bergzweig, der wenige Grade nördlich von Jachal aus den Andes hervorbricht und der seiner Lage nach von dem Flüsschen Famatina, an dessen Ufern der Flecken desselben Namens liegt, begleitet wird, auszeichnen, haben fast gänzlich ihre Arbeit eingestellt; — wie man sagt, wurde ein reicher Aderngang (Veta) durch den Einbruch einer Felswand verschüttet und bis jetzt nicht wieder aufgefunden. Dieser höchst unglückliche Umstand, von der Abnahme des Viehhandels nach Chile begleitet, hat den allmählichen Rückschritt Jachals zur Folge gehabt.

In der Stadt selbst erkennt der Durchziehende bald, dass er hier keines der jungen, frisch aufblühenden Völkchen vor sich hat, wie sie sich im neuen Amerika so häufig zeigen. Anstatt schon an der Aussenseite die Menge der Neubauten zu sehen, die die Charakteristik eines jeden fortschreitenden Platzes bilden, zeigen sich ihm in Jachal eine grosse Zahl geschlossener, ja halbverfallener Häuser, — das Gras, welches durch die Zwischenräume des Pflasters schiesst, scheint die Bemühungen, es auszurotten, zu verhöhnen. Sich neigende, jeden Moment mit dem Einsturz drohende Mauern geben ihre schweigende Zustimmung zur Zurücknahme der früheren Herrschaft der Pampa über die Cultur. Die Städte tragen ihren Charakter freimüthiger wie die Menschen zur Schau. Nicht allein erkennt man rasch, welcher der beiden Mächte: Fortschritt oder Rückschritt sie angehören, sondern auch die hervorstechendsten Züge ihrer Industrie, ihrer Thätigkeit prägen sich deutlich auf ihrem Aeusseren aus. Die gut und stark gebauten Wege, das Gedränge der Maulthier- und Carretentrupps, das Treiben einer thätigen Menschenmenge, die gefüllten Geschäftslokale zeigen unbedingt ein überwiegend mit Handel beschäftigtes Volk an, — jene stilleren Handwerkerstädte mit ihren massiv gebauten Häusern, ihren reinlichen aber unbelebten Gassen, ihren hübschen Kirchen, — aus Allem spricht Solidität, — von diesen besitzt Argentinien vielleicht keine einzige. — Dasselbe gilt von den Fabrikstädten. Diese beiden Klassen, in Europa so zahlreich, finden sich in Südamerika nur durch seltene Ausnahmen vertreten. In Argentinien wird ihr Platz durch eine Unzahl Viehzucht treibender, ackerbauernder Städtchen ausgefüllt, von denen aber die meisten mit einem mittelmässigen deutschen Dorfe den Vergleich nicht aushalten würden. Ciudades und Pueblos von vier- bis fünfhundert Einwohnern sind nichts Seltenes. Viele dieser kleinen Plätze giebt es, die ihren Bestand nur der Laune einiger Estancieros verdanken. Diese Eigenthümer der weit umherliegenden Estancias überlassen dieselben ihrem Majordomo oder Capataz, und ziehen mit ihren Angehörigen nach Orten hin, wo sie des Verkehrs mit ihren Nachbarn leichter und bequemer geniessen können. Viele folgen dem gegebenen Beispiele, und so entsteht rasch improvisirt ein Oertchen. Wo es nicht unbedingt das Interesse ist, welches den Menschen zur Bildung von Gesellschaften leitet, da ist es die Geselligkeit. In solchem Platze fehlt freilich das pulsirende, thätige Leben des Verkehrs, des Handels und der Industrie, aber nur anfänglich; bald beginnt der Landmann, der Handwerker seine Thätigkeit und allmählich bringt die Zeit Leben in das Saatkorn der Cultur, welches in diesen neuen Ländern in günstigen Umständen oft überraschende, für die Menschheit wohlthätige Früchte trägt.

Die Bildung einer Stadt, einer Gemeinschaft kann in einem so ausgedehnten und neuen Lande, wie Argentinien es ist, in ihren verschiedensten Phasen wahrgenommen werden. Jeder Ort, den der Reisende in diesem Lande antrifft, gehört einem gewissen Alter an, keiner einem stationären Zustande. Man begegnet Säuglingen, Kindern, Jünglingen; nirgends Männern und Greisen, aber anstatt letzterer einer grossen Anzahl verkrüppelter Jünglinge. Wo sich so viele Gemeinden bilden, so viele Städte gegründet werden, oft nur durch Speculation und Unternehmungsgeist veranlasst, ist es mit Gewissheit anzunehmen, dass eine grosse Anzahl fehlschlagen muss. Das Land im Ganzen leidet durch solchen Fehlschlag wenig. Sehen wir eine Stadt im Rückschritt begriffen, wenn das ganze Land fortschreitet, so ist dies eben nur eine Lokalerscheinung, welche auf das allgemeine Wohl nur selten Einfluss übt. Keine der Hände, die dort wirkten, sind dem Lande verloren. Ein oder zwei Meilen weiter wird ihre Arbeit besser verwerthet; nicht selten geschieht es, dass in der Nähe und aus einer zu Grunde gegangenen Gemeinde zwei andere und zwar mit frischerem Leben entstehen. Jachal selbst liefert einen triftigen Beweis für diese Aufstellung. Wo sind die Kräfte, die Arme geblieben, die diese Stadt seit ihrem Rückschreiten verloren? Cruz de Piedra und der Ort Tucumaco, nur wenige Meilen von

12*

Jachal entfernt, haben jene Kräfte aufgenommen und sind zum grössten Theil durch sie zu dem gemacht worden, was sie jetzt sind.

In einem Städte erzeugenden Lande, wie es mit Ausnahme weniger Distrikte und im stärkeren oder geringeren Grade jeder Theil Amerika's ist, öffnet sich der Spekulation in Grund und Boden ein bedeutendes Feld. Was in Nordamerika in so unerhört grossartigem Maasse stattgefunden, der steigende Werth des Bodens, durch welchen sich oft der Besitzer weniger Ruthen Landes in einer Nacht vom armen Bauer zum reichen Städter erhoben sah, bildet auch in diesen südlichen Ländern mit ihrer rasch steigenden Bevölkerung eine grosse Lockung zur Einführung fremder Capitalien und für die in diesem Speculationszweige angewandten, eine gewisse reiche Verzinsung; dass letztere nur in Ausnahmefällen so reich und so schnell erzielt werden kann, wie es vor einigen Jahrzehnten in einem grossen Theile der Vereinigten Staaten der Fall war, wird man um so mehr einsehen, wenn man auf die Hauptursache dieses Steigens des Bodens zurückkommt. Diese steht gewöhnlich und ausdauernd im graden Verhältniss zur Vermehrung der Bevölkerung durch Emigration en masse. Speculationsgeist giebt oft auf kurze Zeit dem Boden einen, seinen wirklichen Werth übersteigenden Werth; dies ist besonders bei solchen Unternehmungen der Fall, wo es sich um Durchführung eines Weges durch öde Landesstrecken handelt. So das Project der Beschiffung des Rio Salado, wo Ländereien, noch von den Indianern durchstreift, plötzlich einen Werth erhielten, der schon nach wenigen Monaten, bei dem ersten Misstrauen gegen das Unternehmen, auf Null fiel. — Vergleichen wir den Census des Fortschritts in der Bevölkerung Nord- und Südamerika's, so finden wir, dass ersteres verhältnissmässig wohl zehnmal so rasch zunimmt wie letzteres. Die europäische, vorzüglich die irische und deutsche Emigration findet der Nähe der Vereinigten Staaten wegen dorthin einen leichteren Abgang als nach den verschiedenen Ländern Südamerika's. In letzterem scheint sich diese Behauptung aber nicht zu bewähren, da sich der Strom der Einwanderer weit anhaltender und voller nach dem westlichen Südamerika, nach Chile, als nach den Laplata-Staaten richtet. Dieses dürfte aber in den grösseren Aufmunterungen der chilenischen Regierung seinen Grund finden, die, in der Emigration ein richtiges Mittel zur Verbesserung der Zustände ihres Landes erkennend, kein Opfer scheut, um Pläne zur Beförderung der Einwanderung ins Werk zu setzen. Daher kommt es, dass die Auswanderer, indem sich das nördliche Brasilien, mit einem den Anglosachsen wenig zuträglichen Clima und für protestantische Einwanderer sehr intolleranten Zuständen, immer noch mit Emigranten versieht, die uruguay'sche Republik, in der die Fremden bis jetzt noch keinen festen Anhalt gefunden, und die argentinische Republik, in welcher sie den natürlichen Nachtheilen eines fortgesetzten Bürgerkrieges sowie den Invasionen der Indianer ausgesetzt sind, diese Länder vermeiden und weit lieber das freundliche, sie mit offenen Armen empfangende Chile aufsuchen, wenn sie sich auch den weiteren Gefahren und Mühseligkeiten einer längeren Reise aussetzen müssen.

Diesem Grunde, der langsameren Vermehrung der Bevölkerung, ist auch die langsamere Erhöhung des Werthes des Bodens in Südamerika wie in Nordamerika zuzuschreiben. In den verschiedenen Theilen des Ersteren wiederholt sich dieselbe Erscheinung aus demselben Grunde. In dem mittleren Chile, zwischen dem 30. bis 35. Grade südlicher Breite, hat der Werth des Bodens, der sogar auf dem Lande oft auf 5—600 $*) pro □ Quadra steigt, eine Höhe erreicht, wie er in diesem Verhältnisse zur Production nicht höher steigen kann; zum grössten Theil ist dieses die Folge einer gedrängten Bevölkerung; in dem nahen, menschenleeren Argentinien dagegen giebt es fruchtbare Landesstrecken, deren Preis nicht fünf Thaler pro Quadra ist. Aber obgleich nicht in dem Grade, wie in dem nördlichen Amerika, steigt dieser Werth fortwährend, mit Ausnahme natürlich desjenigen Bodens, der in Folge unnatürlicher Verhältnisse zwangsweise in die Höhe getrieben ist. Doch ist dies in Argentinien selten und habe ich nur in der Nachbarschaft zweier Städte wahrgenommen, in der Nähe von Salta und Buenos-Ayres. — Ein gar grosses Gebiet bietet sich daher Capitalisten zur erfolgreichen Speculation in dem Aufkaufen von Ländereien zu den jetzigen Preisen. Wenn das Steigen des Preises auch gemeiniglich langsam vor sich geht, so ist es doch keine

---

*) Die Höhe des Werthes des Bodens bestimmt nicht immer den Stand des Ackerbaues des Landes, wie es von mehreren volkswirthschaftlichen Schriftstellern aufgestellt ist. In Chile sehen wir z. B. in dem Departement Aconcagua die Höhe des Bodenpreises selbst den mittleren in England überflügeln; trotzdem befindet sich der Ackerbau auf einer im Verhältniss zu letzterem Lande sehr niederen Stufe und sahen wir selbst grosse Strecken uncultivirt. Der Grund von diesem stellenweis fabelhaften Werth des Bodens findet sich in der Abneigung der grossen Landbesitzer, auch den kleinsten Theil ihres Besitzes zu veräussern; selbst Pächter nehmen sie nur unter schweren Bedingungen an. Sie bilden eine gewisse Kaste „Güter-Aristokratie“, „Haciendados“, die mit Eifer den Grundstein ihrer Macht, den Landbesitz zu bewachen sucht, und dadurch nicht allein den Werth der Bodens auf eine unnatürliche Höhe treiben, sondern auch der Landescultur einen grossen Schaden durch Entziehung eines so grossen Theiles des Bodens zufügen.

seltene Begebenheit, ihn sich plötzlich durch irgend ein glückliches Ereigniss, Erbauung neuer Wege, Eisenbahnen oder Einführung von Emigranten in Masse, verdoppeln und verdreifachen zu sehen.

Wir passirten Jachal und logirten uns jenseits desselben in dem Hause eines Bekannten Hunters, Daniel Vega ein. Mit derselben Gastfreundlichkeit, wie wir sie bisher auf unserer ganzen Reise erfahren, wurden wir auch von ihm empfangen. Es fiel mir bei diesen Leuten zuerst die Veränderung des Dialektes auf, der schon in San Juan von dem reineren in Mendoza gesprochenen abweichen soll, aber von mir nicht bemerkt wurde. Hier spürte ich zuerst diesen Unterschied, der in gewissen Sylben recht breit und unangenehm klingend hervortritt, und häufig ganze Satztheile für den Fremden unverständlich macht. Die Abweichung dieses Dialektes von der reineren Sprache besteht hauptsächlich in der Verschiebung des Accents, welcher auf die einzelnen Sylben fällt. Anstatt „San Juan“ sprechen sie „Sán Juan“, so dass der Hörende deutlich das Wort: Sánjon (Graben) zu hören glaubt. — Anstatt „Patrón“, „Pátron“, „Gallína“, „Gállina“ u. s. w. Die Ursache dieser sonderbaren Betonung wird aus der Sprache der Urbewohner hergeleitet, in welcher die Anfangssylbe jedes Substantivs stark betont wird. Im Uebrigen hatten wir, wie gesagt, nur Ursache, uns zu unserm Aufenthalte in diesem Hause Glück zu wünschen. Wirth sowohl wie Wirthin machten der argentinischen Gastfreundschaft Ehre, sie lieferten einen neuen Beweis, dass der Mensch in der Vereinzelung an Herzensgüte gewinnt, was ihm an Lebenserfahrung abgeht.

Am Abend besuchten uns der Alcalde und der Prediger, die beiden Honoratioren des Ortes. Der Geistliche war ein nicht ungebildeter Mann, aus Buenos-Ayres gebürtig, welchen die Stürme des Lebens in diese Gegend verschlagen hatten; der Alcalde oder Friedensrichter war früher als Kaufmann in Caldera etablirt gewesen, hatte dort aber fallirt und sich jetzt mit den Trümmern seines Vermögens in diesen Winkel zurückgezogen, wo es ihm, wenn auch bescheidener, doch besser zu gehen schien. Bis in die späte Nacht hinein besprachen wir die Zustände des Landes, welches mir um so angenehmer und lehrreicher sein musste, als ihre Meinung die einer bedeutenden politischen Partei repräsentirte. Sehr viel wurde für und gegen den General Peñalosa, auch der „Chacho“ genannt, gesprochen, Wir näherten uns jetzt dem Wirkungskreise dieses Caudillos oder Parteigängers, oder befanden uns vielmehr jetzt schon in demselben, da seine Streifzüge oft weit über Jachal hinausgehen.

Ich glaube es hier am Orte, einige Züge des Wirkens das Chacho mitzutheilen, wie ich sie von den obenerwähnten Herren vernommen. Eine Beschreibung dieser Landestheile ohne Erwähnung das Chacho ist undenkbar, da sein Name sich in alle Ereignisse verflochten findet; andererseits wird es von Nutzen sein, etwas Näheres über diese Persönlichkeit zu hören, die so oft Gegenstand der absurdesten Erfindungen gewesen ist und selbst die Näherwohnenden mit seinem Namen Begriffe von einem Ungeheuer verbinden, welches sowohl seiner furchtbaren Macht, wie Grausamkeit und Tollkühnheit wegen jede Schlechtigkeit zu begehen im Stande ist. Dass diese Begriffe noch übertriebener ihren Weg in's Ausland gefunden haben, stand zu erwarten.

Peñaloso ist der Typus eines echten Gaucho, eines Durchstreifers der unermesslichen Steppe, dessen Nahrung das Fleisch der ersten besten Kuh, die ihm aufstösst, und dessen Obdach das Himmelsgewölbe der Pampa ist. Trotzdem hat auch er seinen Rancho und seine mit Vieh bevölkerte Estancia; aber dieser Rancho steht den grössten Theil des Jahres einsam. Wie könnte man von einem Gaucho erwarten, sich an die Scholle zu binden! Von diesen Gaucho's, die nur selten sich zur Bebauung des Bodens bewegen lassen, und deren in Rioja sich vier oder fünftausend über einen Flächenraum von fast sechshundert Quadratleguas verbreiten, ohne sich deshalb an diese Provinz zu binden, indem ihre oft geschäftslosen Streifereien bis weit nach Süden zum Chadi Leubu*), oder in die wilden Einöden des Chaco im Nordosten reichen, von diesen Gaucho's ist Peñaloso der Führer. Besitzlos umherstreifende Vagabunden, halb Indianer, halb Spanier, die sich heute dort, morgen hier als Viehhüter und nur zur Zeit der grössten Noth als Handarbeiter verdingen, und sich in nicht seltenen Fällen lieber auf Rauben und Stehlen legen, ist diese Menschenklasse trotzdem oder vielleicht grade ihrer ungebundenen Lebensweise wegen von Nutzen. In Einöden, die ohne sie niemals erforscht wären, sind jetzt fruchtbare Gegenden oder reiche Minerallager entdeckt, die in der Culturgeschiche des Landes eine wichtige Rolle spielen. Sie bahnen mit rauher Hand den Weg, auf welchem die Civilisation langsam nachkommt. Ohne sie wäre auch das Hüten des Viehes in dem Hunderte von Quadratmeilen einnehmenden und gänzlich öden Flächenraum eine Unmöglichkeit. Der Gaucho auf seinem flüchtigen Pferde, der scheinbar objectlos, ein Tagedieb, wie er so oft von Reisenden genannt

*) Ein Fluss, der nach den spanischen Karten vom 35. — 37.° südl. Breite im argentinischen Indianerland fliesst und sich in einen grossen See „Urre Lauquen“ ergiessen soll.

wird, erfüllt auch seine Mission, und zwar eine sehr gefährliche Mission, die der der Squatters, der vorgeschobenen Vorposten der Cultur in Nordamerika nicht unähnlich ist. Gleich Jenen rechtfertigt ihre Lebensweise die Rauhheit ihrer Sitten, und gleich Jenen sind sie, wie gewöhnlich die Naturmenschen, gutmüthig und fast kindlich, wenn die Leidenschaft ihre thierischen Triebe nicht erregt. Letztere, von keiner Erziehung, keiner, weder moralischen noch materiellen Schranke zurückgehalten, brechen oft furchtbar los, aber hört man von ihren Grausamkeiten, ihrer Zerstörungswuth, so darf man sie nicht mit demselben Maasse wie civilisirtere Völker messen, haben wir doch in neuester Zeit in Nordamerika einen traurigen Beweis erhalten, wie selbst auf einer höheren Culturstufe stehende Völker sich jenen zügellosen Leidenschaften ohne Maass hingeben, lasse man uns daher die auf einer anerkannt tiefer stehenden milde beurtheilen. Dass diese Gaucho's durch ihrer Neigungen und rohen Sitten besonders zur Kriegführung geeignet sind, ist vorauszusehen. Sie haben daher in den letzten Jahrzehnten unter ihrem Führer Peñaloso eine wichtige Rolle in allen argentinischen Unruhen gespielt, die sie auch in dem letzten Kriege bewahrt haben. Zur Zeit der Regierung des Dictators Rosas machte der Chacho, dessen Statthalter, in San Juan lange den Krieg, indem er jene Provinz blitzschnell mit seinen flüchtigen Gauchoheerden überfiel, die Rinderheerden auf seinem Wege wegnahm, die Ranchos und Häuser der unglücklichen Landbewohner plünderte oder niederbrannte, aber, sowie eine reguläre Macht gegen ihn ausrückte, niemals Stand hielt, sondern mit derselben Schnelligkeit, mit der er gekommen war, sich nach seinen Llanos zurückzog. Er that im Norden dasselbe, wurde dort dieselbe Geissel, wie Sáa, der spätere Gouverneur von San Luis und Zerstörer San Juan's im Süden, nur mit dem Unterschiede, dass Ersterer die Gaucho's und Letzterer die Indianer führte. Trotzdem war damals Peñaloso vielleicht eher zu entschuldigen wie Sáa. Letzterer verwüstete seine eigene Provinz, während Peñaloso die feindliche angriff, um seine eigene zu beschützen. In Wahrheit fügten sie dem wahren Feinde, Rosas und seinen Anhängern, sehr wenig Schaden zu. Die friedlichen Ackerbauer und Hirten fühlten das ganze Gewicht einer Rache, die sie so wenig verdient hatten. Sie litten unter zwei Geisseln, wie sie selbst unser Vaterland im dreissigjährigen Kriege nicht gefühlt haben mag. — Von der einen Seite Sáa mit seinen Indianerbanden, der Chacho mit seinen Gaucho's, war dieses noch das kleinste Uebel, welches sie auszustehen hatten; es waren wenigstens Männer, die sich den Anschein gaben, für Recht und Freiheit gegen die „Mashorka“ anzukämpfen, und die, nahmen sie auch die Habe, doch das Leben der unglücklichen Landbewohner schonten. Nicht so ihre eigene Regierung, die sich gänzlich in den Händen der Satrapen von Rosas befand. Diese sogen die armen Leute bis auf's Blut aus, nahmen ihnen Alles, ja die Ehre ihrer Frauen und Töchter, und gaben sie das Geforderte nicht gutwillig, so wusste die blutige Mashorka rasch mit ihnen fertig zu werden.

Zu jener Zeit, im Jahre 1844, beschloss der Gouverneur San Juan's, der noch verhältnissmässig gegenüber den Männern seiner Parthei mild regierende Benavides im Verein mit dem General Quiroga, dem Wesen des Chacho ein Ende zu machen. Man sandte ein für jene unbevölkerten Gegenden bedeutendes Truppencorps von 3000 Mann, mit Lebensmitteln und den so nöthigen Pferde-Trupps aufs beste ausgerüstet, um in die riojanischen Llanos einzudringen, Peñaloso und seine Horden zu umzingeln und sie niederzumachen. Nach monatlangem Treiben gelang es endlich, den gefährlichen Partheigänger am Rio Colorado in die Enge zu treiben und zu umgehen, welches nur durch eine sich im Rücken der Gaucho's befindende Gebirgskette ermöglicht wurde. Die Gauchos sind die Söhne der Ebene; hier haben sie ihre Macht, im Gebirge sind sie auf ihren des Kletterns ungewohnten und rasch ermüdenden Gäulen kraftlos. — Der grösste Theil der Leute wurde im Gefecht erschlagen, der Rest, mit Ausnahme Peñaloso's und zweier Adjutanten, zu Gefangenen gemacht und mit fortgeschleppt; aber da ihr Transport den Soldaten zu beschwerlich fiel, wurde ihnen ohne Umstände auf dem Wege die Kehle durchschnitten (degollado), eine Tödtungsweise, die man in Argentinien volksthümlich nennen dürfte. Peñaloso und seine beiden Begleiter entkamen durch die Schnelligkeit ihre Pferde; es gelang ihnen, über die Andes nach Chile zu gelangen, wo sie ein sicheres Asyl fanden. Später, als Rosas dem siegreichen Urquiza (sprich Urkissa) weichen musste, kehrte unter den vielen argentinischen Emigranten, die sich in's Ausland geflüchtet hatten, auch Peñaloso zurück, und es gelang ihm, seinen alten Einfluss über die Gauchos und die niedere Classe der Viehbesitzer (Estancieros) wiederzugewinnen. Dieser Einfluss, der durchaus in keinem anerkannt gemeinschaftlichen Principe seinen Grund hat, wird nur durch seine persönlichen Eigenschaften, Verwegenheit, Tollkühnheit, Ausdauer in körperlichen Anstrengungen hervorgerufen. Nachdem er seine Anhänger gewonnen, hatte er durch deren beträchtliche Anzahl sich eine Macht gebildet, die ihm wieder einen grossen Einfluss selbst auf die höhere und höchste Classe der Provinz geben musste, um so mehr, als der Unterschied der Classen, die Superiorität der bevorzugteren nicht in einem grösseren moralischen Uebergewicht, in grösserer Bildung besteht, sondern nur durch die grössere oder kleinere Anzahl der Rinder, die man besitzt, bedingt wird. — Peñaloso schaltete und waltete daher von Rosas Fall bis auf Derqui's Fall, eine Periode, die zehn Jahre einschliesst, nicht allein in den Llanos oder Wildnissen, sondern auch in den Städten und der Hauptstadt der Provinz, wie es ihn grade gut dünkte. Ja, es ereignete sich der unerhörte Fall, dass, als der legitime Gouverneur der Provinz ein Gebot des Privatmannes Peñaloso nicht erfüllen wollte, dieser ihn sofort absetzte und aus eigener Machtvollkommenheit einen neuen Gouverneuer ernannte, ja, als auch dieser sich nicht so fügsam zeigte, wie der Chacho es wünschte, wurde auch er sofort durch einen gefügigeren ersetzt. Diese Gewalt- oder Staatsstreiche sollen von Peñaloso von seiner Estancia oder der Pampa aus nur durch mündliche Botschaften ausgeführt worden sein. Ohne Gewalt, nur durch den Einfluss oder den Schrekken seines Namens bewerkstelligte er diese im Leben der Provinz so wichtigen Revolutionen. Zwar sagt man, dass seine Botschaften gewöhnlich die Schlussformel enthielten: „Wird mein Befehl binnen 24 Stunden nicht ausgeführt, so wird die Stadt niedergebrannt und allen Widerspenstigen die Kehle durchschnitten"; doch ist diese Nachricht nicht zu verbürgen, da sie niemals amtlich bestätigt wurde. Auch hat man, was noch besser beweist, bis jetzt kein Beispiel, dass er solche Drohung ausgeführt hat. Im Gegentheil, bei der Wegnahme so mancher Plätze rühmt man immer seine Nachsicht und Schonung, wovon uns in neuerer Zeit seine Einnahme von San Luis ein weiteres Beispiel lieferte. Wie würde ein Sáa dort gehaust haben?! Dass die Nationalregierung diesen Einfluss des Chacho mit scheelen Augen ansah, war kein Wunder, und sie that Alles, diesem durch die Classe der grösseren Landeigenthümer entgegenzuwirken, aber vergebens. Ein Wunder war es daher, als der Chacho von jener seine Ernennung zum General zugleich mit der Bitte erhielt, Derqui und Urquiza in der Hauptstadt der Republik einen Besuch abzustatten. Peñaloso traute aber der Sache nicht. Ob er sich bei diesem räthselhaften Avancement und der noch räthselhafteren Einladung des Sprüchworts erinnerte, „Mit Speck fängt man Mäuse", oder ob er, wie behauptet wird, geheim gewarnt wurde, bleibt dahingestellt, genug er nahm seine Beförderung und die sie begleitenden Komplimente mit vielem Dank an, schlug die Einladung aber aus. Viele Anekdoten waren in jener Zeit unter den Riojanern und selbst ausserhalb der Provinz im Umlauf, wie der Chacho den Commissären der Regierung ein Schnippchen schlug, wie er mit seinen Stuten-Stiefeln (Botas de potro), aus denen die Zehen hervorguckten, seinem Recado, seinen hosenlosen, mit dem Chiripá umwickelten Beinen die vornehmen Herren aus der Residenz empfing. Peñaloso war kein moderner Diplomat, der, obwohl er seinen Feind erkennt, doch immer mit dem süssesten Lächeln, der schmeichelhaftesten Phraseologie die Gefühle des Hasses oder der Furcht verbirgt. Der schlaue Gaucho hielt sich zwar höflich, bis er in den Besitz der Dokumente und Ehrenbriefe gelangt war, die ihm die Abgesandten zuzustellen hatten, aber sobald er in deren Besitz sicher war, überhäufte er sie mit Spott und Hohn. So fanden jene Herren, als sie mit Peñaloso nach der Hauptstadt der Provinz reisten, erstere im Wagen, der Gauchoführer wie immer zu Pferde, eines Morgens statt ihrer Kutsche ein Paar erbärmliche Maulesel, ihren grossen, lackirten Reiterstiefeln den vorderen Theil zum freien Gebrauch der Zehen beim Reiten abgeschnitten, u. s. w. — Peñaloso suchte in seinem breiten, kaum verständlichen Dialekt, als sie sich bei ihm beklagten, ihnen die Zweckmässigkeit der vorgenommenen Stiefel-Operation zu beweisen, und entschuldigte sich wegen des Zurückschikkens des Wagens, da die Wege nur zu Pferde zu machen seien. Sein Zweck bei dieser Blosstellung der Abgesandten war nicht so sehr seine eigene Belustigung, als vielmehr dieselben einem lächerlichen Einzug in der Rioja preiszugeben. Er wollte nicht, dass die Riojaner, seine indirekten Unterthanen, vor den Repräsentanten der National-Regierung Respect und Ehrfurcht hegen sollten, dass ihnen das feine Aeussere derselben imponire, im Gegentheil wollte er sie ihrem Spotte preisgeben, um sich selbst nicht hinten angesetzt zu sehen. Das gelang; die armen Gesandten auf ihren halblahmen Mauleseln mit beschmutzten Kleidern, umgeben und umjagt von halbtrunkenen Gauchos, spielten eine zu klägliche Figur, als dass sie den Riojanern irgend Respect einzuflössen vermochten. Seit jener Zeit liess die National-Regierung den Gegenstand ihrer Bemühungen in Frieden, bis die neueren Ereignisse in den Jahren 1861 bis 1862, die Auflehnung von Buenos-Ayres gegen den Präsidenten der Conföderation und die Niederlage des Letzteren auch Peñaloso mit seinen Gauchos wieder Arbeit brachten. Er ergriff Parthei wider Buenos-Ayres; Mitre schickte den Obersten Sandes mit zwei Regimentern, den Chacho zur Ruhe zu bringen; allein diese Macht, selbst durch spätere Hülfstruppen verstärkt, war viel zu schwach, den Löwen der Pampa zu besiegen. Man schlug ihn einmal entscheidend, wie man glaubte, auf's Haupt; — im Norden der Rioja, am Flusse Colorado fand diese Schlacht auf derselben Stelle statt, auf welcher Peñaloso vor zwanzig Jahren von Rosa's Feldherren vernichtet wurde, aber diesesmal nicht mit demselben Erfolge. Er entfloh zwar diesesmal auch nur mit wenigen Begleitern, so dass Sandes ihn vollkommen und für immer zur Ruhe gebracht glaubte, aber man denke sich das Erstaunen und den Schrecken des Siegers, als wenige Tage später ihn die Nachricht erreichte, dass Peñaloso mit mehreren hundert Mann San Luis eingenommen. In Buenos-Ayres trafen diese zwei Nachrichten, die Vernichtung und der Sieg Peñaloso's, zu gleicher Zeit ein; mit solcher Geschwindigkeit sammelt dieser Mann seine Leute, so unermüdlich und rasch führt er seine Handstreiche aus. — Endlich, da Mitre nicht im Stande war ihn zu vernichten und Peñaloso wohl auch die nutzlose Führung des Krieges für eine schon verlorene Sache ansehen mochte, machte man Frieden. Für eine allgemeine Amnestie, die Mitre als neuernannter Präsident der Republik ihm und seinen Anhängern gewährte, verpflichtete sich der Chacho, den neuen Stand der Dinge nach Kräften zu unterstützen. Dieselbe Post, die die Zeichnung dieses Tractates von Buenos-Ayres nach der Rioja brachte, nahm 500 Unzen Gold mit, die an den General Peñaloso adressirt waren. Nichtsdestoweniger läugneten die officiellen Blätter des Landes, dass eine solche Zahlung stattgefunden. Peñaloso brach bald diesen Frieden, und hielt noch lange Zeit nachher die Regierung in Athen.

Peñaloso im Frieden verhält sich ruhig und kümmert sich nur dann um die allgemeinen Interessen, wenn der Gouverneur der Provinz seine Macht missbraucht. Dieses geschieht leider nur zu oft, vorzüglich in Hinsicht der Eintreibung der Steuern können sie wahre Blutsauger genannt werden. Die Grundsteuer wird oft für viele Jahre im Voraus eingetrieben, und nicht allein das, sondern in dem Jahre, dessen Steuern schon im Voraus gezahlt sind, werden dieselben nochmals eingefordert. Sind die Leute nicht willig zu zahlen, so wird ihnen ein Theil ihrer Kühe, deren Betrag die Steuersumme deckt, fortgetrieben. Peñaloso verhindert einen grossen Theil dieser Missbräuche, und hat sie sogar mit Absetzung des Gouverneuers bestraft, aber dieses Mittel scheint diese nur noch hartnäckiger in ihrem Aussaugesystem zu machen. Die wenige Zeit, die ihnen zu ihren Räubereien vergönnt ist, suchen sie so gut wie möglich anzuwenden. — Peñaloso äussert sich in diesen Fragen nur durch seinen moralischen Einfluss. In Friedenszeiten befindet er sich nur von Wenigen seiner Getreuen umgeben; sowie aber die Kriegsfanfare ertönt, schaaren sich seine Anhänger um ihn, und dann muss mancher Eigenthümer sein Vieh, sein Getreide, seinen Wein hergeben, um den grossen Tross zu ernähren, der, wenn es hoch geht, aus 5—600 Mann mit ein bis zweihundert Weibern und Kindern besteht. Der wüste Character der Steppe erlaubt auf längere Zeit nicht die Vereinigung einer grösseren Anzahl von Menschen; existirte dieses Hinderniss nicht, Tausende würden sich dem Chacho anschliessen. Ein eigenthümlicher Anblick ist solcher Reitertrupp. Ohne Ordnung bewegt er sich bunt durch einander, auf den kleinen, flüchtigen Rossen dahintrabend. — Die farbigen Ponchos und Chiripás der Soldaten, die merkwürdigen Sättel der Pferde, das schwere silberne Geschirr der von den Officieren gerittenen Pferde, welches oft vier bis fünfhundert Piaster an Werth enthält, die mannigfaltigen Waffen, — dieser mit zwei mächtigen Pistolen, jener mit einem verrosteten Gewehr, die meisten mit Lanzen, aber Alle mit dem langen, blitzenden Messer in der rothen Schärpe steckend bewaffnet, verbunden mit dem Anblick der ihnen folgenden, sich oft mit den Reitern vermischenden Trupps der Frauen und Kinder lässt uns glauben, eine jener wilden, ungeordneten Mansfeld'schen Schaaren zu sehen. Geht es zum Gefecht, dann bleiben die Frauen zurück; siegen die Feinde, so entfliehen sie bei Zeiten oder werden zu Gefangenen gemacht und oft grausam behandelt.

Doch genug für jetzt von dem wilden Kriegsleben, welches nur zu oft den sonst glücklichen Zustand dieser Völkerschaften unterbricht und für lange Zeit zerstört, — kehren wir zu dem friedfertigen Ackerbau und der Viehzucht zurück, denn auch darüber ist noch manches für diesen Theil des Landes zu erwähnen.

XI.

Zurückstehen der Viehzucht vor dem Ackerbau in Jachal. – Fremde in diesen Distrikten. – Character der Bewohner. – Abreise von Jachal. – Halsbrechende Wege. – Punta del Agua. – Trockenheit des Bodens. – Wie diese zu ändern ist. – Vortheile für Colonisation. – Quebrada del Peñon. – Bivouac. – Kampf mit einer Klapperschlange. – Passiren der Riojanischen und San-Juaninischen Grenze. – Ankunft in Salinas. – Beschreibung dieses Oertchens und seiner Bewohner. – Jaguar-Jagden. – Abreise von Salinas.

In Jachal giebt die Viehzucht weniger Gewinn als der Ackerbau. Berücksichtigt man die natürlichen Nachtheile des letzteren gegenüber der ersteren, so muss uns diese Thatsache allerdings wundern. Ein so menschenleeres Land macht unbedingt die Arbeit zur ergiebigsten, für den Unternehmer zur günstigsten, die am wenigsten der persönlichen Arbeit bedarf. Fügt man diesen Umständen noch die grosse Menge leeren Landes und das für Ackerbau so ungünstige Klima Jachal's hinzu, so würde ein Unerfahrener nicht wissen, weshalb er dem Ackerbau den Vorzug über die Viehzucht geben sollte; aber alle diese natürlichen Vortheile der letzteren lösen sich vor einem Uebel in Nichts auf, und das ist „Wassermangel." Dieses grosse, bis jetzt unüberwindbare Uebel wird von einem kleineren begleitet, der Anwesenheit der Jaguare. Zahlreich müssen wachsame Leute dieses Thieres wegen angestellt werden, was in diesen menschenarmen Distrikten mit grossen Kosten verknüpft ist; für die Trockenheit giebt es allerdings gleichfalls ein Mittel, oder besser gesagt — Halbmittel, das aber nur von Capitalisten angewendet werden kann. Die Represas, oder Wasser-Deiche, sollen sie von Nutzen sein, werden nur mit grossen Kosten und Mühe erbaut. Schon häufig hat man den Versuch gemacht, durch Subscription oder Actien-Unternehmungen ein grösseres, gemeinnütziges Werk dieser Art zu Stande zu bringen, aber bis jetzt sind diese Projecte immer am „Mangel von Gemeinsinn", einem chronischen Uebel Südamerika's gescheitert. In Catamarca, Rioja, Santiago del Estero, und San Luis, den vier trockensten der argentinischen Provinzen, sind von angesehenen Männern, denen das Wohl ihrer Mitbürger am Herzen liegt, Vorschläge und selbst Anerbietungen von Hülfe zu diesem Zwecke ausgegangen, aber immer vergebens. Seltenheit der Capitalien und Arbeiter sind nebst dem oben angeführten Grunde immer Ursachen des Misslingens. Um meinen Lesern einen Begriff von der Wichtigkeit einer solchen Represa zu geben, erlaube ich mir, die Beschreibung derjenigen zu machen, die ca. vierzig bis fünfzig Leguas nördlich von Jachal in der Nähe der Hauptstadt der Rioja projectirt wurde. Auf allen besseren Karten dieses Landes wird man von dem Gebirgsstock, welcher sich inmitten jener Provinz hinzieht, einen Ausläufer gewahr werden, der sich gegen die Stadt Rioja richtet. Dieser Ausläufer mündet in zwei paralell sich hinziehenden Ketten in eine Hochebene, die allmählich zur Pampa hinabführt. Die gegenseitige mittlere Entfernung jener Ketten ist ca. 4000 Fuss und beide sind gleich hoch, gleich steil, und bilden an ihrer Mündung einen plötzlichen Abfall von fast 100 Fuss Tiefe. Auf diese Weise entstehen in der Ebene zwei Vorgebirge, die ein weites, tiefes Thal, dessen Boden mit einem Unterschiede von wenigen Fuss dem Niveau der Pampa gleich ist, umschliessen; in regenreichen Jahren strömt aus diesem Längsthale durch das aus den beiden Vorgebirgen gebildete Thor ein nicht unansehnlicher Fluss, von den Regenwassern im Gebirge gebildet, der die anstossenden Landestheile befruchtet; in regenarmen Jahren versiegt dieser jedoch, und findet sich sodann ein bedeutender Distrikt der erschreckendsten Wassernoth ausgesetzt. — Man projectirte, um das in einer Jahreszeit in so üppiger Fülle fliessende Wasser aufzuhalten, durch Dämme einen See zu bilden, der gross genug sei, um nicht allein die Nachbarschaft, sondern auch einen grossen Theil der Provinz für die trockene Zeit mit Wasser zu versorgen. Jenes Becken zwischen den beiden Gebirgsketten war ausgezeichnet für diesen Zweck geeignet. Man hatte nur nöthig, den Eingang oder Ausgang desselben in die Pampa zu verschliessen oder einen starken Damm von dem einen Vorgebirge zum andern zu ziehen, um die Bildung eines grossen Sees herbeizuführen. Um den Boden an dem Aufsaugen des stehenden Wassers in der trockenen Jahreszeit zu hindern, würde in dieser Lokalität keine allzubeschwerliche Arbeit sein, da ein grosser Theil des Thales aus Lehmboden und ein anderer aus Fels und Stein besteht. Hunderte von Quadrat-Leguas, die jetzt öde und brach liegen, würden durch diese Operation in Gärten umgeschaffen. Durch den ganzen südlichen Theil der Rioja könnten die Acequias oder Gräben in der flachen Pampa mit leichter Mühe gezogen und das Wasser mit Leichtigkeit von dem höhergelegenen See hineingelenkt werden. Hat man doch so oft ein, die höchsten Erwartungen übertreffendes Resultat sowohl mit den Wasserleitungen in Chile, wie mit anderen über dem ganzen Erdboden erlebt, als dass man an dem Segen, der die Ausführung eines solchen Unternehmens für's Land herbeiführen würde, zweifeln könnte. Mehrere solcher Represas, zu welchen die dünnen, niederen Gebirgszweige, die sich durch die Pampa ziehen, die günstigste Gelegenheit bieten, würden diese Provinz zu einem Paradiese schaffen. Ist die politische Ruhe dauerhaft gesichert, gewinnen die Leute Vertrauen zu einander, so glaube ich, werden sie die anderen Hindernisse, Mangel an Leuten und Capitalien, wohl überwinden, und auf diese Weise ein Land, welches für den oberflächlichen Beobachter nichts als eine immense Wüstenei ist, mit eben so gesegneten Fluren wie das fruchtbare Mendoza begaben. — In der Nähe der Stadt San Luis, in einer Meile Entfernung östlicher Richtung sollte dasselbe oben beschriebene Experiment mit einem Flusse, wenn auch in kleinerem Maassstabe ausgeführt werden, da man dabei nur die Bewässerung der Stadt und des sie umgebenden Thales im Auge hatte. Die Summe wurde von der Regierung hergegeben, die Arbeit jedoch einigen unwissenden Italienern anvertraut, die keinen Begriff von der Kraft des comprimirten Wassers zu haben schienen. Der Damm, von denselben aufgeführt, gab schon dem ersten Andrang des Flusses nach. Es war ein unglücklicher Tag für San Luis. Die schwere Wassermasse, plötzlich entfesselt, stürzte wie eine Lawine ins Thal, die tiefer gelegenen Theile wurden im Moment überschwemmt, die solidesten Gebäude wie schwache Strohhalme fortgerissen, und manche Unglücklichen verloren ihr Leben. Später schien sich die National-Regierung entschlossen zu haben, diesen Damm für ihre Rechnung aufzuführen. Sie sandte den geschickten Architekten Mr. Bravard, der die nöthigen Pläne an Ort und Stelle aufnahm. Allein sein bald nachher bei dem Erdbeben in Mendoza eintretender Tod, sowie die bald darauf beginnenden Unruhen in den östlichen Provinzen machten diese Pläne zu Wasser, welches jedoch nicht von der Qualität sein dürfte, welche San Luis in seiner Wassernoth benöthigt. —

Diesem grossen Hinderniss der periodisch eintretenden Trockenheit des Landes verdankt auch der kleine Distrikt Jachal die Superiorität seines Ackerbaus über die Viehzucht. Wenn ersterer auch mehr Wasser benöthigt wie die letztere, so wird dieses doch nicht auf einem so ausgebreiteten Umfang verlangt. An dem einzigen Fluss, der bei Jachal dem Gebirge entströmt und durch die Vega fliesst, concentrirt sich der Ackerbau. Er ist dort zwar von jedem Aufschwung entfernt, ist stationär, aber dennoch der Viehzucht überlegen, die, wenn ihre Zahl in einem fruchtbaren Jahre sich verdoppelt, in dem nächsten trockenen vielleicht auf die Hälfte fällt. Um der Viehzucht Gedeihen zu geben, ist es nothwendig, dass das ganze Land von, wenn auch nur kleinen unbedeutenden Gewässern, durchfurcht sei, die vielleicht nicht hinreichend zur Bebauung, jedoch genug Wasser zum Fortkommen des Pampagrases und zur Tränke des Viehes geben. Cordova im Osten und Salta, Tucuman im Norden sind Beispiele, in welchen sich obige Bedingung erfüllt, und die von einem glänzenden Resultat begleitet sind.

Der Ackerbau in Jachal ist aus den oben angegebenen Gründen stationär, und hat daher Ursache zur Auswanderung mancher Familie gegeben, die, obwohl sie im Stande war, ihr Brod zu gewinnen, sich mit diesem nicht begnügte und andere, mehr begünstigte Orte aufsuchte. Die Lücke, durch diese Emigration entstanden, gab den Zurückbleibenden mehr Raum und machte es ihnen möglich, sich auch ihrerseits weiter auszudehnen, als es zur blossen Ernährung nothwendig war. Dieser Grund erklärt die Erscheinung, dass, obgleich Jachal ein zurückschreitender Ort ist, derselbe doch immer noch Gelegenheit zum Aufschwunge arbeitsamer Bauern bietet.*)

Ueber Deutsche und Deutschthum wäre wenig oder nichts aus diesen entlegenen Gegenden zu berichten. Wie Herr Gerstäcker sehr richtig in seinem letzt publicirten Reisewerke „Achtzehn Monate in Südamerika" bemerkt, taugt der Deutsche nicht zum Pionnier der Civilisation, der sich allein und mit Vorliebe in die Einsamkeit des Urwaldes oder der Pampa begiebt, um dort der Cultur den ersten leichten Pfad zu bahnen. Der Deutsche im Allgemeinen besitzt eine solide, eine, wenn auch unternehmende, doch feste, sich an die Scholle bindende Natur. Er zieht in ferne Länder, nicht durch Unstätigkeit dazu getrieben, sondern aus Noth oder dem Hange, sich zu bereichern. Er ist nur dort ein guter Colonist, wo er Ackerbauer sein kann; soll er auf flüchtigem Pferde die Pampa durchschweifen oder den Wald durchsuchen, um sein Mahl zu gewinnen, — muss er die Indianer bekämpfen und oft Hunderte von Leguas verfolgen

---

*) Seitdem ich Obiges geschrieben, höre ich, dass Jachal durch Auffindung neuer Silbergruben, die im December 1862 stattgefunden, sich wieder hebt; Ausländer, meistentheils Chilenen und Argentiner, oft Leute mit Capital, strömen en masse hinzu, um die neue Entdeckung zu nutzen. Würde man jetzt nach Jachal reisen, so bin ich überzeugt, würde man gerade das Gegentheil des Zustandes vorfinden, wie ich ihn oben beschrieben. So rasch wechseln in diesem jungen Lande die Zustände von einem Extrem zum andern.

oder flüchten, um sein Vieh zu beschützen, soll er grosse Distancen durchlaufen, um für sein Vieh bessere Weide zu suchen, — in diesem Monate hier wohnen, und im nächsten fünfzig Meilen weiter seine Hütte bauen, dann ist er verloren. Dafür taugt sein Nachbar, der leicht bewegliche Franzose besser. In der That stösst man unter den Gaucho's, wo man glaubt, es mit einem echten Sohne der Pampa zu thun zu haben, nicht selten auf echte Söhne de la belle France, die fast gänzlich die Gewohnheiten und Sitten der Eingebornen angenommen haben, aber trotzdem ungeachtet ihrer scheinbaren Gleichheit mit Letzteren einen Einfluss auf den allgemeinen Fortschritt ausüben. Ihre europäische Erfahrung mit den Natursitten der Bewohner des Landes in Contakt gebracht, geben oft ein sonderbares, aber nie ungünstiges Gemisch. —

Deutsche giebt es in Jachal daher nicht. Vor Zeiten soll einmal ein deutscher Arzt dort gewesen sein, allein man wusste doch nicht recht, ob er deutsch, englisch, italienisch oder russischer Nation war. „Todos son paisanos, todos son gringos“*) sagte mir ein alter Gaucho, welchen ich nach den näheren Umständen jenes sonderbaren Vorfalles befragte. Ueberhaupt braucht die Unwissenheit dieser Leute wohl kaum einer Erwähnung, sie ist selbstverständlich. Mit Ausnahme eines oder zweier Beamten und wohlhabender Bauern, die zur Erziehung nach Cordova oder Buenos-Ayres geschickt wurden, giebt es keine Aufklärung selbst über die einfachsten Thatsachen der Geographie, vielweniger der Geschichte und der Astronomie; für diese Leute existirt nur ihr Fleckchen Erde. Was darüber ist, geht über ihren Horizont. Das einzige Thema, über welches sie trefflich zu schwatzen wissen, ist „Politik“, jedoch dreht sich auch diese nicht um Principien, sondern nur um Persönlichkeiten. Ob „Johann“ oder „Peter“ regieren soll, darum werden oft blutige Fehden geführt. Für den, der die Culturgeschichte des Menschengeschlechts studirt, wäre eine Bereisung dieses Landes sehr interessant und nützlich. Er sieht in diesem Landestheil das Mittelalter vertreten, in jenem noch dem primitiven Zustand des Jäger- und Hirten-Lebens. Zwei oder dreihundert Meilen weiter sieht er fast sein eigenes Zeitalter, alles zwar mit einem wundersamen Gemisch des 19. Jahrhunderts, aber nie ist dieses so fest vermengt, als dass er nicht im Stande sein sollte, jene Zustände herauszuschälen. Wie der Naturforscher in diesem Welttheil alle Klimata der Erde vor sich hat, wie er von der ewigen Eisregion der Andes all-

*) Es sind ja alle Landsmänner, es sind alle „Gringos“ (spöttische Benennung für Fremden.

mählich in die gemässigte Zone und von dort zur heissen in wenigen Stunden herabsteigt, so vermag auch der Culturforscher in wenigen Wochen die verschiedenen Zustände der Geschichte seiner Wissenschaft mit eigenen Augen zu prüfen.

Wir hatten bereits drei Tage die Gastfreundschaft des Señor Vega genossen, als wir uns zur Abreise rüsteten. Wie Hunter es vorhergesehen, hatten wir vermittelst unsers immer dienstfertigen Wirthes zwei frische Maulthiere für die unseren eingetauscht, indem wir eine geringe Geldsumme, welche, wenn ich mich recht erinnere, sechs Piaster betrug, als Aufgeld zahlten. Es that uns leid, dass wir nicht mehrere Thiere unseres Truppe von Moquina mitgebracht hatten, ohne Zweifel würden wir für sie alle frische und im guten Zustande sich befindende eingetauscht haben. — Als Führer, dessen wir auf dem weiteren Wege bis zum Finden unserer Tropa nothwendig bedurften, überliess uns Vega seinen eigenen Capataz. — Nicht ohne herzliches Bedauern nahmen wir von unserem freundlichen Wirthe und seiner liebenswürdigen Familie Abschied, als wir am 9. Mai beim Anbruch des Tages unsere Maulthiere bestiegen. „Gott und alle Heiligen geleiten Euch und führen Euch recht bald in unser Haus zurück,“ diese gewöhnlich gebrauchte Abschiedsformel der Argentiner schien mir diesesmal nicht gewöhnlich. Man fühlte, dass sie den guten Leuten aus dem Herzen kam, und deshalb wurde sie uns, den einsamen Reisenden so kostbar. Gerne hätte ich später wieder Einiges von ihnen gehört, aber jeder Versuch zu diesem Endzweck war mir bis jetzt vergebene Mühe. Meine Briefe blieben unbeantwortet; sollten sie den bald folgenden, schweren Zeiten der Revolution wie so viele Andere zum Opfer gefallen sein?

Der Weg von Jachal zum Norden bot in seinen ersten Tagereisen wenig Interessantes; er durchbricht jenes ringförmige Gebirge, welches das Jachalthal zu einem Kessel macht, oder besser gesagt, er durchschleicht es auf furchtbar rauhen Pfaden; unsere Thiere mussten über die nicht selten den Weg verschliessenden Felsblöcke und die, wenn auch niederen, doch nicht minder gefährlichen Abgründe im buchstäblichen Sinne des Wortes klettern. In den Andes mochten die Höhen und Tiefen bedeutender sein, aber gewiss nicht mit mehr Gefahr verknüpft, wie dieser Felsenweg sie bot. Es war eine ganz neue Art Gefahr, die ich hier kennen lernte. Krampfhaft hielt ich oft die Mähne des Thieres, jeden Moment seinen Sturz auf die scharfkantigen Felsen fürchtend. Diese unzähligen Steinspitzen, oder wie grosse Messerklingen horizontal liegen-

13*

den, mit der Schneide aufwärts gekehrten Felsgräten, unter denen das Maulthier vorsichtig Fuss vor Fuss fortschreiten muss, macht den Eindruck, als sähe man weit und breit Bajonettspitzen aus dem Boden wachsen, und in der That könnten letztere schwerlich gefährlicher werden, wie die Wirklichkeit es ist. Ein Sturz würde für das Thier tödtlich sein, und dem Reisenden hundert gegen eine Chance geben, sich den Schädel zu zerschmettern oder den Körper zu durchbohren. — Unangenehm kitzelten uns oft die hohen spitzigen Steine, wenn das Maulthier in seinen Bemühungen, sich selbst so unangenehme Berührungen zu ersparen, das Bein des Reiters der Felsenkante zu nahe brachte. — Glücklicherweise kamen derartige, unangenehme Berührungen nur selten vor; auf die Länge der Zeit diese Spannung zu ertragen, und die mit fieberhafter Aengstlichkeit angewendete Vorsicht fortzusetzen, würde keinem Menschen möglich sein.

Auf diesem Wege erleiden die Viehtreiber grosse Verluste. In kurzen Zwischenräumen findet man die Cadaver der gefallenen Rinder, deren scheusslicher Gestank die Luft verpestet; besonders, wo der Weg durch Felsen eingeschlossen wird und dem Wind keinen freien Durchzug gestattet, wird dieser Geruch fast schwindelerregend, um so mehr, da man nur langsam Schritt vor Schritt vorwärts kommt. Schaaren von Geiern fliegen schwerfällig bei dem Nahen der Reisenden auf, in den zerfetzten Gliedern des todten Thieres einen schwer zu beschreibenden Anblick zurücklassend. Man weiss nicht, soll man sich die Augen oder die Nase zuhalten. — Bei einer Biegung des Weges fanden wir einen noch lebenden Ochsen. Das arme Thier war nichts wie Haut und Knochen, die Zunge weit aus dem Halse gereckt; als wir auf dasselbe zuritten, suchte es aufzustehen, aber stöhnend fiel es zurück. Man möchte sagen, dass seine Augen einen flehenden Ausdruck enthielten, als es uns ansah; Nicolás stieg auf mein Geheiss ab und stiess dem armen Thier das Messer durch die Kehle. Es war die einzige Linderung, die ihm gegeben werden konnte. — Von den nördlichen Estancias muss das Vieh über diesen Weg Jachal zugetrieben werden; diese Quebrada in der Nähe Jachals ist für dasselbe ein Sieb, in welchem nur die Stärkeren Durchegang finden. Von der langen Reise ermüdet, stolpert das schwächer Thier, und einmal gefallen, steht es nicht mehr auf.

Um neun Uhr Abends kamen wir bei der Punta del Agua an, wo wir uns an den Ufern eines kleinen Baches unser Bivouac aufschlugen. An Obdach war in dieser Wildniss nicht zu denken. Vor unserer Ankunft auf der noch dreissig Leguas entfernten Estancia de las Salinas durften wir auf keine Hütte hoffen. Dieser Landestheil ist vollkommen öde, ja theilweise wird er zur Wüste; die Ursache dieser Erscheinung ist wie immer Wassermangel. Um von einem kleinen Bache zum andern zu gelangen, braucht man eine Tagereise. Der Boden enthält dort, wo er nicht in der Nähe der Berge zu felsig wird, gute, wenn auch ausgetrocknete Ackererde, so dass, würde man die oben besprochenen Represas oder noch besser, artesische Brunnen, für deren leichte Auffindung sehr günstige, geologische Verhältnisse sprechen, anlegen, man auf eine glänzende Umwandelung rechnen könnte. Der Mangel an arbeitenden Händen würde nicht so gross in diesen Landschaften sein, wenn diese den Besitzern derselben die Gewährleistung eines guten Erfolges geben. Die elenden Bewohner der Campaña des nahen Santiago del Estero würden ebenso sehr wie die emigrationslustigen Chilenen zu Hunderten herbeiströmen, um ein fruchtbares Land, welches zu gleicher Zeit einen grossen Minenreichthum enthalten soll, zu bebauen. Aber so lange es kein Wasser giebt, werden keine Einwanderer kommen, und so lange es keine zahlreichen Bewohner giebt, die die Nothwendigkeit fühlen, grössere Wasserarbeiten anzulegen, werden diese schönen Strecken Landes wohl nimmer ihrem todten Zustande entrissen; durch diese Wechselwirkung schiebt sich jede Hoffnung einer Besserung weit hinaus. Der Regierung kömmt es in solchen Fällen zu, die Initiative zu ergreifen und für ihre Kosten wenigstens den Beginn mit dem Werke zu machen. An zahlreichen Projecten hat es derselben auch niemals gefehlt, allein von da bis zur Ausführung ist ein gar weiter Weg. Mangel an Mitteln, und mehr als dieses, die alte grosse Ursache fast jeden volkswirthschaftlichen Uebels in diesen Ländern, Mangel an einem festbegründeten, garantirten, friedlichen Zustande, hindern jedes grössere Unternehmen.

Die nächste Nacht, also die zweite seit unserer Abreise von Jachal, kamen wir in der Quebrada del Peñon an. Es sollte uns hier eines jener Abenteuer begegnen, wie Reisende im romantischen Uebermuthe sie oft herbeirufen, (wie ja auch wir bei unserem Ausflug nach dem Pié de Palo bei San Juan), und wenn sie ihm dann wirklich begegnen, sich um Gotteswillen mit heiler Haut weit davon wünschen.

Die Quebrada del Peñon ist ein Längsthal, welches sich quer durch die von den Andes auslaufenden, kleineren Zweiggebirge zieht, also besonders als Weg für die Reisenden, der vom Nord zu Süd oder vice versa zu reisen hat, passend, da es ihn der Mühe überhebt, die Rücken der Bergjoche zu übersteigen. Durch welche gewaltige, vulkanische Wirkung ein solcher Querschnitt entstanden ist, möchte schwer zu beurtheilen sein, um so mehr, da die Hauptquebrada wieder der Breite nach von anderen kleineren Quebradillas oder Schluchten durchbrochen ist. Die Seitenwände mit dichtem Gebüsch bewachsen, die riesenhaften Cactusarten, die sich gleich Bäumen vom Boden der Schlucht fast bis zum oberen Rande derselben erheben, gaben dem Ganzen einen Anstrich üppiger, wilder Vegetation, der den Beobachtungssinn des Reisenden angenehm berührt. Wir waren schon mehrere Meilen in die Schlucht eingedrungen, als die Abenddämmerung sich rasch in Nacht verwandelte und uns zwang, nach einem passenden Lagerplatze umzuschauen. Der Eifer, diesen vor Wind und Wetter geschützt und zugleich bequem belegen aufzufinden, liess uns vom Wege abgehen. Bald fanden wir eine recht passende Lagerstätte. Eine kleine enge Seitenschlucht, deren Boden ein schönes, kräftiges Gras aufwies und die von Cacteen und Dornengebüsch umwachsen war, schien ausdrücklich zum Thiergehege geschaffen zu sein. In dieser kleinen Sackgasse hatten wir nur den Ausgang zu hüten, um keins der Thiere zu verlieren, und überdem fanden diese innerhalb derselben ein reichliches Futter. — Wir stiegen hier ab, aber indem wir die Thiere hineintrieben, machte uns ihr sonderbares Benehmen aufmerksam. Die Stute, die Pedro (so hiess unser neuer Führer) zur grösseren Bequemlichkeit mitgebracht, ging allerdings vorwärts, ohne sich um etwas Anderes als das saftige Gras zu kümmern. Nicht so die Maulthiere. Fast kopfschüttelnd folgten die klugen Thiere der Führerin und schnoben leise in der Luft, sich einer Gefahr bewusst, aber wie es schien, den Charakter derselben nicht recht erkennend. Hunter glaubte, es seien Tiger in der Nähe, allein die Maulthiere haben einen zu feinen Instinkt und kennen diesen ihren alten Feind zu gut, als dass sie nicht dann grössere, unverkennbarere Zeichen des Schrekkens von sich gegeben hätten. Inzwischen schienen sich die Thiere allmählich zu beruhigen; dennoch beschossen wir, uns lieber der schweren Arbeit einer abwechselnden Nachtwache zu unterziehen, als uns unvorsichtig, wenn auch nur dem Schatten einer Gefahr auszusetzen. — So weit die Enge des Terrains es zuliess, wurden mehrere Feuer um die Oeffnung der kleinen Schlucht angezündet. Pedro bereitete eben das Essen, als ich in der Nähe eines anderen Feuers neben Hunter auf den Boden gestreckt, an ersteren eine Frage richtete. Ich erhielt keine Antwort und fragte zum zweitenmale, erhielt aber auch diesesmal keine Ant wort. Befremdet wegen dieses seltsamen Benehmens des Führers, hob ich meinen Blick aus der Flamme. Starr und leichenblass, ohne eine Muskel zu verziehen, sah ich den Burschen dasitzen; das Entsetzen steckt an wie jedes tiefe Gefühl, welches plötzlich unsere Gefährten überfällt. Auch ich, ohne den Grund zu kennen, entsetzte mich. Hunter sah noch mit gleichgültigem Blick in die Gluth; ich stiess ihn an, — er sah auf und auch ihn erfasste bei dem Anblick unserer erschreckten Gesichter dieses unbestimmte Grausen, welches den Muthigsten in der Gegenwart einer noch unbekannten Gefahr ergreift. Plötzlich, keine halbe Minute mochte seitdem vergangen sein, vernahmen wir einen leisen, kaum wahrnehmbaren Ton, — es war in unserer nächsten Nähe. Ein rasches Klappern, dem Geräusch schnell bewegter Castañetten ähnlich, liess sich jetzt vernehmen; zu gleicher Zeit entringelte sich aus dem Sattelzeuge, welches keine drei Schritte von Pedro entfernt lag, eine riesige Klapperschlange. Auch von uns, Hunter und mir war sie nur wenige Schritte entfernt, mir fast im Rücken; Hunter an meiner Rechten, vielleicht drei weitere Schritte entfernt sitzend, war der entfernteste, aber seine Lage befähigte ihn, die Bewegungen des Ungethümes am genauesten zu beobachten, während ich mich zu diesem Zwecke zur Seite drehen musste. Beim Anblick der Schlange wollte ich aufspringen, hätte ich mich nicht rechtzeitig erinnert, wie solche Bewegung nur den Angriff des Ungethüms beschleunigen würde. In langsamen aber schrecklichen Windungen hatte es sich allmählich Pedro genähert. Der arme Bursche versicherte mir später, dass er ihren heissen Athem in seinem Gesicht gespürt habe. Schon war sie im Begriff sich auf ihn zu stürzen; aber langsam, um nicht die Aufmerksamkeit des Thieres auf auf sich zu ziehen, hatte Hunter unterdessen seinen Revolver erhoben. Er richtete ihn mir beinahe ins Gesicht; befand sich doch für ihn die Schlange mit mir fast in grader Linie. Ich kannte seine Kaltblütigkeit, sein gutes Auge und rührte mich daher nicht, dennoch wurde mir vor dem mir entgegengestreckten Pistolenlauf fast noch unheimlicher zu Muthe, wie vor der Schlange. Ich schloss die Augen, der Schuss krachte und die Schlange fiel mit zerschmettertem Kopfe in den Schooss des Geretteten. Die Nähe des Feuers, wo sich die gefährliche Scene zutrug, machte den Meisterschuss inmitten der Nacht möglich. Der arme Bursche weinte fast vor Freude und versicherte seinem Retter wohl hundertmal seine Dankbarkeit und Anhänglichkeit. Auch ich, wenn ihm auch nicht zum Dank verpflichtet, hatte doch Ursache, mich zu freuen, dass er anstatt der Schlange nicht meinen Hirnschädel zerschmettert hatte. Die Kugel konnte keine zwei Zoll an meinem Kopfe vorbeigegangen sein. — Trotz der glücklichen Beendigung dieses Abenteuers litt es uns nicht mehr an diesem Ort. Auch die Maulthiere waren inzwischen scheu geworden und machten immer verzweifeltere Anstrengungen, bald unsere Linie, bald das dichte Gebüsch der Seitenabhänge zu durchbrechen. Wir beschlossen, sofort weiter zu reisen; kannte doch Pedro diesen Theil des Weges zu genau, als dass sich uns in dieser Beziehung ein Hinderniss entgegenstellen konnte.

Der Schlange streiften wir die Haut ab, und waren schon im Begriff, sie zwischen unsere Bagage zu verpacken, als uns unser Führer dringend davon abrieth. Es ist ein allgemeiner Glaube der argentinischen Landbewohner, dass der Geruch der frischen Haut der Klapperschlange sowohl, als auch der der Klappern von fernher Klapperschlangen herbeiführt. Ob diese Behauptung wahr oder unwahr, jedenfalls schien es uns unserer nächtlichen Ruhe wegen am besten, den Rath des Pedro zu befolgen und Haut und Klappern zurückzulassen. — Die Schlange mass circa 5½ Fuss und hatte vier Zoll Dicke. Die Klappern, die aus hornartigen, gelenkigen Ringen bestehen und sich am Ende des Schwanzes befinden, erreichten bei der von uns erlegten die Zahl 15. Die Farbe des Ungethüms, soweit sie sich bei dem unsicher flackernden Lichte des Bivouacfeuers erkennen liess, war ein glänzendes Schmutziggelb mit braunen Streifen und Flecken untermischt. — Die Klapperschlangen (culebra de cascabel, wie der Argentiner sie nennt) halten sich häufig in den Quebradas auf, und kann man, in solcher Schlucht gelagert, nicht zu vorsichtig sein. Genau untersuche man das Sattelzeug, die Decken und die Umgegend, vorzüglich das dem Lager näher liegende Gebüsch. Niemals begebe man sich ohne Wache zum Schlaf. Die beste Wache ist immer ein guter Hund, der die Anwesenheit der Schlangen schon in Entfernung non mehreren Quadras entdecken soll. Findet man Zeichen, die auf die Nähe jener schliessen lassen, so thut man am besten, unserem Beispiel zu folgen und aufzubrechen, wenn es auch nur wäre, um in ein oder zwei Leguas Entfernung ein anderes Nachtlager aufzusuchen, denn gewöhnlich, wo sich eine dieser Schlangen aufhält, pflegen deren mehrere nahe zu sein, und vermag man sich selbst auch durch eine strenge Wachsamkeit zu schützen, so ist nicht dasselbe mit den Maulthieren der Fall. Mehr, als sie als Opfer der Schlangen zu verlieren, setzt man sich der Gefahr ihrer Flucht aus. Wie ich später von den Bewohnern des

Landes vernahm, hält sich die Klapperschlange mit Vorliebe in der Nähe menschlicher Wohnungen auf, um auf Geflügel und die kleineren, zahmen Säugethiere Jagd zu machen. In kalten Nächten schleicht sie sich nicht selten in die Hütten, und verkriecht sich in Betten, Fellen oder an anderen warmen Orten. Ihre Klappern warnen immer vor ihrer Nähe, aber nicht selten werden sie überhört, bis es zu spät ist, d. h. bis einer oder mehrere der Bewohner gebissen sind. Die Eingebornen wollen zwar ein Kraut gegen das Gift der Klapperschlange kennen, aber diese Kenntniss muss nicht so allgemein sein, da alljährlich eine nicht geringe Anzahl Menschenleben dem giftigen Wurme zum Opfer fallen. Auch mir hat kein Einziger der Leute, mit denen ich gesprochen habe, jenes Kraut nennen können, sie bezogen sich immer auf Andere, die es kennen sollten. Weit verbreiteter als die Anwendung dieses Krautes scheint das Abbinden des gebissenen Gliedes, sofortige Blutung und später Umschläge salzigen Wassers zu sein. Aber diese Operation soll nur dann helfen, wenn sie schon im nächsten Moment nach dem Bisse vorgenommen wird.

Nur wenige Meilen kamen wir in dieser Nacht vorwärts; obwohl unserm Führer der Weg genau bekannt war, musste auf den unsicheren, steilen Wegen doch zu grosse Vorsicht angewandt werden, um ein anderes als sehr langsames Fortschreiten der Thiere möglich zu machen. Beim Anbruch des Tages erreichten wir die Grenzlinie zwischen den Provinzen San Juan und Rioja. Mehrere colossale Felsstücke „Mojones“ genannt, auf die Mitte des Weges geworfen, bezeichneten diese Grenze; über den Weg hinaus sieht man keine Marke, die an den Eintritt in ein neues Territorium erinnert. Die Gegend, die sich uns zunächst beim Tageslicht darbot, war durchaus bergigter Natur, aus Kalk und Kreide-Formationen bestehend. Im höchsten Grade trocken und vegetationsleer, bot sie ein trauriges Bild, welches sich nur in den Tiefen änderte, wo angeschwemmtes Land einen weicheren Boden bildete. Aber auch dort sieht man nichts als die für die Wüste geschaffenen baumartigen Cacteen, die sich in wunderlichen Formen oft meilenweit hinziehen. — Weit und breit kein Wasser! Seit wir die Quebrada del Peñon verlassen, hatten wir nur einen einzigen und zwar unbedeutenden Bach gesehen, der in einer tiefen, unzugänglichen Schlucht dem Wege für eine halbe Meile zur Seite fliesst. Wenn dieses Flüsschen auch durch die Unzugänglichkeit seiner Ufer dem diesen Weg Kommenden nutzlos wird, so bot die hübsche Vegetation, die seinen Lauf in der Tiefe begleitete, dem Auge einen angenehmen, erfrischenden Anblick. — Dieser öde Charakter der Landschaft vermehrt sich, je mehr man sich den Andes nähert, oder, da dieser Weg schon durch die ersten Zweige des Gebirges führt, je tiefer man in dieselben eindringt, und vermindert sich, je mehr man sich von ihm entfernt. Der Weg thut Beides abwechselnd, bis er plötzlich eine bedeutende Abweichung gen Osten machte, und uns sofort wieder von dem Steinreich zu dem Pflanzenreich auf die Pampa hinausführte. Diese letzterwähnte Biegung des Weges war ein Zeichen, dass wir uns Salinas näherten; welches nach der Aussage unseres Führers nur noch vier Leguas entfernt sein konnte. Wirklich kamen wir dort schon um ein Uhr Mittags an.

Wir fanden hier unserem Uebereinkommen mit dem alten Romualdo gemäss unsere ganze Truppe wieder beisammen, und sowohl Führer wie Thiere durch die lange genossene Ruhe in erfrischtem, munterem Zustande. Auch sie hatten eine günstige Reise von Moquina gehabt und befanden sich schon seit drei Tagen in Salinas, obgleich sie erst zwei Tage nach uns von ersterem Orte abgereist waren.

„Salinas“, so benannt nach den ausgedehnten Salzwüsten, die sich in östlicher Richtung von dem Orte hinziehen, wird nur von sechs Familien bewohnt, Gauchos, die einige hundert Stück halbverwilderten Rindviehes hüten, das sich nur dürftig von dem mageren, verwelkten Pampagras ernährt. Ausgedehnter und ergiebiger wie ihre Rindviehzucht ist ihre Ziegenzucht, obwohl diese Ziege nur einer ganz ordinären Race angehört. Die flinken, hübschen Thierchen erfordern weit weniger gute Grasweide als die Kühe und Schafe; zu Tausenden hüpfen und spielen sie zwischen den nahen Felsen, die, wenige Ruthen von den Hütten der Bewohner entfernt, die flache Pampa scharf begrenzen. Die Ziege giebt den Bewohnern Kleidung und Nahrung; erstere bereiten sie aus den Haaren, aus welchen sie ein Gewebe zu bereiten wissen, und die Milch und das Fleisch der Thiere gewährt ihnen die letztere. Nicht allein das, sondern die schnelle, fruchtbare Vermehrung der Thiere schliesst ein verhältnissmässiges Wachsthum des Capitals in sich; obwohl ihnen dieser letztere Vortheil nur insofern nicht gleichgültig sein kann, als sie bei einer grösseren Anzahl Ziegen auch immer eine grössere Sicherheit zur Erlangung ihrer täglichen Bedürfnisse haben werden; aber die erworbenen Producte derselben umzusetzen, sich fremde Gegenstände dafür anzueignen, ein verhältnissmässiges Wohlleben einzuführen, mit einem Wort, sich durch Handel und Verkehr aufzuschwingen, ist ihnen nicht möglich, wenn sie auch eine grosse Bedingung zu solchem Aufschwung: eigenes productives Kapital zu haben, zu erfüllen vermögen. Von derselben Ursache, die ihnen diesen Fortschritt verbietet, schreibt sich die geringe Aufmerksamkeit her, die sie dem Bebauen des Bodens widmen. Ein kleiner Strom, der sich unfern der Hütten hinzieht, bewässert und befruchtet manch' schönes Stück Land, welches ungenützt liegen bleibt. Doch sind die Bewohner der Unthätigkeit hier am wenigsten zu beschuldigen, da die Leute keinen Absatz für ihre Früchte finden würden. Nach welchen entlegenen Märkten könnten sie ihr Getreide und Vieh schaffen, wo der dafür zu erlangende Preis die Unkosten eines so beschwerlichen, weiten und gefahrvollen Transports decken würde? Sie begnügen sich daher, für die täglichen Bedürfnisse genügend zu haben, und suchen und finden nichts darüber. — Das Leben dieser Leute ist im höchsten Grade einfach und einförmig. Schon mit Tagesanbruch erheben sie sich von ihrem Lager, welches nur in der Regenzeit in der Hütte bereitet wird, und aus nichts als einigen Ziegen- und Schaffellen besteht, dem Sattelzeug des Pferdes, welches sie die Nacht über im Corral stehen gehabt haben. Die Frauen bereiten den Máte und rösten ein Stück Ziegenfleisch. Nachdem sie gemeinschaftlich mit ihren Männern gegessen, gehen sie ihrer täglichen Beschäftigung, dem Melken der Ziegen und dem Weben nach, und die Männer reiten über die Pampa, um die Kühe zu hüten. Findet er Zeichen der Anwesenheit wilder Thiere, so wird sogleich nach den Hütten zurückgekehrt, um die Hunde zu suchen und Vorbereitungen zur Jagd zu treffen. Ist es ein Tiger, dessen Spur sie gefunden haben, so werden solche Jagden mit vieler Vorsicht unternommen. Nur die Männer, die gut den Lasso zu handhaben wissen, die die Bolas mit Sicherheit schleudern und das Messer geschickt führen, gehen auf solche Jagd. Sie nehmen die besten, gewandtesten Pferde und stärksten Hunde. — Mit Angst warten die Frauen ihrer Rückkehr, denn bei den erbärmlichen Waffen, deren sich die Jäger der gefährlichen Katze gegenüber bedienen, ist es kein Wunder, sollte die Jagd eins oder mehrere Opfer fordern. Dennoch setzen sie solche Jagd nie aus und können sie auch nicht aussetzen. Ein Tiger, den sie unbelästigt in ihrer Nähe lassen, wird des Nachts ihre Wohnungen angreifen oder sie am hellen Tage in denselben belagern. Auffallend rasch sollen sich in Gegenden, wo die Bewohner die Jagd versäumen, die wilden Thiere vermehren, indem sich dem ersten, der unbestraft raubt und mordet, bald zahlreiche Gefährten zugesellen. — Der Charakter, den der Pampa-Bewohner der Tigerjagd giebt, ist von dem der Jagd auf den sogenannten amerikanischen Löwen, den Puma, sehr verschieden. — Der Puma ist ein scheues und vor dem muthig ihn angreifenden Menschen sich fürchtendes Thier. Er hat etwas von dem Charakter der Hyäne. Zur Nachtzeit schleicht er sich in die Nähe des Viehes, und springt diesem plötzlich an die Kehle. Seine Zähne und Tatzen gierig in das Fleisch schlagend, zerreisst er das Opfer nur, um das Blut zu trinken, aber selten um das Fleisch desselben zu fressen. Den Schaf- und Ziegenheerden wird er deshalb gefährliche wie der Tiger, der sich gewöhnlich mit einem Opfer genügen lässt, während der Puma oft zwanzig bis dreissig Thieren in einer Nacht die Kehle aufreisst. — Die Jagd auf den Löwen wird von dem Gaucho mit einer Art Aufregung unternommen, die von der, durch die Tigerjagd verursachten sehr verschieden ist. Bei der letzteren zieht er aus, um sein Leben und das seiner Familie zu vertheidigen, während bei der ersten er nur einen Räuber seiner Schafe oder Ziegen erlegen will. — Diese Jagd wird ihm, weil keine ernstliche Gefahr zu bekämpfen ist, zu einer willkommenen Unterbrechung seines einförmigen Lebens; selbst die Frauen und Kinder nehmen an dieser Jagdfreude Theil, und reiten nicht selten mit ihren Männern und Vätern aus, um auch bei der Jagd selbst mitzuwirken. Der Auszug zu solcher Jagd gewinnt dann den Anschein einer grossen Lust-Excursion; da man nicht weiss, ob man den ersten, zweiten oder dritten Tag den Löwen treffen wird, rüstet man sich mit Lebensmitteln, getrocknetem Fleische (Charqui) für mehrere Tage aus, lässt zwei oder drei Männer zurück, die die Hütten und Ziegen in Obacht nehmen, und fort geht es, auf manchem Pferde mit zwei und selbst drei Personen, die aber begreiflicherweise nicht zu den corpulenten gehören dürfen. — Hat man die Spur des Wildes wiedergefunden, (ohne die Fusspur des Löwen erkannt zu haben, setzt sich nie eine grössere Jagdgesellschaft in Bewegung), so reiten zwei der erfahrensten Gauchos vorauf, genau die Spur durch Berg und Thal, Schluchten und Ebenen verfolgend. Die ganze Karavane folgt still und vorsichtig, um dem Löwen keine Warnung gegen die ihm drohende Gefahr zukommen zu lassen. Sind die Wege zu schlecht, um den Pferden den Durchgang zu gestatten, dann reiten einige Bursche voraus, um die Richtung der Spur beizubehalten, und der Rest der Expedition sucht sich mit ihnen auf besserem Wege zu vereinen. — Ueberrascht sie die Nacht, so wird Halt gemacht, die Bivouacfeuer werden angezündet und der Charqui geröstet. Auch Brod, aus der Frucht der Algarobabäume bereitet, wird vertheilt. Der Allójo, ein berauschendes Getränk, aus demselben Baume gewonnen, darf natürlich nicht fehlen. Den nächsten Morgen ziehen sie weiter, immer der Spur nach, die sie in den schwächsten Eindrücken und mit viel grösserer Gewissheit als ihre Hunde wahrnehmen. Nichts wäre im Stande, sie von derselben abzubringen. — Wird der Eindruck der Spur auf dem Erdboden frisch, so dass der Löwe sie erst vor wenigen Augenblicken zurückgelassen haben kann, so hält die Gesellschaft. In der grössten Stille bereitet man die Lassos und Bolas zum augenblicklichen Gebrauche. Gewöhnlich ist solcher Ort eine Schlucht, wohin sich der Löwe zur Tageszeit zurückzieht. Drei oder vier Gauchos zu Fuss, mit dem Messer zwischen den Zähnen, in der Hand den Lasso, dringen vorwärts, der Spur nach; der Rest der Männer auf den schnellsten Pferden, vertheilt sich im Halbzirkel um die Schlucht, nicht den Lasso, sondern die Bolas schwingend. Die Frauen und Kinder ziehen sich nach einer andern Seite zurück, den Ausgang der Scene mit Spannung erwartend. Es ist fast eine Viertelstunde verflossen, seitdem die Gauchos in die Schlucht eingedrungen sind, und ihre Gefährten ungeduldig auf das Resultat ihrer Forschungen warten, als plötzlich ein lautes, fast donnerndes Gebrüll die ganze Aufmerksamkeit der letzteren auf sich zieht. Zu gleicher Zeit theilt sich das dichte Gebüsch, und mit weiten Sätzen sucht der Puma seinen Verfolgern in der Schlucht zu entfliehen. Aber er wählt ein schlechtes Mittel zu solcher Rettung, hier auf der Pampa, die er jetzt durcheilt, hat er sich grade in das Element seiner Feinde begeben. Die Gauchos zu Pferde erheben bei seinem Anblick ein Freudengeschrei, und ihre Bolas schwingend, fahren sie wie der Blitz auf das erschreckte Thier zu. Ist es nicht mehr nahe genug, um zur Schlucht zurückzukehren; so wird er sich im nächsten Augenblick unter den Würfen der Bolas winden, und ein geschleudertes Messer wird ihm bald den Garaus machen. Gewöhnlich aber findet die Katze noch Zeit, sich nach dem Dickicht der Schlucht zurückzuretten, doch nur für einen Moment, bald werden sie die Gauchos, die sie zum erstenmal herausgetrieben, auch wieder erreichen. Endlich klettert das gehetzte Thier auf einen Baum, um in den Aesten Schutz zu suchen. Ist der Stamm nicht zu dick, so wird er umgehauen, und die Bolas empfangen das fallende Thier, um durch diese ohnmächtig gemacht von den Messern der Gauchos durchbohrt oder von den Hunden zerrissen zu werden. Aber nicht immer können die Jäger auf diese bequeme Weise zu ihrem Wilde gelangen. Vergebens werfen dann die Gauchos ihre Bolas nach dem Gipfel des Baumes, wo sich gewöhnlich das Thier anklammert, die Aeste hindern immer, dass es getroffen wird; auch die Hunde umheulen umsonst den Baum, vergebens suchen sie hinaufzuspringen oder in die Aeste zu klettern. Sie erreichen durch ihre Bemühungen nichts, als ein furchtbares, fast höhnendes Brüllen des Puma. — Es wäre wohl etwas gewagt, „höhnend“ zu sagen; der Puma ist im Gegentheil ängstlich, und mehr wie einen Gaucho hörte ich erzählen, dass derselbe, wenn er sich ohne Rettung von seinen Feinden umringt sieht, ein dem Weinen ähnliches, klägliches Wimmern hören lässt. — Sehen die Jäger, dass kein anderes Mittel bleibt, so tritt der Entschlossenste hervor und beginnt den Baum zu erklettern, das Messer zwischen den Zähnen; in der rechten Hand den Lasso, kann er nur mit dem linken Arm den Stamm umfassen. Nähert er sich dem Thiere, so sucht er die Schlinge demselben über irgend einen Theil seines Körpers zu werfen; gewöhnlich gelingt es ihm beim ersten Wurf, denn nur der besonders Geschickte unternimmt dieses Wagniss. Rasch gleitet er wieder hinab und der Puma wird heruntergezogen und auf eine der oben beschriebenen Arten getödtet; nicht so, verfehlt er den Wurf, — die Katze würde denn unmittelbar auf ihn zuspringen, und er wäre dann gezwungen, sich nur auf sein Messer zu verlassen, welches auf so unsicherem Terrain nur schwer zu brauchen ist. Schwere Verwundungen müsste er dann unfehlbar davon tragen; aber wie gesagt, ein solcher Fall ist selten, — so selten, dass von allen Männern in Salina's, die ich nach solchem Ereigniss fragte, kein einziger es je erlebt haben wollte. Es ist möglich, dass Jägerstolz ihnen diese Antwort diktirte, dennoch bin ich aus späteren Erfahrungen von der Wahrheit der Seltenheit solcher Fälle überzeugt worden. — Nächst diesen sind es die Straussjagden, deren Lust den Gauchos dieser Gegenden zur wahren Leidenschaft geworden ist. Auf pfeilschnellem Pferde die noch schnelleren, aber bald ermüdenden Strausse einzuholen, dünkt ihnen hohes Verdienst. In die Nähe des verfolgten Vogels gelangt, erlegt der Jäger ihn mit den Bolas. Dieses Wild nützt den Bewohnern indessen wenig. Ihr Fleisch wird nicht von ihnen genossen; die Federn sind das Einzige, welches von einigem Werthe für sie ist.

Während die Männer die Strausse jagen, suchen die Frauen deren Nester auf, um die Eier auszunehmen, welche eine schmackhafte und reichliche Speise geben.

Diese Jagden und die zeitweiligen Reisen Einzelner dienen den Bewohnern dieses Theils der Steppe zur einzigen Unterbrechung ihres einförmigen Lebens. Reisen nach Jachal oder Moquina werden ein oder zweimal im Jahre unternommen, um einige Ziegen- und Ochsenhäute für Gewürze, Messer oder den so wichtigen Máte umzutauschen.

Von den Estancias de las Salinas führte der Weg durch rauhes und unebenes Steinland, ganz die Fortsetzung das schon die früheren Tage durchwanderten; aber allmählich, je mehr wir uns von Salinas entfernten, entfernte sich auch der Weg von den Bergen und öffnete uns die Pampa, wenn sie auch noch durch zahllose Ausläufer kleiner gebrochner Hügelketten durchfurcht wird. Man könnte sagen, dass die Pampa zahllose Zungen in's Gebirgsland hineinsandte. Der Weg führte in grader Linie mitten durch diese kleinen Ebenen, die nur im Osten unbegrenzt erscheinen, und die Gebirgsstöcke; daher sein abwechselnder Charakter von Fruchtbarkeit zur Oede. Zwar giebt es den bequemeren Weg über die Llanos, der ein oder zwei Leguas östlich von Salinas zum Norden führt und der, diese kleinen Gebirgsausläufer umgehend, dem Reisenden ein ganz ebenes Terrain bietet; allein mit diesem Vortheil verbindet er auch die Unsicherheit, ja die Gefahr, die durch die dort umherstreifenden Gauchos erwächst, die, sind sie im Allgemeinen auch nicht fähig, zu rauben und zu morden, doch immer Einzelne unter sich zählen, denen es auf eine abgeschnittene Kehle mehr oder weniger nicht ankommt. Wie die Mehrzahl der Reisenden, zogen daher auch wir den rauheren Vilgo-Weg dem bequemeren Pampa-Wege vor. Nur die von Salta und Tucuman kommenden Ochsenheerden müssen den letzteren wählen; der rauhe Bergpfad würde das Vieh zu sehr ermüden, und von diesem später drei und viermal so viel zum Opfer fallen, als der Gaucho-Tribut beträgt.

XII.

Weg von Salinas nach Vilgo. – Jagdabenteuer. – Verfassung des Weges. – Drei Tage in der Wildniss. – Grosse Gefahr. – Rettung durch einen Arriero. – Abreise von Vilgo. – Die Cactus Opuntia und die Cochenille. · Charakter der Natur. – Ankunft in Pichigasta. – Wildes Gelage der Gauchos. – Beschreibung Pichigastas und Umgegend.

Die flacheren Gegenden, die der Weg von Salinas nach Vilgo durchzieht, die Einschnitte, die die Pampa in das Gebirgsland macht, sind wahrhaft hübsche Strecken, die eine echte Pampanatur aufweisen, obwohl ihnen die erste grosse Eigenschaft derselben, die Unermesslichkeit, der meeresfreie Horizont, nur auf der Ostseite verbleibt. Sowohl das Pflanzenreich wie Thierreich gleicht mit der Fülle ihrer Existenz diesen Mangel, wenn es je einer ist, wieder aus. Fusshoch bedeckte das üppige Gras den Boden, von mancherlei bunt gewirkten, Teppichen ähnlichen Flecken durchmischt. Meilenweit zogen sich diese, Insel-Strecken möchte man sie nennen, der verschiedensten Blumen, unter denen sich die Fuchsien, Amaryllen ihrer Anzahl und Schönheit wegen auszeichneten, hin. Die Manzanilla (Kamille), ein hübsches gelbes Blümchen, welches den Eingeborenen ein Universalmittel gegen ihre Krankheiten giebt, zieht sich in Tausenden von Exemplaren streifenartig durch die Ebene. Hin und wieder sieht man Sträucher und Bäume des Algaroba, selten andere Arten.

Diese einsame Gegend wird von zahllosen Thieren belebt. Strausse stehen, neugierig den Reisenden zuschauend, in kurzer Entfernung vom Wege, die Martineta's*) fliegen fast bei jedem Schritt, welchen das Maulthier vorwärts thut, schwerfällig aus dem hohen Grase auf. Auf eine Strecke, die wir in einer halben Stunde zurücklegten, schossen wir über ein Dutzend derselben. Von den plötzlich vor uns aus dem Grase aufspringenden Hasen fiel nur ein einziger meinem Revolver zum Opfer. Nicht so leicht waren die leichtfüssigen Pampa-Hirsche erlegt, obwohl zahlreiche Rudel in fast allen Richtungen die Ebene durcheilen. Auch ein anderes, merkwürdiges Thier lernten wir hier kennen, die Viscachas (Cavia Acuschi, Linné), ein dem Dachs ähnliches Thier, welches in unter der Oberfläche der Ebene eingegrabenen Höhlen lebt. Neugierig guckten die Thiere aus ihren unterirdischen Löchern, die zu Hunderten und Hunderten das Feld durchfurchen, heraus, ohne aber mehr als den Kopf preiszugeben. Bei jedem unserer Versuch, uns ihnen zu nähern, zogen sie sich rasch zurück.

Ich konnte dieser Versuchung zur Jagd nicht widerstehen, im Gegensatz zu Hunter, der, obwohl ein guter Schütze, nur ein Freund vom Jagen war, wenn er sich ohne grosse Mühe ein Stück Wildpret für den Proviant schiessen konnte. Ueber diese Grenze ging seine Jagdliebhaberei nicht. Ich dagegen konnte dieser Versuchung der lachenden Flur, des den Verfolger in die Ferne lockenden Wildes nicht widerstehen, und beschloss mein Jagdglück zu versuchen. Mich mit genügender Munition und einer Feldflasche mit Wein gefüllt, versehend, glaubte ich meine Ausrüstung

*) Eine besondere Art Rebhuhn, Südamerika eigen.

genügend, und hiess Hunter mit unsern Führern und der Tropa weiter reiten, indem ich ihm mein baldiges Nachkommen versicherte. „Nehmen Sie sich nur in Acht, in die Algaroba-Hölzer einzudringen und sich zu sehr zu verspäten“, rief mir der alte, vorsichtige Romualdo zu, als sie sich langsam weiter bewegten. Mich machte diese Warnung kaum aufmerksam; war doch der eigenthümlich geformte Fels, hinter welchem der Ort Vilgo liegen sollte, recht deutlich zu sehen, sowie mein Maulthier eines der schnellsten und tüchtigsten des Trupps. — Jetzt, wenn ich zurückdenke an jenes alleinige Eindringen in die bahnlose Pampa, wie leicht es möglich ist, dass ein Einzelner, nicht mit dem Lande Bekannter, sich verirrt und dem schlimmsten Feinde, dem Durst erliegt, — wie ihn überall in dieser Wildniss reissende Thiere umgeben, finde ich mich von einem unwillkürlichen Schauder ergriffen, dass ich es wagen konnte, diesen Gefahren zu trotzen, mich blindlings diesen Gefahren auszusetzen. Ich sah darin keine Gefahr, einen kleinen Abstecher vom Wege zu machen und unsere Truppe langsam vorausreiten zu lassen; lag doch unser Ziel uns schon klar vor Augen. Meine Gefährten mochten denselben Gedenken hegen, daher ihre Sicherheit und Weiterreise, welche, anstatt Furcht einzuflössen, mir nur grösseres Vertrauen in die Unbedeutendheit, Gefahrlosigkeit meines Zurückbleibens gab. Es giebt zuweilen solche Momente im Leben des Menschen, die ihn blindlings in Umstände hineinreissen, deren Gefahren, obwohl er sie vor Augen hat, doch von ihm ungesehen bleiben. Ein falsches Vertrauen blendet ihn und nur in einer gewissen Entfernung von jenen Umständen wird er fähig, ihren wahren Charakter zu ermessen. Im materiellen wie im moralischen Leben findet dieses unwillkürliche Eindringen in eine Gefahr am meisten dort statt, wo die lachende, verlockende Aussenseite der Verhältnisse die Blindheit vervollkommt. Mich lockte die schöne, grüne Pampa mit ihrer Jagd, wie sie sich keinem König besser bieten konnte. Das Elend, welches darunter lauerte, sah ich nicht früher, als bis ich es fühlte.

Das dicht gewachsene Gras, welches mit Ausnahme der nächsten Nähe der Viscacheras*) überall den Boden deckte, machte das Gehen beschwerlicher als ich geglaubt hatte, aber zu Maulthier konnte nicht gejagt werden; ich band das Thier an einen dem Wege nahen Strauch, und mit meiner Kugelflinte, dem immer nöthigen Revolver und Messer

*) Viscacheras sind die Höhlen, die sich die Viscachas graben. Die von dem Thiere beim Graben herausgeworfene Erde bilden runde Hügelchen, die den Eingang zur Höhle umgeben.

bewaffnet, drang ich zu Fuss in die Wildniss ein. Die grossen Rebhühner, die oft in Trupps kettenartig einander folgend, wenige Schritte von mir fortliefen, beachtete ich kaum; ich wollte besseres Wild. Auf jenes Rudel Rehe, welches sich plötzlich am Rande eines entfernten, buschartigen Terrains zeigte, hatte ich es abgesehen. Ich musste das Wild umgehen, um ihm den Wind abzugewinnen; der Westwind würde es durch seinen feinen Geruchssinn bald befähigt haben, die nahende Gefahr zu erkennen und ihr zu entgehen. Meine erste Sorge war daher, einen weiten Bogen zu beschreiben, um hinter die Thiere zu kommen, und sie auf diese Weise zwischen mich und den Wind zu bringen. Es gelang, aber das hochgewachsene Gras hatte nur ein sehr langsames und beschwerliches Fortschreiten möglich gemacht, so dass ich wohl eine halbe Stunde zu diesem Manoeuvre gebrauchte. Noch unangenehmer war es mir, dass das von weitem buschartig erscheinende Terrain sich jetzt als ein ganz respektabler Wald darstellte, der, wenn auch nur dünn gewachsen, mir dennoch gefährlich werden konnte, da er die freie Uebersicht der Gegend hinderte; aber für die Jagdlust wirken diese Hindernisse nicht niederschlagend, sondern anregend. — Indessen näherte ich mich langsam und vorsichtig den Gámos, die weidend und mit einander schäkernd am Rande des Waldes im Grase herumsprangen. Von Baum zu Baum schritt ich leise und mit gespanntem Hahn vor, bis ich das Wild keine vierzig Schritt vor mir sah. Es merkte kein Arg. — Ich zielte auf einen Bock, ein prächtiges grosses Thier, welches keinen Theil an den Spielen der andere nahm; mit gespitzten Ohren schien es zu lauschen, vielleicht mochte es schon Verdacht geschöpft haben. Als der Schuss krachte, wankte das Thier, aber nur für einen Moment; im nächsten folgte es schon in verzweifelten Sätzen dem wie ein Wirbelwind im Walde verstobenen Rudel. Dennoch musste es gut getroffen sein, eine breite Blutspur bezeichnete den Weg, den es genommen; unmöglich konnte es seinen Lauf lange fortsetzen. Dies leuchtete mir ein und rasch die Flinte wieder ladend, folgte ich der Spur, ohne der Gefahr des Verirrens auch nur einen Gedanken zu gönnen. Wer unter meinen Lesern die Jagdlust selbst empfunden, wird die Aufregung und Spannung kennen, welche sich des Jägers bemächtigt, wenn er sein Opfer zu erreichen im Begriff ist. Jeder Gedanke wendet sich nur dem einen Punkt zu, wie das Wild zu erreichen, und ohne sie zu berücksichtigen, ja ohne sie zu sehen, begiebt er sich in Gefahren, vor denen er bei nüchternem Muthe zurückgeschreckt wäre. — Immer tiefer drang ich in den Wald ein, sorgsam die Blutspur des angeschossenen Gámos verfolgend, die zahlreichen, vielmehr zahl losen Lichtungen, die den Wald so sehr durchzogen, dass man fast auf freiem Felde zu sein glaubte, vermehrte nicht wenig meine Sicherheit; von Augenblick zu Augenblick glaubte ich in's Freie zu treten. Trotz meiner Anstrengungen verlor ich bald die Spur des Wildes; ein weit sich ausdehnender und fusshoch den Boden bedeckender Haufen verwelkter Blätter, die der Wind durch eine Laune hier zusammengeweht hatte, liess kein Fährte erkennen; alle meine Bemühungen blieben vergebens, ich konnte die Richtung, die das Thier genommen hatte, nicht entdecken und musste die Jagd aufgeben, obwohl ich wusste, dass jenes schon nach wenigen Minuten zusammenbrechen musste. — Die, beim Misslingen einer Unternehmung der Aufregung schnell folgende Erschlaffung bemächtigte sich auch meiner; jetzt kamen die Gedanken der Vorsicht und zum erstenmal stiegen Zweifel über die Gefahrlosigkeit meiner Excursion in mir auf. — Der Wein aus meiner Feldflasche erquickte mich und gab mir meine Thatkraft aber auch Unvorsichtigkeit zurück; ich leerte, von Durst geplagt, über die Hälfte der Feldflasche, während doch, sollte ich mich in diesen wasserarmen Gegend verlieren, jeder Tropfen ihres Inhaltes für mich unnennbaren Werth erlangen musste. — Inzwischen folgte ich der Richtung, die mich auf meinen Ausgangspunkt in die Pampa zurückführen sollte, mit frohem Muthe; aber als die Schatten der Bäume allmählich länger und länger wurden, als endlich die Abenddämmerung hereinbrach, und sich noch kein Ausgang aus dem Walde zeigte, wich dieser Muth der unangenehmen Ueberzeugung, dass ich mich in der Richtung geirrt haben müsse. Dieser Gedanke trieb mich zu immer grösserer Eile, ich lief mehr als ich ging, aber nutzlos; als ich endlich nach mehreren Stunden erschöpft still stand und mich dunkle Nacht umgab, blieb mir nichts übrig, als mit Resignation mein Nachtlager im Walde zu suchen. Ich entging dadurch der Gefahr, mich beim weiteren Umherirren immer mehr von meinem Ziel zu entfernen, und sparte zugleich meine Kraft für den nächsten Morgen. Die Nacht verfloss mir ruhig, ruhig in Beziehung auf äussere Gefahren, aber die Gespenster der Furcht rächten sich an meiner früheren Verachtung derselben; meine Besorgnisse liessen keinen Schlaf zu. Auf einen Haufen verwelkter Blätter hingestreckt, ohne irgend einen Schutz dem kalten Nachtwinde preisgegeben, — in der Ferne die dumpfen Thierstimmen hörend, glaubte ich in jedem Aechzen der unter dem Gewichte des Westwindes sich beugenden Bäume das mir noch frisch im Gedächtniss stehende, schreckliche Geräusch der Klapperschlange, oder das Gebrumm eines seine Beute beschleichenden

Jaguars zu hören. Mehr als einmal richtete ich meine Kuppelflinte auf eine verdächtige Gestalt, aber immer wies diese sich als ein unschuldiger, im ungewissen Licht der Nacht phantastisch geformter Baumstamm aus; schloss ich Augen und Ohren, um nichts von der Aussenwelt zu erfahren und den Schlummer zu suchen, so quälten mich die Vorstellungen von Verirrten, die durch Durst ein schreckliches Ende genommen, fast ebensosehr, als es die Gefahr selbst hätte thun können. Aber die fortgesetzte Spannung wurde mir zur Wohlthäterin, sie ermüdete mich mehr, wie irgend eine körperliche Bewegung und, wenn auch erst am Morgen, gab sie mir doch den langersehnten Schlaf. Die Sonne stand hoch am Himmel, als ich erwachte; ich fühlte keinen Hunger, wohl aber einen brennenden Durst, wagte jedoch nicht, mehr als einen Schluck Wein von meinem geringen Vorrath zu mir zu nehmen. — Ich schritt jetzt in östlicher Richtung fort, und wer beschreibt meine Freude, als ich schon nach einer halben Stunde die freie Pampa wieder vor mir liegen sah, und am Wege anlangend, dort deutlich die gestrigen Spuren unserer Tropa erkannte. Ich war also im Walde gen Süden vorgedrungen und ein gutes Stück musste es gewesen sein, denn ich erinnerte mich dieser Gegend gar wohl, wie ich sie am vorigen Tage mit meinen Begleitern passirt hatte. Gewiss noch zwei starke Leguas war ich von der Stelle entfernt, wo mein Maulthier festgebunden sein musste, die Freude, die ich bei meinem scheinbar guten Glück fühlte, wurde mir in etwas bei dem Gedanken an mein Maulthier verjällt. Wie, wenn ich das Thier nicht vorfände? Ein gar langer und mühseliger Marsch würde mir nach Vilgo bevorstehen; wer weiss, ob ich, geschwächt von Hunger und Durst, mehr noch von der geistigen Aufregung, es zu erreichen im Stande war. Freilich mussten sich meine Gefährten schon aufgemacht haben, mich zu suchen, aber wie leicht war es möglich, uns in dieser Wildniss zu verfehlen? Diese Zweifel stiegen in mir fortwährend von Neuem während der drei bis vier Stunden auf, deren ich benöthigte, um den Punkt zu erreichen, wo ich das Maulthier gelassen hatte; sie waren glücklicherweise unnöthig. — Schon von weitem erkannte ich seine Anwesenheit. Es wieherte, wie es mich nahen sah, und als ich es losband, wurden seine Bewegungen so lebhaft, dass ich es kaum zu besteigen vermochte. Durch plötzliche Sprünge suchte es meinen Händen zu entkommen, um der Truppe nachzueilen; aber ich war zu ermüdet und aufgerieben, um sofort meine Reise fortzusetzen. Ich nahm ihm die Zügel ab, um es auf dem üppigen Pampagrase weiden zu lassen; ich selbst liess mich auf diesem nieder, und an meine volle Sicherheit glaubend, schwelgte ich im Genuss des Restes meiner Weinflasche. Der Hunger begann jetzt heftiger zu werden, aber da ich seiner Stillung in wenigen Stunden gewiss zu sein glaubte, gewann die Ermüdung die Oberhand, und den Poncho über's Gesicht ziehend, suchte ich den verlornen Schlaf der gestrigen Nacht wieder nachzuholen. Bedenke der Leser, der hierin eine unverzeihliche Unvorsichtigkeit findet, dass nach den Weisungen meiner Gefährten die Berge Vilgo's vor meinen Augen lagen, und kein Gedanke eines zweiten Verirrens in mir aufkommen konnte.

Nur zu gut ruhte ich; erst beim Einbruch der Dämmerung erwachend, hielt ich es dennoch für eine Unmöglichkeit, da ich den Instinkt des Maulthieres in Betracht zog, welcher dasselbe unbedingt unserer Truppe nachführen würde, mich zum zweitenmal verirren zu können. Nicht ohne Mühe schwang ich mich auf den Rücken des unruhigen Thieres, welches sofort im Galopp davonjagte, ohne dass ich ihm ein Hinderniss in den Weg legte oder es in irgend einer bestimmten Richtung zu leiten suchte. Es nahm denselben Weg, den unsere Truppe am vorigen Tage gegangen war, allein als dieser Weg sich den Bergen immer mehr näherte, und diese endlich ihre schwarze Schatten auf die Ebene warfen, vermochte ich nicht mehr zu unterscheiden, wohin mich das nur wenig in seiner Schnelligkeit nachlassende Thier trug. Ich glaubte den Instinkt der Maulthiere, vorzüglich wenn es dem Aufsuchen der leitenden Stute gilt, zu gut zu kennen, um Arg zu hegen, und dennoch wurde mir unheimlich zu Muthe. Plötzlich nahm ich wahr, dass der Boden, auf welchem das Thier dahinbrabte, nicht den festen, hallenden Ton bei der Berührung der Hufe gab, als vor wenigen Augenblicken geschah, und wie er, führt der Weg zu den Bergen hinan, gewöhnlich ist. Ich stieg sofort ab, um die Ursache zu untersuchen und fand, wie ich es fürchtete, keine Spur von einem Wege, sondern nur den weichen unbetretenen Grasboden.

Das heftig sich sträubende Maulthier am Zügel nach mir führend, suchte ich den Weg wieder aufzufinden, aber vergebens, er war und blieb verschwunden, obwohl ich fast mit Sicherheit wusste, ihn seit keinen zehn Minuten verlassen zu haben. Ich gab das Suchen auf, suchte wieder und gab es wieder auf, bis ich endlich beschloss, da doch nichts mehr zu verlieren war, mich blindlings dem Instinkt meines Maulthieres anzuvertrauen. Möglich und sogar wahrscheinlich war es, dass das Thier in seinem Eifer, der Truppe nachzukommen, einen Umweg zu vermeiden suchte, indem es eine Strecke des oft bogenartigen Weges durchschnitt.

Der Instinkt des Maulthieres ist von dem des Hundes verschieden; dieser folgt nur der Spur, von seinem scharfen Geruchssinn geleitet, jenes hört, sieht, riecht aus einer weiten Entfernung mit fast übernatürlicher Genauigkeit den Gegenstand, den es erreichen will und sucht ihm in grader Linie näher zu kommen, mag eine Spur dahin führen oder nicht. — Möglich war es auch, dass das Thier, durch den Durst gespornt, die nächste Quelle oder eine menschliche Wohnung witterte. Ich stellte diese Betrachtungen an, indem ich wiederum im Sattel sass und das Maulthier, jetzt auch nicht durch den geringsten Druck des Zügels aufgehalten, durch Dick und Dünn mit gespitzten Ohren lustig dahintrabte. Nicht leicht war es, mich vor den weit überhängenden Aesten der Bäume in Acht zu nehmen und den noch gefährlicheren, langen Stacheln der Cacteen auszuweichen, umsomehr, da mein Thier über die in seinem Wege liegenden Baumstämme oft in gar gewagten Sprüngen wegsetzte. Zwar wäre es mir möglich gewesen, es durch den dünner bewaldeten Theil der schluchtähnlichen Ebene zu lenken, allein ich zog vor, lieber einige Unannehmlichkeit von dieser Seite zu erdulden, als nur im Geringsten den Instinkt des Thieres zu beschränken. Wie sehr sollte ich mich getäuscht finden! Es mochte wohl nach einer halben Stunde raschen Trabens sein, als ich mich dem Ausgange einer Schlucht näherte. Obwohl finstere Nacht sowohl ausserhalb als innerhalb der Schlucht herrschte, unterschied ich doch, dass es heller wurde, und wir uns einer freieren Gegend näherten. Ein freudiges Wiehern meines Maulthieres und dessen rascherer Gang belebten meine Hoffnung. Ich klopfte dem Thier freundlich auf den Hals und bewunderte seinen erstaunlichen Instinkt, der mich aus dieser Wildniss gerettet. Ein Wiehern aus kurzer Entfernuug, als Antwort des Wieherns meines Maulthieres liess sich hören. Sollte es möglich sein, dass dies von den Thieren unserer Truppe herrührte, befand ich mich in der Nähe Vilgos, oder sollte es der einsame Rancho eines Gaucho sein, dem ich mich näherte? Alles gleichviel, wenn ich nur zu Menschen komme. In meiner Ungeduld rief ich, aber keine Antwort erfolgte; die drüben wiehernde Stute schien nur die Sprache meines Gefährten zu verstehen. Ich erinnere mich, in jenem Moment dies scherzhaft gedacht zu haben; war ich doch vollkommen darüber ruhig, dass ich mich menschlichen Wohnungen nähern müsse. Iu wenigen Minuten wartete meiner eine gar herbe Enttäuschuug. Das Ende der Schlucht war jetzt erreicht, und ich befand mich auf der Ebene; aber anstatt der Hütten, der Lagerfeuer sah ich nichts als eine todte, stille Gegend. Alles, was die Nähe einer menschlichen Wohnung verräth, fehlte, kein Licht, kein Hundegebell, kein Geräusch, kein Zeichen, welches auch nur im Geringsten auf die Gegenwart eines lebenden Wesens schliessen liess. — Nur allmählich konnte ich diese Enttäuschung fassen; anfänglich schien sie mir nicht möglich, es mussten Wohnungen in der Nähe sein. Ich durchsuchte Busch für Busch, den Boden, die Bäume, ich rief, ich schrie, ich feuerte meinen Revolver ab, aber es blieb alles dunkel und still. Die finstere Nacht schien mich drohend anzusehen, sie machte den Eindruck einer dicken, schwarzen Mauer, die mich undurchdringlich, wie einen Gefangenen umgab. Ich hörte wieder ein entfernteres Gewieher, es näherte sich mehr und mehr; dicht heran kamen plötzlich mehrere wilde Stuten gejagt, aber sobald sie meiner ansichtig wurden, kehrten sie im raschen Galopp um. An den Anstrengungen, die mein Maulthier jetzt machte, um von mir loszukommen und die Stuten zu verfolgen, erkannte ich jetzt, wem sein Instinkt gegolten. Das Maulthier hatte sich nicht geirrt, sondern ich, da ich ein anderes Ziel als das, welches es wirklich hatte, bei ihm voraussetzte. Es war nichts zu machen, als ruhig das Geschick zu ertragen. Hungrig, durstig, körperlich und geistig aufgerieben, band ich das Thier an einen Strauch, indem ich demselben aus doppelter Vorsicht die Manea*) anlegte, und warf mich auf den Boden. Meine schweren Decken waren mit der Truppe gegangen, ich hatte nichts als meinen Poncho und ein Schaffell, welches zum Sattelzeuge gehörte. Diese Nacht sollte sorgenvoller werden, wie die vorhergehende. Der eisige, regenartige Thau liess mich nicht zum Schlafe kommen; vergebens suchte ich in den Satteltaschen nach Zündmaterial, um Feuer zu machen. — Dennoch war die Kälte und Nässe mir eine Linderung. — In der heftigen Bewegung und Aufregung der vorhergehenden Stunden hatte ich fast Hunger und Durst vergessen; jetzt machten sie ihre Ansprüche mit desto grösserem Grimme geltend; begierig öffnete ich den Mund, um die feuchte Athmosphäre einzuathmen, und sie brachte mir Linderung. Nur wenige Stunden vorher hatte ich den Rest aus meiner Feldflasche geleert und das wirklich materielle Bedürfniss musste daher beschwichtigt sein, aber dieses passt sich nur zu sehr dem eingebildeten Bedürfniss an. Der Gedanke: „ich bedarf es", verbunden mit dem Bewusstsein, die Befriedigung nicht in meiner Macht zu haben, machte mich es wirklich bedürfen, und quälte

*) Ein Riemen mit Knöpfen versehen, der um die Vorderbeine, seltener Hinterbeine, geschlungen wird, um dem Thiere das Gehen zu erschweren.

mich in der That ein brennender Durst. Selbst der Hunger musste vor diesem Feinde zurückstehen.

Allmählich belebte sich die Nacht. Die grasreiche Ebene ist reicher an thierischem Leben, wie die nahen Algaroba-Wälder. — Verschiedenartige Stimmen, die erst leise an mein Ohr schlugen, dann aber deutlicher und schrecklicher wurden, weckten mich aus meinem halbträumenden Zustande und liessen mich auf Vorkehrungen für meine Sicherheit bedacht sein. Wer nie in einer Wildniss, welche wie diese so reiches, thierisches Leben enthält, sein Nachtlager aufgeschlagen, wird sich nur eine schwache Vorstellung von dem nächtlichen Lärmen machen können, der die weite Pampa, so still und todt vorher, durchtobt. Der Contrast von dem stillen Tage zur überlauten Nacht vermehrt das Erstaunen des Reisenden. In diesem Concert von hundert und aber hundert Stimmen finden sich alle Tonarten vertreten. Brüllen, Pfeifen, Heulen, Bellen, Zischen, Zwitschern, bald zornig, bald klagend, bald spielend. Die aufgeregte Einbildungskraft machte mich glauben, die Hölle zu hören. Vergebens strengte ich meine Augen an, um die Dunkelheit zu durchbrechen; ich sah nichts, sondern hörte nur.

Das stetige Bellen des hungernden Fuchses, der leisere, heisere Ton der Viscachas, das Heulen der wilden Katzen wurde für Augenblicke von dem Brüllen des Jaguar zum Schweigen gebracht, um aber gleich darauf desto lauter wieder zu beginnen. Das Gekreisch der von den Raubthieren aufgejagten Strausse, begleitet von dem im Chor ausgeführten Gegacker der Martinetas, nebst hundert anderen Stimmen, die ich nicht zu unterscheiden im Stande war, vervollkommnete das höllische Concert. — Zwar habe ich in späteren Perioden meiner Reisen, vorzüglich in wärmeren Gegenden lärmvollere Nächte erlebt, aber gewiss keine, die solchen Eindruck auf mich gemacht hätte. Meine elende Lage trug nebst der Neuheit der Erscheinung zu dieser Wirkung nicht wenig bei. — In fieberhafter Spannung blieb ich auf meinem Lager ausgestreckt, fest, ohne mich dessen bewusst zu sein, den gespannten Revolver in der Hand haltend. — Nicht die geringste Sorge konnte meinem Maulthier gelten. Fortwährend suchte es sich seiner Bande zu entledigen, aber die Riemen hielten und von Zeit zu Zeit prüfte ich ihre Festigkeit. Ohne Maulthier und in meinem erschöpften Zustande in der Pampa verirrt sein, heisst dem gewissen Untergange preisgegeben.

Wiederum konnte ich nur gegen Morgen im Schlaf eine zweifelhafte Erquickung finden. — Das Erwachen nach wenigen Stunden brachte keinen Trost; der warme Nord, der über die Steppe strich, hatte die Kälte verscheucht. Die Sonne war schon aufgegangen, anstatt des wilden Lärms der Nacht zwitscherten jetzt mancherlei Vögel dem Morgen ihren Gruss entgegen. Die herrliche, freie Morgenlust erfrischte mich nicht; vor diesem Naturbild, welches ich noch vor zwei Tagen mit Entzücken begrüsste, empfand ich jetzt Abscheu.

Die Sonne erhob sich höher und höher, aber dennoch konnte ich in den Formen der vor mir liegenden Berge keins der besonderen Merkmale entdecken, die ich mir als die Lage Vilgos bezeichnend gemerkt hatte; auch ihre Entfernung schien mir bedeutend grösser als die, aus welcher ich die Bergkette am vorigen Tage betrachtete. Ich war also zu weit gen Osten gedrungen. Es fiel mir jetzt ein, dass ich dem Wege, der von Salina's über die Llanos, östlich von Vilgo, näher als dem von unserer Truppe genommenen sein musste. Schon lenkte ich mein Thier gen Osten, in welcher Richtung ich den Weg über die Llanos sicher zu durchschneiden hoffte; ihn erreicht, würde ich auf demselben nach Salinas zurückkehren, welches nicht mehr als acht, höchstens zehn Leguas entfernt sein konnte, um von dort mit einem Führer versehen nach Vilgo zu gehen; aber noch rechtzeitig genug überkam mich ein Zweifel, der mir, wie ich später erfuhr, das Leben rettete. Wie, wenn ich in voriger Nacht so weit östlich gegangen wäre, dass ich den Weg der Llanos schon durchschnitten hätte? Ich würde dann im Begriff sein, nach Osten vorzudringen, wo sich in einer Breite von zweihundert deutschen Meilen, von dem Fuss der Gebirge bis zum Rio Dulce, die sogenannte Salzwüste hinzieht, in der sich kein Tropfen Wasser, keine einzige menschliche Wohnung befindet, wohin selbst der Gaucho keinen Fuss setzt, und wo ich rettungslos vorkommen wäre. Ich fasste kaum den Gedanken, als ich auch schon erschreckt mein Thier um und wieder zurück gegen Westen lenkte, um dort den Vilgo-Weg aufzusuchen, aber es blieb vergebens. Stunde um Stunde, Meile für Meile trabte ich weiter, ohne das Gesuchte zu erreichen, ja ohne irgend eine Aehnlichkeit mit der gestern passirten Gegend auffinden zu können. Hier waren keine wildbewachsenen Schluchten, keine pflanzen- und thierreiche Ebenen, keine Algaroba-Wälder; diese Gegend bildete den Gegensatz zu jener. In diesen öden Sand- und Steinhügeln sah ich mich vergebens nach einem Thiere, einem einzigen Grashalm um. Schien es mir doch, als sei ich mir unbewusst gen Osten vorgedrungen und jetzt im Innern der Salzwüste; aber diese Täuschung war nur vorübergehend, zu gut zeigte die Sonne die Richtung. — Ohne die Zeit in nutzlosem Umhersuchen zu verschwenden, behielt ich immer die westliche Richtung bei, einmal musste doch der Weg aufgefunden werden, da er sich ja am Fuss der Andes vom Norden zum Süden zieht. — Dennoch wurde es Mittag und langsam vergingen die schweren Stunden der anderen Hälfte des Tages, ohne dass sich ein Weg zeigte. Rauher und rauher wurde die Gegend, je weiter ich in westlicher Richtung kam; nur mühsam hielt ich mich noch auf dem gleichfalls ermatteten Maulthier. — Möglich war es, dass ich den Weg passirt hatte, ohne ihn bemerkt zu haben; diese wenig betretenen Pfade verlieren sich oft im Sande oder dem harten Gestein, ohne sich durch irgend eine Spur zu verrathen. Das Wort „Weg", wie ich es brauche, muss in einem besonderen Sinn genommen werden. Die Wegebauten in Argentinien unternimmt einzig und allein der Verkehr, der Ochse, der die schwere Carreta zieht, das Maulthier, welches keuchend seine Last trägt, die Reisenden mit ihren Tropas, dieses sind die einzigen Werkleute. Wo der Verkehr bedeutend ist, sind diese Wege, wenn auch furchtbar schlecht, doch erkennbar; nicht so die in den unzugänglicheren Theilen des Landes liegenden, die Wochen- und Mondenlang von keinem menschlichen Fuss betreten werden; bei diesen gehört oft ein scharfes Auge dazu, um zu erkennen, dass dort ein Weg existirt. Führen sie durch die Graspampa, so bezeichnet nur die welkere Farbe des dort wachsenden Grases die Anwesenheit des Weges, — durch steinigte Gegenden eine leichte Veränderung der Farbe des Bodens, einige Fussspuren und hin und wieder die Cadaver der vor Erschöpfung umgekommenen Thiere. Es war daher gar wohl möglich, dass ich beim Aufsuchen des Pfades denselben durchschnitten haben konnte, ohne ihn zu bemerken. —

Die Sonne neigte sich ihrem Untergange zu; mit ihr sank meine Hoffnung von Minute zu Minute. Die matten Hände fassten kaum die Zügel, ich empfand eine furchtbare Schwäche und nur die Verzweiflung hielt mich aufrecht. Mein braves Thier, obwohl ermattet und bei jedem Tritt stolzernd, schritt unverdrossen fort, es fühlte die Gefahr, aber vergebens schnob es in der Luft, um Wasser ausfindig zu machen. Selbst Cacteen, deren wässriges Mark wohl im Stande ist, den Verschmachtenden Linderung zu verschaffen, waren nicht zu entdecken. Ich versuchte es Gras zu essen, allein kaum im Munde, verursachte es mir heftiges Erbrechen. — Es wurde finster, als ich noch zum letztenmal mein Thier eine Anhöhe hinauflenkte, um von dort die Gegend zu überschauen; vielleicht entdeckte ich eine Hütte, einen Bach oder Reisende; es schien mir die letzte Hoffnung, und als ich sie verschwinden sah, als ich oben angelangt, nichts als die starre Einöde unterschied, übermannte mich der Schmerz. Fast weinend warf ich mich auf den harten Boden, der mir vielleicht zum Sterbelager werden sollte; vergebens strengte ich mich an einen Ruf auszustossen, die Zunge klebte mir am Gaumen. Schreckhafte Bilder tanzten vor meinen Augen. Wie sollte das enden? Diese Frage, die mir jetzt schrecklicher wie je vorlag, machte mich im innersten Mark erbeben. — Flehend sah ich auf zum Himmelsgewölbe, zu diesem Firmament, welches so still erhaben, so unbegreiflich über uns prangt. Dort ist Er, der trösten kann, wenn es ihm gefällt; der jene Welten zusammenhält, kann er mich elenden Wurm nicht retten? Wie das Kind, welches, wenn es sich bedroht sieht, instinktmässig zum Mutterschooss zurückflieht, floh ich zu Gott. Das Gebet gab mir Kraft, ein inniger Trost erhob mich, der moralische Mensch triumphirte, doch nur auf Augenblicke. Der Körper hängt mit zu vielen Fibern an der Seele, als dass diese den Schmerz des ersteren nicht mitfühlen sollte; zu beherrschen vermag sie ihn zwar, aber ich glaube, dass dies nur bei den von der Natur bevorzugteren Menschen der Fall ist. — Dennoch machte mich das Gebet stärker, entschlossener, gefasster. — Auch das Maulthier hatte sich niedergeworfen, es beleckte mit seiner heissen Zunge den bethauten Boden. Armes Geschöpf! schon spannte ich das Pistol, um ihm den Kopf zu zerschmettern, denn ich musste trinken und sollte es auch das Blut des Thieres sein, aber noch wagte ich nicht zu feuern, sein Tod brachte mir momentane Erquickung, aber es nahm auch die letzte Möglichkeit einer Rettung. Der Schiffbrüchige, der das letzte Boot in's Meer versinken sieht, kann nicht hülfloser sein, als der in der Pampa Verirrte ohne Pferd.

So mochte ich eine lange, lange Zeit auf dem Boden liegen, ich erinnere mich nicht, ob es Minuten oder Stunden waren. Das seltsame Gefühl, welches dem Todeskampf vorhergehen soll, überkam mich. Fieberhafte Aufregung führte mir die sonderbarsten Phantasien vor. Ich war ein zum Tode Verurtheilter, dem nur noch eine Stunde blieb, — es war mir, als hörte ich das Gemurmel des Volkes, das Aufschlagen des Schaffots. Bald schien es mir, als schwebe ich schon, von unsichtbaren Händen getragen, auf zum Raum. — Aber giebt es keine Rettung, — ist dieses nicht die Natur, die mich umgiebt, — dieses ein Grashalm, — dieses ein Strauch, — und ich gesund und lebend in dieser Natur soll sterben?! Eine schreckliche Logik, von der Angst eingegeben. — Ich suchte wieder zu beten, diesesmal nicht um Rettung, sondern um eine rasche Auflösung. Mein Körper war stark, ohne Krankheitsstoff, der Tod musste mir bitter werden, ja, Tage lang konnte er sich hinziehen. Seltsam, dass in jener Stunde mich kein Gedanke des Selbstmordes erfasste; bei den schlimmen Gedanken geht oft der Mensch wie bei Abgründen vorüber; jenen, der hinabsieht, verschlingen sie, dieser, der am äussersten Rande steht, ohne sie zu sehen, geht ungefährdet vorüber.

Fieberhaft durchwogten mich die verschiedenartigsten Gefühle, sie führten mich zur Heimath, die ich niemals wiederzusehen glaubte, — ich öffnete und schloss die Augen, — eine nie gekannte Mattigkeit überkam mich, ich wimmerte vor Schmerz. — Mit halboffnen Lidern betrachtete ich das südliche Kreuz, mein Blick gleitete hinab die lange Reihe der Sterne, tief, tief am Horizont stand ein röthlicher Stern. — Es durchzuckte mich wie ein elektrischer Strom. Ist das ein Stern? Nein, rief es in mir, es ist ein Feuer, ein Licht! Die Freude, die Hoffnung verdrängten Angst und Verzweiflung. Nie hatte ich solchen zauberhaften Einfluss für möglich gehalten; eine Sekunde genügte, um frisches Leben und Thatkraft in den halbsterbenden Körper zu giessen. Mit unsäglicher Mühe zwar, und mit schlotternden Knieen, zitternden Händen erhob ich mich, brachte das Maulthier zum Stehen und mich in den Sattel, aber ich war mir dieser Anstrengung bewusst, ohne sie zu fühlen. — Ich erkannte jetzt, dass es ein auf der Pampa angezündetes Wachtfeuer sein müsse, und mehr oder weniger drei oder vier Leguas entfernt war. Glücklicher Weise schien auch das Maulthier neu belebt; es mochte die Rettung erkannt haben, denn mit gespitzten Ohren schien es die Gegend in der Richtung jenes Feuers zu recognosciren. — Aber noch manche Sorge wollte überstanden sein, bis wir es erreichten. Hier, auf der Höhe, zeigte das ferne Licht sich deutlich, aber in der Ebene verdeckte es sich oft, es musste dann eine andere Höhe erstiegen werden, um es wieder zu sehen. Wer malt die furchtbare Spannung, als ich es zu suchen hatte, — die Freude, als ich es wiederfand. Dieses schreckliche Spiel der Verzweiflung mit der Hoffnung, des Lebens mit dem Tode, wechselte in jener Nacht mehrere Male. Ein wellenförmiges Bodenterrain, ein Baum, ein Strauch, der das Licht verdeckte, ein Zufall, der es verlöschte, musste auch meine Hoffnung erlöschen. Die Rettung spielte Versteck mit mir. — Nach mancher bangen Stunde wurde endlich das Feuer erreicht. Als es näher und näher vor mir glänzte, und sich endlich die Schatten von Menschen-Gestalten in demselben abzeichneten, stiess ich einen Freudenruf aus. Der Gedanke, dass es Räuber sein könnten, machte mich nur für einen Moment zurückschrecken, es waren ja Menschen, dieses genügte mir, — die Begierde, zu trinken, verscheuchte jede Furcht. Glücklicherweise war diese Vermuthung ohne Grund; ein Carretenführer, von Pichigasta nach Jachal bestimmt, hatte sich hier des besseren Futters und eines hier vorhandenen Brunnens wegen, abseits vom Wege gelagert. Er empfing mich misstrauisch, allein, da er bald meinen elenden Zustand erkannte, wechselte er sein Benehmen; er gab mir Trank und Nahrung, doch war ich vorsichtig genug, letztere nur in geringen Portionen zu mir zu nehmen, und bald nahm ein von ihm auf Schaffellen bereitetes Lager meinen halbtodten Körper auf. Aber Ruhe wollte nicht kommen; ein heftiges Fieber quälte mich die ganze Nacht; glücklicherweise hatte der Arriero etwas Chinarinde im Vorrath, wie denn selten solche Leute eine grössere Reise ohne dieselbe unternehmen, — durch einen Aufguss mit heissem Wasser bereitete er mir ein probates Mittel, welches mir Linderung zu verschaffen schien. Dennoch, als wir am nächsten Morgen nach dem in fast östlicher Richtung liegenden und nur zwei Leguas entfernten Vilgo ritten, vermochte ich mich nur mit Mühe im Sattel aufrecht zu halten. Ich sah jetzt ein, dass ich Vilgo am letzten Tage meines Umherirrens in Entfernung von nur einer halben Meile und zwar in nördlicher Richtung passirt war, und also im Bogen um dasselbe herum geritten sein musste. Als ich dort jetzt anlangte, traf ich nur den alten Don Romualdo; Hunter und Nicolás waren schon seit zwei Tagen fortgeritten, um mich aufzusuchen. Wir sandten sogleich einen Expressen in der Richtung nach Salinas, um sie wo möglich aufzufinden und zurückzuholen. Dieser traf sie in Salinas, am nächsten Tage kamen sie in Vilgo an. — Nachdem meine Gefährten von mir in der Pampa fortgeritten, um mich meiner Jagdlust zu überlassen, hatten sie bis zum nächsten Morgen meiner Rückkehr mit grosser Unruhe entgegengesehen. Als der Tag anbrach, kehrten sie zurück, um mich zu suchen. Bei der Stelle des Weges, wo sie mich verlassen, und zugleich wussten, dass ich in der Richtung des Algarobawaldes die Pampa durchkreuzt hatte, folgten sie dieser, und drangen in den Wald, wo sie den Tag und die darauf folgende Nacht nach mir suchten. Den nächsten Morgen ritten sie nach Salinas, welchem Orte sie sich inzwischen genähert hatten, um Proviant zu holen und zu gleicher Zeit eine grössere Anzahl Leute zum Suchen auszusenden. Als unser Expresser sie in der Nacht auf den zweiten Tag noch in Salinas fand, waren bereits mehrere Gauchos in verschiedenen Richtungen abgegangen. Die Nachricht meines Wiederfindens verursachte meinen Gefährten natürlich eine lebhafte Freude.

Uebrigens währte es noch drei Tage, ehe ich mich von meiner Schwäche und dem, dieselbe begleitenden Fieber so weit erholte, um die Reise langsam fortsetzen zu können. Meine Begleiter behandelten mich mit der grössten Sorgfalt, da sie wohl fühlen mochten, wie auch ihre Lässigkeit, vorzüglich die des alten Romualdo, der die Gefahr, der ich mich aussetzte, am besten zu beurtheilen im Stande sein und mich nachdrücklicher gewarnt oder nicht verlassen haben sollte, an dieser Begebenheit einen nicht geringen Theil der Schuld trug. Ihre unausgesetzte Pflege ersetzte mehr als hinreichend Arzt und Arzeneien und nur ihr verdanke ich meine schnelle Besserung. Den Arriero, dessen Lagerfeuer ich meine Rettung zu danken hatte, belohnte ich, soweit es in meinen Kräften stand; nur nach langen Bitten war er überhaupt zu vermögen, eine Belohnung anzunehmen.

Vilgo ist ein kleines Dörfchen, welches aus nur eilf Einwohnern besteht und Salinas mit dem einzigen Unterschiede gleich ist, dass hier eine fleissige Hand, die des früheren Eigenthümers des uns beherbergenden Hauses, einen hübschen und ausgedehnten Baumgarten anlegte. Alte hochgewachsene Feigenbäume bilden die Mehrzahl derselben. — Die Ziegenzucht giebt auch hier den Bewohnern die Mittel zu ihrem Unterhalt. Der Charakter dieser Leute ist einfach und gutmüthig, aber in dieser Einsamkeit noch verwilderter, wie derer, die in den volksreicheren, nahen Llanos herumstreifen; so wahr ist es, dass der Umgang des Menschen mit dem Menschen, selbst wo beide Menschen auf gleicher Culturstufe stehen, bildend auf den Charakter einwirkt. Die Bewohner dieser einsamen, abgelegenen Orte, die nur selten ein anderes menschliches Wesen sehen, stehen auf einer bei weitem tieferen Stufe, wie die Bewohner der vorhin beschriebenen südlicher belegenen Gegenden.

Von Vilgo zieht sich der zum Norden führende Weg allmählich in die Llanos hinunter. Bevor er diese erreicht, passirt er den Tortoral, wo die traurigen Ueberreste mehrerer Hütten den früheren Wohnsitz einiger Gauchos bezeichnen, die, durch ihre Wanderungslust getrieben, mit ihren Familien und ihren Viehbesitz in die Pampa hinübersiedelten. Ungeheure Cacteen, unter denen sich der dicke, riesenmässige Stamm der Igelcereus am meisten vertreten fand, sind jetzt die einzigen Bewohner des Oertchens. Auch der, von den Eingeborenen so sehr gefürchtete

Baum, eine Art Giftsumach, an den sich so manche Sagen knüpfen und unter dessen Schatten man Geschwülste und Uebelsein, ja bei einem längeren Aufenthalt unter demselben sich ernstliche Krankheiten zuzieht, findet sich in nicht geringer Anzahl vor. — Als wir der letzten Schlucht entstiegen, die sich am Weg von Vilgo in die Niederungen vorfindet, breitete sich, wie beim Ausgang der Quebrada Villa Viçencia in der Provinz Mendoza, die flache, unabsehbare Steppe, wie ein nur vom Horizont begrenztes Meer aus, ja in dieser Höhe, wo die Gegenstände in der Niederung nur ungenau zu erkennen sind, wo man die leichten Wolken des Morgennebels sich langsam auf der weiten Fläche fortwälzen sieht, fühlt man sich versucht, an einen ungeheueren Binnensee zu glauben. Täuschend ähnlich ahmen jene Nebelgebilde den Wellenschlag nach.

Nordwestlich in einer Entfernung von fast vierzig deutschen Meilen sieht man die bläuliche Linien eines jenseitigen hohen, gebirgigen Ufers. Es sind die Gebirge der Rioja, an deren östlichen Abhang die Provinzial-Hauptstadt liegt; ein einsamer Gebirgsstock steht er vereinzelt in der Pampa, ohne sichtbare Anknüpfung sowohl im Westen, wie Süden. Jenes vereinzelte Bergjoch bezeichnet den Mittelpunkt der Provinz. Rings umgeben dasselbe die Llanos oder Ebenen, oft mit Gras und den weit sich ausdehnenden Wäldern des Johannisbrodbaumes bewachsen, öfter aber nichts als einen ausgedörrten, leeren Boden aufweisend. Aber nicht zu mager kann letzterer für die Cacteen werden. Je öder die Gegend, desto zahlreicher werden sie, macht doch dann die Ebene den Eindruck eines mit tausend und aber tausend baumartigen Candelabern besetzten Riesentisches. Auf mancherlei Weise benutzt der Eingeborene diese Pflanze. Der Stamm giebt ihm ein korkähnliches Holz, welches er zu leichteren Arbeiten benutzt; doch auch Sessel, Tische, ja, selbst Thüren findet man in den Häusern der ärmeren Klasse nicht selten von diesem Holze gemacht. — Die langen Stacheln der Cacteen dienen den Frauen zum Stricken, und die Früchte von einer gewissen Art, von Eingeborenen „tunas“ genannt, bilden einen nicht geringen Theil ihrer täglichen Nahrung, Auch die indische Cochenille lebt auf dieser nützlichen Pflanze (Cactus Opuntia).*) Die Cochenille bildet einen grossen Theil

*) Die Cochenille, ein kleines, röthliches Insect, lebt auf allen Arten der Cacteen, zieht aber den Cactus Opuntia coccinellifera Platensis entschieden vor; diese Art ist stachelreicher wie andere Cacteen und erhebt sich nur 2½ bis 3½ Fuss, während ihre Nachbarn 25 bis 35 Fuss Höhe erreichen. — Die Cochenille wird gewöhnlich im November

der industriellen Thätigkeit Santiagos del Estero; sie liefert die bekannte rothe Farbe, die in den Färbereien Europa's so allgemein gebraucht wird. In den Orten, wo sie gesammelt wird, fand ich den Preis 4 bis 6 Real Silber pro Pfund. — Sie wird nach Tucuman und Salta geliefert, wo sie mit 7 Real pro Pfund bezahlt wird. Die gesammte Cochenille-Ausfuhr aus den La Plata-Staaten soll sich auf ungefähr 10,000 Pfd. jährlich belaufen. — Ob ausser dieser so mannigfaltigen Benutzung noch die faserartige Rinde der Cacteen zur Herstellung eines Zeuges verwendet werden kann, ist nach der Aussage technisch unterrichteter Männer anzunehmen, obwohl ich nicht glaube, dass eine Gewissheit, auf Erfahrung basirt, vorhanden ist.

Obgleich die Hauptstadt der Provinz, die Residenz der Provinzial-Autoritäten am östlichen Abhange jenes oben erwähnten Bergjoches liegt, ist jene Seite dennoch die am wenigsten bewohnte. Ausser der Stadt Rioja selbst, existiren dort nur wenige kaum des Nennens werthe Dörfer. Ehedem, als in wasserreicheren Jahren der Fluss „Jancatina" noch reichlicher floss, und auch die Ostseite jenes Bergjoches von ihm befruchtet wurde, sollen jene Gegenden bewohnter gewesen sein; jetzt fliesst er dort nur in regenreichen Jahren. Ist das Leben in dem östlichen Theile der Provinz karg, so entfaltet es sich mit desto grösserer Thätigkeit in den westlichen Districten, die sich an dem Fusse der Andes hinziehen. Kleine zahlreiche Ströme, die den fruchtbaren Boden durchfurchen, sind zu beiden Seiten mit Dörfern besäet, die mit ihren Umgebungen von Fruchtgärten, Getreidefeldern und Wiesen ein gar freundliches Ansehen darbieten. Die Bergwerke, welche sich in unmittelbarer Nähe dieser Dörfer befinden, und mit bedeutendem, oft glänzendem Erfolge bearbeitet werden, mögen nicht wenig zu diesem erwähnten Vorzug des westlichen Theiles der Provinz beitragen. Unter diesen Bergwerken zeichnen sich besonders die Silbergruben bei Chilecito aus, deren ich weiter unten zur näheren Erwähnung Gelegenheit bekommen werde.

Allmählich drangen wir in jenes scheinbare Meer ein; dem Boden der Pampa näher kommend, erkennt man einige sanfte Unebenheiten, die uns auf der Höhe verschwanden, doch der Character seiner Vegetation bleibt sich im Allgemeinen immer gleich. Dieselbe Abwechselung von

---

und December eingesammelt, doch giebt es Leute, die sich mit dem Einsammeln während des ganzen Sommers beschäftigen. Die argentinische Cochenille erreicht nicht die Güte der in Mexico, Venezuela und den Canarischen Inseln gesammelten, wo ihre Zucht eine besondere Industrie bildet.

grasreichen und dann wieder dürren und sandigen Ebenen, die wir schon früher wahrgenommen, wiederholt sich auch hier. Grosse Striche Landes mit augenerquickendem Grün ziehen sich durch die grauen Schattirungen der letzteren; gewöhnlich bezeichnet solch ein grüner Streifen den Lauf eines Baches oder in tiefer gelegenen Gegenden das Vorhandensein unterirdischer Quellen. Wo Beides nicht der Fall ist, wo weder Fluss noch Quellen existiren, ist es der strichartig fallende Regen, der gewisse Strecken mit einer bevorzugteren Fruchtbarkeit, grösserer Ueppigkeit der Vegetation bedeckt. Auf einer Fläche, die wie eine Mappe vor unseren Augen ausgebreitet liegt, macht diese Untermischung einen überaus malerischen Eindruck, der dem, durch den Anblick der reizenden Oasen in der nordamerikanischen Wüste hervorgerufenen nicht unähnlich sein mag. „Die Wüste neben dem Paradies" ist auch hier der Characterzug.

Erst spät in der Nacht erreichten wir Pichigasta, das Ende unserer heutigen Jornada: nicht ohne wiederum beim Einbrechen der Dunkelheit einen kleinen Abstecher in die Wildniss gemacht zu haben; Dank sei es der Geschicklichkeit unseres Führers Romualdo. Der Alte irrte sich in der Richtung der Lage Pichigasta's, und lies uns, wie wir später erfuhren, einen Umweg von fast zwei Leguas machen, die für ermüdete Reisende eben keine Kleinigkeit sind. Wir suchten zunächst Quartier bei dem Capataz einer naheliegenden Estancia zu bekommen, dessen Rancho dem Wege am nächsten lag. Er lud uns ein, abzusteigen und einzutreten, aber ich gelangte nur bis zur Schwelle. Der schwache Schein eines im Inneren der Hütte an die Wand geklebten Talglichtes liess mich in derselben, die ich höchstens für fähig gehalten hatte, fünf oder sechs Personen zu fassen, ein so wundersames Gemenge von schnarchenden Frauen und Kerlen, schreienden Kindern und Hausvieh wahrnehmen, und zu gleicher Zeit entströmte der geöffneten Thür ein solcher wirklich höllischer Dunst, dass ich trotz meiner angeborenen Artigkeit eine rasche Retirade antrat, ohne meiner Vorstellung beizuwohnen, die der alte Capataz an die Herren und Damen im Innern der Hütte richtete. Er folgte mir etwas verstimmt in den äusseren Hof, erklärte mir aber, dass einige seiner Verwandten, die in der Nähe zu einer „Tertulia" oder Festlichkeit geladen wären, seine Hütte für einige Stunden Ruhe in Anspruch genommen hätten. Er fügte hinzu, dass es „gute Leute" seien, und wir gewiss uns unter denselben sehr comfortable in seinem Hause einrichten könnten. Wäre es da drinnen nicht allzu

15

schmutzig gewesen, so hätte ich sein Anerbieten allein deshalb angenommen, um zu sehen, wie er uns und unserer Bagage in seinem Raume Platz verschafft hätte, der schon von ca. zwanzig Personen eingenommen war, ohne aber für mehr als zwei, ihn und seine Frau, berechnet zu sein. — Der Alte lud uns zu gleicher Zeit ein, ihm nach der schon erwähnten „Tertulia" zu folgen, wohin er sich zu begeben im Begriff stehe. Wirklich sahen wir eine in der Ferne liegende Hütte hell erleuchtet und es schien uns, als ob der Wind uns zuweilen vereinzelte Laute von Sang und Geschrei herübertrug; wir lehnten es ärgerlich ab, und ritten in entgegengesetzter Richtung einer anderen, abseits liegenden Hütte zu, um dort ein bequemeres Quartier zu suchen, ohne zu ahnen, dass das Schicksal uns den losen Streich spielen würde, nun gegen unsern Willen uns inmitten jener von uns verachteten Tertulia zu versetzen. — Wir sollten von dem Regen in die Traufe kommen. Der Eigenthümer der bald erreichten Hütte, ein alter würdiger Argentiner von der echten Raçe, drei Viertel Indianer, ein Viertel Spanier, sagte uns, dass wir um so willkommener seien, als er diese Nacht im Begriff stehe ein Fest, ich weiss nicht welcher Heilige seinen Namen zu demselben leihen musste, zu feiern und er somit Gelegenheit bekäme, uns besser zu bewirthen, wie dies sonst der Fall gewesen wäre. Uns war dies im höchsten Grade unwillkommen, denn nach dieser Einleitung durften wir wenig auf eine ruhige Nacht hoffen, die uns doch sehr erwünscht, ja nothwendig sein musste. Etwas beruhigte uns seine Versicherung, dass, falls wir es wünschten, wir nicht mit den Festlichkeiten incommodirt werden sollten, indem er seine Gäste erst spät, vielleicht nicht vor Tagesanbruch erwarte. In der That war sein Haus noch dunkel und still, und schien in dieser Einsamkeit auf alles Andere eher, als auf ein lärmendes Fest zu deuten. Wir hatten das Aufsuchen eines Quartiers in später Nacht satt, andererseits bot uns dieser Mann gute Weide für unsere Thiere, welches uns das Nothwendigste schien; wir beschlossen deshalb, zu bleiben, aber zu besserer Vorsicht, um uns gegen das drohende Fest zu sichern, richteten wir unser Lager im Freien ein.

Wir mochten auf unsere Decken unter einer dichten Eiche unfern der Hütte ausgestreckt wohl zwei bis drei Stunden geruht haben, als uns eine Ueberraschung besonderer Art zu Theil wurde. Ich lag im tiefen Schlaf, der allmählich zum unruhigen Traum überging; ich fand mich gerufen, verfolgt und tausend gellende Stimmen schallten in mein Ohr, als der Lärm, wohlverstanden im Traum, mich endlich erweckte. Tief athmend fuhr ich auf, noch unter dem Druck des Alps schwitzend, als, wer beschreibt mein Erstaunen, ich mich fast in dieselbe Scene des Traums wirklich versetzt sehe. Ich rieb mir die Augen, aber vergebens, die Wirklichkeit existirte. Rings um die vorher so still und einsam belegene Eiche waren Dutzende und aber Dutzende grosser Feuer angezündet, um welche wohl an hundert Gauchos, in ihren malerischen Trachten, im Kreise ihrer Schätze und Frauen sangen, tanzten, schreien, tranken und zankten. Ganz in meiner Nähe und sich eins der Felle, zu meinem Lager gehörend, zu Nutze machend, sass ein junges Mädchen mit gar munteren Augen, die den argentinischen National-Tanz den „Gato" einem nahe dabei tanzenden Paare aufspielte. Sobald man meine geöffneten Augen bemerkte, näherten sich mir verschiedene Gruppen der jungen Söhne der Pampa und forderten mich auf, zu tanzen, zu springen, zu trinken, wie sie mir ein so nachahmenswerthes Beispiel gaben. Der eine brachte mir ein junges Mädchen, der andere ein mit Alojo gefülltes Horn, der dritte fasste mich sogar unter die Arme, um den Einladungen seiner Gefährten etwas Nachdruck zu geben, aber als hätte er glühendes Eisen berührt, fuhr er mit einem „Carrajo" zurück, denn ganz zufällig liess ich meine Rechte mit dem unter meiner Decke liegenden Revolver erscheinen. Ich hütete mich wohl, diese Bewegung mit einer drohenden Geberde zu begleiten, im Gegentheil, ich lachte sogleich mit den Leuten, indem ich versuchte, auf ihre etwas rohen Scherze einzugehen und verwischte dadurch den bösen Eindruck, den meine Waffe gemacht hatte, rasch, ohne dadurch den neu erworbenen Respect zu mindern; ich war fortan gegen zu grosse Zudringlichkeiten gesichert. — Ich gewann bald der Sache die lustige Seite ab, nicht so Freund Hunter, dessen Lager sich unmittelbar neben dem meinigen befand und der, wie alle guten Söhne von Old Britain, die ich bisher gekannt, auf seine gute Nachtruhe ungeheuer eifersüchtig war. Mit seiner weissen Nachtmütze, die man mit grossem Unrecht als eine Charakteristik der Deutschen angesehen haben will, guckte er mit einer erstaunlich bissigen Grimasse aus seinem Wall von Decken und Ponchos hervor. Einen freudigen Lichtschimmer glaubte ich über die Wetterwolke seines Gesichtes gleiten zu sehen, als ich meinen Revolver seinem Versteck entzog, aber desto mehr verdüsterte sich der Horizont, als ich selbst in die Lustbarkeit unserer wilden Nachbarn mit einzustimmen schien. — Nichtsdestoweniger suchte auch ich, von ihren ersten Zudringlichkeiten befreit, Mittel auf, sie los zu werden. War dieses nicht möglich, so war uns alle Hoffnung auf Ruhe für diese Nacht

15*

benommen. Wir liessen unsern Wirth rufen, um ihm zu diesem Zwecke ernstliche Vorstellungen zu machen. Er kam mit einem mit Chicha gefüllten Horn schwankend auf uns zu; in seinem Versuch, sich uns zu nähern, trat er dem unglücklichen Hunter, der noch immer hartnäckig auf seinem Lager den Schlaf suchte, auf seinen mit Leichdornen wohlversehenen Fuss; der derbe Fusstritt, der ihm als Lohn zu Theil wurde, sandte ihn mit Extrapost zu mir herüber, aber auf alle meine unwilligen Fragen und Vorstellungen über dieses nächtliche Treiben gab er als unwiderlegbare Antwort, — die mit der Beharrlichkeit eines Trunkenen an uns gerichtete Aufforderung zum Trinken. Trotz meiner Entrüstung musste ich lächeln, als Hunter ihn naiv fragte, ob er vielleicht betrunken sei? Der Alte fand diese Frage ohne Zweifel so merkwürdig, dass er in seiner Ueberraschung fast nüchtern wurde und uns auf unsere Fragen passende Antworten gab. Dem Uebel wurde dadurch aber nicht abgeholfen, denn er war jetzt so wenig Herr in seinem Hause, wie wir es waren, und wohl oder übel musste er seinen rauhen Gästen ihre Belustigung lassen. Auch unsere Bitten, sich zu entfernen und uns ruhig schlafen zu lassen, waren vergebens; wir selbst durften uns von hier nicht fortbewegen, da die Thür des Portreros oder Weide, wo sich unsere Thiere aufhielten, sich unserm Bivouac gegenüber befand; wollten wir uns dem Raube derselben nicht aussetzen, so mussten wir sie bewachen. Auch würde es uns sehr unbequem geworden sein, in dunkler Nacht mit gesammter Equipage einen anderen zweifelhaften Ruheplatz aufzusuchen, unbequemer jedenfalls, als die wenigen Stunden, die uns noch vom Tagesanbruch trennten, schlaflos hinzubringen. Wie schon gesagt, fand ich mich leicht in dieses Opfer, gab es mir doch Gelegenheit, eine neue, wenn auch eben keine glänzende, Seite im argentinischen Volksleben zu schauen. —

Gleich gewissen Festen unserer norddeutschen Bauern dauert ein solches Gelage mehrern Tage und Nächte. Der Tänzer oder die Tänzerin, der Trinker, ist er ermüdet, geht zu Haus, um neuen Rekruten Platz zu machen und sich selbst für einige Stunden auszuruhen, um sodann wieder seinen Platz im Gelage einzunehmen. Ist ein Festgeber ausgesogen, so wird ein Anderer aufgesucht. Unser böses Geschick hatte es gewollt, dass dem Nachbarn Fulano grade in der Nacht unserer Ankunft die Mittel ausgingen, um das Fest in seinem Hause fortzusetzen und dieses war die Ursache, dass die edlen Gäste sich sofort nach dem Hause unseres Wirthes übersiedelt hatten. — Es ist kaum nöthig, zu erwähnen, dass unter diesen Umständen, wo die ermüdeten Zecher fortwährend durch frische Stellvertreter ersetzt wurden, das Gelage mit unverminderter Lebendig keit bis zum Tagesanbruch fortdauerte. Länger hatten wir glücklickerweise nicht Gelegenheit, es zu beobachten, sonst hätten wir wohl auch die Woche in derselben Weise wie die Nacht hingehen sehen. — Zwistigkeiten waren nicht selten, aber nie kam es zu Faustschlägen; wenn dann und wann ein gezogenes Messer erschien, liess es sich durch friedfertige Rathschläge fast immer in die Scheide zurückführen. Nur einmal geschah es, dass sich zwei sehr auf einander erbosste Gegner zurückzogen, um ohne Zweifel in der Stille ihren Streit auszufechten, was die Zurückgebliebenen wenig störte. Der Galopp zweier Pferde, der sich durch die Nacht in verschiedener Richtung hören liess, verkündete uns bald, dass auch die zwei Feinde das Bessere erwählt und nach Hause geritten seien, um ihren Rausch auszuschlafen. — Einen anderen Zug dieser Gauchofeste darf ich nicht unerwähnt lassen. Dem Publikum, welches wir in unserem Quartier vor uns hatten, gesellte sich noch ein zweites, im weiteren Umkreise die Feuer umstehend bei, die reich geschmückten Pferde der Gauchos. Die armen Thiere stehen oft tagelang an einen Baumstamm gebunden, ohne dass ihrer von ihren Herren gedacht wird. In nüchternen Augenblicken führt Letzterer es vielleicht zur Tränke, nicht, weil er der Leiden seines Thieres gedenkt, sondern er könnte ja zu Fuss bleiben, was der Gaucho wie den Tod fürchtet. — Die neuen Gäste, die bei dem Feste anlangen, kommen immer zu Pferde, selbst wenn ihre Hütte nur wenige Quadras entfernt liegen sollte. Im gestreckten Carriere reiten sie bis an die Feuer und muthwillige Bursche setzen nicht selten drüber weg, mitten durch die Tanzenden und Sänger hindurch. Wie sich dieser Knäuel von Reitern, Tänzern, Zechern, Frauen und Kindern, deren Mehrzahl sich im anti-nüchternen Zustande befindet, entwirrt, ohne wenigstens ein Dutzend Arme und Beine zu brechen, war und ist mir immer noch ein Räthsel. Möglich, dass die Trunkenen einen eigenen Gott haben; hört die Vernunft auf, so tritt der Instinkt in Thätigkeit.

Ein Hauptheil dieser Gelage ist für den jüngeren Theil immer Musik und Tanz, während sich nur die Alten ausschliesslich dem Trunke hingeben. Jeder Gast ist Musiker und Tänzer. Welcher Gaucho wüsste nicht die Guitarre zu spielen, und welcher wüsste nicht den „Gato“ zu tanzen. Ich wenigstens kannte keinen Einzigen, dem diese nützlichen Kenntnisse abgingen. „Es liegt im Blut“, gab mir ein alter Gaucho zur Antwort, den ich über diese Allgemeinheit des Guitarrespieles befragte. Was sie spielen und natürlich mit dem dazu gehörigen Sang begleiten, sind zum grössten Theil alte spanische Romanzen und Tänze, nur wenige amerikanischen Ursprungs. Jenseits der Andes sind die Sänger reicher an selbstimprovisirten Liedern, wozu die Chilenen ein besonderes Talent zu haben scheinen. Ihre Nationaldichter dort, Alberto und Guillermo Blest-Gana, Benjamin Vicuña, Mackenna, Lara, Matta und Andere wecken mit ihren lieblichen Liedern die Volkspoesie. Manche schöne, genussreiche Stunde verschafften mir ihre Dichtungen, und wohl würde es die Mühe lohnen, sie in unsere Sprache zu übersetzen und die junge, aufblühende Literatur Chile's dem deutschen Vaterlande bekannt zu machen.

Doch kehren wir zu unsern riojanischen Zechern zurück, denen sehr wenig Poesie trotz des vielen Sang und Tanz innezuwohnen schien; den Alten vorzüglich wollte nichts als der Chicha behagen. Der Chicha oder Alojo, den sie aus den Schoten des Algarobabaumes bereiten, ist, wenn reinlich, ein angenehmes, vielleicht etwas zu süssliches, berauschendes Getränk. Man bereitet dasselbe, indem man die Frucht auspresst und den gewonnenen Saft mit Wasser sowie mit dem leeren Schoten vermengt kocht, um ihn sodann in den grossen Köpfen der Kalabasse zu sammeln und um die nöthige Gährung hervorzurufen, ihn in denselben längere Zeit stehen lässt. Wo sich Hunderte von Quadratmeilen von den Waldungen dieses Baumes bedeckt finden, ist es natürlich kein Wunder, dass Viele der Eingeborenen in dem Genuss des berauschenden, so leicht zu gewinnenden Getränkes sich Excesse zu Schulden kommen lassen; um so weniger darf uns dies aber wundern, wenn es in einem Distrikt wie diesem geschieht, wo in der nächsten Nachbarschaft reichliche Ernten eines guten und starken Weines gehalten werden. Das kaum sechs Meilen entlegene Nonogasta ist seines Weines wegen weit über die Grenzen der Provinz hinaus mit Recht berühmt. Nicht zu hart dürfen wir daher diese Leutchen beurtheilen, die so vielen Verlockungen, die ihnen die grossmüthige Natur darbietet, wenig inneren, moralischen Widerstand entgegenzusetzen vermögen.*)

„Pichigasta" verdient kaum den Namen eines Dorfes. Ein halbes Dutzend Hütten, welche zerstreut in der Ebene liegen, nur von wenigen

*) Den Leser werden die zahlreichen, mit der Sylbe „Gasta" endigenden Ortsnamen befremden. Das Wort „Gasta" ist der Quichua-Sprache entlehnt, und wird durch „Ort" übersetzt. — Es haben sich überhaupt unter der Nomenclatur westlicher argentinischer Orte viele Worte aus der Quichua-Sprache erhalten, was uns zu dem Glauben leiten muss, dass in früheren Zeiten, aus welchen uns keine Ueberlieferungen geblieben sind, diese Gegenden von der Quichua-Race bevölkert waren.

Fruchtgärten und einigen ausgedehnteren Maisfeldern umgeben, zeigen sich dem Reisenden. Dennoch findet man sich veranlasst, hier einen fruchtbareren Boden als den eben verlassenen in den Llanos vorauszusetzen. Die dunklen, schattigen Hölzer des Algaroba, die reichere Vegetation der freien Gegend, die, wenn auch fast ebenso baar aller Cultur, wie die der verlassenen Llanos, uns dennoch die Vorstellung einer höheren Fruchtbarkeit geben, zeigen dem Reisenden an, dass er sich schon dem westlichen, glücklichen Theile der Rioja nähert. In Pichigasta befindet er sich schon nicht mehr in den Llanos, sondern auf dem Gebirgsstock, der unsichtbar, weil mit seinem Felsenrücken unter dem Boden der Pampa liegend, die schon oben erwähnten, vereinzelten Berge im Centrum der Provinz mit den Andes vereinigt. — Jene Berge erscheinen uns daher in derselben neblichten Eerne, wie wir sie gestern im Norden wahrnahmen, heute im Osten; während sich im Westen die Umrisse der Hauptgebirge dem Blicke darbieten. Ueberhaupt muss der Reisende der diesen Weg wählt und sich auf dem Punkt befindet, auf welchem wir jetzt angelangt sind, von dem Anblick der freien, unbegrenzten Pampa Abschied nehmen; nur selten werden ihn Hochebenen wie beim Niedersteigen der catamarcenischen Gebirgskette oder weit sich ausdehnende Thalbecken, wie in dem Westen der Provinz Tucuman an die nur vom Horizont begrenzte Pampa erinnern. Der Weg, sich kaum den riojanischen Gebirgen entwindend, führt bei den kleinen Orten: „Londres“ und „Belen“ schon in die rauhen Berge Catamarca's, die die ganze Länge jener Provinz auf fast vier Breitengraden durchschneiden. In einer Entfernung von ca. zwanzig deutschen Meilen von der Andeskette laufen sie mit dieser parallel. Zwischen den beiden Gebirgen sollen sich fruchtbare Hochebenen bis zu der Breite der atacamischen Wüste hinziehen; wir hatten keine Gelegenheit, sie zu sehen. Diesen, ihrer Neuheit wegen verrufenen Bergen entgeht der Reisende glücklicherweise bald, um in die Thalebenen von San-Carlos-, Colalav- und Sauta Maria in der Provinz Tucuman niederzusteigen; doch schon nach wenigen Tagereisen tritt er wieder in die „Cordillera de las Valles“ ein, und es beginnt seine mühseelige Tour durch die „Guachiga-Schlucht“, die ihn den Thälern Saltas zuführt. — Diese durchaus gebirgige Natur des Weges beginnt schon in Pichigasta, und giebt sich nicht allein durch die geologische Lage des Bodens kund. Zwar wird die Vegetation in diesen Gegenden üppiger, wie in den tiefer belegenen Llanos, (die Ursache liegt auf der Hand, indem sie sich leicht durch den Vorzug erklärt, den erstere in ihren vielen kleinen Gewässern, die den nahen Andes entströmen, vor der Dürre und Trockenheit der letzteren haben) allein das Klima ist rauher und kälter als in diesen. Die physische Constitution der Bewohner passt sich diesem Einflusse an. Diese Leute schienen mir stärker und gesünder als die Gauchos der Ebenen, obwohl sie, wenigstens zur Zeit, wo ich sie besuchte, in Unmässigkeit lebten. Wie sich diese Unmässigeit in viehischen Gelagen äussert, ist schon oben dargethan.

Die rauhen Wintermonate, die uns auf unserem Zuge begleiteten, liessen uns das Klima dieses Hochlandes härter und unwirthbarer finden, als es von manchen Reisenden beschrieben ist. Dichte Nebel, orkanartig wüthende Winde, seltener Gewitter, verkümmerten uns manche Strecke des Weges; dennoch, mit Ausnahme von einigen Gegenden, in welchen man sich zu sehr den höheren Regionen des Gebirges nähert, äussert der herbe Winter seinen Einfluss auf die Vegetation nur durch den Farbenwechsel, den er dem Kleide der Natur auferlegt. Das frische, lebendige Grün verwandelt sich in welkes Gelb; doch auch dieser Wechsel bezieht sich nur auf die Gräser und Kräuter, die Mehrzahl der Bäume bleibt im immerwährenden Grün.

XIII.

Ankunft in Nonogasta. – Ackerbau. – Weinbau. – Aermliches Bewässerungssystem. – Aussicht auf artesische Brunnen. – Ankunft in Anguinan. – Culturzustand. – Mordbrennerei von Soldaten verübt. – Entführung eines Mädchens. – Indignation der Bauern. – Verfolgung der Räuber. – Kampf mit denselben und deren Gefangennahme. – Abreise von Anguinan. – Chilecito oder Sancatina. – Bergwerke. – Schatzanhäufung der Bewohner. – Krankheiten. – Ungesunder Zustand der Gegend. – Das Dorf Sacramentos. – Trockenheit der Gegend. – Ruin eines ganzen Ortes. – Pituil. – Die Anwendung des v. Thünenschen Gesetzes. – Hass der Grenzbewohner. – Rio Colorado. – Elend der Bewohner. – Der Johannesbrod- oder Algarobabaum. – Lässigkeit der Bewohner. – Ackerbau. – Wüste zwischen dem Rio Colorado und Londres. – Besuch eines Tigers. – Ankunft in Londres.

Nach der so „angenehm“ in Pichigasta verbrachten Nacht, anstatt am Morgen erfrischt zur Weiterreise aufzustehen, war ich so ermüdet, als eine doppelte Jornada es hätte bewerkstelligen können. Mit Widerwillen bestiegen wir die glücklicherweise besser geruht habenden Maulthiere, und als wir am Mittage wenige Minuten vor ein Uhr Nonogasta erreichten, dachten wir an keine Weiterreise, obwohl das nächste Dorf „Anguinau“ kaum vier Leguas entfernt lag, also sehr bequem im Laufe des Nachmittags hätte erreicht werden können. In Nonogasta wollte es unser guter Stern, dass wir ein bequemes und in jeder Beziehung gutes Quartier in dem Hause des wohlhabenden Don Santiago Martinez erhielten. Nonogasta ist überhaupt ein reicher und im Verhältniss zur Bevölkerung der Provinz volkreicher Ort, der wohl seine zwei bis dreihundert Einwohner zählt. Die Natur zieht hier schon ein reich geschmückteres Kleid wie in Pichigasta an. Der Ort liegt in einer Hochebene, zu deren Linken die Gebirge mit ihren schneebedeckten Häuptern einen imposanten Anblick darbieten. Sich weit ausdehnende Weingärten, denen zum Theil Nonogasta seinen Wohlstand zu danken hat, mit Getreidefeldern und Fruchtgärten untermischt, umgeben die unter den schattigen Linden, Eichen und Pappeln versteckten Häuschen. Eine breite, schöne Strasse führt durch das Dorf an der alten, ehrwürdigen Kirche und dem an derselben grenzenden Kirchhofe vorüber. Don Santiago Martinez empfing uns mit Freundlichkeit, der argentinischen Gastfreundschaft alle Ehre machend. Er war Besitzer einer umfangreichen „Chacra“, die er zum Theil mit Weizen und Mais bebaut, und zum Theil in Weingärten umgewandelt hatte. In den letzteren findet man in grosser Mehrzahl die weisse Muskateller-Traube, die von den Eingeborenen ihrer Grösse wegen andern Arten vorgezogen wird. Eine noch grössere Traube, die man hier die Traube des „heiligen Franziskus“ nennt, ist dem sogenannten portugiesischen Muskateller sehr ähnlich. Auch die kleinen Beeren der Corinthen findet man nicht selten. Die Weinernte wird hier von Mitte Februar bis Mitte April vorgenommen, je nach der früheren oder späteren Reife der verschiedenen Arten. — Nonogasta ist der Hauptort des Weinbaues in der westlichen Rioja, obwohl der ganze Fuss der Andes bis zum Rio Colorado umfangreiche Weinpflanzungen besitzt. Doch den Worten „reichlichen, ausgedehnten Weinbau“ und „Weinpflanzungen“ darf man nicht den Werth unterlegen, die sie in Europa haben würden; was hier mit denselben bezeichnet wird, dürfte dort kaum eine Erwähnung verdienen. Unser Freund Martinez hatte z. B. zehn Morgen Landes mit Wein bepflanzt, und seine Besitzung war eine der grössten der Provinz. In Mendoza ist das Gegentheil der Fall; manche Besitzung würde bezüglich ihres Umfanges in Mendoza klein genannt werden, die im Rheinlande zu den bedeutenden gehört. Meilenweit ziehen sich im Süden jener Stadt die prächtigen Weingärten entlang, die, wenn besser wie bis jetzt ausgebeutet, mit den besten in der alten Welt concurriren könnten.

Trotz des blühenden Zustandes seiner Wirthschaft klagte Don Santiago über denselben. Der Mangel an Wasser erlaubt weder ihm noch seinen Nachbarn, über eine gewisse Grenze hinaus das Land zu cultiviren. Der kleine Fluss, der die Nonogasta-Ebene durchfliesst, genügt nur zur Bewässerung des, seinen Ufern nächstbelegenen Bodens, während die schönen Strecken, die weiter abwärts dem Abhange der Berge zuliegen, trotz ihrer reichen, schwarzen Erde, sich mit einer ärmlichen Grasdecke, nur selten von kümmerlichen Kleesaaten durchmischt, begnügen müssen. Die geologische Situation der nahen Berge und der Ebene selbst, deutet auf grosse Wahrscheinlichkeit im Erfolg beim Bohren eines artesischen Brunnens; unser Wirth in Nonogasta hatte von dieser so reichen, fast zauberhaften Art der Bewässerung genug gehört, um seinen Ort mit einem solchen versehen zu wünschen, aber viel zu wenig, um die Kosten und Arbeit der Anlage richtig beurtheilen zu können. Er theilte uns u. A. mit, dass die Gemeinde mit Vergnügen die Kosten tragen würde, wollten wir es unternehmen, aus dem Litoral den nöthigen Ingenieur und Werkzeuge zuzusenden. Die arme Gemeinde wusste nicht, mit welchen Kosten die Bohr-Instrumente herbeigeschafft werden müssten, vorzüglich auf dem unwirthbaren, langen Wege in's Innere, und welcher Zeitverlust sich mit der Arbeit selbst verknüpfen würde. Wir riethen ihm, anstatt dieser Art der Bewässerung, eine andere minder kostspielige und ihm bekanntere anzuwenden, — in dem nächsten Längthale einen umfangreichen, starken Damm zur Ansammlung und Bewahrung des Wassers des Flusses aufzuführen. Ich enthebe mich hier der weiteren Beschreibung eines solchen, da ich schon oben, im elften Kapitel, mich derselben unterzogen habe.

Am anderen Tage erreichten wir zeitig Anguinan, ein kleines Dorf, welches Nonogasta an Grösse wie Betriebsamkeit gleichkommt. Wie in jenem widmeten sich auch in diesem die Leute ausschliesslich dem Ackerbau. Bequeme, geräumige Häuser, aus Lehm aufgeführt und mit Stroh gedeckt, von Gemüsegärtchen umgeben, deuteten auf Wohlstand und einen gewissen Grad von Solidität, den ich in Rioja zum erstenmal wahrnahm. Ich konnte nicht unterlassen, diese Erscheinung dem vorwiegenden Einflusse des Ackerbaus zuzuschreiben, durch welchen die Leute gewissermaassen zu einem solideren Gesellschaftsleben gezwungen werden.

In diesen Dörfern der westlichen Rioja, trotz ihrer Abgeschiedenheit vom Weltverkehr, deutet Alles auf einen viel höheren Culturzustand, wie ihn der Fremde gewöhnlich voraussetzt, und wie ihn die übrigen Theile der Provinz nicht besitzen. Die öden Gegenden der Llanos, in ungeheuere Estancias, nur nominelles Besitzthum ihrer Eigenthümer, abgetheilt, die einsamen Gebirgsgegenden mit ihren verwilderten Bewohnern, haben ihn nicht auf dies plötzliche Erscheinen einer jungen Cultur vorbereitet; — je weiter er in's Innere dringt, desto mehr glaubt er an ein allmähliches Abnehmen der Civilisation, bis ihn die westliche Rioja, die man nicht unpassend eine Cultur-Insel nennen darf, enttäuscht. Allerdings äussert sich dieser Fortschritt nur in geringen Zeichen, die nur für den bemerkbar werden, der tiefere Stufen der Cultur kurz vorher verlassen; man muss aus dem Thale aufsteigen, um diesen Hügel zu sehen. — Eine bessere Kleidung, eine zweckmässigere, reinlichere Wohnung, klarere Ansichten und erhöhte materielle Thätigkeit bilden diesen Fortschritt, an dem bis jetzt Unterricht und Erziehung keinen Theil genommen haben. Ausnahmsweise mögen reichere Bauern ihre Söhne auf die Schule zur Provinzial-Hauptstadt oder, wenn es hoch kommt, sogar nach Cordova schicken, allein wenig Gutes bringt ihre Erziehung ihren Geburtsorten. Haben die jungen Leute einmal das bessere Leben gekostet, sind sie einmal aus dem engen Zirkel ihres einsamen Dorfes herausgeführt, so kostet es Mühe, sie wieder hineinzubringen. Selten kehren sie zurück, vorzüglich wenn sie Mittel genug besitzen, sich in der Fremde ein bequemeres Leben zu sichern.

Auch heute, am 20. Mai, sollten wir nur eine kurze Jornada machen. Bei unserem Eintritt in Anguinan entliefen uns mehrere unserer Pferde. In der Eile der Verfolgung stürzte Nicolas mit seinem Thier und verletzte sich nicht unerheblich an der rechten Hand. Der arme Bursche litt tüchtige Schmerzen. Hunter verband ihn, so gut es gehen wollte, aber um der Kur Nachdruck zu geben, mussten wir uns auch heute mit einer halben Jornada zufriedenstellen und in Anguinan rasten. Wir hatten uns hier keines so guten Quartiers wie in Nonogasta zu erfreuen; zwar boten uns mehrere Einwohner des Ortes mit der üblichen Gastfreundschaft ihre Häuser an, allein wir nahmen ihre Güte nur für unseren Burschen in Anspruch; was uns selbst anbetraf, beschlossen wir, in der Nähe unserer Thiere im freien Felde zu bivouakiren. Man hatte uns nämlich mitgetheilt, dass eine Abtheilung Soldaten des Gouvernements im Dorfe angelangt sei, um Thiere zu requiriren und Steuern einzutreiben. Der erstere Zweck hatte uns mit Recht für unsere Pferde besorgt gemacht, und uns zugleich die Nothwendigkeit auferlegt, sie selbst während unseres Aufenthaltes im Orte zu hüten. Mit dem Zwecke der Steuereintreibung hatte es eine eigene Bewandtniss. Die Leute hatten sich nämlich geweigert, nicht etwa eine rückständige Steuer, sondern die für das vierte, nächstkommende Jahr fälligen vorauszubezahlen. Dem dermaligen Gouverneur der Provinz war von dem Despoten der Llanos, dem Chacho, die Niederlegung seines Amtes anbefohlen worden. Bevor dieser sich fügte, suchte er die wehrlosen Bewohner der kleineren, abseits belegenen Orte, die Ackerbau treiben und daher an ihrer Scholle gebunden sind, so viel wie möglich auszupressen. Drei Jahre ihrer Steuer hatten die Unglücklichen schon vorausbezahlt, jetzt sollten sie für's vierte Jahr zahlen, und waren überdem ausgesetzt, dass der neue Gouverneur diese Vorauszahlung nicht anerkennen und die Steuern zum zweitenmale eintreiben würde. — Bevor wir fortreisten, sollten wir Gelegenheit bekommen, ein Beispiel der Grausamkeit zu sehen, mit welcher diese Diener der Gerechtigkeit ihr Amt verwalten.

Wir hatten uns, wie gesagt, ausserhalb des Dorfes im Felde um das Feuer gelagert, und hüllten uns schon in unsere Mäntel, um den Schlaf zu suchen, als ein aus dem nahen Dorfe erschallender, verworrener Lärm, der einer aufgeregten Volksmenge anzugehören schien, uns wieder auf die Beine brachte. Fast gleichzeitig sahen wir aus der Mitte des Örtchens sich eine Feuersäule erheben. Hunter und ich, nach dem wir uns unsere Waffen umgeschnallt und Don Romualdo die möglichste Sorge für die Thiere eingeschärft, warfen uns auf die zum Hüten derselben bestimmten Pferde*) und ritten im gestreckten Galopp dem Orte des Getümmels zu. Wir erfuhren bald die Ursache desselben. In jener, fast am Rande des Dorfes stehenden Hütte, aus deren Strohdach jetzt die hellen Flammen herausschlugen und die armseligen Bemühungen einiger eifrigen Nachbaren, es mit drei oder vier Eimern Wasser zu löschen, zu verspotten schienen, wohnte die Wittwe eines kürzlich verstorbenen Bauern mit ihrer jungen Tochter. Die Folge des Todes ihres Mannes war ihre Verarmung; diese Nacht kamen die Soldaten des Gouverneurs und brachen ins Haus; unter dem Vorwande, die Steuer einzutreiben, stellten sie an die alte Frau die unverschämtesten Forderungen, und als diese ihre Unfähig-

*) Gewöhnlich werden von Reisenden bei Loslassung ihrer Thiere im freien Felde zwei oder drei Pferde während der Nacht in der Nähe des Lagerfeuers gehalten, um, im Fall sich eine Gefahr nähern sollte, die Maulthiere rasch zusammentreiben zu können.

keit, diesen Forderungen zu genügen, darthat, wurde sie nicht allein von den Barbaren misshandelt, sondern ihr ihre Hütte über dem Kopfe angezündet. Als auf ihr Hülfe-Geschrei die Nachbaren herbeieilten, rissen sie die fünfzehnjährige Tochter der Wittwe mit sich fort, warfen sie aufs Pferd, und ritten im wilden Jagen davon. Der herzzereissende Jammer der armen Frau um ihr Kind und die brennende Hütte entrüstete die Bauern und auch uns im höchsten Grade. Man beschloss, die Räuber zu verfolgen. Schon hatten sich wohl zwanzig Männer eingefunden, mit Flinten, Säbeln, Lanzen; Alle kamen mit den ihnen bekanntesten Waffen, dem Messer und den Bolas, und überdem auf guten, schnellen Pferden; auch wir boten uns zur Hülfe an, und gern wurde sie angenommen. Man gab uns bessere Pferde, als unsere eigenen, von einer langen Reise aufgeriebenen, waren, da es nöthig schien, sich auf einen langen und scharfen Ritt vorzubereiten. Die Aufregung der Leute liess ihre Vorbereitungen ein rascheres Ende nehmen, als es sonst bei ihnen gewöhnlich ist; schon nach wenigen Minuten jagten wir aus dem Dorf in die dunkle Ebene hinaus. Gen Osten hatten sich die Räuber entfernt; man wusste, dass in jener Richtung, ich erinnere mich nicht, in welchem kleinen Orte, eine grössere Abtheilung Soldaten im Quartier lag, von welcher die kleinere nach Anguinan gesendete nur einen Theil bildete; es war wahrscheinlich, dass sie jene wiederum zu erreichen suchen würde, um vor der Rache der Bewohner Anguinan's geschützt zu sein. Zu wohl wissen die Soldaten aus so manchen Begebenheiten, wie die erzürnten Bauern ein Attentat auf ihre Familie rächen. Ungefähr um Mitternacht, in der zweiten Pause, die wir machten, um die Thiere sich verschnaufen zu lassen, erschallten deutlich die regelmässigen Hufschläge einer grösseren Anzahl Reiter vor uns. Die Nacht war zu dunkel, als dass wir weiter als 15—20 Schritte vor uns zu sehen vermochten; allein die Bauern kannten die Ebene wie ihre flache Hand und durch die Dunkelheit ungehindert ging es, sobald wir die Hufschläge vernahmen, ventre à terre in jener Richtung hin. Man hatte sich nicht getäuscht; allmählich erkannten wir die dunklen Umrisse der Fliehenden. Unser an sie ergehender Ruf zu halten, hatte nur ihre grössere Geschwindigkeit zur Folge, die uns die Verfolgten für einige Augenblicke aus unserm Gesichtskreise entführte. Wir feuerten jetzt mehrere Schüsse, niedrig genug, um nur die Pferde der Fliehenden zu treffen, allein ohne Erfolg; besser verstanden sich die Bauern auf ihre Bolas. Kaum waren ihrer mehrere geschwungen, als zwei in sie verwickelte Pferde mit ihren Reitern zu Boden stürzten.

Jetzt warfen die übrigen sechs Soldaten, (es waren ihrer im Ganzen acht), ihre Pferde herum, da sie das Nutzlose ihrer Flucht einsehen mochten, und boten die Spitze. Im vollen Jagen gaben sie auf uns Feuer, aber ohne irgend jemand zu treffen. Unsere Bauern waren nicht minder gewandt, sie gaben dem Feinde keine Zeit, ihre Pferde wieder herumzuwerfen, sondern hatten sie im nächsten Moment umzingelt. Der Vorderste unter den Soldaten, welchen wir später als ihren Officier kennen lernten, suchte sich mit verzweifeltem Muthe durchzuschlagen, hatte schon zwei der Bauern mit seinem Säbel verwundet, als eine Kugel ihm die Schulter durchbohrte, und er machtlos zurücksank. Er und seine Gefährten fanden sich jetzt nach wenigen Augenblicken niedergeworfen und geknebelt. Auch das Mädchen, das Object ihres Frevels, fanden wir nur wenige Schritte vom Kampfplatz entfernt, ohnmächtig am Boden ausgestreckt. Als sie durch die Bemühungen einiger der Männer, die ihre Verwandte waren, wieder zu sich kam, kannte ihre Freude, sich inmitten ihrer Bekannten zu sehen, keine Grenzen. — Doch die Arbeit war noch nicht vollendet, jetzt sollten auch wir unser Theil bekommen.

Ueber die Gefangenen wurde Kriegsrath gehalten. Die Besonnenen riethen, sie gebunden mit ins Dorf zu nehmen, und nach Chilecito, der Residenz des Civilbeamten des Distrikts Anzeige von dem Vorgefallenen zu senden. Die Mehrzahl der erbitterten Bauern wollte nichts davon wissen; dennoch sprach keiner das Schicksal aus, welches die Gefangenen treffen sollte, ohne Worte schien jeder dasselbe zu wissen. Als ich sie darüber befragte, war ihre Antwort: degollarlos — (die Kehle abschneiden.) Ich fuhr bei diesem Worte zurück, aber einen noch stärkeren Einfluss hatte es auf den sonst so gleichgültigen Hunter, der mit dem Verbinden der Verwundeten beschäftigt war. Kaum war es geäussert, als er aufsprang, den Sprecher bei der Kehle packte, und ihn wie ein Bündel Zeug zu Boden warf. Als einige der Männer die Messer zogen, spannte er seinen Revolver. „Seid Ihr Männer“, rief er ihnen zu, wollt Ihr Euch selbst noch zu grösseren Schurken, wie jene erniedrigen? Verwundeten und geknebelten Leuten die Kehle abschneiden? Den Ersten, der sich den Gefangenen nähert, schiesse ich nieder. So erzürnt die Bauern auch waren, wagte es doch keiner, sich Hunter zu nähern, der sich vor die auf dem Boden liegenden Gefangenen gestellt hatte. Einige der Männer zogen sich etwas zurück, wahrscheinlich um zu berathen, was unter den gegebenen Umständen zu thun sei. Ich glaubte jetzt, nach dieser heftigen Arzenei meines Gefährten, nach dem so energischen Verweise desselben, würde ein Linderungsmittel in Gestalt milderer Ueberredung an der Zeit sein; es war in der That nothwendig, obwohl Hunter's Betragen sie auf die Schändlichkeit oder wenigstens Unrechtmässigkeit ihrer Absichten aufmerksam gemacht hatte, was ihrer Eigenliebe einen zu harten Stoss versetzt hatte, als dass sie sich über den starken Mahner nicht erzürnt hätten. Ich beruhigte sie, so gut ich es vermochte, indem ich Hunter's Absichten in das rechte Licht zu stellen suchte, ihren edleren Eigenschaften schmeichelte, sowie sie auf die verhängnissvollen Folgen, die der Mord der Soldaten für sie und die Ihren unvermeidlich haben musste, aufmerksam machte, brachte endlich auch die Mehrzahl auf meine und somit auch auf Hunter's Seite, und damit war die Sache gewonnen. Aber hatten wir den Gefangenen auch das schlimmste Schicksal erspart, so mussten wir es doch aufgeben, sie vor kleineren Misshandlungen und den Schimpfreden der Bauern zu schützen. Die Verwundeten ächzten erbärmlich, als sie auf die Pferde, ohne viele Rücksicht auf ihre Wunden geworfen wurden, und mit noch grösserer Rauhheit geschah dieses den Unverwundeten, welche, die Hände auf den Rücken gebunden, auf die Pferde gesetzt wurden, indem die Bauern Letztere am Zügel führten. Nach einem anderthalbstündigen starken Galopp langten wir im Dorfe wieder an. Wir entfernten uns nicht von den Gefangenen, als bis sich dieselben im Gewahrsam des Dorfrichters befanden. Die Freude, die die Mutter bei dem Anblick ihrer zurückgekehrten Tochter empfand, ist, wie jeder solcher Auftritte, schwer zu beschreiben. Wir verliessen das Dorf nicht, ohne die Versicherung einiger der wohlhabenderen Bewohner, für die Familie sorgen zu wollen, empfangen zu haben.

Nicolas, litt er am nächsten Morgen auch noch an seiner Wunde, fand sich wohl genug, um die Reise fortsetzen zu können; wir beschlossen, das Versäumte so viel wie möglich nachzuholen, obwohl wir uns in Folge unseres nächtlichen Rittes nicht allzu munter fühlten. Die Entfernung von Anguinan bis Pituil beträgt achtzehn Leguas; zwar befinden sich auf halbem Wege mehrere Orte, in denen Reisende Halt machen können, und würde sich das von Anguinan acht Leguas entfernte Sacramentos hierzu besonders eignen; allein es war keineswegs unsere Absicht, zum drittenmale eine halbe Jornada zu machen, und so beschlossen wir, die ganze Strecke bis Pituil an diesem Tage zurückzulegen, so sauer sie uns auch werden musste.

Wir passirten auf unserem Wege zunächst die Umgegend von Chilecito, der kleinen Minenstadt. Die Länge der heutigen, uns vorgezeichneten Tour verhinderte uns, das Örtchen selbst zu besuchen, obwohl wir kaum eine Meile von demselben entfernt sein konnten. Nach seiner Umgebung zu urtheilen, entspricht Chilecito allerdings dem Rufe eines romantisch schön belegenen Ortes. Eine fruchtbare, gartenähnliche Gegend, von kleinen Strömchen durchflossen, breitete sich vor uns aus. Hübsche Alameden (mit Pappeln bepflanzte Spazierwege) umgaben die weissen, zahlreichen Häuschen. Weingärten und Maisfelder bildeten den Hauptheil der Bebauung; über dieselben hinaus sieht man auf der Hochebene die grauen Umrisse der Pappelgruppen und Häuser des Dörfchens San Antonio. — Chilecito, wie schon sein Name ausdrückt, wird grösstentheils von eingewanderten Chilenen bewohnt, die im Bergwerkfach mehr Erfahrung besitzen und besser zu arbeiten wissen als die Eingeborenen. Eine grosse Menge Silbererze werden allmonatlich, die Wintermonate ausgenommen, nach der westlichen Seite der Andes exportirt, um in Caldera den Schmelzöfen übergeben zu werden. Sichere statistische Daten über diesen Theil der argentinischen Ausfuhr*) habe ich umsonst zu erlangen versucht; ich kann hier nur das Urtheil eines wohlhabenden, in der Provinz wohlbekannten Mannes, Martin Alvarez, den wir bei unserem Durchritte auf seiner Villa in San Antonio besuchten, wiedergeben. Nach ihm werden jährlich für 80,000 Piaster Werth an Silbererzen exportirt. Derselbe Herr drückte uns seine vaterländischen Gesinnungen in Beziehung zu dieser werthvollen Ausfuhr aus. Es bekümmerte ihn sehr, dass ein solcher Reichthum nicht im Lande bliebe, nach dem allen Grundsatz, der s. Z. auch im civilisirten Europa Geltung fand. — Doch gelang es uns, ihm begreiflich zu machen, dass Silber, wie jedes andere Handelsprodukt zum Segen des Landes ausgeführt wird, dass dieser Export des im Lande so häufigen Erzes andere Produkte, die ihnen nothwendiger sind und Arbeitskräfte zuführt, und zu gleicher Zeit den Werth des Geldes auf einem gewissen Grad festhält, der unbedingt mit dem Anhäufen edler Metalle immer niedriger fallen müsste. England ist nicht durch Gold, sondern durch seine Industrie so reich und mächtig geworden, wie wir es jetzt sehen. — Dieser Grundsatz unseres Freundes Alvarez findet sich leider sehr verbreitet, und eine Folge davon ist die

*) M. de Moussy schlägt die jährliche Produktion dieser Minen, d. i. des Bergdistriktes von Famatina auf 120—150,000 Piaster an. — Die Minen von Chañarcillo in Chile, mit denen die Bewohner von Chilecito ihre Minen gerne vergleichen, führen im Durchschnitt alljährlich für 5 Millionen Piaster an Mineralien aus! 90 Millionen Piaster ist der Ertrag des Chañarcillo von 1832 bis 1855 gewesen.

in diesem Distrikte stattfindende unsinnige Thesauration oder Geldanhäufung ohne dessen Benutzung. Das Geld, das der Bauer oder Bergbauer in die Hände bekömmt und nur irgend von ihm entbehrt werden kann, wird verwahrt, ja oft versteckt, um den Kindern hinterlassen zu werden. Nur zu oft finden die Schatzanhäufer keine Gelegenheit zur Enthüllung ihres Geheimnisses, und Tausende gehen auf diese Weise dem Verkehre des Landes verloren. Diese Unsitte mag als eins der traurigen Vermächtnisse spanischen Wesens angesehen werden. Der Anblick, den das goldreiche Amerika den hungrigen Spaniern gewährte, war zu blendend und gab diese daher der irrthümlichen Ansicht Preis, dass der Besitz der edlen Metalle das einzig Wünschenswerthe sei; sie nahmen das Mittel für den Zweck, sie bedachten weder, dass Gold und Silber nur insofern Werth in sich schliessen, als sie durch dasselbe die Bewegung menschlicher Thätigkeit und Industrie erleichtern und anregen, noch, dass dieser Werth durch die unterbrochene Circulation des Werth-Metalles aufhört, um erst dann wieder ins Leben zu treten, wenn jene fortgesetzt wird.

Spanien selbst hat durch diesen argen Missgriff viel gelitten. Als ungeheure Massen Gold und Silber*) aus der neuen Welt in's Land strömten, fiel, durch die berüchtigte „Ausschliessungspolitik“ veranlasst, sein Wohlstand, anstatt zu steigen. Die Leute badeten sich in Gold. — Der Ehrgeiz, es zu erwerben, verschwand, der Gewerbfleiss hörte auf, der Ackerbau verfiel. — Weshalb hatten reiche Leute nöthig, zu arbeiten! Was Spanien damals an Gold gewann, verlor es an Arbeitskräften und wurde, was es zu jenen Zeiten wirklich war, ein reicher Bettler. Als das verletzte Naturgesetz, welches die Arbeit als erste Bedingung zur Glückseligkeit aufstellt, sein Recht geltend machte, und seine Uebertretung mit schwerem Elend strafte, wurde der Irrthum eingesehen. Die Goldquellen versiegten, vielleicht zum Glück des Mutterlandes, welches jetzt den einzig wahren Pfad zum Volksreichthum und Volksglück: „Industrielle Thätigkeit“ eingeschlagen zu haben scheint.

Ihre amerikanischen Brüder haben zum grossen Theil diesen Irrthum beibehalten, durch den sich nur langsam die Erkenntniss des Wahren

---

*) Humboldt berechnet, dass die spanischen und portugiesischen Colonien den Mutterländern — seit der Entdeckung bis zum Jahre 1805 — 5,706,700,000 Piaster producirt haben. Der spanische Theil dieser ungeheuen Summen ist 4,851,200,000 Piaster, wovon 493 Millionen Piaster in Gold und 4,358,200,000 Piaster in Silber in Spanien eingeführt wurden.

Bahn bricht. Was wir oben den Bewohnern einer fernen Grenze vorgeworfen, kann leider bei dem Südamerikaner im Allgemeinen, wenn auch im geringeren Grade wiederholt werden. So viele Schriftsteller haben erkannt und critisirt, ohne aber dadurch merklich zur Besserung des Systems beigetragen zu haben, dass die grossen Kapitalisten dieses Continents, wie z. B. die Hacendados Chile's, Peru's, die Estancieros Argentiniens ihr Gold im Kasten anzuhäufen suchen, und dadurch dem Fortschritt ihres resp. Vaterlandes einen starken Zügel anlegen, wenn die Regierungen durch weise Gesetze auch alles Mögliche thun, um diesem Einflusse entgegenzuwirken.

Eine andere, traurigere Merkwürdigkeit Chilecito's darf hier umsoweniger unerwähnt bleiben, als man mir mittheilt, dass manche unserer deutschen Landsleute, die ohne Zweifel durch die glänzenden Berichte aus jenen Bergwerken ihren Unternehmungsgeist angeregt fühlen, sich lebhaft für die Bearbeitung dieser interessiren. Die Uebel, welche diesen Ort und nächste Umgegend in der Form körperlicher Gebrechen heimsuchen, fordern zur ernstesten Berücksichtigung auf. Der sogenannte „Coto“ oder „Goitra“ (Kropf) ist fast allgemein verbreitet, doch findet diese Erscheinung den Reisenden nicht unvorbereitet. In Mendoza, weniger in San Juan, findet sich dies mehr unangenehme als schmerzhafte Uebel verbreitet; in gewissen Gegenden im Norden, wie in Theilen der Provinz Salta und Jujuy existirt kaum ein Individuum, welches diesen hässlichen Auswuchs unterm Kinn nicht aufzuweisen hat. Dass Lokalursachen diese Krankheit hervorbringen, ist nicht zu bezweifeln. Nicht selten findet man an einem Ort ihre, fast keine einzige Ausnahme machende Verbreitung, während im nächsten, einige Meilen davon entfernten, sich keine Spur derselben zeigt. Chilecito z. B. leidet im hohen Grade an dieser Plage, während sie in dem etwa vier Meilen entfernten Anguinan kaum bekannt ist. Individuen, die von letzteren Orte zum ersteren übersiedeln, werden gewöhnlich nach mehreren Jahren ihren Coto zu tragen haben, und vice versa verliert oder vermindert er sich, je länger man sich von ersterem Orte trennt. — Reinlichkeit, und wie mir die Eingeborenen versichern, der Gebrauch destillirten Wassers ist ein probates Mittel gegen das Erscheinen des Uebels, wenn auch nicht zu dessen Heilung, wenn einmal vorhanden. Leute, die in den grossen Städten Mendoza und San Juan der höheren Classe angehören, findet man selten mit demselben behaftet. Sie haben Zeit und Geld, alle Mittel dagegen in Anwendung zu bringen. — Der „Coto“ ist das kleinste Uebel Chilecito's. Es ist traurig, wie vielen Lahmen, Blinden, Taubstummen man begegnet, deren Zahl ich auf Nachfrage auf 5% angegeben fand; obwohl ich diese Angabe in einem Distrikte, wo, wie hier, alle sichere statistische Aufnahme fehlt, nicht verbürge, finde ich sie dennoch wahrscheinlich. Bemerkenswerth ist es, dass der grösste Theil dieser Unglücklichen nicht mangelhaft geboren sein soll, sondern in früher Jugend von den Gebrechen ergriffen ist. Ein geschickter Arzt, mit Klima und den Gewohnheiten der Leute vertraut, könnte den Bewohnern dieser Distrikte zum wahren Heilande werden. Würde er sich zunächst bemühen, die Unterschiede naheliegender, im Gesundheitszustande verschiedenen Distrikte, sowie alle ihre klimatischen Verhältnisse zu untersuchen, um diesen Unterschied klar zu definiren, so bin ich überzeugt, würde er auf die Ursache dieser unglücklichen Erscheinung geleitet werden und bald genug die Mittel zu ihrer kräftigen Bekämpfung entdecken.

Merkwürdig genug ist es, dass die Leute, die von diesem Gebrechen verschont bleiben, im Durchschnitt mit einer gesunden und robusten Constitution begabt scheinen. Erklärt sich dieses vielleicht durch den Widerstand, welchen nur starke Körper dem Krankheitsstoff entgegenzusetzen vermögen, während schwache ihm unterliegen? Die Beantwortung dieser Frage, sowie, ob die Vermuthung der Eingeborenen richtig ist, dass das unreine Wasser die vornehmlichste Schuld des Uebels trage, muss Fachmännern überlassen bleiben. Das Wasser, welches bei Chilecito aus den Bergen fliesst, muss seiner unnatürlich weissen Farbe nach zu urtheilen, viele mineralische Theile enthalten.

Das schon oben erwähnte Sacramentos ist ein kleines Dörfchen, bei weitem gesünder wie Chilecito und ungefähr vier Leguas von diesem entfernt. Die Fruchtbarkeit seines Bodens verdankt es dem Flüsschen gleichen Namens, an dessen Ufern es liegt. Nächst der Weinrebe, die hier vorzüglich gut gedeiht, ist diese Gegend ihrer wohlschmeckenden Feigen wegen weit und breit im Lande bekannt; das sich gruppenweise ums Dorf ziehende Feigengehölz bildet einen, diesem lieblichen, sonnigen Naturbilde entsprechenden Hintergrund. — Doch auch hier, wie im gepriesenen glücklichen Arabien, findet man üppige, fruchtbare Gegenden nur oasenartig. Dem Laufe der zahlreichen Flüsschen, die das Land durchschneiden, folgt ein üppiges Pflanzenleben; aber kaum entfernt man sich eine Meile von ihren Ufern, so zeigt sich wieder die todte, wasserarme Wildniss. Ein trauriges Beispiel der Wassernoth fanden wir ganz in der Nähe Sacramentos. Ein Dörflein von fünfzig bis sechzig Häusern lag romantisch an den Ufern eines ausgetrockneten Flusses. Näher reitend erkannten wir in jenem scheinbar so heiternen Orte nur Ruinen, — die gänzlich unbewohnt waren. Noch erkennt man die Gehege der früheren Gärten, die Einfassung der Felder, die Rinnen der Gräben; aber alles war von dem grauen, trocknen Sande bedeckt, — das Leben, die grüne Farbe fehlte. Durch irgend eine vulkanische Bewegung war das Bächlein, welches diesen Ort nährte, plötzlich versiegt, und nach harten Kämpfen der Bauern, gegen Noth und Elend ihr Eigenthum zu bewahren, mussten sie endlich das Feld räumen und sich eine neue Heimath suchen. Die todten Gassen, die leeren Häuschen, durch die jetzt ungehindert Wind und Wetter streichen, machen einen unbeschreiblich traurigen Eindruck auf den Reisenden.

Obgleich wir schon um 5 Uhr Morgens Anguinan verliessen und am Mittage uns und unseren Thieren kaum eine Stunde Ruhezeit gönnten, langten wir dennoch in Pituil erst um acht Uhr Abends an. Ein fünfzehnständiger Ritt ist keine Kleinigkeit; wir waren deshalb hocherfreut, als uns endlich der leise wehende Nord aus der Ferne das Geräusch des Hundegebells zutrug, und bald nachher die glimmenden Lichter des Ortes uns freundlich bewillkommneten. — Pituil scheint ein grösserer Ort, wie die in den letzten Tagen passirten Dörfer; dennoch sieht man weniger von den Häusern, die meist unter dichten Baumgruppen versteckt liegen. Italienische Pappeln bildeten die Mehrzahl derselben. Ackerbau, Weinbau, das Einsammeln der Früchte des Algarobabaumes, die Verarbeitung derselben zu Getränken oder dem Garobbrode, nebst einer ausgedehnten Viehzucht auf den die bebauten Felder begrenzenden Ebenen bilden die Wirksamkeit der Bewohner.

Bei Pituil verlassen wir die Provinz Rioja, um in Catamarca einzutreten. Man sollte nicht glauben, dass zwischen den Grenzbewohnern zweier, einem Lande angehörenden Provinzen eine solche Verschiedenheit der Gesinnung und gegenseitiger Hass existiren könnte, wie er sich an dieser Grenze der Rioja und Catamarca's äussert; die Unabhängigkeit jeder einzelnen Provinz der Centralgewalt gegenüber, trägt hierzu viel bei. Eine jede Provinz scheint ein Ländchen für sich zu bilden, mit seinem eigenen, von dem des allgemeinen Vaterlandes abgesonderten Interesse, seiner eigenen Gesetzgebung und seinen eigenen Renten. Nächst der Verfassung des Landes, die der der Vereinigten Staaten von Nordamerika nachgemodelt ist, ist es auch die bedeutende Entfernung der Provinzen von der

Hauptstadt, die noch durch keine Eisenbahn- oder Telegraphenlinie verringert wird, die unbedingt die Ohnmacht der Regierung, eine so geringe Menschenmasse, über einen unverhältnissmässig grossen Flächenraum verbreitet, im Zaum zu halten, näher motivirt. Diese Ohnmacht hindert zugleich die vollkommene politische Fusion der einzelnen Provinzen und Partheien, und lässt diesen einen weiten Spielraum zur Ausübung ihrer Leidenschaften. In dieser Beziehung möchte man sich versucht fühlen, eine Parallele zwischen Argentinien und uns Deutschen zu ziehen. Der Riojaner ist Riojaner, — der Mendoziner: Mendoziner, — der aus San Luis Gebürtige: Puntano, — der aus Catamarca: Catamarqueños, — der aus Buenos-Ayres: Porteño u. s. w.; selten fällt es ihnen ein, sich Argentiner zu nennen. Wie der Deutsche wartet auch der gebildetere Argentiner der goldenen Zeit eines einzigen, einigen Vaterlandes. — Scheint uns daher einerseits der gegenseitige Hass der Bewohner zweier Provinzen eines Landes unnatürlich, so mag obige Berücksichtigung dieses Erstaunen mildern. An den riojanischen Grenzen, sowohl den Catamarqueños als auch den Cordovesen gegenüber bricht dieser Hass nicht selten im offenen Kampf aus, zu dessen Unterdrückung die Nationalregierung oft bedeutende Geldsummen und Soldaten opfern muss. Ausserdem gehören auf den Viehmärkten, die bald in Catamarca, Tucuman oder der Rioja abgehalten werden, blutige Fehden zwischen den Bewohnern verschiedener Provinzen zur Tagesordnung.

Von Pituil bis zum Rio Colorado oder Rothen Flusse und dem daran liegenden Flecken gleichen Namens werden zwölf spanische Meilen gerechnet, welches auf eine Viertelstunde mehr oder weniger auch mit der Zeit, die wir zu derselben brauchten, übereinstimmt. In sieben Stunden, von zehn Uhr Morgens bis fünf Uhr Nachmittags, legten wir diese Strecke zurück. Der grösste Theil des Weges führte uns durch weite Algarobawälder, bis wir die erste catamarqueñische Wohnung an dem Ufer des erwähnten Flusses finden. Erst hier, in der eigentlichen Heimath des Algaroba, wurde mir dessen ausserordentliche Bedeutung für eine grosse Anzahl unserer Mitmenschen klar, und wie er denselben fast unentbehrlich geworden ist. Ausser dem Alojo oder Chicha, mit dem wir schon in Pichigasta bekannt geworden sind, wird aus den getrockneten Schotenfrüchten, die von einer röthlich weissen Farbe sind, und eine Länge von 4 bis 6 Zoll haben, das sogenannte Algarobabrod oder -Kuchen gebacken, welches vielen der Eingeborenen anstatt des Weizenbrodes zur Nahrung dient. Ich konnte diesem in grossen viereckigen Tafeln gebackenen Algaroba-Brode seiner Süsslichkeit wegen keinen Geschmack abgewinnen, aber der Argentiner aus der Rioja und Catamarca zieht es dem Weizenbrode vor. Letzteres ist in diesem Theile der Provinz selten und theuer, da in Rücksicht auf das wohlfeilere Brod der Wälder nur selten Weizen gebaut wird. Wohlhabendere Bauern, die dieses Getreide in Nonogasta und den weiter nördlicher liegenden Distrikten säen, finden ihre Abnehmer in den Bergwerken von Chilecito, während der Consum ihrer eigenen Distrikte den Anbau nicht lohnen würde. Wir hatten bei Bereisung dieser Gegenden viel durch Mangel an Brod zu leiden, da weder mein schottischer Reisegefährte noch ich uns an das süssliche Algarobabrod zu gewöhnen vermochten; unsere Hauptnahrung bildete geröstetes Kuhfleisch, sowie Kaffee, von dem wir glücklicherweise ein genügendes Quantum von San Juan mitgebracht hatten. In den Dörfern fanden wir nicht selten leidlich gute Gemüse, die unsere frugale Lebensweise etwas erträglicher machten. —

Ausser dem Algarobabrode werden noch mannigfache Kuchen aus dem süsslichen Mehle der zerstossenen Hülsenfrucht bereitet. Doch der Johannisbrodbaum hört hiermit noch mit seinen Wohlthaten nicht auf. Das zahlreiche Vieh der umherwohnenden Estancieros findet, wenn im Herbste das spärliche Gras der Pampa vertrocknet, in den ausgedehnten Wäldern ein reichliches Futter. Tausende von Kühen, Pferden und Maulthieren werden zur Zeit der Fruchtreife des Algaroba in den Wald getrieben; der Eigenthümer ist sicher, sie im Winter im guten, fetten Zustande wieder zurückkehren zu sehen. Auch die eingesammelte, getrocknete Frucht wird als Viehfutter selbst dem Mais vorgezogen. Von grossem Nutzen ist auch das Holz dieses Baumes; hart und schwer zu verarbeiten, sowie von einem ausserordentlichen specifischen Gewicht, eignet es sich vorzüglich zur Verarbeitung in den schwerfälligen und schwertragenden Ochsenkarren. Zum Versenden aus diesen Landestheilen wird es natürlich nie tauglich werden, da seine Schwere so hohe Transportkosten verursachen würde, dass der Preis an der Meeresküste dem der kostbarsten brasilianischen Hölzer gleichkäme. Es besitzt also nur Lokalnutzen, dem man nicht hinzuzufügen vergessen darf, dass die Frucht als Hausmittel gegen Unterleibsbeschwerden gebraucht wird.

Der Flecken Rio Colorado ist, wie schon erwähnt, ein kleiner Grenzort der Provinz Catamarca, liegt am Flusse gleichen Namens und zählt ca. 350 bis 400 Einwohner. Ich erstaunte nicht wenig, den schönen Fluss so unbenutzt durch eine mit fruchtbarem Boden, grösstentheils Humus-Erde, versehene Ebene ziehen zu sehen. Grosse Strecken Landes, unmittelbar an seinen Ufern belegen, liegen brach, ohne scheinbar je bebaut zu sein. Die üppige, wilde Vegetation, das dichteste Gesträuch, das reiche, fusshohe Gras und Moos, scheint dort zur Ansiedelung und Cultur vergebens einzuladen. Die Bewohner erklärten mir, dass ihr Ort ehedem weit bedeutender an Umfang und Bewohnerzahl war, wie wir ihn vorfanden; man hat den Vortheil des Flusses niemals verkannt, und ehedem hatte man meilenweit beide Ufer des Colorado bebaut. Jener glückliche Zustand des Fleckens wurde durch den Ausbruch eines Vulkans in der nahen Sierra zerstört. Im Jahre 1855 brach dieser mit grosser Gewalt aus, und überschüttete Wohnungen, Felder und Weingärten mit Asche. Was diese nicht zerstörte, fiel der Wuth des Lavastromes*) anheim, der sich gleichzeitig Bahn durch die bebauten Felder brach. — Viele Menschen verloren ihr Leben und der ganze Wohlstand des Ortes wurde zerstört. Gleichsam, als hätte sich das Unglück noch nicht ermüdet, diesen kleinen Erdenwinkel heimzusuchen, brach im folgenden Jahre eine furchtbare Wasserfluth über die Ufer des Stromes und verursachte fast ebenso grosses Elend, als es im vorigen Jahre der Vulkan gethan. — In der That erkannten wir in jener Ebene in der Nähe des Flusses, die in üppigem, wenn auch wildem Pflanzenleben glänzte, bei näherer Untersuchung die Ueberreste verkohlter Stämme, ja selbst der früheren Gehöfte und Feldeinfassungen des zerstörten Theiles des Ortes. Eine mächtige, zerstörende Kraft musste hier gewirkt haben, die jene sich weit erstreckenden Wohnungen und Felder in wenigen Stunden so vollkommen dem Boden gleich machte, dass der Reisende kaum ihre Spur wahrnimmt. Aber, fragte ich mich, sollen wir bei dem Anblick eines solchen Unglücks schweigend den Willen des Ewigen ehren, oder sollen wir vielmehr in jenem unsere eigene Unvorsichtigkeit oder Unwissenheit tadeln, die durch Verletzung der Naturgesetze sich den schlimmen Folgen dieser Uebertretung aussetzte. Selbst der berühmte Volksphilosoph, George Combe, der Verfechter der Meinung, dass unser Unglück nur durch Ver-

*) Die Bewohner theilten mir dieses in den südamerikanischen Andes so seltene Phänomen mit, — es wäre dasselbe ein neuer Beweis für A. v. Humboldt's Behauptung, dass die Abwesenheit von Lavaströmen in den Andes allzu absolut behauptet wird. S. S. 359 Kosmos Bd. 4.

letzung der göttlichen Gesetze, also keineswegs durch seinen Willen, sondern im Gegentheil durch Auflehnung gegen denselben hervorgerufen wird, ist geneigt, eine Ausnahme mit den natürlichen Ereignissen, wie Erdbeben, vulkanische Ausbrüche u. s. w. zu machen. Aber in wie vielen Fällen, verletzt auch in diesen scheinbar nur durch das Schicksal hervorgerufenen der Mensch wissentlich und unwissentlich die Naturgesetze. Bleiben und Wohnen an einem unsicheren Orte, wo die Mutter Erde ihren Gährungsprozess noch nicht vollendet hat, muss uns unbedenklich als eine solche erscheinen. Neben anderen Fällen, die sich in meiner Nähe zutrugen, und in welchen eine grössere Vorsicht vieles, und tiefere Kenntnisse vielleicht alles Unglück verhütet hätte, erwähne ich den allgemein bekannten Fall des letzten Erdbebens von Mendoza, welches in der ganzen civilisirten Welt eine so tiefe Sensation erregte. Viele Jahre, bevor Mendoza verunglückte, war sowohl seine schlechte, geologische Lage inmitten eines von vulkanischen Kräften durchdrungenen Bodens dargethan, als ebenfalls die unsichere Lage eines grossen Stadttheils auf losem Sande. Dass die auf solcher Grundlage erbauten Häuser auch ohne Erdbeben einstürzen können, haben die Mendoziner durch manche bittere Erfahrung gelernt. Man kannte also die unglückliche Lage der Stadt, aber wenig wurde es beachtet. Die Länge der Straflosigkeit, die Macht der Gewohnheit hatte sie sicher gemacht, bis Mutter Natur sie aufrüttelte, und den Delinquenten eine gar harte Lection gab; dennoch scheint diese nicht hart oder wenigstens nicht deutlich genug gewesen zu sein, um den Starrköpfen verständlich zu werden. — Mendoza wird trotz der Warnungen der Geologen, trotz der eindringenden Warnung der Natur auf demselben Flecke, mit derselben Unsicherheit wie früher erbaut; — geschieht ein neues Unglück, so wird man „Gottes Willen" in diesen schweren Streichen ehren (welch' bittere Ironie), wird mit Prozessionen und öffentlichen Buss- und Bet-Tagen um seine Nachsicht bitten und denkt nicht daran, durch Erfüllung seiner Gesetze sich die beste Grundlage einer nie fehlenden Glückseligkeit zu sichern.

Auch Rio Colorado trägt die Schuld seines Unglücks. Wohl war den Bewohnern die zerstörende Kraft des nahen feuerspeienden Berges, sowie die der Wasserfluthen, durch den in gewissen Jahreszeiten schmelzenden Schnee verursacht, bekannt, dennoch blieben sie, wo sie waren, obwohl in den erhöhten, versteckten Schluchten der nahen Berge ihre Wohnsitze viel geschützter gewesen wären. Hätten sie das Beispiel der viel unwissenderen bolivianischen Indianer nachgeahmt, die ihre Felder am Ufer des Stromes bebauen, ihre Hütten aber in oft zwei bis drei Leguas Entfernung von denselben an vor Wetter und Fluthen geschützten Orten errichten, so würden sie nur den Verlust der Ernte, aber keinen Verlust an Menschenleben zu beklagen gehabt haben. Aber sie blieben, wo sie waren, und als ihr Fehler bestraft wurde, fanden sie eben nur Gottes Fügung darin, und ergaben sich wie wahre Fatalisten, aber nicht wie Christen in ihr Schicksal. Der mit der grössten Resignation litt, wurde der Tugendhafteste. Viel ist auch an uns Europäern von dieser falschverstandenen Ansicht der christlichen Religion hängen geblieben. Wenig kann der Einzelne zu einer Reform beitragen; auf die Zukunft, die künftige Generation, die mit einer besseren Erziehung wie ihre Väter versehen ins Leben tritt, muss die Hoffnung gebaut werden, dass sie durch ein klareres Erkennen die Fehler der Vergangenheit bessert. Der hier in der Nähe Rio Colorado's im catamarqueñischen Gebirge ausgebrochene Vulkan ist der Geographie noch unbekannt, obwohl bereits seit mehreren Jahrzehnten seine Ausbrüche Schrecken im Lande verbreitet haben. Der Vulkan Copiapó liegt kaum einen halben Breitegrad in nördlicher Richtung von ihm entfernt.

Trotz dieser allerdings gegründeten Ursache, die uns die Bewohner für die Nichtbebauung so mancher schönen Strecken Landes, und für die Unwichtigkeit ihres Ortes im Gegensatz zu der günstigen Lage an den Ufern eines bedeutenden Flusses angeben, glaube ich dennoch keine Verleumdung zu äussern, wenn ich den Character dieser Leute als beiweitem weniger thatkräftig, als den der eben verlassenen Riojaner angebe. Eine auffallende Lässigkeit und Langsamkeit spricht sich in ihrem ganzen Wesen aus, welche weder dem „dolce far niente" der Italiener und südlichen Völkerschaften, noch dem Gleichmuthe oder dem bekannten charakteristischen deutschen Michelwesen zu vergleichen ist; mit Letzteren verbinden wir den Begriff eines gewissen Grades von Gemüthlichkeit, von der bei der unteren Landbewohnerklasse Catamarca's keine Spur zu finden ist. Es ist alles unbequem, — elend, — schmutzig; — dieser Character findet sich dort am meisten ausgesprochen, wo äusseres Unglück, wie am Rio Colorado die Erdbeben und Fluthen, und in den nördlicheren Gegenden die Terziana oder Chucho-Krankheit die Leute von jeder Entwickelung eines thatkräftigen Characters zurückhält. Dennoch könnte durch eine weise Regierung viel, ja Alles zur Besserung dieser Uebelstände gethan werden. In gewissen Gegenden die krankheitsverbreitenden Sümpfe drainiren, in andere ausgetrocknete Gegenden Wasser hinleiten, die über einen grossen Flächenraum zerstreuten Leute, vorzüglich Bauern durch Etablissements einheimischer Kolonien nach gewissen, gesunden und fruchtbaren Orten hin, — und von ungesunden oder von der Natur bedrohten abziehen, — durch competente Fachmänner das Klima des Landes studiren lassen, wie dessen Einflüssen am besten entgegenzuwirken ist, — alles dies und vieles Andere, welches den Landbewohner aus seiner Apathie aufrütteln würde, könnte mit verhältnissmässig geringen Kosten ausgeführt werden, ist auch von intelligenten Männern, an denen es in dieser Provinz keineswegs fehlt, im Congresse und ausserhalb desselben oft genug zur Berathung vorgeschlagen worden, aber die sich ewig in die Länge ziehenden Bürgerkriege ersticken jedes gemeinnützige Project im Keime.

Der Rio Colorado, dessen Wasser viele tausende Acker Land befruchten könnte, muss sich für jetzt ausser der Befeuchtung einiger kleinen Strekken Bodens mit der Umdrehung eines Mühlrades genügen lassen, welches mit seinem Rauschen die Stille der Natur durchbricht. Bemerkenswerth genug ist in dieser Einöde die kleine Wassermühle, die aber wenig Korn zu mahlen findet. Sie arbeitet nur zwei bis drei Monate im Jahr, und auch während dieses kurzen Zeitraums hat sie oft Mühe, immer thätig zu bleiben.

Der Fluss, dessen Bett stellenweis im röthlichen Lehm liegt, verdankt diesem Umstande Farbe und Namen. Seine gelbröthliche Fluth ist äusserst durchsichtig, wenn sie sich im mittleren Wasserstande befindet, wird aber höchst unklar, wenn im Herbst und Frühjahr die sogenannten Wasserlawinen aus dem höheren Gebirge sich mit dem Flusse vereinigen und er zu einem alles überfluthenden Strome anschwillt.

Jenseits, am nördlichen Ufer des Rio Colorado fanden wir eine ärmere Natur als in südlicher Richtung. Kaum entwindet sich der Weg den Reihen halb ausgewachsener Pappeln, die die einzelnen Gehöfte von der Strasse abscheiden, als eine gänzlich verschiedene Vegetation, wie sie das südliche Ufer schmückt, bemerkbar wird. Der grüne Algarobawald begrenzt jenes in weiter Ausdehnung, aber spurlos verliert er sich, sobald man den Fluss überschritten hat. Wir vermochten keinen einzigen Stamm zu entdecken; stellenweis zeigte der Boden ein spärliches Gras, aber in weit grösserem Umfange zeigte er vegetationsleere, kreideartige

Strecken. Schroffe, wenn auch kleine Hügeljoche, die, sich allmählich erhebend in östlicher Richtung fortlaufen, bezeichnen die ersten Ausläufer einer neuen Gebirgskette. — Der äusserst armselige Zustand der Gegend, wo sich durchaus keine menschliche Wohnung noch irgend ein Bach oder eine Quelle zeigt, dauert bis Londres, also 21 span. Meilen, die dieser Ort von Rio Colorado entfernt liegt, und rasch muss diese Strecke der durstenden Thiere wegen durchmessen werden. Haufen bleichender Gebeine der vor Erschöpfung nicht weiter zu bringenden Pferde und Maulthiere, die durch vorhergehende Beschwerden aufgerieben, dieser Travesia oder Wüste erlagen, warnen den Reisenden vor allzu langem Verweilen. Mit dem ermüdenden Ritt durch eine weite wüste Strecke vereinigen sich noch mancherlei Gefahren, vor welchen man sich wohl in Acht zu nehmen hat. Nicht selten durchstreift der Jaguar dieselbe; aus den Schluchten der nahen Sierre nähert er sich bewohnten Distrikten, um dort eine Gelegenheit zur Beute wahrzunehmen. Mit ihm vereinigt sich ein anderes, gefährlicheres Raubthier; vereinzelte aus den Llanos der Rioja herüberschweifende Gauchos, die wie die Beduinen der afrikanischen Wüste jeden Reisenden, der so unglücklich ist, in ihre Hände zu fallen, berauben, und glücklich mag dieser sich schätzen, kömmt er mit dem Leben davon. Wiederholt hatte man uns vor dieser Strecke von Rio Colorado bis Londres der häufig vorkommenden Räubereien wegen gewarnt; wir glaubten alle mögliche Vorsicht, die in unserer Macht lag, angewendet zu haben, indem wir unsere Führer mit Pistolen bewaffneten und unsere eigenen Revolver mit frischer Ladung versahen. — Das Glück begünstigte uns, indem wir unseren Weg bis zum Abend unangefochten und ohne irgend ein Abenteuer zurücklegten. Als sich der Tag seinem Ende zuneigte, beschlossen wir einige Stunden zu ruhen, um den Rest der Jornada, die etwa noch sieben deutsche Meilen betragen mochte, erfrischter zurückzulegen. Diese Ruhe sollte uns jedoch eins unsrer besten Thiere kosten. Wir hatten ein mit Holzwurzeln genährtes Feuer angezündet, und uns rings umher auf unseren Mänteln gelagert, als uns alle das plötzlich erdröhnende tiefe Brüllen eines Jaguars für einen Moment erzittern machte, obwohl es uns keineswegs unerwartet kam. Schon am Tage hatten wir frische Spuren eines Tigers auf dem Boden gefunden, und wir durften nicht zweifeln, dass das Unthier durch den Geruch von unseren Maulthieren Notiz nehmen und sich im Laufe der Nacht unserm Lager nähern würde. Dem Gehör nach zu urtheilen, konnte der Tiger keine hundert Schritt von uns entfernt sein; die rasch eingebrochene Dunkelheit hinderte uns Gegenstände selbst in geringer Entfernung wahrzunehmen. Die Nähe des Ungethüms machte uns einen Augenblick stutzen, aber dennoch waren wir gefasst genug, um im nächsten unsere Kugelflinten schussfertig zu haben. — Nicolas schien unter diesen Umständen eine grössere Geistesgegenwart zu besitzen; indem er rasch den Lasso ergriffen und einem sich eben losreissenden Pferde umgeworfen hatte, rettete er uns dieses. Die übrigen Thiere, mit Ausnahme eines sehr frommen Maulthieres, waren glücklicherweise mit starken Lassos an kurzen, in den Boden getriebenen Pflöcken genügend befestigt, um trotz ihrer verzweifelten Anstrengungen ihr Entkommen zu hindern. Das vorerwähnte, sonst so zahme Maulthier war im nächsten Augenblick auf der dunklen Ebene spurlos verschwunden, und wird wahrscheinlich dem beutesuchenden Tiger in die Klauen gefallen sein. Das tiefe Brüllen des letzteren liess sich bald aus entgegengesetzter Richtung, als von wo wir seine erste Begrüssung vernahmen, hören. Der Galopp des erschreckten Maulthieres lockte ihn ohne Zweifel zur Verfolgung, da unsere Feuer ihn von einem Kampfe mit uns selbst zurückschreckten. Wir durften an ein Aufsuchen des Maulthieres nicht denken. Die Ermattung unserer Thiere inmitten einer wasserleeren Wüste, unsere eigene Ermüdung waren Umstände, die schwerer als Jagdlust und der Werth des Maulthieres wogen. — Unser Führer, der alte Romualdo, überliess sich während des ganzen Vorfalles einer kindischen Furcht, er betete seinen Rosenkranz einmal über das andere durch, und sein Benehmen zeigte uns deutlich, wie wenig wir uns im Augenblick der Gefahr auf ihn verlassen durften. Er musste diesmals allein mit Nicolas die Nachtwache theilen, da sowohl Hunter als ich zu ermüdet waren, um unseren Theil daran zu übernehmen. Mehrere Feuer wurden im Zirkel um unsere Bagage und die jetzt wieder beruhigten Thiere angezündet, um auf diese Weise die Annäherung der Raubthiere abzuhalten. Allein ein sich um Mitternacht erhebender Sturmwind machte alle unsere Anstrengungen, die Feuer zu erhalten, erfolglos, und zwang uns zum Aufbrechen, da unter diesen Umständen an keine ruhige Nacht gedacht werden konnte. Langsam näherten wir uns Londres, indem die Maulthiere, durch das fortgesetzte Geschrei der wilden Katzen erschreckt, uns unsägliche Mühe bei dem Vorwärtstreiben machten. Meilenweit mussten wir vom Wege ab den Thieren nachrennen; ein Wunder war es, dass wir uns weder verirrten, noch eins oder mehrere der Maulthiere verloren. Ich selbst stürzte mit meinem Pferde, welches ich, um mit grösserer Schnelligkeit die Maulthiere einzuholen, bestiegen hatte, eine niedere Schlucht hinab, welche die Ebene durchzog, ohne weder von Reiter noch Pferd bemerkt zu sein; glücklicherweise erlitt ich keinen Schaden. Als ich meine Gefährten einholte, kam ich eben zur rechten Zeit, um unsern heissblütigen Schotten zur Vernunft zu bringen. Hunter, welchen das fortgesetzte Entlaufen der Thiere ausser sich gebracht hatte, feuerte seinen Revolver gegen dieselben ab. — Es ereignete sich hier unsere erste Collision, die, hatte sie auch das sofortige Aufhören des Niederschiessens unserer eigenen Thiere zur Folge, uns doch für die Zukunft auf einen weniger vertrauten Fuss setzte, als es für zwei auf einander angewiesene Reisende in diesen entlegenen Gegenden räthlich ist. Erst um neun Uhr Morgens langten wir in dem Städtchen Londres an, dessen Strassen wir trotz der Frühe des Tages ungewöhnlich belebt fanden.

XIV.

Londres und Belen. – Viehmarkt in Londres. – Maulthier- und Pferdehandel der südlichen mit den nördlichen Provinzen. – Leidenschaft des Spieles. – Volkscharacter. – Notizen über die Volkswirthschaft dieser Distrikte. – Die Produkte Catamarca's. – Ackerbau. – Bergbau. – Viehzucht. – Der Vegetationscharacter der Provinz. – Nachtheile der Viehzucht. – Viehkrankheiten. – Der giftige Nillo. – Ursache des comparativen Rückstandes der Viehzucht. – Industrie. – Colonisationsversuche.

Londres und Belen, oder zu Deutsch London und Bethlehem, sind im Innern des fernen Westens Südamerika's gar merkwürdige Namen; merkwürdig, weil wir sie, die Kinder der Civilisation, inmitten der Namen der Dörfer und Orte indianischer Abstammung so plötzlich antreffen, noch merkwürdiger ihres Contrastes wegen, der sich mit dem Begriff derselben verbindet: das Handelsprincip neben dem der Religion. — Bethlehem liegt nur ein und eine halbe Meile von London entfernt, aber ungleich ihren Namensverwandten der alten Welt, ist es Bethlehem, welches London in industrieller Thätigkeit den Rang abläuft. Ersterer Ort ist fast doppelt so gross wie letzterer. London*) zählt 800 Einwohner

*) Londres wurde im Jahre 1555 von den Spaniern gegründet; sie beabsichtigten hier eine ihrer berüchtigten „Encomniendas" anzulegen, landwirthschaftliche Etablissements, wo die Indianer gezwungen wurden, ihren eigenen Boden zum alleinigen Nutzen der Spanier zu bebauen.

und Bethlehem zählt deren 1200. — In London muss wenigstens ein Engländer wohnen, und so ist es. Eine alte Theerjacke, die, Gott weiss durch welche Schicksale getrieben, den Weg durch zwei bis dreihundert deutsche Meilen hergefunden, um in diesem Erdenwinkel hängen zu bleiben, wohnt hier in gemüthlicher Ruhe, baut sein Feld, hütet sein Vieh und ist ein Gaucho unter den Gauchos. Ich hielt ihn hier für den einzigen Fremden, aber bei unserem späteren Ausreiten fanden wir ein Schild mit der Inschrift „Fonda francesa.“ Wir traten hinein. Der Eigenthümer gab sich uns bald als Franzose zu erkennen, der sogleich mit der diesem Volke eigenen Beredsamkeit uns seine sämmtlichen Schicksale erzählte, von der Wiege bis zum Grabe, denn sein jetziger Aufenthaltsort schien ihm mit letzterem gleichbedeutend. Sein eigentlicher Beruf war Civil-Ingenieur; er hatte in Buenos-Ayres, wohin er von Frankreich auswanderte, keine Beschäftigung finden können, und von dort hatte ihn das Schicksal von einem Ort zum andern geworfen, bis er endlich hier hängen geblieben war. Mit dem alten, tollen Engländer, wie er ihn nannte, lebte er wie Hund und Katze, beide den Traditionen ihres Landes getreu. Mit genannten beiden Individuen ist das fremde Element in London erschöpft, einige Chilenen ausgenommen, die sich aber durch langjähriges Wohnen hier zu sehr in die Sitten und Gewohnheiten der Eingeborenen hineingelebt hatten, als dass ihre Landessitten sich noch Geltung verschaffen konnten; es würde schwer halten, sie aus den Landeskindern herauszukennen.

Bei unserem Einritt in das Städtchen logirten wir uns nicht bei dem alten Engländer ein, der alles von seinen Nachbaren, nur nicht ihre Gastfreundschaft gelernt zu haben schien. Er schaute so ungastlich und finster drein, als wir an seine Thür anlangten und Hunter ihn als Landsmann begrüsste, dass wir über seine Anzeige, keine Weide für unsere Thiere zu haben, froh waren, und rasch Kehrt machten, um ein gastlicheres Dach aufzusuchen. Wir fanden dies bald. Der Argentiner ist nur zu erfreut, wenn er Gelegenheit zum Verkehr mit Europäern findet. Don Julian Rocha, ein bedeutender Gutsbesitzer, der am Rande des Ortes sein Besitzthum hatte, that Alles, was in seinen Kräften stand, unsere Anwesenheit in seinem Hause zu einer angenehmen und bequemen zu machen, bei welchem löblichen Werke ihm seine Ehehäfte getreulich zur Seite stand.

Wir fanden jetzt die Erklärung des ungewöhnlichen Lebens, welches wir bei unserer Ankunft in dem Städtchen wahrgenommen. Es war heute der grosse, jährlich gehaltene Viehmarkt von Londres, zu dem weit umher aus der Runde Käufer und Verkäufer herbeikommen. Ja selbst von San Juan und San Luis hatten sich mehrere Arrieros mit ihren Tropas von Maulthieren, Pferden und Eseln eingefunden, um diese günstige Gelegenheit zum Verkauf zu nützen. Ich konnte der Versuchung, sogleich zum Marktplatz zu reiten, nicht widerstehen; Hunter begleitete mich, auch hofften wir Gelegenheit zu finden, einige unserer ermüdeten Maulthiere gegen frischere umzutauschen.

Eine belebte und merkwürdige Scene bietet ein solcher Markt. Alles ist zu Pferde; zu Pferde wird gekauft, verkauft, getrunken, gezecht, gezankt. Sein schönstes Paradepferd wird an einem solchen Tage von dem Marktbesucher bestiegen, mit bunten Bändern, aber noch mehr mit dem schweren silbernen Geschirre geschmückt. Silberne Steigbügel nehmen die Stelle der gewöhnlich gebrauchten kleinen hölzernen oder ledernen ein, doch diese, und selbst die grossen silbernen Sporen, deren Räder nicht selten vier Zoll Durchmesser haben, mögen für die Aermeren genug Aufwand sein; aber der Prachtliebe der Bemittelten genügen sie nicht. Bei diesen sind Sattel und Zügel mit schwerem, massivem Silber beschlagen, grosse silberne Reifen werden dem Pferde über den Hals gehängt, welches gleichsam, als kenne es den Werth seiner kostbaren Last, mit feurigem Stolz seine minder ausgestatteten Cameraden zurückzudrängen sucht. Der Reiter ist nicht minder stolz. Mit seinen Pferdehautstiefeln, seinem bunten Chiripá, dem breiten Gürtel, aus welchem der versilberte Griff des Messers hervorsieht, dem scharlach-rothen oder mit irgend einer andern grellen Farbe versehenen Poncho, dem losen und malerisch um den Hals geschlungene Tuch, dem kleinen an der Vorderseite aufgestülpten Strohhut, unter dem das braune verwegene Gaucho-Gesicht hervorguckt, — von dem Scheitel bis zur Sohle, ist diese Erscheinung auf dem halbwilden Pferde selbst den im Lande Bekannteren interessant. Wir unsererseits schienen den Marktleuten dieses nicht minder zu sein; kaum erschienen wir auf der Plaza, als uns Schaaren der Gauchos umringten. Der eine drängte uns sein mit Chicha gefülltes Horn auf, welches er gefüllt im gestreckten Galopp von der nächsten Pulperia geholt hatte, ohne einen Tropfen zu vergiessen, der andere offerirte uns sein Haus, der dritte seine Weide für unsere Pferde, und alles dieses mit einer solchen Zudringlichkeit, dass man uns, den Gegenstand des Wohlwollens, fast in dem entstandenen Gewühl erstickt hätte. — Bei solcher Aufmerksamkeit konnte es uns nicht an Gelegenheit fehlen, den projectirten Tauschhandel für einige unserer Maulthiere auszuführen; wir erhielten in der That für dieselben mehrere ausgezeichnete Thiere, indem wir eine Kleinigkeit Aufgeld zahlten. Es musste uns dieser günstige Tausch um so mehr wundern, als wir mussten, dass der Werth der Maulthiere und Pferde, je höher gen Norden in Argentinien, steigt. Für ein Maulthier, welches in Mendoza mit 18 $, in San Juan mit 25 $, in der Rioja mit 2 Goldunzen bezahlt wird, wird auf den catamarqueñischen Märkten nicht weniger wie drei Goldunzen und auf den salteñischen Märkten nicht weniger wie vier Goldunzen, aber oft mehr, gefordert; noch nördlicher in Bolivien und dem südlichen Peru zahlt man für ein gutes Maulthier 100 bis 120 $, höher hinauf sogar 150 und 200 $.

Als wir unseren Handel für die Maulthiere abgeschlossen, wandten wir uns der Beobachtung der umgebenden Marktscenen zu, die wir jetzt, von den Aufdringlichen und Neugierigen befreit, mit grösserer Aufmerksamkeit betrachten konnten. Wie schon bemerkt, wird jedes Geschäft, jede Vergnügung zu Pferde abgemacht, von welcher Regel nur die nicht allzu zahlreichen Trunkenbolde, die ihr Gleichgewicht im Sattel nicht mehr zu halten vermochten, eine Ausnahme zu bilden schienen. Hier hatte sich eine Gruppe einer Esquina genähert, und mit über den Sattelknopf gekreuzten Beinen so lange dem Chichahorn zugesprochen, bis Einer nach dem Andern mit einer fast rührenden Entsagung vom Pferde fiel. Hier trinkt man sich nicht unter den Tisch, sondern unter's Pferd, und dies weiss so genau mit den Gewohnheiten seines Herrn Bescheid, weiss seine Hufe so vorsichtig niederzusetzen, dass man selten von einem Unglück in dieser Beziehung hört. Der Gefallene wird ins Haus geschafft, falls sich irgend eine Freundeshand zu dieser Dienstleistung findet; wo nicht, so bleibt er so lange auf dem Schlachtfelde liegen, bis ihn die Nüchternheit erweckt.

Inmitten der Plaza werden Wettrennen abgehalten, die nicht selten, ja sogar in der Regel, für die eine Parthei mit dem unangenehmen Ausgang enden, zu Fuss nach Hause wandern zu müssen. Der gewöhnliche Einsatz ist Pferd für Pferd, Sattel und Geschirr mit eingeschlossen. Ein solches Thier, mit seinem übersilberten Geschirr erreicht bei den Reicheren oft den Werth von sieben bis achthundert span. Thalern, auch die Sporen gehören zu dem Einsatz. Höchst missmuthig und verdriesslich, einen Moment unentschlossen, ob er nicht besser seinem Hengste die Sporen in die Seite drücken und davonjagen solle, sah ich einen jungen Burschen absteigen, den Zügel seines Pferdes dem lachenden und prahlenden Gegner in die Hand legen und noch missmuthiger sich die grossen silbernen Sporen, die ihn nicht unter funfzig span. Thaler gekostet haben mögen, abschnallen, um auch sie dem Glücklichen einzuhändigen. — Weiter wurde unsere Aufmerksamkeit durch eine handelnde Gruppe erregt, an denen es übrigens an allen Orten und Ecken nicht mangelte. Der Verkäufer schien ein geriebener Practicus; ein altes, lahmes Maulthier am Lasso nachführend, wusste er es dem angeblichen Käufer so herauszustreichen, dass man fast wider Willen überzeugt wurde, alle jene Mängel des Thieres für ebensoviele Tugenden zu halten: „Es ist wahr", sagte er in der komischen catamarqueñischen Mundart. „Es ist wahr, das Maulthier ist lahm, allein es hat gestern 35 Leguas in 12 Stunden gemacht, und vorgestern ebensoviel. Haben Sie je ein Maulthier gesehen, welches eine solche Ausdauer besass? Gewiss nicht! Die Lahmheit rührt von seiner Ermüdung her; nach 2 oder 3 Tagen Erholung wird es so frisch und gesund wie früher sein, und Sie werden dann ein Maulthier, so ausdauernd wie wenige besitzen." Nichts konnte logischer sein, dennoch wunderte uns das leichte Einstimmen, die wenigen Einwürfe, die der Käufer machte, welches Benehmen bei den mit Thieren so bekannten Inländern in der That befremden musste. Wir erhielten bald Aufschluss darüber. Jener Käufer war ein Scheinkäufer; — um dem Verkäufer Gelegenheit zu geben, mit lauter Stimme die Tugenden seiner Thiere bekannt zu machen, und zu gleicher Zeit Käufer herbeizulocken, übernimmt er für eine geringe Vergütigung die Rolle eines Käufers. Diese Praxis soll auf den nördlichen argentinischen Viehmärkten sehr verbreitet sein. Nach dieser Erklärung, die uns ein Beistehender, gewiss ein besonders guter Freund des Viehhändlers gab, warteten wir nicht, in welche Tugend dieser die Einäugigkeit des vorgeführten Thieres kleiden würde. — Unsere Pferde umwendend, hatten wir fast das Unglück, eine Familie in den Grund zu bohren. Wir sahen hier das Bild der vier Heimonskinder wiederholt; auf einer mageren Stute sahen wir wirklich Ehemann mit Frau, zwei Kindern und diversen Körben daher traben. Wie sie Alle und Alles Platz darauf fanden, wäre unmöglich zu erklären, genug, sie befanden sich darauf und schienen keinen besonderen Mangel an Bequemlichkeit zu leiden, obwohl unser Zusammenstoss für einen Moment fast das Gleichgewicht zerstört hätte. Höchst erbosst fuhr der kleine Kerl instinktmässig mit der Rechten nach dem hinten im Gürtel steckenden Messer; allein das Mütterchen sass ihm zu nahe auf dem Rücken, als dass ein Versuch in dieser Richtung erfolgreich sein konnte.

17

Die Folge seiner heftigen Bewegung war ein tüchtiger Stoss im Nacken, den ihm seine erzürnte, bessere Hälfte ertheilte; auch die Jungens geriethen jetzt in Bewegung. Ueberlassen wir ihrem „Tata", das aufrührerische Reich zur Ruhe zu bringen. —

In jener Ecke sehen wir in der That eine Gruppe Männer und Frauen von ihren Pferden gestiegen. Neugierig, welche wichtige Beschäftigung diese Abweichung von einer allgemeinen Sitte herbeiführe, wandten wir uns derselben zu. Wir fanden Kartenspieler, die, zu Gruppen von drei und vier Personen vertheilt, Einige sitzend oder knieend, Andere stehend, auf über den Boden gebreiteten Ponchos mit wahrer Leidenschaft ihrem „Briska", „Gato", „Tonto", und wie ihre Spiele alle heissen mögen, huldigend. Reiter, mit über dem Sattelknopf gekreuzten Beinen sahen aufmerksam dem Spiele zu; aus ihren Reihen rekrutirten sich die Spieler, sowie Einer derselben ermüdete oder nichts mehr zu verlieren hatte. Die Frauen nahmen keinen Theil an dem Spiele; halb aus Neugierde, halb aus Theilnahme für das Glück eines der Spielenden hatten sie sich eingefunden. Es befanden sich überhaupt nur wenige derselben auf der Plaza; in den geöffneten Thüren und Fenstern wimmelte es dagegen von ihren bunten Trachten, die in Form, Farbe und Qualität von allen Nationaltrachten Europa etwas, und eben deshalb nichts Characteristisches aufwiesen. Frische, angenehm von dem Vergnügen geröthete Mädchengesichter, die von dem dunkelsten Olivenbraun der Indianerinnen zu dem blendensten Weiss der Spanierinnen in allen Farben wechselten, neben denselben die Gestalten älterer Frauen, bilden den weiblichen Theil der Marktbesucher, und zu ihrer Ehre muss es gesagt sein, dass sich, ungleich der unteren Klassen der Peruanerinnen, keine einzige an den wilden Vergnügungen der Männer betheiligte, ebensowenig, wie die Sittlichkeit selbst durch irgend einen Verstoss gegen äussere Formen im Geringsten verletzt ward. —

Zank und Streit unter den Männern konnten in diesem Getümmel um so weniger fehlen, als sich mehrere Riojaner, die man leicht an ihrer breiten, von der catamarqueñischen sehr abweichenden Mundart herauskennt, eingefunden hatten. Sie gleichen uns Hamburgern, die wir überall das letzte Wort haben müssen. Oft sah man in ihren Händen ein rasch gezogenes Messer aufblitzen, trotzdem blieb es immer bei Drohungen, nie sah ich es zum Kampfe kommen. Ob der ehrbare Richter sie davon abhielt, der von verschiedenen seiner Myrmidonen gefolgt, den Marktplatz nach allen Richtungen durchstreifte? Dieser Richter oder Alcalde mit seiner Gruppe bietet eine neue characteristische Seite des Gemäldes. Auf einem stattlichen, silberbetressten Hengst sass die noch stattlichere obrigkeitliche Person, der auch hier, der Universal-Eigenschaft ihres Standes getreu, der Schmeerbauch nicht fehlte, im Uebrigen ganz der oben gegebenen Schilderung eines Reiters entsprechend, in seiner Rechten das Kennzeichen seiner Würde, einen knotigen, silberbeknopften Stock schwingend, der auf den Rücken manches streitlustigen Gauchos mit schwerer Wucht niederfiel. Ihm folgten vier Soldaten, mit schmutzigen Ponchos bekleidete Kerle auf kleinen mageren Gäulen; sie schienen sich alle im siebenten Himmel zu befinden. Um zu erklären, wie sie sich im Sattel hielten, müssen wir uns wiederum auf den besonderen Gott, der die Trunkenen beschützen soll, berufen; jedenfalls bedienten sie sich des langen, verrosteten Infanteriegewehrs, welches ihre einzige Waffe bildete, als Balancirstange, indem sie dasselbe wagerecht vor sich auf dem Sattel im Gleichgewicht hielten.

Doch genug von diesem bunten Gemisch, dem tollen Gewirre eines hinterländischen, argentinischen Marktes. — Wir ritten, unsere neu eingetauschten Maulthiere nachleitend, wieder dem Hause unseres freundlichen Gastfreundes Don Juliano zu, welcher es sehr natürlich fand, dass wir uns auf dem Markte amüsirt hatten, obwohl höchst unnatürlich, dass wir nicht heiterer gestimmt zurückkehrten. Er selbst hatte, ich erinnere mich nicht welches Geschäft auf seinen Feldern zu besorgen, bevor er sich den Freuden des Marktes ungestört hingeben durfte; in der That sahen wir ihn eine halbe Stunde später im Paradeanzuge auf seinem besten Pferde fortreiten. So stolz und freudig er fortritt, so niedergeschlagen und missmuthig sollte er bald zurückkehren. Beim Einbruch der Nacht traf er ein; man hatte ihm im Spiel sein Pferd, Sattel und Sporen, ja die grossen silbernen Knöpfe seines Gürtels abgewonnen. Da ich den Character dieser Leute kannte, wunderte es mich nicht, als ich ihn äussern hörte, nicht etwa, dass er das Spiel aufgeben werde, sondern dass er beim nächsten Feste Pferd und Sattel seines Gegners zu gewinnen hoffe.

Die Leidenschaft oder das Laster des Spieles fand ich in den hinteren Landestheilen, von San Juan aufwärts bis Salta, nicht so sehr, wie in Mendoza und den südöstlichen Provinzen Santa Fé und Buenos-Ayres verbreitet. In Mendoza würde ein Individuum aus der niederen Volksklasse, welches ein oder mehrere Spiele Karten nicht bei sich im Gürtel trägt, eine wahre Ausnahme von der Regel sein. Es giebt dort ächte

Spielhöllen, die denen der alten Welt nichts nachgeben, sowie in unsauberen Kniffen falschen Spieles nichts mehr von Letzteren zu lernen haben. Unglücklicherweise geht der Schatten europäischer Civilisation immer letzterer voraus; überall in Südamerika finden wir die Laster derselben, selten von ihren Wohlthaten begleitet. Zukunft! Zukunft! ist Alles für diese Länder, in moralischer, intellectueller und materieller Beziehung. Der Gegenwart bleibt nichts übrig, als jene vorzubereiten!

Es thut dem, Südamerika studirenden Reisenden wohl, wenn er jene Schattenseite der Bildung in minder dunkler Schattirung gewahr wird. Manche Landesstriche scheinen einen moralischen kräftigeren Character der Bewohner aufzuweisen als andere. Ich deutete schon darauf hin, dass in den östlichen Provinzen die Leidenschaft des Spieles, der ich jetzt die der Trunkenheit hinzufüge, nicht in solcher Ausdehnung, wie in Mendoza, Santa Fé etc. herrscht. Mancher Leser wird erstaunen, dass ich von dieser günstigen Meinung nicht die verrufenen Llanos der Rioja ausnehme; aber auch bei diesen muss ich bei obigem Urtheil verbleiben, wenn gleich die grosse Zügellosigkeit, die wilde Rohheit der Bewohner sie auch der Cultur schwerer zugänglich macht. Durch dieselben Eigenschaften nur zu sehr zum Spielball politischer Leidenschaften geeignet, werden die Riojaner, die Llanisten von unserer Bildung erst später als irgend eine andere Provinz berührt werden. Allein diese Nichtberührung ist es vielleicht, die sie bisher von der allgemeinen Annahme niederer Laster, der Spielwuth und der Trunksucht abgehalten hat. —

Trotz ihrer grösseren Unwissenheit, ihres weit grösseren Rückstandes im Punkte der Cultur, weisen die westlichen Provinzen — Mendoza und Salta nicht eingeschlossen — dennoch einen sittenreineren Zustand, wie die schon mit der Cultur in näherer Berührung stehenden östlichen Landestheile auf, und zwar die Catamarqueños im höheren Grade als die Mehrzahl der Riojaner. Erstere zeigen überhaupt einen weit milderen, wenn auch weniger thätigen Character wie Letztere. Dass hierzu der Unterschied in der Nahrung beider Provinzen beiträgt, kann wohl kaum in Frage gestellt werden. In Catamarca herrscht entschieden die vegetabitische Nahrung vor, während die Masse der Riojaner diese fast gänzlich entbehrt und Rindfleisch zu ihrer Hauptnahrung macht. Diese Erfahrung beschränkt sich nicht auf den Unterschied des Characters der Bewohner dieser zwei Provinzen. Ich bin überzeugt, dass, würde man fähig sein, eine comparative Statistik des moralischen Zustandes vermittelst Aufstellung von Tabellen der Verbrecher und Bestraften jeder einzelnen Provinz, die bis jetzt gänzlich fehlt, zusammenzustellen, sich jedenfalls der bessere Sittenzustand für die Landestheile erklären würde, in denen vegetabitische Nahrung die vorherrschende ist. In der Rioja, San Luis, Santa Fé, dem grössten Theil der Landschaft von Mendoza und der von Cordova, gehören die Bewohner ohne Zweifel zu den nur Fleisch Essern. Drei Viertel derselben isst in sechs Tagen der Woche gekochtes Rindfleisch und am siebenten gebratenes, und Jedermann weiss, dass grade die Puntanos (so benennt man die in der Provinz San Luis Gebürtigen, weil die Hauptstadt derselben an dem Fusse eines sich in die Ebene erstreckenden Caps oder Punta des Gebirges von San Luis belegen ist), die Riojaner, die Landleute von Cordova und Santa Fé die rohesten und wildesten sind. Es ist vielleicht zu viel gesagt, diesen Unterschied des Characters einzig und allein dem ausschliesslichen Fleischgenuss zuzuschreiben, denn eben dieser setzt natürliche Verhältnisse voraus, die in sich selbst schon genügen, rauhe Sitten hervorzurufen. Wenn des Puntanos einzige Nahrung das Fleisch ist, so schliesst man, dass er diese Speise am leichtesten mit geringerem Aufwand an Arbeit und Geld wie jede andere erlangt. Man weiss, dass sich das Fleisch in Masse in seiner Provinz vorfindet, und dass eine überwiegende Viehzucht über andere Erwerbszweige die Ursache dieser Erscheinung ist. In anderen Ländern, vorzüglich in Europa, wo die Industrie die Entfernung zwischen den verschiedenen Ländern aufgehoben und diese dadurch ihrem urnatürlichen Zustande entrissen hat, würde jener Schluss nicht gelten. Vergleichen wir z. B. England mit gewissen Theilen unseres Vaterlandes, Württemberg, Baiern u. A., so nehmen wir wahr, dass, obwohl die Viehzucht in England weniger verbreitet ist als in Deutschland, England immer ein Fleisch verbrauchendes Land und Württemberg, Baiern, Baden immer Gemüse verbrauchende Länder sind, welchem Umstande von vielen Gelehrten der Unterschied zwischen dem milden deutschen und dem roheren englischen Character*) zum grossen Theil zugeschrieben wird.

Die Viehzucht an sich selbst giebt aber das Volk, welches für seinen Unterhalt fast ausschliesslich auf dieselbe angewiesen ist, einer grösseren Rohheit Preis, als es der Ackerbau thun würde. „Es ist schon viel", sagt Mr. Loudon, „für den Unbemittelten, dass er etwas hat, was er sein Eigenthum nennen kann, welchem er seine Arbeit widmen und folge-

*) Ein englisches Urtheil: S. Appendix No. VIII. to: Constitution of Man by George Combe. Edinburg 1860. Auch The Social Condition and Education of the People in Europe and England by Joseph Kay. London 1850.

recht, aus welchem er Genuss ziehen kann“ und weiter: „Der Arbeiter, der eine Hütte und einige Ruthen Land besitzt, ist einer Heimath und Nahrung sicher; er vervollkommnet diese Wohlthaten mit seiner Verheirathung; väterliche Sorge, eheliches Glück und Kindesliebe in Verbindung mit Freundschaft machen ihn zur Civilisation fähiger, wie die Mitglieder eines Viehzucht treibenden Volkes. Dieser Zustand, verbessert durch den fortgesetzten Verkehr mit seinen Nachbarn, muss unbedingt auch auf seine Bildung einwirken, welcher Vortheil durch die entgegengesetzte Lebensweise verloren gehen würde. Bei einem ausschliesslich Viehzucht treibenden Volke ist es nicht allein der geringe Verkehr unter sich und der Aussenwelt, welcher durch die nothwendige Ausbreitung einer geringen Einwohnerzahl über einen bedeutenden Flächenraum bedingt ist, sondern auch die Art der Beschäftigung selbst, die rauhere und rohere Sitten hervorbringen. Die fortgesetzte Beschäftigung des Eintreibens, das Bekämpfen sowie hauptsächlich das Schlachten des Viehes en gros muss unbedingt einen Einfluss auf den Character ausüben, wodurch dieser zur Rohheit und Grausamkeit erzogen wird. Die fortgesetzte Thätigkeit verschiedener Organe, Zerstörungssinn, Bekämpfungssinn, lassen diese allmählich zu einer Art Herrschaft über den geistigen Organismus gelangen, der dem System höchst nachtheilig werden muss. Das geistige Gleichgewicht, welches die erste Bedingung der menschlichen Glückseligkeit ist, hat aufgehört zu existiren. Man hat nicht nöthig, ein Anhänger der Phrenologie zu sein, um dieses einzusehen. Wir alle fühlen in uns, dass jene Organe vorhanden sind, die, werden sie durch einen von Aussen wirkenden, herausfordernden Einfluss zum Zorn exaltirt, unsere Besonnenheit zurückdrängen, unser Blut in Aufregung bringen. Die Stirnadern schwellen an, die Hände ballen sich und fast unwillkürlich, stürzen wir uns auf den Gegner, der diese Revolution unserer Gefühle hervorgerufen. Diese Wirkung wird Jedermann bekannt sein, sowie auch die unangenehme Stimmung, die lange, nachdem der Zorn schon verraucht ist, noch in uns herrschen wird; auch welche unselige Folge eine Fortsetzung dieser leidenschaftlichen Erregung haben würde, wissen wir nur zu genau, wenn wir so mancher unserer Bekannten gedenken, die durch üble Gewohnheit und den Mangel moralischer Kraft sich von jedem leichten Eindruck zum höchsten Zorn hinreissen lassen. Fügen wir einem solchen Zustande noch die rauhe, ungebundene Lebensweise der Söhne der Pampa hinzu, so ist der Einfluss genau bezeichnet, welchem die Bewohner der Viehzucht treibenden Provinzen so sehr ausgesetzt sind. Die thierischen Gefühle würden eine immer stärkere Herrschaft über die moralischen erlangen, wenn die Wirkung der constanten Thätigkeit ersterer nicht einestheils durch die Macht der Gewohnheit geschwächt, und anderseits durch die Thätigkeit anderer Gefühle, der Elternliebe, Gattenliebe, Kindesliebe, des Erwerbungssinnes u. s. w., gemildert würde.

Obwohl durch diese Aufstellung von Folgen, die dem ausschliesslichen Betriebe der Viehzucht entspringen, eine vielleicht natürlichere Erklärung des rohen Characters der Bewohner mancher argentinischen Provinzen gegeben wird, als durch die des Unterschiedes in der Speise, ist der Einfluss der Nahrung dabei doch zu sehr auf Erfahrungen bekannter Physiologen begründet, als dass demselben nicht ein Hauptplatz in besagter Erklärung eingeräumt werden müsste.

Die Leidenschaft des Spieles, durch die wir auf obige Betrachtungen geleitet wurden, ist nicht immer in den Landestheilen am meisten vorherrschend, wo die rohen Beschäftigungen der Viehzucht und der ausschliessliche Genuss des Fleisches ihren Einfluss auf den Character der Bewohner üben. Mendoza und später Salta, Jujuy und andere sind ihrer Spielhöllen wegen verrufen; in diesen Provinzen, wenn auch der grösste Theil ihres Gebietes der Viehzucht gewidmet ist, findet sich doch in ihren Hauptdistrikten der Ackerbau vorherrschend, so dass ihre allgemeine Statistik die vorherrschende Thätigkeit desselben darthut; dennoch enthalten sie die zahlreichsten und leidenschaftlichsten Spieler. Die Ursache dieser Erscheinung der überwiegenden Spielwuth in jenen ackerbauenden, volkreicheren Distrikten, mag auf dreierlei Weise erklärt werden:

Erstens der schon oben, mit besonderer Beziehung auf die Rioja bemerkte Grund, dass die Leute, wenigstens die Llanisten, die den grössten Theil derselben ausmachen, noch zu sehr von jeder Berührung der Civilisation verschont geblieben sind, als dass selbst der vorangehende Schatten, die sie begleitenden Laster, Einzug bei ihnen gefunden.

Zweitens finden diejenigen Bewohner der Viehzucht treibenden Distrikte, die der Spielwuth verfallen sind, für ihre Leidenschaft bei ihren armen Nachbarn, die sie überdies meilenweit aufsuchen müssen, nicht genügende Nahrung, sie suchen daher die grossen Centralpunkte des Verkehrs auf, um dort ihrer lasterhaften Neigung den nöthigen Spielraum zu gönnen.

Drittens ist erwähnte Erscheinung dadurch erklärlich, dass die übertriebene Thätigkeit einiger Organe im Individuum die gleichzeitig stattfindende Herrschaft anderer nicht gestattet. Sind unsere Neigungen zur Zerstörung und Bekämpfung die Herrscher des Systems, so wird der Erwerbssinn, aus dessen Uebertreibung Habsucht und Spielwuth entstehen, sich selten im gleichen Grade thätig zeigen. Umgekehrt, wo der Erwerbssinn im Extrem herrscht, werden sich unsere Zerstörungs- und Bekämpfungsorgane nur dann äussern, wenn sie durch ersteren angeregt werden.

Catamarca ist weder mit Mendoza, noch mit Santa Fé in dem leidenschaftlichen Hange ihrer Bewohner zum Spiel zu vergleichen. Für die Distrikte, die ich bereiste, berufe ich mich bei dieser Aussage auf meine eigene Erfahrung, sowie in Betreff der übrigen Landestheile auf die Aussage glaubwürdiger Eingebornen. Selten spielt der Catamarke um einen höheren Preis als sein Ross, seinen Sattel, seine Sporen, die allerdings, wie oben erwähnt, eine tüchtige Summe ausmachen; allein es scheint dieses ein durch Gebrauch geheiligter Einsatz, über den hinaus sich nur der unter seinen Landsleuten verrufene Spieler versteigt. In Londres und Belen sind deren allerdings nicht wenige. Diese Orte theilen das Schicksal aller Städte, nach denen aus der Runde das Gesindel strömt, um dort unter der Menge versteckt ihren niederen Neigungen nachzuhängen. Vorzüglich, wo bedeutend viele Menschen versammelt sind, finden sie sich zahlreich ein; wollte man daher nach den zahlreichen Gruppen Spieler auf dem Marktplatz von Londres die ganze Provinz beurtheilen, so würde man sich unbedingt einer Ungerechtigkeit schuldig machen.

Belen ist, wie schon bemerkt, fast um die Hälfte grösser als Londres, aber in jeder anderen Beziehung, in ihrer Industrie, ihrem Ackerbau, ihrer Viehzucht und ihren Einrichtungen gleichen sie sich wie ein Ei dem anderen. Das mehr coupirte Terrain in Belen verknüpft zwar die Bebauung des Bodens dort mit grösseren Schwierigkeiten, allein reichlich werden die Einwohner für diesen Nachtheil durch die grössere Wassermenge belohnt, welcher Belen auch sein Uebergewicht über Londres zu verdanken hat. Der Fluss, der sich aus den Bergen in die Ebene ergiesst, berührt in seinem Laufe das höher belegene Belen früher als das tiefer belegene Londres; noch bevor dieser kleine Fluss Londres erreicht, geht ein kleiner Arm ab gen Osten. Das Wasser dieses Armes vermittelst Aufführung eines starken Dammes wieder in den Hauptstrom hineinzuleiten, haben die Bewohner Londres schon versucht; allein das Werk scheiterte an dem energischen Proteste der zahlreichen Estancieros, deren Ländereien durch den erwähnten Arm des Flüsschens befruchtet werden. Das Gouvernement der Provinz verbot den Bewohnern Londres jeden zweiten derartigen Versuch, der, würde er ihrer Stadt auch zu grossem Nutzen gereichen, doch unwiderruflich alle jene Eigenthümer der Estancias und zerstreuten Chacras am Flussgebiete ruiniren müsste. In Londres sowohl wie in Belen herrscht ganz das schon früher in Mendoza und San Juan beschriebene System der abwechselnden Bewässerung. Nivellirte Gräben, die nach den verschiedenen Abtheilungen des Ortes führen, werden vermittelst hölzerner Schleusen geleert und gefüllt, je nachdem sie von der Reihenfolge betroffen werden. Von dem Hauptgraben führen kleinere Zweigkanäle in die einzelnen Chacras und Quintas. Je näher diese an der Schleuse, d. h. dem Ausgangspunkte des Wassers liegen, je begünstigter, auch folgerecht werthvoller sind sie; jedem einzelnen Besitzer ist eine gewisse Zeit bestimmt, während welcher er das Wasser ausschliesslich auf seinen Feldern circuliren lassen darf; nach Ablauf dieser Frist wird der nach seinem Lande führende Nebenkanal geschlossen, um das Wasser seinem Nachbarn zuzuführen. Da Einzelne sich nicht überzeugen können, dass das Wasser ihren Nachbarn eben so nothwendig wie ihnen ist, und dass jene ein gleiches Recht daran haben, so fallen häufig Missbräuche vor. Mancher behält das Wasser über die gesetzliche Zeit hinaus, und schmälert des schwächeren Nachbarn Rechte.

Sich bei dem nicht selten Meilen weit entfernten und noch obenein ohnmächtigen Richter zu beklagen, ist dem Benachtheiligten zu umständlich. Gewöhnlich verschafft er sich auf eigene Faust sein Recht, indem er sich mit mehreren seiner Freunde verbindet und mit Gewalt den Nebenkanal des Nachbarn schliesst. Bei dem leicht erregbaren Blut dieser Leute entstehen bei solchen Gelegenheiten nur zu oft ernsthafte Streitigkeiten, die selbst in Kämpfe ausarten und manches Menschenleben kosten. — Im Uebrigen zeigt dieses System der Bewässerung sowohl als der Eifer, mit welchem die einzelnen Bewohner dem, ihren Ländereien zukommenden Wasservorrath erwarten, am besten, wie es mit der Cultur dieser Strecken steht. Mit ängstlicher Genauigkeit muss das Wasser gespart und benutzt werden, um eine nur theilweise Bebauung zu erzielen. Ausserhalb des Bereichs dieser künstlichen Bewässerung befand sich in Catamarca bei unserer Durchreise Alles im trostlosesten Zustande der Trockenheit, obwohl ich darauf aufmerksam mache, dass mir dieses Jahr als ein ausnahmsweise trockenes bezeichnet wurde; sobald der Regen fällt, bedeckt sich die ganze Wildniss mit einem köstlichen Grün üppigen, nahrhaften Grases, welches das beste Zeugniss von der Fruchtbarkeit des Bodens giebt. Aber der oft eintretende Mangel an Regen wird nur dann die Benutzung dieser Strecken zur Bebauung möglich machen, wenn die Kunst die unterirdischen Wasser zur Oberfläche führt. Könnte die argentinische Regierung nur ein Achtel der Mühe und Kosten auf die Lösung dieser Frage verwenden, wie die französische Regierung sie in Algerien in so grossartigem Maassstabe und mit so glänzendem Erfolge ausführt, so würde Dr. Burmeister von seiner Meinung, dass die Pampa's nur zur Viehzucht geschaffen sind und sich nie über diesen Zustand erheben werden, sehr bald zurückkommen. Schon vor einigen Jahren wurde von einem Engländer, in der Stadt Catamarca ansässig, eine Compagnie auf Actien zur Bearbeitung eines artesischen Brunnens zu Stande gebracht; das Unternehmen scheiterte an den bald darauf ausbrechenden Bürgerkriegen, die bis heutigen Tages das Land erschüttern. Wenn eine solche Arbeit schwerlich vom Erfolge begleitet sein würde, wenn von einer Privatperson oder einer kleinen, unbemittelten Gemeinde, wie Nonogasta auf eigene Kosten unternommen, so könnte sich doch, wenn das ganze Land sich daran betheiligte, kaum ein Zweifel über ihre Zweckmässigkeit und reichlich lohnenden Erfolg erheben. In der That sehen wir in den jetzt brach und trocken liegenden Strecken zum grossen Theil einen reichen Humusboden mit weiten Strecken reicher Dammerde und Lehmboden abwechseln. — Sowie der Regen sie befruchtet, schiesst die köstlichste Vegetation, fusshohes Gras und die verschiedenartigsten Pflanzengattungen hervor; sobald der Regen eine längere Pause macht, dörrt die Hitze, die trotz der Höhe des Bodens auf 42° in Folge der heissen, vom Norden kommenden Winde steigen kann, alle und jede üppige Vegetation in wenigen Wochen aus. Im Laufe zweier Monate verschaffen die unbebauten Ebenen oft den Anblick der plötzlichsten Abwechselung vom Paradiese zur Wüste. Würde man Mittel finden, durch Kunst jene Strecken zu bewässern, wenn der Regen fehlt, so würde Catamarca, ja Argentinien in seinem ganzen Umfange, sich zu einem der fruchtbarsten Länder der Welt gestalten.

In den westlichen, hochbelegenen Theilen der Provinz zeigt die Agricultur immer denselben Character einer kälteren Zone, wie wir sie auf unserm bisherigen Wege am Fusse der östlichen Andes entlang wahrgenommen haben. Die Baumwollenpflanzungen, die überhaupt in Catamarca noch in ihrer Kindheit sind, sowie die des Sorghos und des Tabacks verlieren sich mit Ausnahme einiger landwirthschaftlichen Versuche nicht hierher. Sie bleiben den niederen östlicheren Distrikten, wovon das Thal „Calchaqui“ einen Theil bildet, vorbehalten. Der Vorzug, den letztere über erstere dadurch erlangen, gleicht sich aber vollkommen durch den überwiegenden Bergbau im Westen der Provinz aus. Ja, in einer statistischen Zeitung von Buenos-Ayres des Jahres 1854, die, wenn ich nicht irre, von Justo Manse redigirt wurde, wird angemerkt, dass der Export der Minenprodukte aus Catamarca zu jener Zeit den des Ackerbaues um volle zwei Dritttheile überwog. In Folge der später folgenden politischen Unruhen, die das schwierige und kostspielige Bearbeiten der Bergwerke unmöglich machen, während sie die Bestellung der Felder nur theilweise hindern, mag sich dieses Verhältniss in der Neuzeit sehr zu Gunsten des Ackerbaues geändert haben; jedenfalls ist der Reichthum der Bergwerke Catamarca's, wenn diese auch noch unausgebeutet bleiben, eine anerkannte Thatsache, die für die Zukunft für die Bewohner und Besitzer der Bergdistrikte von ungeheurer Wichtigkeit sein wird. Es sind vorzüglich die Gebirge, die das Fort Andalgala umgeben, die ihres mineralischen Reichthums wegen einen wohlverdienten Ruf geniessen. Selbst die Indianer aus dem Stamme der Calchaqui's sollen vor der spanischen Eroberung Gold und Silber gefunden haben. Später wussten die Spanier die Minen mit reicherem Erfolge zu bearbeiten. In der Quebrada del Arenal und dem Berge Capilletas wurden von denselben wichtige Minenwerke ausgeführt. — In der Gegenwart wird weniger Gold und Silber als das nicht minder lohnende Kupfer gefunden; nur in der kleinen Granitkette von Fiambala findet man vorzugsweise die edlen Metalle vertreten. Die Sierra von Belen, die sich hinter dem Orte gleichen Namens erhebt, soll gold- und silberreich sein; obgleich Kupfer das einzige bis jetzt dort bearbeitete Mineral ist. Ebenso die hohe Granitkette von Quilmes, die, das Thal von Santa Maria im Westen begrenzend, sich den rauhen Bergen des Aconquiza entgegenstellt, enthält reiche und wichtige Kupferbergwerke. In den Sierras von Ancasta, Ambata und besonders Cafayata hat man die Spuren eines bedeutenden mineralischen Reichthums gefunden, ohne bis jetzt eine ordentliche Arbeit unternommen zu haben. Statistische Daten über den Totalbetrag der Extraction aus den catamarkischen Minen existiren nicht; die Versuche einzelner Reisenden, Schätzungen in Zahlen darüber zu machen, bleiben besser unerwähnt, da diese flüchtigen, allgemeinen Angaben nur dazu dienen, das Urtheil des Lesers irre zu führen. — Der Ackerbau Catamarca's ist um so wichtiger, da wie schon bemerkt, diese Provinz mehr zu den ackerbauenden, als den Viehzucht-treibenden gehört. Die Cerealien nehmen den ersten Rang unter den angebauten Gewächsen ein. Waizen und Mais gedeihen mit einer merkwürdigen Productionskraft. Bei Fiambala werden beide auf einer Höhe von 4000 Fuss über der Meeresfläche gebaut und geben im Durchschnitt das 45ste Korn. Auch eine schöne grosse Kartoffelart, von Chile eingeführt, wird in der Provinz fast allgemein gezogen, die um so besser gedeiht, als die eigentliche Kartoffelpest, von der wir in Europa so viel zu leiden haben, noch nicht den atlantischen Ocean passirt hat. — Der Anbau der Baumvollpflanze ist noch nicht wichtig genug, um dem Lande als Industriezweig zu dienen. Es wurden ehedem Baumwollenzeuge im Lande gewebt, aber die leichte, billige, europäische Waare verdrängt jede einheimische Concurrenz. Die wenige, jetzt angebaute Baumwolle wird zu „pavilos“ (Lichtdochten) verbraucht, die in geringen Quantitäten nach der Rioja und San Juan ausgeführt werden. — Der Weinbau ist von grösserer Wichtigkeit, ja der catamarkische Wein erfreut sich mit Recht eines guten Rufes in ganz Argentinien, welchen nur der riojanische mit ihm theilt. Die Ursache, dass die Weinrebe in diesen beiden Provinzen in so ausgezeichneter Qualität gedeiht, wird den besonderen Umständen eines passenden Bodens und Klima's zugeschrieben. Das den, den Andes nahe liegenden Hochebenen*) eigene, etwas steinige Terrain, sowie deren trockene Temparatur soll dem Wein vorzüglich bekommen; die kalten Winter und heissen Sommer sollen ebenfalls zu seinem Gedeihen beitragen. — Trotz der Güte des Weines ist der Bau desselben noch nicht so allgemein geworden, wie er zu einem grösseren Export nöthig wäre. Die Provinzen Tucuman und Santiago del Estero sind die einzigen, die ihren Weinbedarf zum grössten Theil aus Catamarca beziehen. —

Zuckerrohr wird in der Neuzeit mit grösserem Fleiss wie ehedem gebaut. Das grosse Hinderniss der Entwickelung dieser Industrie ist der Mangel der Pressmaschinen, deren Herbeischaffung aus dem Littoral mit unendlichen Kosten verknüpft ist. Bis jetzt begnügt man sich daher, den sogenannten Molasso-Syrup auszupressen. Der Zukunft bleibt es vorbehalten, auch diesen Theil der catamarkischen Agricultur einer hohen Entwickelung entgegenzuführen. —

Unter den sonstigen in Europa bekannten Gemüsen und Früchten, die sich grösstentheils hier vertreten finden, will ich diejenigen erwähnen, welche nicht allein zum Consum der Bewohner, sondern auch zur Verschickung dienen. Getrocknete Feigen (Pasas de Higos) werden reichlich

*) Der höchste Punkt des Weinbaues in Catamarca liegt 3400' über der Meeresfläche.

nach den benachbarten Provinzen geführt, ebenso getrocknete Pfirsiche oder Duraznos, (im Lande „Huesillos“, wenn mit Kern und „Orejones“, wenn ohne Kern genannt) finden ihren Weg bis zum Rosario; obwohl man die „Huesillos“ für saftreicher als die „Orejones“ hält, findet man erstere selten exportirt, da das Uebergewicht, durch den Kern verursacht, nicht durch den höheren Preis belohnt wird. — Melonen und Wassermelonen, die in Catamarca in üppiger Grösse gedeihen, werden von der nordöstlichen Grenze der Provinz in die naheliegenden, öderen Thäler der Sierra de Aconquiza, zu Tucuman gehörend, geführt. Ebenso der Tomate, welchen man in manchen Gegenden Catamarca's wild findet. Hopfen wird wild gefunden. Im Interesse der Bierbrauerei ist dieses von Wichtigkeit. Wie ich unterrichtet wurde, beziehen die Brauereien im Littoral ihren Hopfen aus Europa. Ausserdem, dass letzterer den Brauern sehr theuer zu stehen kommt, wird er gewöhnlich von der langen Reise geschwächt, welcher letzteren Ursache die Bitterkeit des im Lande fabricirten Bieres zugeschrieben wird. Der Hopfen, aus Catamarca bezogen, würde zwar eine gleich kostspielige und fast eben so lange Reise, wie der europäische Hopfen zu bestehen haben, aber das Klima gewisser Gegenden, an der atlantischen Küste belegen, ist dem Catamarca's ähnlich genug, so dass man mit Recht vermuthen dürfte, dass der Anbau des Hopfens dort mit Erfolg vorgenommen werden könnte. Ausserdem ist es die Meinung in der Industrie dieses Landes erfahrener Männer, dass einige Bierbrauereien, in dem Innern der Provinzen etablirt, gute Rechnung machen würden; umsomehr müsste dieses der Fall sein, wenn sie ihren eigenen Hopfen ziehen könnten. Später erfuhr ich, dass eine deutsche Bierbrauerei, in Cordova etablirt, gut rentirte.

Auch an Bäumen ist Catamarca nicht arm. In den bebauten Gegenden finden wir fast alle Fruchtbäume der gemässigten Zone vertreten; ausser dem Feigenbaum ist kein einziger derselben im Lande einheimisch, sondern es wurden alle von den Spaniern eingeführt; ihre Pflege lässt noch viel zu wünschen übrig. Im freien Camp, d. h. den unbebauten und unbewohnten Gegenden, wird die monotone Einförmigkeit der Grasvegetation von den Algarobawäldern unterbrochen. In den Quebradas oder Schluchten findet sich auch der „Brea“, der beim Einschneiden der Rinde ein rothes Harz von sich giebt, welches von den Eingeborenen seines süssen Geschmackes wegen genossen wird. — Der Quebracho, ein ausgezeichnet schön gewachsener Baum, findet sich auch in Menge vor. Sein Holz dient zu den verschiedenartigsten Tischlerarbeiten, seine

Rinde, die durch Aufkochen eine kaffeebraune Farbe giebt, wird von den Eingebornen zum Färben ihrer Baumwollstoffe gebraucht. Der Quebracho colorado, dessen Eisenholz fast unverwüstlich ist, findet sich seltener in Catamarca als in Tucuman vor. Dieser Baum erreicht nicht selten eine Höhe von 80 Fuss, aber jung gepflanzt erfordert er ein volles Jahrhundert, um vollkommen auszuwachsen. Der „Tala", „Chañar" sind Bäume, die man auf den westlichen Hochebenen Catamarca's häufig findet; der Chañar (Geoffroya spinosa) wird von den Eingebornen zum Bau ihrer Hütten verwendet; sein hartes Holz macht ihn zu feineren Tischlerarbeiten untauglich. Der Tala (Celtis Tala) ist wegen seines dichten, schattenreichen Laubdaches den Reisenden ein sehr willkommener Baum. Er wird ca. 50 Fuss hoch. Sein Holz ist weicher und biegsamer als das des Chañar, und daher zu Tischlerarbeiten geeigneter.

Der Algarobo findet sich überall auf catamarkischem Boden, — ich übergehe seine Beschreibung, da wir diesen, für die Einwohner so nützlichen Baum schon in der Rioja näher kennen gelernt. — Aus der Frucht des „Algarobillo", eines Busches, der die Hochebenen dieses Theiles von Argentinien meilenweit bedeckt, wird eine schwarze Tinte bereitet. Dieser Busch ist dem Algarobo täuschend ähnlich, und unterscheidet sich nur von ihm in seiner Höhe, die nur ein Dritttheil des Baumes erreicht, sowie durch seine Frucht. — Schliesslich erwähne ich noch der Cabilpflanze, die sich hier vorfindet, und zum Gerben gebraucht wird.

Die Viehzucht in dieser Provinz steht an Wichtigkeit dem Berg- und Ackerbau weit nach. Diese Erscheinung ist nicht so sehr dem fortgeschrittenen Zustand der Bevölkerung, wie in anderen Ländern, zu verdanken, als manchen ernsten Hindernissen, die die Natur diesem Betriebszweig hier in den Weg legt. Ausser der „Tembladéra", die grosse Distrikte Catamarca's heimsucht, fallen auch einer anderen Viehkrankheit, die durch das Fressen des „Nillo", eines giftigen Krautes entsteht, viele hundert Thiere zum Opfer. Reisende können nicht genug vor diesen schlimmen Feinden gewarnt werden. Wie Mancher glaubt am Nachmittage beim Abzäumen der Thiere dieselben auf einem guten Weideplatz loszulassen, und findet sie am Morgen grösstentheils verendet! Welche Unannehmlichkeiten, ja Gefahren durch den plötzlichen Verlust der Thiere dem Reisenden entstehen können, habe ich schon früher angemerkt. Die „Tembladera" ist ein merkwürdiges Phänomen, dessen Ursache meines Wissens noch von keinem Reisenden genügend erklärt ist. Zuweilen auf der Reise, zuweilen im Gehege, zuweilen auf der Weide wird das Thier plötzlich von einem heftigen Erzittern befallen. Allmählich wird es so schwach, dass es zu Boden stürzt; nach einigen Stunden stellen sich heftige Convulsionen ein, die nur mit dem Tode endigen. Einige schreiben diese Krankheit einem gewissen giftigen Grase zu, welches aber bis jetzt noch nicht aufgefunden wurde, andere atmosphärischen Einflüssen, die aber um so merkwürdiger sein würden, als sie auf den Organismus der die Thiere begleitenden Menschen keinen Einfluss üben. In dieser Provinz zeigt sich diese Krankheit am meisten in der Nähe der Gebirge; mit besonderer Stärke herrscht sie bei den Bergwerken des Atajo und auch in der Bergkette von Aconquiza.

Noch mehr als die Viehkrankheiten sind es die trockenen Jahre, die unter dem Viehstand der Provinz aufräumen und den Fortschritt der Viehzucht beschränken. Hat die Sonne das magere Gras ausgedörrt und fällt kein Regen, um die ausgetrockneten Lagunen und Bäche wieder mit Wasser zu füllen, so magert das Vieh allmählich ab und fällt zu Tausenden. — Die Schafzucht ist am weitesten vorgerückt, da dieses Thier sich in weniger günstige Naturverhältnisse zu schicken weiss. Durch eine geschickte Mischung der Racen, des Merino mit dem Criollo, hat man eine sehr feine Wolle erzielt. — Sowohl in der Viehzucht als dem Ackerbau wage ich es nicht, statistische Daten anzugeben, da, wie schon bemerkt, denselben alle sichere Grundlage fehlt. Die Produkte der Viehzucht werden grösstentheils nach Cordova, und von dort zum Littoral, seltener direkt von Catamarca zum Littoral*) geführt.

Die industrielle Thätigkeit der Bewohner, in so fern sie sich nicht mit Bereitung und Einsammlung der Rohprodukte beschäftigt, ist unbedeutend. Das in den catamarkischen Gerbereien (Curtiembras) fabricirte Leder steht sowohl dem tucumanischen wie salteñischen an Güte weit nach. Nichts destoweniger giebt es eine nicht unbedeutende Anzahl dieser Etablissements im Lande; in der Umgegend von Londres und Belen fiel mir die Menge der Wind- und Wassermühlen auf, deren einige zum Mahlen des Korns, andere zum Holzsägen benutzt werden. —

*) Diese Bezeichnung habe ich schon so oft benutzt, dass ich dem Leser eine Erklärung schuldig bin. Eigentlich versteht man bei diesem Wort „Landestheile, die am Meere belegen sind“, Meeresküste; allein in Argentinien hat man diese Bezeichnung auch auf die Distrikte ausgedehnt, die an den Ufern des Párana, des Plata und des Uruguay liegen. Es befremdet den Reisenden nicht wenig, überall im Innern Argentinien's von dem grossartigen Verkehr und Handel mit dem Littoral reden zu hören, besonders, wenn er weiss, dass mit Ausnahme eines fast wüsten Küstenstriches der Provinz Buenos-Ayres, Argentinien keine Meeresküste besitzt.

Kolonisationsversuche sind mehrere in der Provinz angestellt worden, allein mit durchaus schlechtem Erfolge. Einerseits die hohen Unkosten des Transports der Kolonisten, anderseits die Ohnmacht der armen und immer wechselnden Landesverwaltung und der Mangel an Centralisation der Privatkräfte, machen jede Unternehmung in dieser Richtung in der Jetztzeit äusserst chimärisch. Nach Belen wurden ein einziges Mal zwanzig baskische Familien auf Regierungsunkosten von Rosario de Santa Fé expedirt, allein bei ihrer Ankunft fanden sie zu ihrer Aufnahme nichts vorbereitet; ohne Werkzeuge, ohne Baumaterialien und, was das Schlimmste war, ohne Mittel, wurden sie auf einige Acker brachliegendes Land gewiesen, welches, ohne je bebaut gewesen zu sein, von dichtem Buschwerk bewachsen noch monatlanger Arbeit nur zur Reinigung und Vorbereitung zur Aufnahme des Saamens bedurft hätte; überdem bestand dieses Land aus magerem und ausgetrocknetem Boden, welchen bisher die Eingeborenen verachtet hatten. Man musste die Kolonisten für Zauberer gehalten haben, wenn man ihnen zutraute, ohne alle Mittel in jener ausgetrockneten Wildniss eine Kolonie anzulegen. Das Ende vom Liede war, dass die Basken mehrere Wochen von der Gastfreundschaft der Bewohner lebten; einzelne Familien fanden Beschäftigung bei den reicheren Haciendados, indem sie sich auf Monatslohn verdingten, aber die Mehrzahl musste ihren mühsamen Weg zurück zum Littoral nehmen. Mit unwesentlichen Variationen bleiben die Verhältnisse dieser für die Gegenwart der Colonisation feindlichen Umstände in den andern westlichen Provinzen, mit der einzigen Ausnahme Mendoza's, dieselben. In neuerer Zeit hat es sich besonders San Juan angelegen sein lassen, Kolonisten, vorzüglich Irländer herbeizuziehen. So gut die Bedingungen aber auch immerhin sein mögen, die der Gouverneur San Juan's, Don D. Sarmiento, den Einwanderern bietet, so halten sie dennoch mit denen, die z. B. Brasilien bietet, aber auf die schaamloseste Weise nicht hält und aus den Einwanderern weisse Sclaven macht, in keiner Weise den Vergleich aus, wenn auch San Juan diesem oder dem grössten Theile desselben in klimatischen Verhältnissen entschieden überlegen ist. Die Regierung San Juan's versteht sich nämlich dazu, den Kolonisten nebst Familie kostenfrei von Rosario de Santa Fé nach San Juan zu schaffen, insofern diese Kosten die Passage betreffen; der Einwanderer hat also seine Passage von Europa nach dem argentinischen Hafen zu zahlen, und später seine Ernährungskosten während seiner Landreise nach San Juan zu tragen, welche für eine Familie auf einer beschwerlichen Reise mit

Ochsenkarren, die sich nicht selten drei bis vier Monate hinzieht, keine Kleinigkeit sind. In San Juan selbst erhalten sie zwanzig Acker Land per Kopf gratis zum Bebauen, und zu sehr günstigen Bedingungen, — Ackergeräthe und Material, um sich eine Hütte aufzuführen; auch gänzliche Steuerfreiheit für fünf Jahre wird ihnen gewährt, von Geldhülfe und anderen materiellen Unterstützungen, wie sie die brasilianische Regierung bietet, wird jedoch kein Wort erwähnt. — Allein sollten diese auch um das Doppelte reichlicher ausfallen, wie die Letzterwähnte sie bietet, so stellen sich dennoch der Einwanderung so bedeutende Hindernisse entgegen, dass diese nur für Kapitalisten Erfolg versprechend bleibt. Erinnert sich der Leser dessen, was ich bei meiner Durchreise durch die Provinz San Juan über dieselbe bemerkte, so wird er die Wahrheit des eben Gesagten um so weniger verkennen. Die übergrosse Trockenheit jener Distrikte ist eine so hervorragende Eigenschaft der Campaña San Juan's, dass sie selbst dem flüchtigsten Beobachter auffallen muss; die Ufer der wenigen Flüsse, die von Gewässern befruchteten Thäler sind längst eng bebaut und bewohnt. Eine Chacra, von mittelmässiger Fruchtbarkeit, eingezäunt, mit einer Hütte versehen, fünfzig □ Quadras gross und zwölf Leguas von der Stadt San Juan entfernt, fand ich in der San-Juaninischen Zeitung, der „Zonda" für 1700 $ ausgeboten. Später erfuhr ich, dass sie für 1560 $ verkauft worden ist. Dieses liefert den besten Beweis für den Werth des bewässerungsfähigen Bodens (terrenos regados). Ein solcher Boden wird den fremden Ackerbauern nicht angewiesen, nur in der ausgedörrten Pampa werden diese Platz finden. — Dieser Uebelstand ist nicht allein San Juan, sondern sämmtlichen Andes-Provinzen eigen. Ein nicht geringeres Hinderniss bilden die fortwährend von Neuem erscheinenden politischen Umwälzungen, die nicht allein das Eigenthum der Fremden gefährden, sondern alle die verlockenden Versprechungen und grossartigen Schenkungen zur Chimäre machen. Wozu sich eine Regierung verbindlich macht, glaubt die folgende nicht verpflichtet, zu erfüllen. — Nur dann wird sich diese Sachlage ändern, wenn das Land sich definitiv constituirt und einige Jahrzehnte Frieden den Leuten den Segen desselben kennen lehrt. Werden dann durch die Regierungen oder Privat-Unternehmungen ausgedehnte Wasserarbeiten unternommen, so herrscht kein Zweifel, dass die europäische Emigration ihren Weg auch hierher finden wird. Bis dahin wird nicht allein jeder Versuch zur Kolonisation, wenn die Kolonisten nicht eben Kapitalisten sind, misslingen, sondern den armen, eingewanderten Familien gar

18

manche herbe Täuschung und Sorge bereiten, die in den der Küste minder entlegenen Landestheilen wegfallen würden, — Catamarca, obgleich eine ackerbauende Provinz, zählt nur 60,000 Bewohner auf ca. 3200 Quadrat-Leguas, was ca. 19 Bewohner für jede Quadratmeile ergiebt; man sieht also, dass, würden sich die erwähnten Reformen verwirklichen, der Einwanderung auch hier eine grosse Zukunft offen bleibt.

XV.

Weg zwischen London und Belen. – Einritt in die Sierra von Belen, Gefahren des Weges. – Quebrada del Gualfil. – Senega. – Unangenehmes Nachtquartier in Gualfil. – Nacimientos. – Beschreibung des Bodens. – Dünen. – Die Ausdehnung und Gefahren derselben. – Ankunft bei Pié del Medanó. – Einritt in das Cachalquithal. – Naturschönheiten. – Vegetationscharacter dieses Thales. – Das Thierreich in demselben. – Weite fruchtbare Landesstriche ohne Cultur. – Passend für einheimische Kolonisation. – Die Chuchofieber. – Erkrankung eines Gefährten. – Santa Maria. – Geographische Beschreibung dieses Ortes und Umgegend. – Beschiffung der Flüsse „Salado“ und „Bermejo.“

Die Entfernung von Londres bis Belen beträgt etwa zwei Leguas, die wir in 2¼ Stunden zurücklegten; der zum Theil sehr coupirte Weg giebt schon von dem, der durch die gegenüberliegenden Berge führt, ein Pröbchen. Kleine, natürliche Steinbrüche bilden, durch Erderschütterungen veranlasst, oft die wunderlichsten, unnatürlichsten Gebilde. Nicht selten schliessen sie den Weg eng ein, der sich sodann in Engpässe verwandelt, die für gewisse militärische Operationen, vorzüglich den Guerillakrieg, nicht besser belegen sein könnten. Wie die Eingebornen versicherten, sollen sie auch oft der Schauplatz blutiger Thaten während des letzten Bürgerkrieges gewesen sein. Kleine schwarze Kreuze hier und da, abseits vom Wege aufgestellt, machen einen schwermüthigen Eindruck auf das Gemüth des Reisenden, und bezeugen ihm zugleich die Aussagen und Erzählungen der Bauern. —

Die Rauhheit des Weges ist den Bewohnern in seiner Nähe angenehm, weil die Banrancas und Brüche ihre Pflanzungen von dem Wege trennen und letztere daher mit besserem Erfolg vor dem Eindringen der zahlreich passirenden Viehheerden geschützt sind, als es die besten Hecken zu thun vermöchten. Die ganze Länge des Weges von Londres bis Belen findet man angebaut, obwohl die dünngepflanzten Obstbäume, sowie die Abwesenheit anderer Bäume der Gegend den Stempel der Kahlheit aufdrückten. In der Nähe von Belen bessert sich dieser Fehler, vorzüglich sind es die hübschen, hochgewachsenen Pappeln, die dort einen freundlichen Eindruck auf den Ankommenden machen.

Wir hatten die Absicht Belen zu passiren, ohne uns dort aufzuhalten, allein eines unserer in Londres neu gekauften Maulthiere erkrankte plötzlich und zwang uns, hier abzuladen und den Tag über zu bleiben. Wir bereuten dies nicht, da die Bewohner uns sehr gastfrei behandelten. Nur der Nachmittag wurde uns durch den Gestank eines Zorillo oder Stinkthieres vergällt, welches die Atmosphäre des ganzen Ortes verpestete. Der ungemein starke, durchdringende Geruch veranlasst nicht selten die Ohnmacht nervenschwacher Personen. Während zwei Stunden war es mir unmöglich frei zu athmen.

Schneidend durchdrang uns der eiskalte, scharfe Wind, als wir, Belen im Rücken, am Morgen des 22. Mai den Felsenkamm der Sierra von Belen erstiegen. Aber wir begrüssten dies rauhe Wetter mit fast freudigem Gefühl; waren wir doch im Begriff, mit dem Uebersteigen dieses Theils der Gebirge Catamarca's diesen zu entgehen, um in die wärmeren Thäler des östlichen Catamarca's niederzusteigen. Zu lange hatten wir uns in dem rauhen Bergland mit seinem einförmigen Vegetations- und Culturcharacter, mit seinen anstrengenden, halsbrechenden Wegen aufgehalten, als dass wir nicht eine Abwechselung der Scenerie sehnlichst herbeiwünschen und bewillkommen sollten. Nur noch drei Jornadas, obwohl dieses die rauhesten vielleicht der ganzen Reise waren, fehlten uns, um diesen Wunsch in Erfüllung gehen zu sehen. Das Ersteigen des Granitrückens bei Belen bietet bei ruhigem Wetter keinerlei Unannehmlichkeit; unglücklicherweise ist dieses in der jetzigen Jahreszeit selten. Allmählich führt der breite Weg hinauf; wegen der hohen Lage des Terrains am Fusse der Sierra glaubt man Hügel zu ersteigen, während gewisse Theile jenes Kammes vor uns fast die Höhe des Pico de Teyde auf Teneriffa erreichten. Bei schönem Wetter lohnt die Aussicht auf die tieferen Gegenden Catamarca's für die kleine Mühe und Unbequemlichkeit des Ersteigens, während bei rauhem Wetter dieselbe nicht einmal als kleiner Trost gelten kann. Dichte Staubwolken, von den nahen Hochebenen der Berge emporgewirbelt, hüllen den Reisenden ein, und werden oft so unbequem, dass man nur mit Mühe Athem schöpft; dennoch sind

18*

sie weit entfernt so gefährlich als ihre Schwestern auf den Medanos zu werden, die wir nur zu bald kennen lernen sollten. Wenn das Unwetter hier losbricht, wenn wahrhafte Orkane mit furchtbarer Wuth über den Kamm der Sierra streichen, und Alles vor sich niederwerfen, so kann der von demselben im Gebirge Betroffene sich und seine Thiere wenigstens in eine der zahlreichen, geschützten Schluchten flüchten, die der Vaqueano*) sehr bald aufzufinden weiss. Aber selbst dieser würde rettungslos verkommen, sollte er sich bei solchem Wetter in den Medanos oder Dünenland befinden, welche sich jenseits, d. i. im Osten des Gebirges von Belen hinziehen, und schon so manchem Wanderer das Grab bereitet haben.

Die Wuth des Sturmes liess etwas nach, als wir am östlichen Abhange die lange Quebrada von Gualfil wieder hinabstiegen.

Es war bereits Mittag geworden, als wir bei dem kleinen Oertchen Senega anlangten und hatten wir nur drei Leguas zurückgelegt; dem Wetter, welches uns oft gezwungen hatte, unsere Thiere anzuhalten, um den mächtigen Windstössen Widerstand zu leisten, hatten wir es zuzuschreiben, dass wir langsamer als ein guter Fussgänger vorwärts gekommen waren. — Gualfil war noch zehn Leguas von der Senega entfernt, und in Betracht des coupirten Terrains und des noch immer wüthenden Unwetters war es kein geringer Entschluss, den wir fassten, als wir beschlossen, unsere heutige Jornada bis dahin auszudehnen. In der Senega (mit welchem Worte in Argentinien ein moorartiges Terrain bezeichnet wird) bilden die Wasser der Quebrada, die nur während eines kleinen Theils des Jahres genug Zufluss von den Höhen erhalten, um zum Strom anzuwachsen, neben dem schmalen Streifen fliessenden Wassers Moräste und stehende Gewässer, welche diese Gegend sehr ungesund machen, und in der That scheinen hier, wie bei Famatina oder Chilecito in der Provinz Rioja ein grosser Theil der Einwohner an chronischen Gebrechen zu leiden. Aber so willkommen den Bewohnern der Senega auch das Anschwellen der Gewässer in der regenreicheren Jahreszeit sein muss, so wird dieser Erscheinung dennoch mit grosser Aengstlichkeit entgegengesehen. So wohlthätig ihnen der Strom wird, indem er die faulen, stehenden Gewässer überfluthet und mit sich fortreisst, so verderbenbringend kann er werden, wenn er in zu reichlichem Maasse von der Höhe herabschiesst, und weit über die Grenze seines Bettes, die noch durch keine Dämme geschützt ist, hinausgeht.

*) Bezeichnung für einen, mit der Lokalität genau bekannten Mann.

Die meisten der Hütten sieht man zwar auf den Abhängen der die Schlucht rechts und links begrenzenden Bergwände gebaut, wo sie wie grosse Vogelnester angeklebt zu sein scheinen, aber bevor sich die bequemen Catamarken dazu entschlossen, haben sie der Erfahrung manchen verhängnissvollen Zoll entrichten müssen. Noch jetzt finden sich einzelne träge Waghälse, die ihre Hütten unmittelbar am Ufer des Bodens der Quebrada gebaut haben; sie geniessen dadurch den Vortheil vor ihren Nachbarn, dicht vor ihrer Thür ihre Felder zu haben, aber während der Regenzeit sind sie keinen Augenblick vor der Gefahr sicher, mit Mann und Maus von dem schwellenden Strom fortgerissen zu werden.

Senega ist ein höchst unbedeutendes Dörfchen; ich zählte nur zehn Hütten; es mag jedoch die doppelte Anzahl besitzen, da die enge Seitenschlucht, die sich von der Hauptquebrada gen Osten abzweigt, auch bewohnt sein soll. Das dichte Gesträuch, welches jenen Eingang der Nebenstrasse bedeckte, verhinderte uns jedoch, irgend ein Zeichen von Ansiedelungen oder Hütten wahrzunehmen. Die Bewohner ernähren sich, des morastigen Terrains wegen, nur kümmerlich von Ackerbau und Ziegenzucht. Eine gut ausgeführte Drainage würde hier Wunder verrichten, da der Boden der Seitenwände eine Dammerde von durchschnittlich drei Fuss Dicke enthält.

Von hier bis zu dem grösseren Orte Gualfil sind es zehn Leguas; der Weg dahin ist höchst einförmig, indem er fortwährend in demselben Längsthal entlang führt. Die mit Buschwerk bedeckten Seitenwände verengen dies Thal bald, bald erweitern sie es; das Thal ist von Morästen durchzogen, in denen zahlreiche Wasserpflanzen wuchern und zu gleicher Zeit jede Cultur verhindern. Mehrere Meilen nördlich von Gualfil befinden sich Mineralquellen, die von den Kranken der Umgegend frequentirt werden; sie lagen ausserhalb der Richtung unseres Weges, was uns hinderte, sie zu sehen. Bekannter in Catamarca wie diese sind die heissen Quellen von Fiambala, am Fusse der Andes und in unmittelbarer Nähe des Dorfes desselben Namens belegen, die durch ihre Heilkraft schon eine gewisse Berühmtheit in Argentinien und selbst jenseits der Andes erlangt haben. — Gualfil ist ein Dorf von 200 bis 300 Einw., die ebenfalls vom Ackerbau und im geringeren Grade von Viehzucht nicht allzu üppig leben. Nebst kleinen Quantitäten Gemüse ist „Mais“ fast das einzige Getreide, welches gebaut wird. — Das Aeussere und Innere der Hütten, die Kleidung und das Benehmen der Leute überhaupt lassen nichts von Behäbigkeit und Wohlstand, den hervorstehenden Eigenschaften der

Bauern in den niederen Gegenden, wahrnehmen. Viel mag hierzu die Thatsache beitragen, dass im letzten Kriege dieser Ort nebst Umgegend der Schauplatz zahlreicher kleiner Schlachten war, wie sie sich die Guerillas zu liefern pflegen, wenn auch mit unbedeutenden Streitmassen, doch furchtbar blutig wegen eines gelegten Hinterhaltes, wobei der Feind bis auf den letzten Mann massacrirt wurde. Von der siegenden Partei wird die Nachbarschaft, ob freundlich oder feindlich gesinnt, regelmässig ausgeplündert. Gualfil musste oft dieses Schicksal erleiden. Die Quebrada von Gualfil ist das Thor zu nennen, durch welches der Verkehr eines grossen Striches des östlichen Catamarca's mit dem Westen derselben Provinz vermittelt wird, — kein Wunder daher, dass diese Verbindungslinie, dieser leicht mit einem Hinterhalt zu belegende Engpass von den streitenden Parteien als ein wichtiger, strategischer Punkt angesehen wurde, dessen Besitz schon allein als ein Sieg galt. —

Ein schlechtes, wenn nur ungestörtes Nachtquartier würde uns, die wir von dem heutigen Tagewerk ermüdet und spät am Abend in Gualfil anlangten, erquickt haben, allein selbst ein solches sollte uns nicht zu Theil werden. Wir wurden gastfreundlich genug in der Hütte eines der Einwohner aufgenommen, jedoch bevor wir dahin gelangten, wurde uns in der Gestalt eines engen, halsbrechenden Weges ein arges Willkommen zu Theil. Von der Tiefe der Quebrada führte dieser Weg zur rechten Seitenwand fast perpendikulär hinauf. Das schwache Licht, welches uns aus der Hütte entgegenschimmerte, war unser einziger Wegweiser. Von einem Pfad war nichts zu entdecken, dennoch schritten die Maulthiere, von ihrem Instinkte geleitet, rüstig und sicher vorwärts; der Instinkt schien den Thieren jedoch nicht andere Hindernisse anzuzeigen, die in der That den Reitern gefährlicher wie ihnen selbst wurden. Zuweilen führte der Pfad uns nämlich dicht an Cactus-Stämmen vorbei, deren lange, massive Stacheln wie unsichtbare Lanzen uns entgegengehalten wurden, und sich in unser Zeug und Fleisch eingruben. Gewöhnlich wurden wir sie erst dann gewahr, wenn ein Stück unseres Ponchos an denselben hängen blieb. Es nahm uns Wunder, dass keiner unserer Gesellschaft ernsthaftere Verletzungen, als die unbedeutenden Schrammen, die uns der Weg gekostet hatte, davontrug. Von dem Eigenthümer des Ranchos wurden wir gastfreundlich genug bewillkommnet, um uns alsbald gemüthlich zu fühlen, welches schwerlich der Fall gewesen wäre, hätten wir um die schreckliche Zugabe dieses Willkommens gewusst.

Schon oben deutete ich auf ein gestörtes Nachtquartier hin; ich will die Spannung des Lesers nicht höher schrauben. Unter den dunkeln Andeutungen eines „gestörten Nachtquartiers, schreckliche Zugabe des Willkommens“, könnte seine Phantasie sehr leicht glauben, irgend ein fürchterliches Abenteuer, einen räuberischen Ueberfall etc. erwarten zu müssen, für welche Erzählungen Reisende in entfernten Ländern ein besonderes Talent zu entfalten pflegen. Hier war es nur die berüchtigte „Chincha de Castilla“ (Cimex betularia, Linné) Bettwanze, die uns während der Nacht wahre Marterstunden bereitete; dennoch durfteu wir es nicht wagen, unser Quartier draussen aufzuschlagen, obwohl das jetzt gänzlich ruhige, wenn auch kalte Wetter dazu einzuladen schien, denn der stark fallende „Sereno“ oder Nachtthau in dieser Gegend soll, wie von den Bewohnern derselben mit Recht oder Unrecht behauptet wird, den im Freien Weilenden schädlich sein. Nur im äussersten Nothfall wagen es argentinische Reisende in dieser Quebrada ihr Nachtquartier draussen aufzuschlagen. Die Plage, die wir im Innern der Hütte durch das erwähnte Insekt erlitten, kann aber nicht mit den Leiden verglichen werden, die wir später im höheren Norden von der „Bichuca“ zu erdulden hatten.

Die meisten Hütten Gualfil's sind an den Seitenwänden der Quebrada, circa 50 bis 100 Fuss über der Ebene derselben, angebracht. Gassen können bei dieser Einrichtung nicht existiren. Ein Fremder, der ohne Ortskenntniss und ohne Führer den Ort passirt, würde an keinen solchen glauben. Vereinzelt liegen die winzigen Ranchos auf der Höhe diesseits und jenseits des Längsthals vertheilt, unter Gebüsch, riesigen Cacteen und Quebracho-Gehölz versteckt; ihre Entfernung von einander wechselt von wenigen Quadras bis zu 1 und 2 Leguas. Diesem Umstande hat Gualfil es zu verdanken, dass es sich in seiner Ausdehnung mit jedem Orte auf der Erde messen kann. Von den ersten bis zu den letzten Gebäuden des Ortes sind es nicht weniger wie $3^1/_2$ Leguas. Unser Freund in Gualfil fühlte sich sehr geschmeichelt, als ich ihm diesen Vorzug seines Ortes über die grössten des alten Continents mittheilte, dennoch, setzte er hinzu, wundere ihn dies nicht so sehr, da Gualfil einer der bedeutendsten Plätze Catamarca's sei. Schon grösser wurde sein Staunen, als er von einem zweiten London in Europa hörte, welches nach seiner Meinung, gewiss nach seinem London seinen Namen empfangen hätte. Ich führe diese Stelle unserer Conversation an, um dem Leser einen Begriff von den geographischen Kenntnissen der Catamarken im Allgemeinen zu geben; sie scheinen ebensowenig von unserem Europa, wie wir Europäer von ihrem Catamarca zu wissen.

Der Weg führt bei Gualfil, oder Gualfin, wie es von manchen Geographen genannt wird, auf dem Grunde des Thales entlang, welche Richtung er seit der Senega beibehält. Häufig passirt er den kleinen Strom, dessen krummer Lauf die sonderbarsten Figuren beschreibt. Die Halbinseln und Inseln, die er bildet, enthalten zum grössten Theil morastartiges Terrain, welches die Thiere, bis zur Brust im Schlamm versenkt, durchwaten müssen. Diese Umstände machen den Weg sehr beschwerlich und während der Nacht unsicher und gefährlich. — Die Pferde, die wir vor uns hertrieben, machten uns sehr viele Mühe, indem die leitende Stute sie in die tieferen Pántanos hineinführte; es kostete uns eine ungeheure Arbeit sie wieder herauszubringen. Glücklicherweise verhinderte sie ihr Instinkt, sich in grundlose Moräste zu verlieren, in welchem Falle wir mehrere derselben in dieser Nacht verloren haben würden.

Um acht Uhr am nächsten Morgen, nachdem wir unsere, von dem mageren Gras nicht gesättigten Thiere mit getrockneten Algarobafrüchten gefüttert hatten, brachen wir von Gualfil auf und ritten weiter die Quebrada hinauf, den Nacimientos zu. — Die „Nacimientos“ oder Quellen bezeichnen die Stelle, wo die Gewässer der Quebrada von Gualfil entspringen. Es giebt „obere“ und „untere“ Quellen. Nur die letzteren werden von dem Reisenden, der diesen Weg wählt, gesehen. Zwei oder drei ärmliche Ranchos, welche die Hüter des in der Umgegend weidenden Hornviehes beherbergen, sind die einzigen Zeichen, dass diese Wildniss nicht gänzlich unbewohnt ist.

Die Natur macht hier einen trüben Eindruck. Die eisigen Winde, die von den beeisten Plateaus der Sierra de Belen fast unausgesetzt während des ganzen Jahres herüber streichen, gestatten nur eine kümmerliche Vegatation, die hier ganz den einer hohen Berggegend eigenen Charakter annimmt. Moose, dürftige Sträucher der Algarobilla, Dornengesträuch, von kurzen, mit kärglichem Grase bewachsenen Strecken unterbrochen, bilden noch die interessanteren Parthien der Landschaft. Bei weitem vorwiegend ist ein kahler, rother Lehmboden, der sich bei dem geringsten Regen auflöst, und sodann in einen selbst für Berittene undurchdringlichen Morast verwandelt. Reisende müssen bei solcher Gelegenheit Tagelang warten, bis Sonne und Wind den Boden wieder trocknen. Dennoch darf man die Vermuthung aussprechen, dass sich dieser scheinbar für die Cultur verlorene Boden in einigen Jahrzehnten in einen herrlichen

Ackerboden umwandeln wird. Die von Osten langsam vorrückenden Dünen werden diese Strecke allmählich bedecken, und in dem feuchten Lehm ein gutes Bindemittel ihrer Sandtheilchen findend, sich zu einem festen, fruchtbaren Erdreich verbinden.

Der Anblick des kahlen, die Nacimientos umgebenden Gebirges mit seinen dunklen Massen schwarzer Porphyrfelsen ist nicht geeignet, die Trostlosigkeit der Gegend zu vermindern. Dennoch ist dieser Anblick noch immer dem der nahen „Medanos“ oder Dünen vorzuziehen, die sich auf dem westlichen Abhange der Sierra von Belen bis zu der Punta de los Medanos erstrecken. Dieser Ortsname Punta de los Medanos findet in der geographischen Nomenclatur Argentinien's leider eine nur zu häufige Anwendung; die Dünen finden sich überall vertreten. Die bei den Nacimientos sich befindenden sind unbedeutend im Verhältniss zu den nördlicheren Dünen. Der Gebirgsstock von Belen, der sich im Norden weit in die Wüste des „Despoblado“ der Provinz von Salta hineinzieht, wo ihr der Name Sierra de Campo-real gegeben wird, senkt sich auf halbem Wege in ungeheuren Sanddünen gegen die Laguna Blanca. Jene Gegend, ein weites Becken, zwischen dem westlichen Abhange des Gebirges von Belen und dem östlichen der Andes ist eine trostlose Wüstenei; die Sandhügel, die der Wind wie Wellen bewegt, vernichten jeden emporkeimenden Halm. Diese Hügel oder Dünen, von dem Südamerikaner auch „Medanos“ oder „Guadales“ genannt, thürmen sich nicht selten bis zu 90 und 100 Fuss Höhe auf; ihre mittlere Höhe ist jedoch nur 30 bis 40 Fuss. Die Form derselben stellt gewöhnlich einen runden, abgestumpften Kegel dar, obwohl einzelne Hügel sich zuweilen durch malerische Abweichungen auszeichnen. Der von Nordost kommende Wind, der beiläufig bemerkt anhaltender und öfter wie die Winde aus anderen Richtungen weht, giebt den Hügeln ein schroffes, riffartiges Aussehen auf der Nordseite, während die entgegengesetzte Seite sich sanft hinabsenkt. Der nächste Südwind würde diese Form umkehren. Wie nachtheilig diese wandernden Sandberge auf die Vegetation der Landestheile, die von ihnen heimgesucht werden, einwirken, ist kaum zu glauben. Ganze Dörfer mit ihren Feldern werden allmählich von denselben bedeckt; wenn dieser schreckliche Feind sich nähert, so zieht eine Familie nach der anderen fort, um sich in anderen Orten ihr Brod zu suchen. Wäre dieses Land bevölkerter, so würde dies verheerende Naturphänomen hier sich gewiss in eben solchen furchtbaren Wirkungen wie in manchen Theilen der alten Welt äussern, wo sie an vielen Orten so bedeutend sind, dass sie die ernstlichsten Besorgnisse für die hinter den Dünen gelegenen, fruchtbaren und bebauten Küstenstriche erregen. So sind die Dünen seit dem Jahre 1666 in der Nähe von Saint-Pol-de-Leon in der Bretagne etwa sechs Wegestunden einwärts gewandert, und haben den ganzen Küstenstrich mit einem Sandmeer bedeckt, aus dem man nur noch die Spitzen einiger Kirchthürme und Schornsteine hervorragen sieht. In der Gegend der Landes (Südfrankreich) sind viele Dörfer durch die Dünen versandet. Bremontier berechnet, dass die Dünen in Gascogne jährlich zwanzig Mêtres landeinwärts marschiren. Man sucht dort durch Anpflanzungen von Gewächsen mit langer, fester Wurzel dem Sandmeere einen Damm entgegenzusetzen. Das Departement von Landes soll dieser Massregel allein die Rettung seiner fruchtbarsten Landesstrecken verdanken. Sollen die Pyramiden Egyptens doch zu einem ähnlichen Zwecke erbaut sein! Fialin von Persigny, von Dr. Leonhard in seiner Naturgeschichte des Steinreichs citirt, behauptet: „Die Pyramiden von Egypten und Nubien sind errichtet worden, um dem Eindringen des Sandes der Wüste Widerstand zu leisten.“

Im Süden Argentiniens sind die Dünen häufiger wie im Norden, obwohl der dünneren Bevölkerung und Cultur des ersteren wegen sie dort nicht von den Verheerungen wie in letzterer Gegend begleitet werden. Im Norden hindert übrigens die gebirgige Natur sehr ihr Fortkommen. Sie sind dort wie auch im Süden im Abnehmen begriffen. Nur wo die langanhaltende Trockenheit der Atmosphäre durch seltene Regenschauer unterbrochen wird, wie es in dem nördlichen gebirgigen Theile Mendoza's, in San-Juan, einem Theil der Rioja und der Campaña von San-Luis der Fall ist, wird den Dünen wenig Widerstand entgegengesetzt. In dem westlichen Theile der Provinz von Buenos-Ayres und dem östlichen von San-Luis ist ihre allmählige Abnahme am besten wahrzunehmen. — Wo sie sich ehedem meilenweit erstreckten, ist jetzt der Boden mit einer, wenn auch dürftigen Grasdecke versehen, welche allmählich den Humusboden vorbereitet; das Terrain behält in solchen Fällen die den Dünen eigene Gestaltung bei. Gewöhnlich wird von Naturforschern angenommen, dass die auf der Dammerde sich vorfindende Vegetation durch ihr Absterben die Humuskrume nicht vermehrt. An einem Unterschied zu Gunsten der letzteren, zwischen der Einnahme, durch die Verwesung todter Vegetabilien erzielt, und der Ausgabe der Substanzen an die sich von neuem erzeugenden Pflanzen, sowie in gasförmiger Gestalt an die umgebende Atmosphäre wird gezweifelt. In manchen Theilen Argentinien's, wo die Dünen sich setzen und zu einem festen Erdreich umwandeln, ist nach Aussage glaubhafter Zeugen jedoch kaum an einer verhältnissmässig raschen Vermehrung der Dammerde zu zweifeln. Die Aussage Dr. Leonhards in seiner schon citirten Naturgeschichte bestätigt dies. Er sagt ausdrücklich, dass das Entstehen der Dammerde in den fruchtbaren Steppen Süd-Russlands noch fortdauert.*) Vielleicht trägt zu dieser Erscheinung die den Dünen eigene Composition viel bei. Mit Ausnahme des zerriebenen oder verwitterten Sandsteins erzeugen die verwitterten Stoffe anderer Felsarten einen culturfähigen Boden, sobald sie durch irgend ein Bindemittel vereinigt die gehörige Festigkeit erlangen. Wenige Jahrzehnte genügen zuweilen in den eben erwähnten Landestheilen, um diese geognostische Erscheinung wahrzunehmen. Auf mancherlei Weise erfüllt sich diese. Die nämliche Ursache, die den Dünen ihre verderbliche Gewalt giebt, wirkt nicht selten zur Aufhebung derselben. Der Wind, der die Sandhügel gegen die Berge in die Schluchten und die dortigen Tiefebenen treibt, entrückt sie auf diese Weise allmählich seinem eigenen Bereich. Die Dünen werden dort in Ruhestand versetzt. Der Regen oder die Nässe des Bodens haben Musse, sie in festeres Erdreich zu verwandeln; ein niederes Pflanzen- und Thierleben entwickelt sich auf den verwitterten Steinschichten, welches seinerseits durch die Bildung des Humus die Basis zu einem höheren Wachsthum sein wird. Ein anderes Phänomen, das Anschwellen und Weichen der Dünen auf gewissen Strecken schliesst sich Ersterem an; dieses zeigt sich übrigens nur im Innern des Continents, an den Meeresküsten werden die durch die Winde allmählig entführten Sandwogen durch die Thätigkeit der bewegten Wasser durch neue ersetzt. Der kleine Ort La Paz in der Provinz von Mendoza soll ein Beispiel dieser merkwürdigen Erscheinung sein. Zur Zeit des ersten Eindringens der Spanier war nach den mündlichen Traditionen diese Gegend die fruchtbarste der Provinz. Die von Norden und Nordosten eindringenden Dünen verwandelten sie in eine Wüstenei, die sich jetzt durch das weitere Fortschreiten der Dünen zum Süden, sowie durch deren Verminderung wieder in eine üppige, fruchtbare Gegend zu verwandeln im Begriff ist. — Es bleibt noch ein Zweifel, die Vegetationsentwickelung auf dem von den Dünen gebildeten Boden zu heben, obgleich dieses eine sehr bekannte Thatsache ist. Manche Naturforscher behaupten, dass die Wirkung der chemischen Bestandtheile

*) S. S. 244. Naturgeschichte Band I. — Von Agassiz, Bronn, Leonhard, Party, Quitzmann und Seubert. Stuttgart 1858.

des Bodens auf die Vegetation bisher sehr übertrieben wurde. Obwohl im Allgemeinen die Pflanzen eine gewisse Vorliebe für den Boden zu haben scheinen, in welchem solche Elemente, die in ihrer eigenen Composition vorkommen, die vorherrschenden sind, so limitirt sich diese Bedingung doch mehr auf solche Gegenden, wo die klimatischen Verhältnisse nicht die günstigsten für die Entwickelung des Pflanzenlebens sind. Aber selbst in solchen findet man zuweilen eine sich belebende Vegetation auf gewissen Abtheilungen des Bodens, auf welchen man nichts weniger als eine solche zu sehen erwartete.

Der franz. Geistliche „Decandolle“ entdeckte, dass gewisse Pflanzen im zerriebenen Thonschiefer gut vorkommen; die Granite in der Bretagne und die vulkanischen Felsen der Auvergne findet man nach demselben Autor nicht selten mit Moosen bedeckt. *) — Die Beobachtung dieser und anderer Botaniker, vorzüglich der Herren Girardin u. Juillet in ihrer Botanik lässt keinen Zweifel zu, dass die Dünen, wenn in eine Lage versetzt, wo der Wind sie nicht beherrscht, vegetationsfähig sind. Jedes regenreiche Jahr vermindert die Sandhügel. — In solchen Jahren will man wahrgenommen haben, dass die Winde mit weniger Heftigkeit wehen; die fortgesetzte Befeuchtung macht den Boden compact und befähigt ihn, den Winden Widerstand zu bieten. Von denselben Winden wird dem Boden Pflanzensamen zugeführt. — Die erstentstandene Vegetation verleiht durch die Kraft der Wurzeln der Gewächse dem Boden auch für das nächste, vielleicht trockne Jahr die nöthige Fähigkeit zum Widerstand.

Die Gegend, die den Reisenden von den Nacimientos, wo er die Quebrada von Gualfil verlässt, bis zu dem Thal von Calchaqui umgiebt, soll nach den mündlichen Ueberlieferungen der Bewohner ehedem bei weitem wüster gewesen sein. Die Dünen nehmen jetzt kaum einen Flächenraum von hundert Quadratmeilen ein, während man annimmt, dass sie vor fünfzig Jahren den dreifachen Umfang gehabt haben. Die Medanos der Laguna Blanca an der salteñischen Südwestgrenze sollen sich jedoch über den fünffachen Flächenraum erstrecken. Kaum kann man annehmen, dass diese ungeheuren Massen Dünen nur von der Verwitterung des Sandsteins und anderer Steinarten herrühren. Man ist gewohnt, die Ursache ihres Erscheinens in der heftigen, mechanischen Wirkung der Brandungen auf dem Granit-Meeresufer zu suchen. Wo man sie wie in Argentinien inmitten eines Continents findet, wird man unwillkürlich an

*) Näheres hierüber in „Geologia“ de Vilanova y Piera. Madrid 1861. — Auch das Werk von Thurmann, Essai de Phytostatique 1849.

die Meeresküste erinnert. Der Reisende, der sich denselben nähert, glaubt eine solche vor sich zu haben. In wie weit dieses Phänomen geeignet ist, die geologische Geschichte des südamerikanischen Continents aufklären zu helfen, muss ich anderen competenten Beurtheilern zu entscheiden überlassen.

Die Medanos Catamarca's bieten ausser der Gefahr, die sie den benachbarten, bebauten Distrikten bringen, auch den Reisenden manches Risico. Die bedeutende Strecken des Weges, über welche sie sich ausdehnen, gehört zu den gefährlichsten der Trávesias der Provinz. Die, über 5000 Fuss über dem Meere liegende Ebene wird im Winter von einer furchtbaren Kälte heimgesucht. — Wenn der Sturmwind zu gleicher Zeit die Dünen in Bewegung setzt und mit Wolken feinen Sandes die Atmosphäre erfüllt, jede Spur des Weges bedeckend, dann müssen Reisende sich wohl in Acht nehmen, den Weg zu verfehlen. Mancher Verirrte hat nach langen Qualen sein Leben hier enden müssen; kaum im Stande, gegen den Sturm anzukämpfen, unfähig, seine Umgebung zu erkennen, sucht er vergebens nach dem Wege, dessen Spuren längst von dem Sande bedeckt sind. Er sinkt endlich erschöpft nieder, macht vielleicht eine zweite verzweifelte Anstrengung sich zu erheben, wenn die eisige Kälte sein innerstes Mark durchdringt; endlich wird ihn diese jedoch bewältigen, bewusstlos wird er ihr Opfer, während die wandelnden Dünen rasch ein Leichentuch über ihn ausbreiten. Die zu Pferde Reisenden sind diesem Schicksal weniger wie die grösstentheils zu Fuss reisenden, bolivianischen Indianer, auf die ich später zurückkommen werde, ausgesetzt. Mancher dieser Armen lässt auf seinen weiten Wanderungen sein Leben.

Auf diesem Wege wurde uns auch die Stelle, die jetzt ein einfaches, hohes Kreuz schmückt, bezeichnet, wo die von dem General Rosas gedungenen Mörder ihr Opfer, den berühmten General Quiroga erreichten, der auf dem Wege nach Salta war. Bevor der letztere Argwohn schöpfen oder ahnen konnte, dass er der Gegenstand ihrer Verfolgung sei, fand er sich und seine Begleiter von den Soldaten umringt. Noch bevor er ihre Aufforderung zur Ergebung beantworten konnte, feuerten zwei der Soldaten auf ihn, wie es ihnen vorher von ihren Chefs befohlen war. Quiroga wurde jedoch nicht verwundet. Es entspann sich jetzt ein Gefecht, während welches der General und seine fünf Begleiter sich tapfer gegen die zwanzig Soldaten vertheidigten; endlich sank aber einer nach dem Andern und zuletzt Quiroga in seinem Blute hin, nicht ohne mehrere der Mörder getödtet und verwundet zu haben. Die Anführer derselben, drei Brüder, entkamen ihrer Strafe nicht. Ihr eigenes Verbrechen sollte sie richten. Als sie von Rosas den Lohn ihrer Blutthat verlangten, behandelte dieser sie als Verbrecher und überlieferte sie den Gerichten. Einem derselben gelang es, ins Innere des Landes und von dort über die bolivianische Grenze zu entkommen. Ihm verdankt man die Erzählung des wahren Sachverhalts. Seine beiden Brüder wurden zu Palermo erschossen.

Die Strecke von Gualfil bis zu den Nacimientos zu durchreisen, brauchten wir drei Stunden. Sie soll $6^1/_2$ Leguas messen; konnte dieses Fortkommen auf dem rauhen Steinwege der Quebrada ein ziemlich rasches genannt werden, und hofften wir daher, unser heutiges Ziel „el pié del médano“ frühzeitig zu erreichen, so sahen wir doch bald ein, dass wir unsere Rechnung ohne den Wirth oder vielmehr ohne die Medanos gemacht hatten. Auf den versandeten Wegen wurde den Maulthieren das Fortschreiten noch beschwerlicher, wie in den Morästen bei Gualfil; anstatt um sechs Uhr Nachmittags, kamen wir erst um elf Uhr Nachts bei der Punta, einer einsam belegenen Estancia an der Grenze der Dünen an, so dass wir kaum eine Legua per Stunde gemacht hatten. — In der Estancia fanden wir zwar Wasser, welches aus 90 Fuss tiefen Brunnen gezogen wird, aber kein Futter für unsere hungrigen Thiere. Der Camp in der nächsten Umgegend wies allerdings eine, wenn auch nicht üppige Grasdecke auf, die den Thieren zur nothdürftigen Nahrung genügt hätte; allein man warnte uns vor dem schon oben erwähnten „Nillo“, welches unter dem Grase versteckt, in der Umgegend der Punta sich reichlich vorfinden soll; uns blieb daher nichts anderes übrig, als die erschöpften Thiere hungern zu lassen, da bei den drei oder vier Familien, die die Ranchos der Estancia bewohnten, weder Mais noch Algaroba, der doch sonst selbst den Aermsten der Landbewohner Catamarca's nicht zu fehlen pflegt, zu bekommen war. — Auch unser heutiges Nachtlager gehörte nicht zu den bequemsten, wir mussten im Freien vorlieb nehmen. Trotz unserer wollenen Decken liess uns die grimmige Kälte während der ganzen Nacht kein Auge schliessen. Selbst die grossen Feuer, die wir anzündeten, vermochten nur theilweise dieses Uebel zu mindern.

Das grosse Thal von „Calchaqui“ beginnt hier. Eines jener seltenen Naturbilder, die mit ihrer fremd und grossartigen Schönheit den Reisenden dieser Länder so mächtig ergreifen, stellte sich hier wiederum unseren Blicken dar. Ich musste unwillkürlich der Ansicht der Schneeberge im Uspallata-Pass, der lieblichen Umgegend der Pampastadt Mendoza gedenken, als ich diese reiche Thalebene hinabritt, deren Naturschönheit sich jenen, den herrlichsten des argentinischen Bodens, wohl zur Seite stellen darf. In matten, bläulichen Umrissen zieht sich an seinem westlichen und südlichen Horizont das Gebirge von Tucuman, die Sierra de Aconquiza mit ihren vielen schneebedeckten Gipfeln entlang, während an der occidentalen Küste die niedere Kette der Sierra von Belen sich allmählig verlierend gegen Nordwesten richtet. Das grosse, zwischen diesen mächtigen Jochen liegende Thal, welches sich von den Dünen der Berge Catamarcas bis zu der Cordillera de los Valles erstreckt, und einen Flächenraum von circa 800 deutschen □Meilen einnimmt, enthält eine üppige, fast schon tropische Vegetation, die sich an den Seitenwänden des Thales hinauf allmählig in die schon der gemässigsten und kalten Zone eigene verwandelt. Die nach Campbell 15,000 Fuss hohe Sierra de Aconquiza führt von dem Boden des Thales den sie Ersteigenden rasch durch alle Klimata und jeden Vegetationsgrad, von der Palmenzone und der Region des Zuckerrohrs in die des Wein- und Getreidebaus. — Nach dem türkischen Weizen finden wir bald die Gerste, die unter den Culturpflanzen die bedeutendste Höhe erreicht; von dort nach kurzen Strecken verkrüppelter Bäume und Sträucher, Moose auf den kahlen Felsen des Granits, die sich bald mit ewigem Schnee bedecken. Die mächtige Anhäufung des Schnees auf einer solchen Höhe in diesem Klima muss uns allerdings wundern. Manche Gebirge des alten Continents erstrecken bei einer weit höheren Breite kaum ihre Schneegrenze bis zu dem Punkt der tucumanischen Sierra. Die Schneegrenze des Himalaya, auf 30° nördlicher Breite, wird bei einer Höhe von 15000 Fuss angenommen, die des tucumanischen Gebirges findet bei der Breite von 26° südlich schon auf 14300 Fuss statt, wie dieses von verschiedenen Naturforschern beobachtet wurde. — Das Thal von Calchaqui oder auch von Santa Maria, wie es zuweilen genannt wird, von dem ein kleiner Theil durch eine ungeschickte Grenzregulirung an das tucumanische Gebiet fällt, besitzt in seinen tiefer belegenen Theilen die üppigste Vegetation, die, stellenweis durch die Cultur unterstützt, die Gegend zu einem wahren Paradiese schafft. Dr. Burmeister und andere Reisende, wenn sie das gelobte Land am orientalischen Abhang des Gebirges mit so glühenden Farben schildern, würden diesseits desselben nicht minder enthusiastisch gesprochen haben. Fallen die ersten Strahlen der Morgensonne auf die Gegend, dann enthüllt sich eine Schönheit nach der andern dem Schauenden und leichter wird es ihm, sie alle in sich aufzunehmen. Die Spitzen der Berge, die Schneefelder, die Gletscher färben sich zuerst; nur allmählich tritt die tiefer belegene Landschaft aus der Dunkelheit hervor. — Halt! rief ich mit lauter, bewegter Stimme meinem weiterreitenden Gefährten zu, als eine Wendung des sich senkenden Weges uns plötzlich auf ein kleines Plateau brachte, welches ausdrücklich für den Schauenden, und für niemand Anders, von der Natur bestimmt schien. Meine Gefährten sahen sich betroffen nach mir um, allein als sie ihre Augen aufthaten, und ihre Blicke über die Gegend schweifen liessen, ergriff auch sie dieses unbestimmte bewegte, aber genussreiche Gefühl, welches durch die Anregung des Schönheitssinnes in fast jedem Gemüth hervorgerufen wird. Diese liebliche Natur, jene bläulichen, schneegekrönten Bergketten, jene wilde Ebene, von Flüssen und Wäldern durchzogen, durch cultivirte Strecken unterbrochen, unter denen man auf meilenweite Entfernung die weissen Wohnhäuser der Bewohner des Thales entdeckte, — jene näheren Baumgruppen, unter denen man Palmen, Cedern und in grösserer Anzahl Orangenbäume erkennt, — dieses mehr als liebliche Naturbild, von der aufgehenden Sonne beschienen, von Tausenden von Stimmen verschiedenartiger Singvögel besungen, spricht wie Musik zu der Seele des Menschen, — rührt, erhebt und belehrt ihn; dennoch giebt es Menschen, die eine solche Schöpfung nicht zu würdigen wissen, die, scheinbar für jedes Schönheits-Gefühl abgestorben, stumpf daran vorübergehen. Arme Beklagenswerthe, denen ein Genuss von solcher Bedeutung versagt ist!

Die Palme ist in diesem Thale noch eine Seltenheit, aber je weiter wir uns dem Norden zu bewegen, nehmen sie, sowie der tropische Character des Pflanzenreichs, sichtbar zu. Dichter und üppiger wird die Fülle der Gewächse. Die Cedern, die Urundays vertreten die Stelle des Chañars und des Sauces; in den nördlichen Bezirken bewillkommt uns eine Abart der Quina und der Capacho auf ihrem heimathlichen Boden. Selbst der schon bekannte Algarobo und der Quebracho scheinen uns hier unter einer vorher nicht gesehenen, riesenartigen Gestalt fremd zu werden. Den wilden Nussbaum, obwohl derselbe nach Mittheilungen früherer Reisenden ein Insasse dieses Thales sein soll, konnte ich nicht ansichtig werden. Eben so selten ist der 1½ Ellen hohe Mandioca-Busch, dessen Frucht eine so gesunde Nahrung giebt, die in den nördlichen Provinzen allgemein beliebt ist.

Die Cultur beschränkt sich auf gewisse Pflanzen; von dieser Beschränkung weiss die Natur nichts. Ich bin überzeugt, dass in diesem Thale, wo sich fest alle Klimata der Erde vertreten finden, wo die verschiedenartigsten Ackerboden, vom fetten Marschboden bis zum Dünenboden, vorhanden sind, alle Pflanzen mit fast gleichem Erfolg gebaut werden könnten. Die Cultur richtet sich daher nach dem Bedarfe der Bewohner des Thales und Umgegend. Weizen, Wein, Reis machen den Hauptheil derselben aus. Auf dem Wege von Santa-Maria aufwärts bis San Carlos und Cafayate dehnen sich weite, mit Reis bebaute Strecken aus. Wo der Weg sich den Bergen nähert, führt er in herrliche Weingärten, die an Ausdehnung den mendozinischen gleichkommen. Der aus dieser Rebe producirte Wein soll ausserordentlich viel Alkohol enthalten, obwohl sein leichter Geschmack dieses kaum vermuthen lässt. Der Weinbau des Thales von Calchaqui bestreitet den grössten Theil des Weinbedarfs von Salta, Jujuy und Tucuman. Taback wird diesseits der Sierra de Aconquiza nur wenig gebaut; jenseits derselben soll er desto grössere Freunde gefunden haben. Die Provinz Tucuman führt alljährlich allein nach Chile 10,000 Arroben à 25 ℔ aus. Ein bestimmter Nachweis der „gesammten" Ausfuhr dieses Artikels ist kaum möglich, da erst in neuerer Zeit eine genaue Controle eingeführt ist. Man mag dieselbe immerhin auf das Dreifache der bereits erwähnten Zahl annehmen. —

Auch manche Seltenheiten aus der Thierwelt findet hier der vom Süden kommende Reisende, die er vorher nicht wahrgenommen. Die Merle (merula vulgaris), herrliche Exemplare der Cardinäle, neue Arten von Papageien wiegen sich auf allen Zweigen der auf dem Wege sich befindenden Bäume. Unter den letztgenannten findet man einen prächtigen Vogel, welchen man nicht selten in den Bauernhäusern gezähmt sieht, den Amazonen-Papagei, der sich vor allen seinen Kameraden durch ein buntes, grünrothes Gefieder, sowie durch seine besondere Fähigkeit im Nachahmen menschlicher Laute auszeichnet. — Der Chuña scheint sich unglücklicherweise zu vermindern, ihm wird seines ausgezeichneten Fleisches wegen nur zu sehr von den Jägern nachgestellt. — Dieser Vogel wird den undankbaren Bauern durch seine Geschicklichkeit im Vertilgen giftiger Insekten und besonders der Scorpione ein wahrer Wohlthäter. Vernünftigere unter den Bewohnern zähmen ihn, und reinigen dadurch ihr Haus von mancher gefährlichen Plage. Man könnte seine Einführung als Hausvogel, sowie ein strenges, polizeiliches Verbot, Jagd auf ihn zu machen, den Catamarken ebensosehr empfehlen, wie die Jagd auf die Vampyre, die in diesem Thale den Säugethieren und Menschen so gefährlich werden.

Fast ununterbrochen folgten wir durch das ganze Thal dieser reichen Natur; welcher Boden, welches Element für unsere Emigration! Hunderte von Quadratmeilen, gut bewässert, mit einer fruchtbaren Humuskrume versehen, die keines Guanos bedarf, sondern sich im Gegentheil durch den Gebrauch desselben übersättigen würde, sind der Wildniss preisgegeben. Wälder sind grade in genügender Menge vorhanden, nicht zu viel, um dem Ackerbau hindernd entgegenzutreten und ihre Ausrodung nöthig zu machen, und genug, um dem Bedarf einer dichten Bevölkerung zu genügen. — Indianerhorden sind nicht zu befürchten. — Merkwürdig genug, diesen fruchtbaren Landesstrich nicht schon jetzt auch ohne Einwanderung fremder Ansiedler dicht bewohnt und bebaut zu finden. Kümmerlich fristen Tausende von Familien in den nahegelegenen Bergen Catamarca's, von denen wir einen Theil durchwandert haben, ihr Leben, dem Boden durch harte Arbeit kaum das tägliche Brod entlockend, — Andere weiden auf mageren Feldern, wo sie zuweilen dem schrecklichsten Wassermangel ausgesetzt sind, eine Anzahl Kühe, die ihnen ein mühseliges, halbbarbarisches Leben sichern, während in ihrer Nachbarschaft, kaum einige Tagereisen entfernt, sich ihnen ein fruchtbares, gelobtes Land in seiner ganzen Fülle darbietet. Auf solche Strekken, wie das Thal von Calchaqui sie enthält, zielte ich, als ich bei früherer Gelegenheit von der Pflicht der Regierung dieser Provinz sprach, inländische Colonien anzulegen — die Bewohner der von Trockenheit und anderen Uebeln heimgesuchten Gegenden durch Gebietsschenkungen oder vortheilhafte Verpachtungen nach den besser belegenen Landesstrecken hinzuziehen — viel könnte auf diese Weise geschehen, ohne dass es der Regierung wenig mehr als den guten Willen kosten würde. Ein Dekret, eine neue Stadt mit gewissen Vorrechten und Gebietsschenkungen etablirend, genügt, um eine grosse Reform in dem industriösen Leben der Provinz hervorzurufen. — Freilich finden sich auch Nachtheile im Gefolge dieser grossen natürlichen Vortheile ein, die, wollen wir unpartheisch urtheilen, nicht unerwähnt bleiben dürfen. Diese Nachtheile oder nur Nachtheil besteht in der Chucho-Krankheit, die gewisse Distrikte dieses Thales, vorzüglich die nächste Umgegend Santa Maria's heimsucht. Diese Gegenden sind in ihren klimatischen, meteorologischen Verhältnissen noch nicht genügend beobachtet worden, um die Ursache dieses Fiebers hier festzustellen; gewöhnlich wird sie jedoch den feuchter gelegenen Gegenden zugeschrieben. Der Erkrankende wird bei dem ersten Angriff des Uebels von einem in kurzen Unterbrechungen erscheinenden Fieber befallen, welches sich täglich vermehrt, allmählig alle seine Kräfte verzehrt, und tritt kein mildernder Umstand oder schnelle ärztliche Hülfe ein, ihn rettungslos auf die Bahre wirft. Das allgemein dagegen angewandte Mittel ist die pulverisirte Quinarinde. — Ein mässiges Leben, Vorsichtsmassregeln, um die schnelle Abwechslung der Temperatur des Körpers zu hindern, sind anerkannt gute Mittel gegen das Eintreten des Uebels. In Santa-Maria fanden wir viele Erkrankte, und als wir uns zwei Meilen jenseits der Stadt in einer Bauernhütte einquartirten, wurde unser Freund Hunter von einem plötzlichen Unwohlsein ergriffen, welches sich bald als ein Anfall des Chucho-Fiebers erwies; ein heftiges Erzittern verliess ihn während der ganzen Nacht keinen Augenblick — glücklicherweise schien der Angriff kein sehr heftiger zu sein, am nächsten Morgen bestätigte uns dies der von Santa-Maria herbeigeholte Arzt. Nach vier Tagen, obwohl noch schwach, vermochte er wieder sein Pferd zu besteigen, und wir konnten unsere Reise fortsetzen.

Santa-Maria, ein Städtchen von ca. 1000 Einwohnern, liegt in dem südlichen Ende des Thales von Calchaqui. Von einem fruchtbaren, ausgedehnten Distrikte umgeben, von dem Wasser des Rio Guachiga, eines Armes des Flusses Salado bespült, geniesst es eines doppelten Vortheils: es verbindet den einer hohen Produktionsfähigkeit mit dem der Aussicht auf leichte Transportmittel, wie sie der Fluss für die Zukunft darbietet. Freilich nur für die Zukunft, da bis jetzt trotz der unendlichen Mühe unternehmender Privatleute das gewünschte Ziel, die Schifffahrt auf dem Rio Salado, noch nicht erreicht worden ist. Keiner, der sich für den Fortschritt dieser Länder interessirt, wird ohne Theilnahme den Versuch, diesen Strom, sowie seinen Nachbar den Bermejo der Schifffahrt zugänglich zu machen, betrachten. Beide führen, wie eine Ader, in das innerste Herz der argentinischen Provinzen, und unberechenbar sind die Vortheile nicht allein für den materiellen sondern auch moralischen Zustand dieser Völker, die aus dem Erfolg erwachsen würden. Der Bermejo*) ist in

*) In der engl. Zeitung „The Standard", die in Buenos-Ayres erscheint, lese ich in dem Blatte v. 6. Septb. 1863. Folgendes: „Wir sind sehr erfreut, Folgendes in dem „Salteño" vom 8. August zu lesen: Der Dampfer „Gran Chaco" kam zu Colonia am 6. an und hatte den Capitain Lavarello, den Sekretair Herrn Peña, ferner den Commissionär für Indiana, Herrn Blyss, drei Passagiere (von denen 2 Mönche) und eine Mannschaft von 22 Mann an Bord. Er brachte 40 Ballen Waaren: Eisen, Steingut, Yerba und Glaswaaren. So ist die Schifffahrt des Vermejo eine vollendete Thatsache und Verbindungen mit Salta sind freundschaftlich angeknüpft. Der Handel ist ausserordentlich willkommen, und die Stadt machte den Empfang der Erforschungsgäste zu einem öffentlichen Feste."

Beziehung auf letzteren glücklicher gewesen wie der Salado, obwohl auch bei ersterem noch Vieles zu thun übrig bleibt. — Der „Salado" oder „Juramento", wie man ihn in einigen Geographien genannt findet, ist zuerst nach den mündlichen Traditionen der Bewohner von einer mit Kanonen ausgerüsteten Ruderbarke bis Matará beschifft worden. Inzwischen von der Nationalität dieses Schiffes oder dem Zeitpunkte seiner Reise auf dem Flusse, ist nichts bekannt; man mag daher sagen, dass die Schifffahrt dieses Flusses bis zur Expedition des nordamerikanischen Dampfers „Yerba" von nur zwölf Pferdekräften und 21 Zoll Tiefgang, die von M. Thomas Page im Jahre 1855 unternommen wurde, gänzlich geschlossen blieb. Während dreier Jahrhunderte diente der Fluss, der in das Innere eines reichen Landes führt, nur zum Tränken des Viehes und in gewissen Thälern zur Bewässerung des Ackerbodens. Der „Yerba" beschiffte den Fluss bis zu „Monte-Aguara"*) also ca. 350 engl. Meilen aufwärts. Leider hatten die Unternehmer eine schlechte Jahreszeit gewählt; bei Monte-Aguará angekommen, trat eben die trockene Jahreszeit ein, der Fluss wurde aus diesem Grunde so seicht, dass für sie an kein weiteres Vordringen zu denken war, und nach Santa Fé zurückkehrten. Page, mit diesem Resultat wenig befriedigt, machte im September 1855 in Gesellschaft des Ingenieurs Murdaupht eine zweite Reise in einem Canoe. Er kam diesesmal 45 englische Meilen höher hinauf, als mit der „Yerba", obwohl noch immer in der trockenen Jahreszeit. — Nach seinem Urtheile würde der ganze Lauf des „Salado" bis zur Provinz Salta beschiffbar sein, wenn der Natur durch einige nicht zu bedeutende Arbeiten nachgeholfen würde; auf kurzen Strecken eine theilweise Absprengung des Grundes, auf anderen die Fortschaffung der zu üppigen Wasservegetation, vor allem aber die Etablissements einiger Forts, an dessen Ufern zur Sicherheit gegen die Indianer, wäre das einzig Nothwendige, um dem Lande einen so wichtigen Handelsweg zu eröffnen. — Ein besonders grosser Vortheil des Flusses vor andern Strömen dieses Landes ist seine schwache Stromschnelle, die von 1½ bis ½ engl. Meile per Stunde beträgt. Die geringe Hebung des Bodens ist die Ursache dieser langsamen Fortbewegung des Wassers. M. de Moussy erwähnt, dass Ma-

---

Das Unternehmen hat sich als eine sehr günstige Speculation bewiesen, und Capitain Lavarello hat den Provinzen Tucuman, Salta, Jujuy and Bolivia eine unendliche Wohlthat erzeigt. Das wird den Handel jener Plätze eröffnen und zu einem wunderbaren Grade entwickeln.

*) Monte-Aguará liegt nach Page auf 30° 11' s. Breite und 68° 15' westl. Länge.

tará wie auch die Hauptstadt der Provinz Santiago's del Estero nur 160 Métres über dem Niveau des Meeres liegt, welches uns umsomehr wundern muss, als die Distanz von Matará bis Santa Fé, wo sich der „Salado“ in den „Paraná“ ergiesst, 700 engl. Meilen beträgt. — Man darf vollkommenes Vertrauen fassen, dass die jetzigen Unternehmer der Beschiffung und Canalisation dieses Flusses, Don Estevan Rams, in Verbindung mit dem General Taboado ihren grossen Zweck erreichen werden. Die Provinzen von Santiago del Estero und Tucuman würden dadurch am meisten gewinnen — bis zu der Hauptstadt der letzteren sind es von einem gewissen Punkte des Flusses gerechnet, nur 32 Leguas — und eine gleiche Distanz würde von Salta bis zu demselben sein, wenn der Fluss bis Miraflores schiffbar gemacht würde. Die erwähnten Unternehmer beschränken sich jedoch für jetzt auf die Canalisation bis Pitos. (25° 10′ s. Br. 66° 42′ w. L.)*) „Pitos“ liegt noch ca. 40 Leguas von dem Thale von Calchaqui; wenn es auch schwer halten oder vielleicht unmöglich wäre, für die Fahrzeuge den Fluss Guachigas zugänglich zu machen, so würde dennoch aus der Beschiffung des Salado bis Pitos oder Miraflores den Bewohnern Santa Maria's und Umgegend ein unendlicher Vortheil erwachsen. Die Produkte, die jetzt mehrere hundert Leguas auf dem Rücken der Maulthiere zurücklegen müssen, um zum Markt nach Rosario zu kommen, würden dann nur deren 30 oder 40 bis Miraflores (25° 15′ s. Br., 67° 2′ w. L.) oder Pitos machen. Die Transportkosten, dadurch verringert, würden eine grössere Produktion ermöglichen. Europäische Importwaaren würden ihren Weg leichter und billiger dahin finden. Eine lebhafte Verbindung, ein „in Contactkommen“ mit den Fremden und ihrer Civilisation würde erfolgen. Alles, mit einem Wort, würde zum materiellen und moralischen Fortschritt treiben, und die Bewohner dadurch ihrer Apathie entreissen. Für die nördlicher belegenen Provinzen Salta und Jujuy, vorzüglich für letztere, hat der „Bermejo“ grösseres

---

*) Ich gebe hier die Aufstellung des Hrn. v. Moussy über die Länge des Salado wieder. — Die Distanzen sind in gewöhnlichen argentinischen Leguas von 6000 span. Ellen oder varas berechnet: von Rio Pasage, der bei der südlichen Spitze des Gebirges der Sta Barbara vorbeiführt, bis Miraflores 20 Leguas, von Miraflores bis San Miguel 40 L., von San Miguel bis Sepulturas 60 L., von Sepulturas bis Estancia von Figueroa 15 L., von Estancia von Figueroa bis Matara 12 L., von Matara bis Paso Grande 6 L., von Paso Grande bis Bracho 6 L., von Bracho bis Navicha 7 L., von Navicha bis Paso de la Viuda 3 L., von Paso de la Viuda bis Tres Cruces 23 L., von Tres Cruces bis Cruz Dragon 40 L., von Cruz Dragon bis Cañitas 18 L., von Cañitas bis Palos Negros 9 L., von Palos Negros bis Monte-Aguara 83 L., von Monte-Aguara bis Paso Miura 105 L., von Paso Miura bis Rio Parana 15 L. — Gesammtlänge 462 Leguas.

Interesse wie der Salado, namentlich da dessen Exploration, wie bereits erwähnt, weiter vorgeschritten ist. — Der Bermejo entspringt bei Tarija in Bolivien, zwischen 21° 50′ und 23° s. Breite. Bei seinem Eintreten in das argentinische Territorium vereinigen sich die beiden Arme, von denen, um sie zu unterscheiden, der eine Bermejo de Tarija und der andere Bermejo genannt wird. In Argentinien bespült er zunächst das fruchtbare Thal von Oran, durchschneidet die Provinzen Jujuy, Salta, den Chaco, das Gebiet der Indianerstämme der „Tobas“ und „Mataquayos“ und ergiesst sich nach Cunningham schon auf 26° 53′ s. Br. und 60° 46′ w. Länge in den Fluss Paraguay; seine Länge im argentinischen Territorium ist nur 208 Leguas, wie er auf einer Reise des bek. Capitäns Lavarello gemessen wurde, seine Gesammtlänge beträgt ca. 300 Leguas, von welchen 200 in jeder Jahreszeit schiffbar sind. Seine Breite wechselt von 180 bis 600 — und selbst 800 Fuss — ist jedoch auf den längsten Strecken seines Laufes 3—400 Fuss. Seine Tiefe nach „Juntas“ ist in ihrem Miminum nicht weniger als 4 Fuss, erreicht in regenreichen Jahreszeiten jedoch 12 und selbst 15 Fuss. Wie des Salado, so ist auch des Bermejo Stromschnelle höchst unbedeutend und beträgt nach Moussy nur 230 Mêtres auf 624 engl. Meilen, also etwas mehr als 1 für Tausend. — Der Bermejo wurde viel früher als der Salado beschifft. Schon 1780 ging Adrian Cornejo in einem leichten Segelboot bis zur Mündung des Zeuta (auf 23° 2′ s. Br. und 65° 44′ w. L. nach Lavarello.) Der Oberst Arias war der Erste, der seinen ganzen Lauf verfolgte. Er schiffte sich in einem Canot in Campayé ein, und kam nach einer glücklichen Reise von 12 Tagen in Corrientes an. — Von diesem Zeitpunkt, kleine Reisen einzelner Individuen abgerechnet, dachte man nicht mehr an die Benutzung dieses wichtigen Flusses als Transportmittel; erst im Jahre 1826 bildete sich in Salta eine Actiengesellschaft, die die Lösung dieser Aufgabe auf sich nahm. Von dieser Compagnie ausgerüstet, unternahm der Franzose Soria eine Entdeckungsreise. Er schiffte sich den 15. Juni 1826 auf einem Flosse mit nur 22 Zoll Tiefgang bei Juntas ein, begleitet von 10 Personen. Er fand einige Schwierigkeit das Gebiet des Stammes der „Tobas“ zu passiren, allein die Pfeile, die sie auf ihn und seine Begleiter abschossen, verfehlten glücklicherweise ihr Ziel. In Beziehung der Schiffbarkeit des Flusses fand er keinerlei Schwierigkeit, obwohl seine Reise in die trockene Jahreszeit fiel. Am 12. August kam er im Flusse „Paraguay“ an. Den Armen erwartete ein schlechter Lohn für seine auf der Entdeckungsreise ausgestandenen Beschwerden. Francia, der dazumal als

Dictator Paraguay regierte, liess den unglücklichen Soria ergreifen und ins Gefängniss werfen. Dem Tyrannen gefiel es nicht, dass ein Fremder einen neuen Weg der Aufklärung und Civilisation in seine Länder eröffnete. Erst 1831 wurde Soria befreit. — Seit diesem Vorfall bis zu dem Tode des Dictators wagte es Niemand den Bermejo zu beschiffen. Erst 1855 wurde wiederum von den Salteños ein grosses Floss, der „Matáco“ von 120 Tonnen Tragfähigkeit und nur 18 Zoll Tiefgang von den Juntas den 12. März abgeschickt. 25 Mann gingen auf demselben; nach 70tägiger Reise kam es in Corrientes an. Der Führer der Expedition und Eigenthümer des grössten Theils der Ladung, ein Nordamerikaner, starb unglücklicherweise schon in den ersten Tagen der Reise an einem bösartigen Fieber. Der „Matáco“ machte in Corrientes glänzende Geschäfte. — In Folge dieses guten Resultates beschäftigten sich die Salteños, eine Actiengesellschaft aufzubringen, mit deren Capital eine Dampfschifffahrt auf dem Bermejo errichtet werden sollte. Kapitain Lavarello wurde mit der Ausführung der Idee beauftragt, und wie wir eben gesehen haben, kann man seine Aufgabe für gelöst ansehen: „Ein einziges Wort“ sagt M. d. Moussy, wird uns die Vortheile dieses Unternehmens verstehen lernen. Von Montevideo bis zur Mündung des Bermejo sind es grade 300 Leguas und 227 von dieser bis Oran, also im Ganzen 3030 Kilomêtres. Diese ganze Strecke ist schiffbar; sie führt uns bis zu dem Fusse der Andes und ins Herz des amerikanischen Continents. Welche Thätigkeit wird einst auf diesem ungeheueren natürlichen Wege herrschen, wenn die in anderen Welttheilen zu dichte Bevölkerung sich hierher ausbreitet.

Die bolivianische Regierung, indem sie beabsichtigt, die Schifffahrt dieses Flusses zu heben, hat den südlichsten Punkt desselben (21° 32′ s. Br.) in ihrem Territorium als Freihafen und allen Nationen eröffnet erklärt, sowie für das erste Dampfschiff, welches ihn erreicht, eine Prämie von 10,000 Piastern ausgesetzt. Ausserdem wird sie dem Privatmann oder der Compagnie, für deren Rechnung die erste Reise ausgeführt wird, von ein bis zwölf Quadratleguas Land in der Nähe des erwähnten Punktes verleihen. Diese Belohnungen beschränken sich übrigens nicht auf den Bermejo — dieselben gelten für die Erreichung des Hafens „Magariños“ im Pilcomayo, Bahia Negra's und der Nachbarschaft des Forts Bourbon im Paraguay, wie auch einer grossen Anzahl anderer Punkte auf den Tributarien des Amazonenflusses.

Die argentinische Regierung ihrerseits hat, durch ein Gesetz vom 29. August 1855, alle Güter für zollfrei erklärt, die aus und nach Bolivien auf dem Bermejo importirt und exportirt werden; selbst von dem Ausfuhrzoll der Produkte der Nordprovinzen, deren Transport über den Bermejo stattfindet, wird die Hälfte erlassen. Diese Berechtigung beschränkt sich auf vier Jahre, gerechnet von der Ankunft der ersten Expedition.*)

XVI.

Abreise von Santa-Maria. – Sechsstündige Winter. – Das Dorf San-José. – Mr. Lafone's Schmelzöfen und Bergwerke. – Ankunft in Las-Ponchas. – Guanaco-Jagden. – Kampf mit einer wilden Kuh. – Anmerkungen über die Zucht der Vicuñas und deren Nutzen für Argentinien. – Mr. Ledgers erfolgreiche Versuche der Alpaca-Zucht bei „Laguna Blanca."

Am Morgen unserer Abreise von Santa-Maria fanden wir, dass hier, trotz der Nähe der Tropen, eine durchdringende Kälte herrschte. Ein über die Schneeflächen des Aconquiza blasender Wind verursachte dieselbe; die Bauern erleiden dadurch auf ihren Feldern nicht selten herbe Verluste. Steht im Sommer das Getreide und der Reis in bester Blüthe, so ruinirt dieser Wind mit seinem eisigen Hauche grosse Strecken des Thales. Man hat sodann das merkwürdige Schauspiel, inmitten des glühenden Sommers unter dieser Breite plötzlich den Winter für sechs bis zwölf Stunden erscheinen und ebenso plötzlich verschwinden zu sehen. Glücklicherweise sind diese Winde selten; man will bemerkt haben, dass die aus süd-östlicher und östlicher Richtung gegen die Granitmauer des Aconquiza blasenden ihre Kraft verlieren oder durch dieselbe eine ablenkende Bewegung erhalten; nur die den höheren Regionen der Atmosphäre angehörenden Luftbewegungen sind im Stande die Schneeflächen des Gebirges zu passiren und deren Kälte in die jenseits belegenen Thäler zu übertragen.

Nach Santa-Maria und dem Dorfe San-José, dessen Umgegend sich durch eine Menge kleiner Teiche, auf denen tausend wilde Enten sich

*) In Hinsicht auf den Lauf dieses Flusses, beziehe ich mich auf das diesem Bande beigefügte Memoire des M. Porters Cornelius Blys über den Chaco. Der Leser wird in den Angaben dieses Herrn einige Abweichungen mit den meinigen, insofern es die geographische Lage des Flusses betrifft, findet. Die Ursache dieses Factums ist das stetige Wechseln des Flussbettes.

ungestört ergehen, auszeichnet, erreichten wir am Mittage die „Ingenios", die Schmelzöfen, die den Bergwerken der Hrn. Samuel Lafone in den Bergen von Aconquiza, angehören. Die Oefen, inmitten des Thales und in diesen grossen Entfernungen von den Minen, erklären sich durch die bedeutenden Wälder, welche im Hintergrunde und parallel mit dem Wege laufend, sich von Santa-Maria bis Tolombon, d. i. in einer Entfernung von sechszehn Leguas erstrecken. Die Kosten des für die Oefen nöthigen Feuerungsmaterials werden hierdurch bedeutend vermindert. Algarobos, Quebrachos, Espinillo, die alle ein ausgezeichnetes Feuerholz geben, finden sich in jenem, die Ingenios umgebenden Walde am meisten vertreten. — Die Ingenios oder Schmelzöfen von „Victoria" sollen zu den besten in Südamerika gehören. Die Oefen sind alle aus „Fire-bricks" construirt, diese kosten auf dem mühseligen Landwege eine ungeheure Fracht, ihr Kostenpreis in Santa-Maria soll nicht weniger als ½ Piaster per Stück betragen. Bei unserem Besuch arbeitete nur ein Theil der Oefen, da aus den Bergwerken nicht genug Kupfer-Ores angekommen war, um sie alle zu beschäftigen. Dieses Mineral der Herren Lafone soll von 25 bis 30% reines Kupfer geben. Nicht selten wird es von einer, wenn auch geringen Quantität Gold und Silber vermischt gefunden. — Die drei Oefen dieses Etablissements können jährlich 10,000 Cajones Kupfer produciren. — Man erstaunt mit Recht, dass man in allen Bergwerken dieser Distrikte ein so hohes Produkt sieht. — 20% Nettoertrag des Kupfers wird für ein mittelmässiges Resultat angesehen. Keine der Minen der Herren Lafone: die „Restauradora", „Isabel" „Argentina" *) und die „Peregrina", die jene Herren im Jahre 1856 für 160,000 Piaster gekauft haben sollen, giebt unter dieser Ziffer. Die Ursache dieser ausschliesslichen Bearbeitung eines reichen Materials liegt in den grossen Transportkosten, denen es auf dem Wege nach Rosario de Santa Fé ausgesetzt ist, und die die Bearbeitung eines ärmeren Minerals nicht erlauben würden. Man bringt die Kupferbarren pr. Maulthier bis Tucuman, von dort auf Ochsenkarren bis Cordova und Rosario. Zwölf Arroben à 25 ℔ Gewicht kosten an Transport bis zu letzterem Orte 10½ Piaster, erhöhen sich aber in Kriegszeiten oder wenn die geschwollenen Flüsse oder Indianer-Invasionen eine grössere Gefahr drohen, auf 15—18 Piaster, ja aufs Doppelte.

*) Die „Argentina" enthält Silberadern, wenn auch im geringeren Massstabe. Dieses Mineral giebt 30 bis 40 Mark pr. Cajon. Der „Cajon" ist ein Cubik-Vara und wiegt 6000 ℔ im Mineral.

In Folge des leidenden Zustandes unseres Freundes Hunter konnte unsere Reise nur langsam vor sich gehen. Von den Schmelzöfen der Herren Lafone bis zu den „Bañados“, eine Entfernung von nur sechs Leguas, brauchten wir eine Jornada. Der Genesende konnte noch nicht die Sonnenhitze des Weges ertragen, und wir wagten daher nur in den kühleren Stunden des Vor- und Nachmittages unsere Reise fortzusetzen. Näherte sich die Mittagsstunde, so suchten wir eine Hütte zu erreichen, oder fand sich kein Obdach nahe genug, so ruhten wir im Schatten der sich nahe am Wege hinziehenden Wälder riesiger Johannisbrodbäume und Chañares. Sechs Jornadas hatten wir noch von den Bañados nöthig, um das Ende des Calchaquithales zu erreichen, eine Strecke, die selbst von beladenen Maulthiertrupps in vier Tagereisen zurückgelegt wird. Von den Bañados, die sich durch die niedere Lage ihres Bodens und durch eine wahrhaft tropische Vegetation auszeichnen, bis zu dem kleinen Orte Colalao sind es 4 Leguas; von dort bis Tolombon 6; von Tolombon bis Concha 7. Jedes dieser Dörfchen zählt nicht über 200 Einwohner, die fast ausschliesslich vom Ackerbau leben. In den Conchas finden sich mehrere Windmühlen, um das in der Umgegend gewonnene Korn zu mahlen. Auch einige Gerbereien zählt der Distrikt von Colalao bis Conchas, die Qualität des in denselben producirten Leders vermag jedoch mit dem Tucumanischen nicht zu concurriren.

Eine grosse Leidenschaft der Bewohner des Distrikts von Tolombon und Conchas ist die Vicuña und Guanaco-Jagd. Zahlreiche Heerden dieser Thiere, unter denen die ersteren bei weitem seltener wie die letzteren sind, durchirren die nahen westlichen und östlichen Berge. Die jungen Leute der Umgegend vereinigen sich, um in zahlreichen Gruppen im Gebirge zu jagen. Mit guten Lassos und Bolas, sowie mit zahlreichen Hunden ausgerüstet, ziehen sie aus, um zuweilen erst nach Wochen und gewöhnlich mit reicher Beute beladen, zurückzukehren. — Derjenige unter ihnen, welcher eine Flinte besitzt, glaubt sich im Besitz eines Schatzes, der ihn aber in Wirklichkeit bei der Jagd mehr hindert als fördert. Der Jäger des calchaquischen Thales weiss das Feuergewehr noch nicht mit genügender Gewandtheit zu handhaben und wird daher im Jagdglück gewöhnlich von seinen nur mit Lasso und Bolas bewaffneten Freunden übertroffen. —

Der Zustand Hunter's hinderte mich glücklicherweise nicht, an einer dieser Jagden, wenn auch nicht an der grossartigsten, Theil zu nehmen. Der ehrliche Bauer, bei welchem wir in Conchas logirten, hatte kaum meine Neigung zur Jagd erkannt, als er und mehrere bei ihm kneipende Nachbarn mir sogleich vorschlugen, mit ihnen eine Parthie zu unternehmen. Ich schlug das freundlich gemachte Anerbieten nicht aus, obwohl es uns einige Tage kosten würde. Allein Hunter schien mir in seinem noch immer leidenden Zustande einige Ruhe sehr gut gebrauchen zu können, um so mehr, da die uns bevorstehende anstrengende Reise durch die Guachiga-Quebrada alle seine Kräfte in Anspruch nehmen würde. Ihn in dem Orte während der Dauer des Jagdausfluges zurückzulassen, konnte ich um so weniger Anstand nehmen, als Alles andeutete, dass wir uns unter dem Dache ehrlicher Leute befanden und überdem unsere Führer bei ihm zurückblieben.

Der Rest des Tages wurde mit den nöthigen Vorbereitungen zur Jagd verbracht; jeder der Theilnehmer an derselben trieb sein Pferd in den Corral unseres Wirthes, um ihm dort eine Extraration Mais zu geben und es gleichzeitig zur Hand zu haben. Auch mir wurde ein frisches Pferd zuertheilt.. Man beschloss, dass die Jäger, denen sich bei der Kunde des beschlossenen Ausfluges andere Nachbarn angeschlossen und deren Zahl sich jetzt auf sechs und zwanzig belief, in und bei dem Hause unseres Wirthes ihr Quartier aufschlagen sollten, um am nächsten Morgen ohne Zeitverlust aufbrechen zu können. Die Hunde wurden zusammengekoppelt, die Lassos mit Fett geschmiert, die Bolas entwirrt und gereinigt und manche tüchtige Alforjas mit Lebensmitteln vollgepfropft.

Kaum graute der Morgen, als wir unsere Pferde bestiegen, die insgesammt ausgewählte Thiere zu sein schienen. Muthig wieherten sie der kühlen Morgenluft entgegen; manches derselben suchte sich sogar seines Reiters zu entledigen, aber diesem war jeder dieser Versuche nur zu willkommen; gab es ihm doch Gelegenheit, seine argentinische Reiterfertigkeit einem Fremden in ihrem vollen Lichte zu zeigen. Wie herrlich ist dieses Einathmen der würzigen Morgenluft! auf muthigem Pferde durch die Ebene jenen schneebedeckten Bergen entgegeneilend, wo Gefahren, aber auch Genuss unserer warten. Die Brust, von freudigem Muthe gefüllt, scheint sich zu erweitern. — Ein solches inniges, geistiges Wohlbehagen verbreitete sich über mich, als ich inmitten meiner neuen Gefährten durch die mit fusshohem, bethautem Grase bedeckte Thalfläche galoppirte. Die Scene, die mich umgab, war in der That aufregend und fremdartig genug, um den gleichgültigsten Geist anzuziehen. Diese halbwilden Reiter auf ihren wilden Pferden in ihrem malerischen Costüm und die Heerde der bellenden, vorauf jagenden Hunde bildete nur eine

Folie der fremdartigen Natur — die beschneiten Berge vor uns, die tropische Vegetation um uns. Wir hielten uns an keine Wege, deren übrigens keine existiren. In grader Linie durchritten wir das Thal — häufig mussten wir die Geschwindigkeit unseres Rittes mindern — die kleinen, steilen Schluchten, die die Ebene durchziehen, boten nicht selten ernstliche Hindernisse, mancher waghalsige Sprung, manches ängstliche Vorwärtsschreiten an den fast senkrechten Abhängen entlang, musste gewagt werden, um sie zu passiren. Minder gefährlich, aber noch beschwerlicher wurden die mit Lianen dicht verwachsenen Wälder, die uns jeden Moment eine undurchdringliche Barriere entgegenzusetzen drohten. Wo sie stellenweis dünner wurden, setzten meine Gefährten ihre Pferde sogleich in Galopp, ich musste wohl oder übel folgen, aber noch jetzt ist es mir ein Räthsel, wie ich durch dieses Gewirre von Aesten, Stämmen und Buschwerk dahinflog, ohne mir nicht wenigstens ein Dutzendmal den Kopf zu zerschellen. Diesen Hindernissen hatten wir es zuzuschreiben, dass wir erst am Mittage den Fuss der nur drei Leguas von Conchas entfernten westlichen Berge erreichten; das Jagdrevier beginnt schon hier, wenigstens in dieser Jahreszeit. Im Winter bedeckt der Schnee die höhere Region des Gebirges und die „Guanacos“ und „Vicuñas“ werden von den rauhen Schneestürmen sowohl als von Nahrungsmangel den Tiefen zugetrieben; dann bieten sie den Bewohnern des Thales die leichteste, obgleich nicht immer gefahrloseste Jagd. Die niederen Bergzüge enthalten andere Liebhaber des Wildes, die dem Jäger oft zu gefährlichen Rivalen werden; die Unze und der Jaguar gehören zu diesen. Uebrigens bieten sie nicht die grösste Gefahr in den Bergen: ihre verhältnissmässig geringe Zahl macht sie nur bis zu einem gewissen Grade furchtbar. Nicht so das wilde oder vielmehr verwilderte Hornvieh, welches zu Tausenden auf den Hochebenen und in den Schluchten grast und diese fast beherrscht. Die Stiere sind ausserordentlich bösartig; viel mag zu dieser Verwilderung das System der Gauchos beigetragen haben, sie nur mit den Bolas und zum Tödten einzufangen. Die Bewohner dieser Distrikte wagen sich nur ungern allein auf die Berge — sie fürchten jedoch nichts, wenn sie von tüchtigen Hunden begleitet werden oder ein gutes Pferd unter sich haben. Manches erzählten mir meine Jagdkameraden von den wilden Kühen und ihrer Bösartigkeit; es war mir indess vorbehalten, sie durch eigene Erfahrung näher kennen zu lernen, als es mir lieb sein konnte.

Im Laufe des Nachmittages erreichten wir die einsam in den Bergen belegene Estancia eines Herrn Ramirez, unter dessen gastfreiem Dache wir uns einige Stunden erholten, sowie Einzelne aus unserer Gesellschaft, die mit dem Estanciero auf freundschaftlichem Fusse zu stehen schienen, hier ihre Pferde wechselten. Bei unserm zweiten Ausritt theilte die Gesellschaft sich in Gruppen, die in verschiedenen Richtungen die Berge zu durchstreifen hatten; für die Nacht gab man sich Rendez-vous auf einem entfernten Plateau. Ich schloss mich zweien jungen Männern an, die ihres grösseren Wohlstandes wegen befähigt waren, bessere und spürfähigere Hunde wie ihre Cameraden zu halten; auch sie schienen sich meiner Begleitung in Ansehung meiner Feuerwaffen besonders zu erfreuen. Unter angenehmen Gesprächen verging uns rasch die Zeit, als wir die zugänglicheren Schluchten durchritten, aber Wild oder selbst Spuren zeigten sich in keiner Richtung — ein einziges Mal schienen die Hunde eine Spur gefunden zu haben, allein meine erfahrnen Jagdkameraden erkannten bald die Fussstapfen einer wilden Katze und die Hunde wurden zurückgerufen; am Abend erreichten wir den zum Rendez-vous bestimmten Ort, wo sich indessen bis zu unserer Ankunft nur eine kleine Anzahl der Jäger eingefunden hatte — alle gleich erfolglos, wie wir. — Die Bivouacfeuer wurden angezündet, unser frugales Nachtessen eingenommen, und bald streckten wir uns auf dem weichen Pampagrase. Um Mitternacht weckte uns der Ruf der Wache, die uns auf das sich nähernde Geräusch mehrerer galoppirender Pferde aufmerksam machte. Trotzdem das hohe Gras den Ton des Galopps dämpfte, war die Nacht ruhig genug, um ihn deutlich zu hören. Da man die Gefährten erwartete, so hielt man es nicht für nothwendig, Vorsichtsmassregel zu ergreifen. Die Reiter näherten sich uns rasch — es waren ihrer nur zwei, und wir erkannten bald in denselben Jagdgefährten — sie kamen, um den auf dem Plateau Anwesenden anzuzeigen, dass sie oder ihre Parthie die Fährte einer grossen Heerde Guanacos aufgefunden hätten; sie fügten hinzu, dass schon verschiedene der anderen Gruppen unserer Gesellschaft sich mit der „glücklichen“ Gruppe vereinigten, man glaubte jedoch, dass die Heerde so bedeutend sei, dass für alle genügende Beschäftigung vorhanden sein würde. — Kaum hörte man dies, als die Strapazen des gestrigen Tages vergessen wurden, und man einstimmig beschloss, sogleich aufzubrechen. Auf vier Leguas wurde die Distanz angegeben, die unser Nachtlager von der Quebrada de los Toros, wo die Spuren des Wildes aufgefunden waren, trennte. — Die Pferde wurden sofort eingefangen, welches indessen in der mondlosen, wenn auch sternklaren Nacht nicht geringe Mühe kostete, gesattelt und bald ging es durch die stillen, dunklen Schluchten tiefer ins

Gebirge hinein. Man durfte nicht wagen, schnell zu reiten; ausserdem, dass man sich dadurch dem Risiko aussetzen würde, am Morgen keine jagdfähigen Thiere zu haben, war der Weg stellenweis so gebrochen, dass die äusserste Vorsicht sowohl des Reiters, wie des Pferdes nothwendig war. Die nächtlichen Stimmen der Thierwelt schreckten die Pferde glücklicherweise nicht, nur hin und wieder, wenn aus einer benachbarten Schlucht das dumpfe tiefe Brüllen des Tigers herüberdröhnte, wurden Einzelne derselben scheu, und suchten sich ihrer Reiter zu entledigen. Das meinige war glücklicherweise genug an die Wildniss und ihre Gefahren gewöhnt, um seine Furcht durch andere Zeichen als ein augenblickliches Erzittern erkennen zu geben. — Noch mehrere Stunden vor Tagesanbruch kamen wir bei der Quebrada de los Toros an, an deren Eingang uns die glücklicheren, von Diana bevorzugteren Kameraden bewillkommten.

Die Jagd wurde sofort begonnen, wir, die neuen Ankömmlinge, deren Pferde sich nicht in so gutem Zustande, wie die der hier anwesenden Jäger, die während der Nacht geruht hatten, befanden, postirten uns am Eingange einer schmalen, langen Schlucht, die ins Gebirge hinauflief, dort hinein hatte man gestern frische Spuren einer bedeutenden Guanacoheerde entdeckt, die sich auf mehr als zweihundert Köpfe belaufen sollte. — Während wir die Feuer anzündeten, und es uns so bequem wie möglich zu machen suchten, ging der Rest der Gesellschaft im eiligen Galopp fort, um den höheren Ausgang der Quebrada oder Schlucht vor Tagesanbruch zu gewinnen. Es war fast mit Sicherheit anzunehmen, dass die Heerde in der Quebrada ruhte; die Frische der Spuren, die Gewohnheit der Guanacos und Vicuñas, sich während der Nächte in den vom Winde geschützten und mit Wasser versehenen Schluchten zu lagern, mehr noch die sichtbare Begierde der Hunde, in die Quebrada einzudringen, schienen meinen Gefährten untrügliche Zeichen von der Anwesenheit des Wildes zu sein. Beim ersten Grauen des Morgens verlassen die Guanacos die Schluchten gewöhnlich an der, dem höheren Gebirge zugekehrten Seite; das Gelingen unseres Vorhabens hing also hauptsächlich davon ab, dass unsere Gefährten die höhere Mündung der Quebrada vor dem Aufbrechen der Guanacos besetzten. Dass man dasselbe Manoeuvre vor Ankunft unserer Parthei nicht unternommen, war ihrer geringen Anzahl beizumessen; man bedarf einer gewissen Mannschaft, um die beiden Ausgänge der Quebrada und ein halbdutzend Ausgänge an den Seitenwänden, deren bei jeder Quebrada einige mehr oder weniger vorhanden sind, zu verdecken. Würde man eine einzige derselben vernachlässigen so würde die ganze Arbeit vergeblich gewesen sein. Die Guanacos sind zu schlau, um nicht jede, auch die kleinste Gelegenheit zum Entkommen sogleich aufzufinden und zu benutzen, ist ihnen auch diese genommen, so verwirrt sich das Thier bis zu einem solchen Grade, dass es, anstatt zu versuchen, durch einen der schwach besetzten, wenn auch engen Nebenpässe zu entkommen, den weitesten der Ausgänge zu demselben Zwecke aufsucht, wo ihrer aber eine starke Anzahl Jäger wartet und sie entweder zurückscheucht oder zum grossen Theil erlegt. Gelingt es einer Parthie Jäger, das Wild in einer Quebrada zu umstellen, so ist der Erfolg sicher, obgleich, wenn die Anzahl der Jäger nicht eine sehr bedeutende ist, nicht immer vollkommen. Gewöhnlich entrinnt der dreiviertel Theil der Thiere, indem die verzweifelte Heerde den Kreis der Jäger durchbricht — das Vergnügen und die eigentliche Jagd beginnt erst dann — der Erfolg ist schon in den zahlreichen, in der Schlucht niedergestreckten Opfern gesichert und mit frohem Muthe beginnt der Gaucho eine ächte Parforcejagd mit dem Rest der Heerde.

Sobald der Tag graute, und es uns wahrscheinlich schien, dass unsere Gefährten (elf an der Zahl, unsere Parthie zählte nur acht Mann) den Ausgang der Quebrada erreicht hatten, wurde Alles zum Empfange des Wildes vorbereitet. Die Hunde, die immer schwerer zu bändigen waren, wurden zum augenblicklichen Loslassen bereit gehalten — die Pferde wurde bestiegen, die Bolas zurechtgelegt — auf allen Gesichtern malte sich die fast ängstliche Spannung, wie sie leidenschaftlichen Jägern auf dem Anstande eigen ist. Man hatte sich nicht zu früh vorbereitet — kaum waren wir eine Viertelstunde im Sattel, als das entfernte Knacken der Aeste und das Geräusch, welches gewöhnlich eine zahlreiche Heerde begleitet, uns deren Näherkommen verkündete. Nach wenigen Sekunden sprang der Führer der Heerde, ein stattlicher Guanacobock aus dem Gebüsch, welches kaum einige zwanzig Schritte von uns entfernt war. Den Gauchos entfuhr ein Ruf der Ueberraschung, die Bolas wirbelten, allein meine Kugel war schneller. Ich hatte meine Flinte schon schussfertig, als das Thier erschien; ich feuerte sogleich; der Bock stürzte ohne sich weiter zu regen. Ich fand später, dass die Kugel das Herz durchbohrt hatte. Die Heerde, die den Bock in kurzer Entfernung folgte, war uns noch durch das Gebüsch verdeckt geblieben. Das Geräusch des Schusses und das Geschrei der Jäger scheuchte sie in die Schlucht zurück — der sich nur langsam verlierende Lärm der Heerde zeigte uns an, dass sie ihren Leitbock suchte. Man beschäftigte sich indessen den erlegten Bock auszuweiden und auf einen nahen Ast zu hängen, das Fell warf ich als wohlverdiente Jagdtrophäe hinter meinen Sattel. — Wir hatten jetzt länger, als es unserer Ungeduld anstand, auf das Wiedererscheinen des Wildes zu warten. Die Schlucht, nach der Schätzung der „Vaqueanos“ mochte ca. eine Legua Länge messen, die von den flüchtigen Guanacos in zehn Minuten zurückgelegt werden konnte — es verging indessen eine Viertelstunde nach der andern, ohne dass die Heerde zurückkehrte — und schon fürchteten wir, dass dieselbe einen unseren Gefährten entgangenen Nebenweg entdeckt haben könnte. Eine Stunde mochte auf diese Weise vergangen sein, schon beschloss man in die Schlucht einzudringen, als man wiederum das Geräusch der sich schnell nähernden Heerde, untermischt mit dem entfernteren Halloh der Jäger, welche von dem jenseitigen Ende der Quebrada in die Schlucht eingedrungen waren und das Wild vor sich her uns entgegentrieben, vernahm. Der Augenblick zum Handeln kam. Mit verzweifelten Sprüngen, eins über das andere stürzend, erschienen die Thiere am Rande der Quebrada, wo wir uns so postirt hatten, dass der Durchgang vollkommen geschlossen war — als sie uns erblickten, stutzten sie einen Moment — allein als ob sie wüssten, wie verderbenbringend ihnen jeder Augenblick Zögerung sei, und zugleich von den Jägern und Hunden in ihrem Rücken vorwärts gejagt, stürzten sie gegen uns, und mit ausgestrecktem Halse, niedergehaltenem Kopfe suchten sie, über die Köpfe der Jäger hinwegsetzend, andere das Dickicht durchbrechend, ins Freie zu entkommen. Noch bevor sie uns erreichten, fiel eines der Thiere meiner Kugel zum Opfer. — Ich bereute jedoch sehr, gefeuert zu haben, als ich im nächsten Moment ein stattliches Guanaco grade auf mich zustürzen sah. — Nur selten gelingt es dem Thiere, über Pferd und Reiter hinwegzusetzen, gewöhnlich überspringen sie nur das erstere und ihr Sprung bricht sich sodann mit einem furchtbaren Stosse gegen den Reiter — der Gaucho ist gewöhnlich gewandt genug, durch eine einfache Seitenbewegung mit seinem Pferde nicht allein dem Stosse auszuweichen, sondern auch im selben Augenblick das Thier mit den Bolas niederzustrecken. Ich besass diese Gewandtheit nicht; als ich das Guanaco auf mich zustürzen sah, liess ich hastig meine Flinte zu Boden fallen und suchte meinen Revolver aus dem Gürtel zu reissen — es war jedoch zu spät, noch bevor ich die Waffe frei bekam, lag ich halb bewusstlos am Boden, glücklicherweise ohne Schaden zu nehmen; mein erschrecktes Pferd bäumte sich im selben Moment des Sprunges des Guanacos, welches anstatt mich zu treffen, gegen den Kopf desselben schlug. Das Pferd überschlug sich, und lag jetzt verendend am Boden, das Guanaco entkam. Ich hatte jetzt, vom Mithandelnden zum blossen Zuschauer herabgesunken, Musse, meine Umgebung zu betrachten, die ein höchst interessantes Bild abgab. Einige zwanzig Guanacos lagen im Grase — die meisten schwer verwundet in den Bolas, die sie wie Fesseln umstrickten, sich windend, andere von den Hunden halb erwürgt, boten ein klägliches Schauspiel. Einige der Jäger stiessen den Thieren ihre langen Messer in die Kehle und suchten ihre Bolas rasch zu entwirren — der grösste Theil derselben jedoch, die mehrere Boleadores mitgenommen hatten, sowie die Meute der Hunde gingen im tollen Jagen hinter den jetzt ins Freie gehetzten Guanacos her. Der letztere Anblick entschied mich, meine alte Leidenschaft zur Jagd erwachte, trotzdem das Andenken des eben erlittenen Sturzes meinen Gliedern noch recht fühlbar war — einige Schritte von mir entfernt, war so eben ein Gaucho von seinem schweisstriefenden aber noch immer muthigen Pferde abgestiegen, ohne Zweifel um seine Bolas zu suchen; ich besann mich nicht lange, sondern schwang mich auf den Rücken des Gaules, und indem ich den eilig herbeieilenden Eigenthümer zurief, ich würde ihm das Pferd in wenigen Minuten zurückgeben, jagte ich der Jagd nach. Strafe sollte der Unthat auf dem Fusse folgen; ich fand das Thier unter mir ermüdeter, als sein muthvolles Aussehen es vermuthen liess, und nach einem halbstündigen Rennen hatte ich nicht allein jede Hoffnung, die Jagd zu erreichen, sondern auch die Richtung, die diese genommen hatte, verloren. Ich kehrte missmuthig um; allein über die Richtung des Rückweges fand ich mich bald ebenso unentschieden. Ich band mein Pferd an den Stamm eines Quebracho und begann einen nahen Hügel zu erklimmen, um mich von der Spitze desselben zu orientiren. Das Unglück schien sich gegen mich verschworen zu haben — als ich den Rücken des Hügels erreichte, erkannte ich sogleich die Richtung, die ich einzuschlagen hatte; ein vereinzelter, kahler Granitfels, leicht unter der grünen Umgebung erkennbar, erhob sich in der Nähe der Quebrada de los Toros — schon am Morgen war mir diese plötzliche Erscheinung des Urgesteins unter den diversen Formationen des benachbarten Bodens aufgefallen, um so leichter wurde es mir jetzt ihn wieder zu erkennen. Aber nicht mehr die Gefahr des Verirrens war es, die mir drohte. Wichtiger als dieses wurde mir jetzt, mit heiler Haut wieder nach meinem Pferde zu gelangen. Auf der Spitze des Hügels angekommen, hatte ich am jenseitigen Abhang eine Heerde des Bergviehs entdeckt — im selben Augenblick wurde auch ich von den Thieren gesehen. Glücklicherweise schien ihnen meine Wenigkeit nicht wichtig genug, um sich aus ihrer ruhenden Lage zu erheben — ich suchte mich langsam ihren Blicken zu entziehen, indem ich den Hügel wieder hinabstieg, allein einige fast ausgewachsene Kälber, die ein passendes Spielzeug in mir entdeckt zu haben glaubten, näherten sich, ohne die mindeste Scheu zu verrathen; schäckernd umliefen sie mich, und ein ganz junger, besonders unbändiger Stier wies mir fortwährend die Hörner, um mit mir anzubinden. Wen diese Furchtlosigkeit der sonst so scheuen Thiere befremdet, mag in Betracht ziehen, was ich schon oben über ihre Wildheit erwähnte — dieselbe ist im ganzen Lande bekannt und gefürchtet, die rauhe Bergluft, die rauhe Lebensweise, die Gefahreñ, die sie gegen die Raubthiere und ihren schlimmsten Feind den Menschen zu bestehen haben, machen sie ihren sanften, europäischen Kameraden so unähnlich, dass wir in diesen Bestien niemals auch nur die geringste Aehnlichkeit in ihrem Character mit dem unseres Hausthieres finden würden. Bei den andern verwilderten Hausthieren, welche die Hochplateaus der Pampa durchkreuzen, beobachtet man eine ähnliche Umwandlung.

Ich war von diesen Umständen zu wohl unterrichtet, um mich nicht von einem unangenehmen Gefühl beschleichen zu lassen, als ich so urplötzlich diese Gefahr vor mir sah. Ich setzte meinen Rückzug fort, noch immer von den jungen Thieren geneckt, und es gelang mir, ohne Unheil der grossen Heerde ausser Sicht zu kommen — jetzt kühner gemacht, suchte ich die lästigen Begleiter und vorzüglich den jungen Stier von mir zurückzuscheuchen — ich hob drohend meinen Poncho, allein der junge Andringling nahm dieses unglücklicherweise für eine Herausforderung und mit gesenktem Nacken wagte er den Anlauf. Es blieb mir kein anderer Ausweg, als ihn mit meinem Revolver niederzustrecken — allein es gelang mir nicht, ihn auf der Stelle zu tödten, er fiel schwer verwundet zu Boden und meine Furcht, dass sein klägliches Geblöke die Kuh herüberlocken würde, ging nur zu bald in Erfüllung. Ich rannte den Hügel hinab, allein ein Blick, den ich zurückwarf, liess mich rechtzeitig erkennen, wie die Mutter des verendenden Kalbes, eine grosse, schwarze Kuh, über den Rücken des Hügels stürmte. Ich fand Zeit genug, mich rasch hinter eines der zahlreich vorhandenen Biscacha-Löcher zu flüchten. Ich kauerte mich hinter dem nur ca. zwei Fuss hohen Erdhügel nieder — allerdings war dieser nur ein armseliger Schutz, mehr vertraute ich auf meinen guten Colts-Revolver, der sich mir bis jetzt immer als treuer Beschützer bewährt hatte. Die Kuh schien alsobald den Verlauf der Sache zu erkennen; ohne sich um das am Boden liegende verendende Kalb zu kümmern, senkte sie die Hörner und rannte in grader Linie auf mich zu. Das Thier war noch 50 Schritte von mir entfernt, als ich feuerte; ein leises Zittern befiel mich, als ich keinen Erfolg des Schusses wahrnahm — auf ca. 30 Schritte schoss ich zum zweitenmale — es schien sich einen Augenblick aufzuhalten; allein sich schüttelnd und mit furchtbarem Gebrüll den Boden mit den Hörnern aufreissend, stürzte es im nächsten mit frischer Wuth näher. Der kalte Angstschweis stand mir auf der Stirn — ich zitterte so heftig, dass ich kaum den Hahn wieder zu spannen vermochte; allein — merkwürdiger Einfluss der Gegenwart der Gefahr — nur einen Moment währte diese Unsicherheit, im nächsten fühlte ich mich sicher, meine Pulse zitterten nicht mehr, ich konnte fest und ruhig zielen — dennoch prägte sich der Anblick vor mir meinem Gedächtniss unauslöschlich ein — das Thier, mit Schaum und Blut bedeckt — durch Schmerz und Wuth fast toll gemacht — die blitzenden schwarzen Augen, die gesenkten, gewaltigen Hörner, dieses alles nur wenige Schritt von meinem Leibe — tödtete dieser Schuss nicht, so fühlte ich, war ich verloren, es würde kein Zeit mehr bleiben, um den Cylinder des Revolvers zu drehen. Um desto sicherer zu gehen, liess ich das Thier bis zu kaum fünf Schritten zu mir herankommen, zielte und feuerte — das Thier fiel wie vom Blitz gefällt, aber so stark war die Wucht des Laufes, dass es, obwohl augenblicklich todt — die Kugel hatte das Gehirn durchbohrt — noch den Erdhügel erreichte und ich gezwungen war aufzuspringen, um dem Falle des Körpers auszuweichen. Ich hatte nicht viel Zeit zum Besinnen, dumpfes Brüllen jenseits der Höhe meldete mir, dass die Stiere sich herüberbewegten, und obwohl der Gefahr ausgesetzt, jeden Augenblick zerschmettert zu werden, rannte ich den steilen Abhang hinunter — dennoch fand ich nicht Zeit den Lasso, mit welchem mein Pferd an dem Baum befestigt war, loszuknüpfen, sondern ich musste ihn durchschneiden — die ganze Heerde kam mir inzwischen auf die Fersen — die Stiere mussten die todten Thiere erkannt haben, und den Boden mit ihren Hörnern vor Wuth aufwühlend, rannten sie mir nach. Glücklicherweise war ich im Stande, den Sattel zu gewinnen, bevor sie mich erreichten — ich hatte nicht nöthig, mein Pferd anzuspornen, es kannte die Gefahr eben so gut wie ich; in weiten

Sätzen enteilte es den gefährlichen Verfolgern; dennoch gehörte eine Viertelstunde des wildesten Jagens dazu, um ihnen einen geringen Vorsprung abzugewinnen; dieser Umstand erklärte sich durch die Weichheit des Bodens, welcher die Schnelligkeit des Rindviehes sehr begünstigt. Erst als ich eine weite Strecke felsigen Terrains erreichte, welches die gespaltenen Hufe der Stiere nicht zu ertragen vermochten, gelang es mir, ihnen gänzlich zu entkommen.

Die Hitze der Flucht hatte mir keine Zeit gelassen, mich nach dem Wege umzusehen — die einzuschlagende Richtung war wieder für mich verloren — nach dem Stand der Sonne zu urtheilen, musste es schon Mittag sein. Seit letzter Nacht hatte ich nichts genossen und es schien gar nicht unwahrscheinlich, dass ich den Hörnern des Bergviehes nur entgangen war, um dem Hunger oder Durst zu unterliegen. Dennoch ritt ich mit frohem Muthe vorwärts und würdigte der neuen drohenden Gefahr keinen Augenblick der Berücksichtigung. Mein Entrinnen von dem so nahen Tode machte mich so froh und vertrauend, dass kein ängstlicher Gedanke, wenigstens für jetzt, aufkommen wollte, und diesem Gefühle mag ich es auch wohl zu verdanken haben, dass der Verlust des Weges keine ernstere Folgen nach sich zog. Anstatt zweifelnd, fürchtend in verschiedenen Richtungen zu suchen, Geist und Körper gleich sehr mit der Spannung aufreibend, ritt ich vertrauend der Richtung nach, die mir die richtige erschien, und siehe da, nach einer halben Stunde wurde mir die Gegend bekannt und bald hörte ich die Stimmen meiner Kameraden; sie hatten sich an der Seite der Quebrada de los Toros gelagert — und schienen mit den mächtigen Guanacovierteln, die an den Feuern geröstet wurden, und diversen Flaschen „Aguardiente“ lustig und guter Dinge zu sein, ohne sich weiter meiner Wenigkeit zu erinnern. Die Erzählung meines Abenteuers flösste ihnen allen grossen Respect vor Mr. Colt ein; selbst der Eigenthümer des Pferdes, welches die Schuld meines Ungemaches trug, schien so von dem Verdienst jenes Herrn überzeugt, dass seine im Beginn recht derben Vorwürfe in die verbindlichste Höflichkeit übergingen.

Von der Estancia des schon erwähnten Herrn Ramirez waren inzwischen einige Maulthiere herbeigeschafft, um die erlegten Guanacos fortzuschaffen; man zählte deren 35, die sämmtlich mit Ausnahme der beiden von mir geschossenen, sowie einem halben Dutzend von den Hunden erwürgten, mit den Bolas und Messer erlegt waren. Einem der Jäger war es gelungen, zwei Guanacokälber lebendig mit dem Lasso einzufangen, zitternd lagen die armen Thierchen am Boden — man versicherte mir, dass sie binnen einem Monat gezähmt würden. Es ist umsomehr zu verwundern, dass bei dieser Leichtigkeit, mit der die „Guanacos“ und „Vicuñas“ gezähmt werden, die Eingebornen dieselben nicht ziehen. Vorzüglich die Wolle der Letzteren ist von einer ausserordentlichen Feinheit, die selbst die der Alpacas übertrifft, wenn diese auch die grössere Dichtigkeit voraus hat. — Zur Zeit der Incaherrschaft wurden die Vicuñas in Heerden gezogen und gepflegt, ja selbst jetzt hört man von entlegenen Gegenden des östlichen Peru, dass Vicuñas dort in Heerden gehütet und als Hausthiere benutzt werden. Die „Lamas“ (Camelus Lama, Linné) sowie die „Pacas“ oder „Alpacas“ (Camelus Alpaca), die mit dem Vicuña und Guanaco derselben Art angehören, leben fast ausschliesslich im zahmen Zustande, welches uns einen Grund mehr zur Verwunderung giebt, dass die Vicuñas von dem Kreis der südamerikanischen Hausthiere ausgeschlossen sind. In Argentinien, wo weder das Lama noch Alpaca einheimisch sind, würde die Zucht der „Vicuñas“ von besonderem Nutzen sein; anstatt letzteres zu versuchen, hat man mit schweren Kosten und Mühen alles Mögliche für die Acclimatisation der Alpacas im Lande gethan, ohne, mit einer einzigen Ausnahme jedoch, zu einem befriedigenden Resultate gelangt zu sein. Der Ruhm dieser Ausnahme gebührt einem Engländer, Mr. Ledgers, dessen langjährige Thätigkeit in dieser Richtung endlich der Erfolg lohnte — der besondere Zweck, welchen dieser Herr im Auge hatte, wird dem Lande jedoch die günstigen Resultate dieses Erfolges grösstentheils entziehen. Die Absicht Ledgers ist die Ausführung der Thiere nach Australien. Da der Export derselben aus Bolivien, ihrer Heimath, streng verboten ist, so durfte L. nicht hoffen, sie durch den bolivianischen Hafen „Cobija“ im „stillen Meere“ ausführen zu können — er führte deshalb die Thiere über die unbewachte Landesgrenze nach Argentinien, wo er auf einem Bergplateau von 9000 Fuss Höhe, bei der „Laguna Blanca“ sie allmählich an ein fremdes Klima gewöhnt, um sie mit desto grösserer Sicherheit über Chile nach Australien zu bringen. Die englische Regierung, die die Wichtigkeit der Acclimasation der Alpacas in ihren Colonien wohl erkannte, und sich zugleich von dem Klima Australiens die besten Erfolge für deren Fortpflanzung versprach, hatte für den ersten Einführer derselben eine Prämie von 10,000 £. Sterl. ausgesetzt. Mr. Ledger war so glücklich, diese Summe zu gewinnen. Im Jahre 1860, nach sechs Jahren langer Mühe gelang es ihm, 800 Thiere mit verhältnissmässig geringem Verlust über die Andes zu bringen und

Australien mit denselben zu erreichen. — Wie wichtig die Zucht dieser Thiere, aber mehr noch die der Vicuñas für die argentinischen sog. Andesprovinzen werden könnte, erhellt um so mehr, als diese Thiere mit grösserer Leichtigkeit, wie die Schafe und das Rindvieh, bis jetzt die von den argentinischen Estancieros begünstigten Thieren, Nahrung zu entbehren und Durst und Kälte zu leiden fähig sind: in den öden, wasserlosen Berggegenden kein geringer Vortheil.

Ich musste mich bequemen, auf einem der Maulthiere, welche man uns von der Estancia Ramirez zum Schleppen des erlegten Wildes geschickt hatte, nach „Conchas" zurückzukehren. Der Rückzug war um so uninteressanter wie der Ausgang — als ich ihn, nur von einem einzigen Gefährten begleitet, antreten musste, indem die Jäger beschlossen hatten, ihre Jagd noch fortzusetzen. In dem Orte angekommen, musste ich für das verlorene Pferd einen hohen Preis erlegen.

XVII.

San Carlos. – Einritt in die Wildnisse der Guachiga-Quebrada. – Naturscene. – Vegetation. – Thierleben. – Erkrankung eines zweiten Gefährten. – Argentinische Zigeuner. – Ihre Heilmethode – ihre Abstammung und Sitten. – Notizen über die früheren Bewohner des Calchaquithales. – Die Indianerstämme der Calchaqui – ihre Kämpfe mit den Spaniern. – Ankunft im Salta-Thale. – Vegetation und Cultur. – Zuckerbau. – Reisbau etc. – Naturscene. – Ankunft in Zagayar. – Viehdiebstahl. – Beschwerden des Weges. – Puerta de Diaz. – Bañados de Figueroa. – Cultur und Natur. – Ankunft und Nachtlager bei dem Orte Cerillos. – Die Garragata. – Nächtliche Thierstimmen.

Wenige Stunden, nachdem der Reisende Conchas in nördlicher Richtung verlässt, erreicht er bei dem Eingange der Guachiga-Quebrada die nordöstliche Grenze des grossen Thales von Calchaqui. Die Route, die wir von Santa-Maria bis zu diesem Punkte verfolgten, war folgende:

Von Santa-Maria bis zu los Ingenios de Lafone	= 2	arg.	Leguas.
Von Ingenios bis zu den Bañados	6	„	„
Von den Bañados bis Colalao	4	„	„
Von Colalao bis Tolombon	6	„	„
Von Tolombon bis Conchas	6	„	„
Von Conchas bis zu den Curtiembres	12	„	„

Vor unserer Ankunft in der Quebrada hatten wir in einer Legua Entfernung das Städtchen San Carlos passirt. Unser langsames Reisen gestattete mir, einen Abstecher vom Wege zu machen und jenen Ort zu besuchen. San Carlos ist, wenn auch nicht romantisch belegen, doch mit seiner grünen Umgebung freundlich genug, um den Reisenden zu gefallen. Der Zahl seiner Gebäude nach zu urtheilen, mag es wohl an 800 bis 1000 Bewohner enthalten.

Ackerbau ist zwar der Haupterwerb derselben, allein die Bemittelten unter ihnen schreiben ihren Wohlstand gewöhnlich der Viehzucht oder dem Bergbau zu. Der Ackerbau wird von den Einzelnen nicht in einem so bedeutenden Maassstabe getrieben, um Reichthum zu erzielen, während der Minero und der Estanciero, haben sie Erfolg erlangt, gewöhnlich San Carlos oder Santa-Maria, die beiden grössten Orte des Thales, zum Wohnort erwählen. Ausserdem wohnen in San Carlos viele Familien, deren männliche Mitglieder in den Bergwerken der benachbarten Sierra beschäftigt sind. — Die Getreidefelder boten in dieser Jahreszeit nicht denselben üppigen Anblick, wie im Sommer, wenn sie in voller Blüthe stehen — allein das saftige Grün der Weiden, welches die Hitze des Sommers gewöhnlich in ein fahles Gelb verwandelt, sowie das dunkle, schattige Dickicht weit sich erstreckender Wälder, entschädigte das Auge für jene. — Die kleine mit Stroh gedachte Kapelle von San Carlos erinnert an unsere freundlichen Dorfkirchen daheim; dasselbe hohe Dach, die halb gothische Bauart — die mit Epheu umrankten Mauern gewähren dem Gebäude einen Character, der eben nur für eine Kirche passend ist. Andere öffentliche Gebäude besitzt das Städtchen nicht.

Der Weg, der durch die Guachiga-Quebrada führt, ist zugleich der, welcher die „Cordillera de los Valles“ durchschneidet. Dieses Gebirge, welches sich nach Schätzung M. de Moussy's in mittlerer Höhe 3000 Mêtres über die Meeresfläche erhebt, trennt das grosse Thal von Salta von dem Calchaquithal. Jenes herrliche Thal oder Thäler, wie manche Reisende in Beziehung auf die kleinen Bergreihen, die das Salta-Becken durchziehen und dasselbe in kleinere Sectionen theilen, es nennen — mit einer tropischen Vegetation und einem gemässigten Klima, mit seinem grossen Zucker-, Taback und Reisbau, seiner Viehzucht, die selbst die der südlichen Pampaprovinzen gleichkommt, und seinem Handel, der mit Ausnahme dessen von Buenos-Ayres jeden andern der einzelnen argentinischen Provinzen überflügelt, — ich muss gestehen, ich fühlte Begierde, dieses von europäischer Civilisation so entfernte Wunder amerikanischer Cultur zu sehen — meine Ungeduld in dieser Richtung liess mir kaum Zeit, die wilde Naturschönheit der Guachiga-Quebrada zu bewundern, und doch bot diese einen eigenthümlichen Reiz. Wenige aus unserem flachen, nördlichen Deutschland kennen den Reiz einer wilden Berggegend — der Harz — die sächsische Schweiz sind für den Unbemittelten verschlossene Paradiese — aber selbst in jenen Bergen würde man kaum den Begriff der Schönheit, der zauberhaften Anziehungskraft einer südamerikanischen Bergwildniss erhalten. Dort sind es die gezackten Häupter der Berge, die dichten Gruppen dunkler Nadelhölzer, der wild hinabschäumende Bergbach, die in romantischen Schluchten und von Mutter Natur nach tausenderlei verschiedenen Launen geordnet, die Wildniss begreifen — höher hinauf erlangt der Reisende den Blick ins Thal — wie lieblich ist die lachende, sonnige Flur; erstaunt über diese unerwartete Schönheit des Alltäglichen: das bebaute Feld — das weissangestrichene Bauernhaus am Bache belegen — die Scheuern — die langsam sich fortbewegenden Heerden — alles dieses sind praktische, alltägliche Dinge, an denen sich keine Poesie zu knüpfen scheint. — Besteigt aber der also Denkende die Berge und schaut von dort hinab auf jenes Alltägliche, wie wird ihm plötzlich die Poesie desselben klar. Bei dem grünenden Felde, bei der sich fortbewegenden Heerde denkt er nicht mehr daran, wie viel er durch sie gewinnt, was er in ihnen besitzt, der Schall der leise herübertönenden Abendglocke wird ihn an andere Dinge, als den vergangenen Arbeitstag mahnen — Alles dieses wird jetzt ein Gefühl in seiner Brust erwecken, an das er früher vielleicht nicht glaubte. — Aber so schön jenes Gemälde der nordischen Landschaft ist, so existirt dennoch eine andere, üppigere, ich wage nicht zu sagen, höhere Schönheit, wo sich jene sonnige Flur, das wogende Getreidefeld, das Bauernhaus und seine Umgebung nicht vorfindet — und die uns dennoch leichter zur Bewunderung hinreisst. Das Fremdartige verbindet sich hier mit dem Wild-Schönen — Jene Ueppigkeit der Vegetation, das undurchdringliche Dickicht, wo starke Lianen die schlanken Palmen, den wild wachsenden Orangenbaum und die riesigen Stämme des „Quebracho colorado" zu einer Mauer verbinden, wo die Lücken mit baumhohen Cacteen besetzt sind und den Reisenden genau den engen Pfad vorzeichnen, ist eine neue Art der Schönheit; die Guachiga-Quebrada gibt ein genaues Bild einer solchen Natur. Auf jedem Schritt begegnet man neuen, fremden Gewächsen — Wilde Pfirsische und Oliven — der „Arbol amarillo", dessen ausgezeichnet weiches und biegsames Holz zu feinen

Schnitzarbeiten besonders passend sein soll, der Espinillo, der in den unteren Provinzen kaum die Grösse eines gewöhnlichen Algarobo erreicht, erhebt hier seinen Wipfel bis zu 60 Fuss, der Tiga, der vollkommen grade aufschiesst und ebenfalls 60 Fuss Höhe erreicht, der 90 bis 100 Fuss hohe Quebracho (Quebracho colorado), diese Hölzer mit seltenen neuen Gras- und Blumenarten, unter denen sich wiederum die Fuchsie in hunderterlei Spielarten auszeichnet, untermischt, und von Tausenden von Vögeln, von den grossen Gallinagos bis zu den winzigen Kolibris und ganzen Schwärmen Papageien belebt. An den hohen Seitenwänden der Quebrada, wo der Wald, minder dicht, eine kleine Insel schönen Grases aufkeimen lässt, spielen Vicuñas, die bei dem Näherkommen des Reisenden eilig entfliehen. Das Gefühl, welches diesen bei dem Anblick dieser fremdartigen Naturscene beschleicht, wird durch die Beschwerden, ja Gefahren, denen er sich hier ausgesetzt findet, noch vermehrt. Hat doch Alles, dessen Erlangen uns Mühe und Schmerzen verursacht, einen grösseren Werth für uns, als wenn diese nicht vorhanden sein würden, oder besser, der Werth einer Sache steht immer im Verhältniss zur Arbeit, die ihre Erlangung gekostet hat.

Zur Nachtzeit vermehren sich diese Gefahren, die zumeist von der Vibora de la Cruz, einer Abart der Kreuzschlange, sowie der Klapperschlange und den wilden Katzen, die das Dickicht durchstreifen, herrühren. Während der Nacht thut die äusserste Sorgfalt noth — die Kugelflinte muss immer bereit liegen, um bei dem ersten Anlass gebraucht zu werden — mit noch grösserer Vorsicht müssen die Feuer, das beste Bollwerk gegen reissende Thiere, erhalten bleiben.

Am Abend erreichten wir die „Curtiembres“ (übersetzt Gerbereien) — sie enthalten jetzt nur ein einziges derartiges Etablissement, während vor einigen Jahren sie deren mehrere gezählt haben sollen. Die Rinde des „Curugy“ wird hier sowie auch in manchen Gerbereien der salteñischen Thäler zum Gerben gebraucht; gewöhnlich kommen die hier gegerbten Felle nur halb fertig nach Buenos-Ayres, wo sie einem zweiten Gerbeprozess unterworfen werden müssen. — In den Curtiembres schlugen wir in einem verlassenen Bauernhause unser Quartier auf — jedoch ein Schlangennest innerhalb der Hütte, welches Nicolas glücklicherweise frühzeitig genug entdeckte, jagte uns wieder ins Freie. Hunter's wegen war uns dieser Umstand sehr unangenehm, da die feuchte, schädliche Nachtluft der Quebrada leicht sein Fieber zurückrufen konnte. Ueberdies ist diese Schlucht der bösen, in ihr herrschenden Fieber wegen verrufen.

Die Häuser der Gerberei waren indessen zu weit vom Wege entfernt, um an das Aufsuchen derselben denken zu können, und wohl oder übel mussten wir uns, so gut es ging, wo wir waren, einrichten. Wir gingen jedoch in unserer Sorge für den Kranken zu weit; indem wir uns fast aller Decken und Ponchos entblössten, um ihn mit denselben einzuhüllen und selbst eine Art kleines Zelt zu errichten, vergassen wir, dass auch wir der feuchten, ungesunden Nachtluft ausgesetzt sein würden und unsere eigene Gesundheit dadurch aufs Spiel setzten. — Am nächsten Morgen wurden wir nur zu sehr an diese unterlassene Vorsicht erinnert, ich selbst fühlte ein leichtes Unwohlsein, auch Nicolas klagte über ein Gleiches, aber unser Führer, der alte Romualdo, lag auf seinen Fellen mit einem tüchtigen Fieber ausgestreckt — er vermochte sich nicht zu erheben — starkes Kopfweh, Neigung zum Erbrechen, über welches er klagte, sowie das immer heftiger werdende Zittern seines Körpers waren alles Symptome eines starken „Terzianafiebers." Wollte man dem Kranken im Freien nicht dem fast gewissen Tode aussetzen, so musste er in der eben erwähnten Hütte einquartirt werden, welches in Betracht des darin von Nicolas gefundenen Schlangennestes allerdings kein sehr comfortabler Aufenthalt war. Der Alte versagte unter diesen Umständen durchaus seine Einwilligung, in die Hütte geschleppt zu werden, und sträubte sich verzweifelt, als wir, nachdem das giftige Gewürm, so weit es aufgefunden werden konnte, getödtet und verjagt war, gegen seinen Willen unser Vorhaben ausführten. Die Lage des Armen war keine beneidenswerthe — allein trotz der Gefahr, der wir ihn aussetzten, durften wir nicht anders handeln — es war in unserer Macht, ihn durch Wachsamkeit vor den Schlangen zu schützen, aber keineswegs vor dem verheerenden Einfluss der Krankheit, die, würde der Patient den heissen Sonnenstrahlen des Tages, den Winden und der Nachtluft im Freien ausgesetzt bleiben, ihm ohne Zweifel fatal werden musste. — Auch unsere Lage war keine angenehme; mit einem Kranken und einem andern Halbkranken in einer unwirthbaren, ungesunden Gegend, wo wir vielleicht Wochenlang aufgehalten werden konnten, bot sich uns eine Aussicht, an die wir kaum zu denken wagten. Glücklicherweise erfüllte sich diese nicht — Dank sei es den „Zigeunern Argentiniens", über die ich bis jetzt noch nicht Gelegenheit fand Aufschluss zu geben, und die unserer Aufmerksamkeit doch so werth sind.

Ich beschloss zunächst, Nicolas nach den Häusern des Dorfes, die ca. zwei Leguas von unserm Bivouac entfernt lagen, zu schicken, um

Lebensmittel zu holen. Hunter, seit seiner Krankheit in Santa-Maria, führte Arzneien gegen dieselbe mit sich, deren Haupttheil aus „Quinina" bestand. Wir gaben sie unserm Kranken in den vorgeschriebenen Dosen, dennoch schien sich sein Zustand von Stunde zu Stunde zu verschlimmern. Die Angst des Patienten vor seinem Aufenthaltsort mochte hiezu das ihrige beitragen.

Wir waren am Abend beschäftigt die Feuer anzuzünden, als wir den entfernten Ton einer Tropaglocke sich nähern hörten. Die Langsamkeit, mit welcher dieses geschah, liess uns vermuthen, es sei die einer sehr ermüdeten Maulthiertruppe. Wir erkannten bald, dass wir uns geirrt hatten. Es waren zu Fuss Reisende, bolivianische Indianer, die mehrere beladene Esel vor sich hertrieben, und die den oben gegebenen Beinamen „Zigeuner Argentiniens" oder besser „südamerikanische Zigeuner" in mehr als einer Beziehung rechtfertigen. Bevor ich in der Erzählung unserer Abenteuer fortfahre, will ich es versuchen, meinen Leser jene merkwürdigen Menschenkinder zu beschreiben.

Mr. d'Orbigny weist ihnen in seiner südamerikanischen Race-Abtheilung einen Platz in dem ersten Zweig „Peruvianische Abstammung" in der ersten Race „Ando-Peruvianer" an und beschreibt sie folgendermassen; Farbe oliven-braun, mehr oder weniger schattirt, mittlere Grösse: 1 mètre 597 Millimètres, massiv gebaut — Obertheil des Körpers sehr lang im Verhältniss zum Ganzen — Stirn: zurückstehend — Gesicht: breit und oval, die Nase: gebogen, unten breit; Mund: gross; mittlere Lippen — horizontal liegende Augen wenig getrennt, sehr ausgesprochene Gesichtszüge — ernste, nachdenkende Physiognomie.

„Die „Quichuas" und „Aymaras" der Plateaus der Andes, die „Atacamas" und die „Changas" des occidentalen Abhanges begreifen diesen Zweig, dessen Individuen sämmtlich Christen sind und deren Zahl sich bis zu 1,400,000 erhebt, die bedeutendste, die irgend eine andere südamerikanische Race erreicht."

Wir haben es hier zunächst mit den Aymarás zu thun, von dem Argentiner in der Volkssprache „Coyos" genannt. Sie bilden die Mehrzahl der Bevölkerung Boliviens, und besitzen einen Character, der von dem der anderen amerikanischen Racen durchaus abweicht. In ihrer Gestalt und Schädelbildung sollen sie sich sehr den Azteken, den antiken Bewohnern Mexico's nähern. Andere Reisende sind der Meinung, dass sie von einem asiatischen Völkerstamm, von welchem einzelne Individuen auf ihren Wanderungen nach der Westküste Amerika's verschlagen sein konnten, herrühren. Das kleine, tiefe Auge, die breiten Backenknochen, die hässlich geformten Beine, die gelbe Hautfarbe, die die allgemeine amerikanische Race nicht besitzt, wohl aber stark an die mongolische Race erinnern, haben diese Vermuthung hervorgerufen. Ob begründet oder nicht, hat bis jetzt die comparative Unkenntniss der Aymara- und Quichua-Sprache unserer Sprachforscher, sowie die geringe Ergründung der Traditionen dieses Volkes noch nicht zugelassen, beantwortet zu werden. Mehr noch, wie ihr Äusseres, zeigt ihr Character, mit dem der anderen Urwohner der neuen Welt verglichen, starke Unterschiede, ja, man möchte sagen, sich einander widersprechende Eigenschaften. Eine bis zur äussersten Spitze getriebene Ehrlichkeit verbinden sie mit dem äussersten Geiz und dem ärgsten, wahrhaft asiatischen Misstrauen gegen alles Fremde und jeden Fremden. Als Taglöhner arbeiten sie schlecht, ja sind unbrauchbar, und dennoch sieht man ihre Felder wohlbestellt und dieses oft in Gegenden, wo der Ackerbau grosse Schwierigkeiten des Terrains zu überwinden hat. Mit einer Geduld und Ausdauer, die uns bei diesem schwachen Volke umsomehr verwundert, führen sie die fernsten Gewässer herbei, graben mit ihren mangelhaften Werkzeugen zehn bis zwanzig Meilen lange Gräben, und dieses mit dem einzigen Zweck, die Bebauung einer öden Quebrada möglich zu machen. In derselben bauen sie mit ungeheurer Arbeit Erdterrassen, die die Seitenwände der Schlucht hinansteigen und leiten das Wasser an denselben im Zickzack hinab, um auf diese Weise auch nicht die kleinste Strecke baubaren Bodens zu verlieren. Während der ältere Theil des „Stammes“ oder der „Gemeinde“, welchen letzteren Namen sie seit ihrer Bekehrung zum Christenthume ihrer Gemeinschaft beilegen, auf diese emsige Weise die Bebauung des Bodens besorgt, zieht der jüngere Theil derselben auf längere und kürzere Reisen aus, deren Dauer von wenigen Wochen bis zu Monaten wechselt, zuweilen aber auch Jahre währt. Solche Reisen werden nicht allein von den Männern unternommen, sondern diese werden von ihren Frauen und Kindern begleitet. Sie bereisen den ganzen Continent, ohne einen Pfennig auszugeben. Im Freien ist ihr Lager; — Früchte, hin und wieder ein erlegtes Wild, ist ihre Nahrung, die indessen oft tagelang von dem Cocakauen ersetzt wird. Der Genuss der Coca, des getrockneten Blattes des Cocabusches (Erythroxylon Coca) ist ihre grosse Leidenschaft, für welche sie jedes Opfer zu bringen bereit sind. Der grösste Theil der Ladung ihrer Esel besteht gewöhnlich aus einigen Körben ihrer Coca, die sie auf ihren Wanderungen wie einen Schatz hüten. Räuberische Gauchos, um ihnen die wenigen Thaler abzunehmen, die sie durch den Verkauf ihrer Kräuter ernten, drohen nicht, ihnen das Leben, sondern ihre Coca zu nehmen, in welchem Falle der arme Indianer Alles willig herausgiebt, um nur diesen zu bewahren. Es scheint ihnen übrigens eine nicht zu bändigende Wanderlust innezuwohnen; um derselben zu genügen, scheuen sie keine Beschwerden und Gefahren, nur die Alten bleiben in den Thälern der Heimath zurück. In allen Theilen Chile's, Peru's, Argentinien, Paraguay und selbst der entfernteren Banda-Oriental und Brasilien begegnet der Reisende den ärmlichen Coyos mit ihren kleinen, zähen Eseln. Ehemann und Frau, letztere gewöhnlich in der indianischen Manneskleidung, treiben dieselben eine Tagereise nach der andern, manche hundert Leguas, und scheinbar, ohne sich, noch die Thiere zu ermüden. Der Zweck ihrer Reisen nach den Salpetergruben Peru's oder den Schmelzöfen Cobijas ist, sich als Arrieros zu verdingen — diesem widmen sich indessen nur die Wohlhabenderen, die eine grössere Truppe Esel oder selbst Maulthiere aufzubringen vermögen. Der sich auf fernere Reisen begebende Coyo führt gewöhnlich Heilkräuter mit sich, um sie zu verkaufen; er ist auch Quacksalber und weiss Rath zu geben, für welchen er sich indessen mit wenigen Realen reichlich bezahlt glaubt. Gewöhnlich ist er mässig in Allem, weniger im Cocakauen, jedoch begegnete ich in den grösseren Plätzen im Innern Manche, die der Chicha-Flasche zu reichlich zugesprochen hatten. Dem ärmeren Landbewohner Argentiniens sind sie ihrer Heilmittel wegen immer willkommen, deren Anwendung gewöhnlich nicht viel schadet, aber noch weniger nützt. Sie haben Rath und Medecin selbst für unheilbare Krankheiten, gebrauchen aber die Vorsicht, sich ihren Real (etwa fünf Silbergroschen), ihre Forderung beträgt selten mehr, im Voraus bezahlen zu lassen. Am nächsten Tage befinden sie sich gewöhnlich eine gute Strecke ausserhalb des Bereiches der Patienten. Indessen dem Zufall oder einiger Erfahrung in, ihrem Lande und Klima besonders eigenen Krankheiten, verdanken sie es, zuweilen einige Kuren gemacht zu haben, die ihnen mancher südamerikanischer Arzt beneidet. Und zu diesen sollte auch der Fall unseres kranken Don Romualdo gehören.

Die „Coyos“ hörten nicht sobald, dass sich in unserem Lager ein Kranker befände, als sie unsere Erlaubniss nachsuchten, in unserer Nähe ihre Feuer anzünden zu dürfen, welches wir ihnen gestatteten. Sie begannen alsobald die Kräuter auszupacken und uns deren Güte anzupreisen. Indessen verwies ich sie an Nicolas. Obgleich ich wusste, dass die

„Terziana“ die in ihrer Heimath am meisten vorherrschende Krankheit — die „starke Seite“ ihrer Kenntnisse war, hatte ich dennoch zu wenig Vertrauen in diese schlichten Naturärzte, um ihre Hülfe in Ausspruch zu nehmen. Nicolas sowohl wie der Kranke schienen jedoch in Hinsicht indianischer Kurmethoden gläubiger wie ich zu sein — letzterer besonders versprach sich die besten Resultate von ihren Kräutern, und da die Quinina seinen Zustand nicht zu bessern schien, so setzte ich dem Gebrauch ihrer Mittel keinen Widerspruch entgegen. Mit nicht geringem Vergnügen hörte ich am andern Morgen, dass der Kranke sich sichtlich bessere und schon am Nachmittage erklärte er, sich stark genug zu fühlen, um die Hütten der „Curtiembres“ erreichen zu können. Mit einigen Thalern belohnten wir reichlich unsere Wohlthäter, die sich über unser Begegnen ebensosehr als wir zu freuen schienen. Sie gaben mir eine Quantität des gegen die Terziana angewandten Mittels, welches aus geriebenen Blättern gewisser Kräuter ihrer Heimath bestand. In ihrem gebrochenen, unverständlichen Spanisch beschrieben sie mir umsonst diese Kräuter, wie sie wachsen und wo sie aufzufinden sind. Auch war ich später nicht im Stande, trotz eifrig eingezogener Erkundigungen, über die Herstammung der geriebenen Blätter Aufklärung zu erhalten.

In den Curtiembres, wo wir mit unseren Kranken eine gastfreie Aufnahme fanden, hatten wir noch zwei Tage zuzubringen, bevor dieser sich genügend wiederhersgetellt fühlte, um die Reise fortzusetzen.

Bevor wir das Thal von Calchaqui ausser Sicht verlieren, erlaube mir der Leser, ihn mit wenigen Worten auf die Urbewohner desselben, denen es auch seinen jetzigen Namen verdankt, aufmerksam zu machen. — Die Nation der „Calchaqui“ war zur Zeit der Incaherrschaft ein grosses, gewaltiges Volk bis zur Zeit „Juganqui's“, als sie von diesem ländersüchtigen Eroberer unterjocht wurden. Den ungenauen indianischen Traditionen nach sollen sie sich lange und mit der grössten Tapferkeit gegen die Angreifer vertheidigt haben, eine Thatsache, welche nicht für die Annahme mancher Schriftsteller spricht, die sie als dem Guaranizweig, dessen sanftes, unterwürfiges Wesen ein Characterzug desselben ist, angehörend beschreiben. Mr. de Moussy glaubt aus demselben Grunde jene Abstammung bezweifeln zu dürfen und ist geneigt, sie für von den Quichua abstammend zu halten; sein einziger Grund ist der, dass viele Ortsnamen der Gegend, die sie bewohnten, der Quichua-Sprache angehören; allein hat Mr. de Moussy diesen Grund genau in Betracht gezogen? Die indianischen Sieger verdrängten oft die besiegten Völker aus ihren

Territorien — anderseits, wem die Wanderlust des Quichuazweiges bekannt ist, wird eine Völkerwanderung derselben nicht für unwahrscheinlich halten, drittens, lassen die wilden Sagen aus der Zeit der Calchaquis und ihrem unbändigen Character kaum auf den ruhigen friedfertigen „Quichua“ schliessen, wie wir ihn noch heutigen Tages kennen. Die Frage der Abstammung der „Calchaquis“ muss also bis zu dem weiteren Fortschritt amerikanischer Alterthumskunde unerledigt bleiben. — Die „Calchaquis“ eben so verzweifelt, wie sie sich gegen die Incaherrschaft gewehrt hatten, wehrten sie sich ein Jahrhundert später im Jahre 1550 bis 1553 gegen die spanische Herrschaft. Hätte man sich mit der einfachen Unterjochung begnügt, so würden sie sich endlich den Spaniern ebenso gefügt haben, wie sie sich ehedem den Peruanern fügten. Letztere, nachdem sie das Land genommen, liessen es im Besitz ihrer früheren Eigenthümer — setzten einen peruanischen Caziken ein, der sie im Namen des Inca's regierte, und legten ihnen Tribut auf, den sie von Zeit zu Zeit nach Cuzco zu senden hatten. Die Politik der Spanier war habgieriger und deshalb grausamer, vernichtender. Sie versuchten die verschiedenen Stämme, so wie sie unterjocht waren, in Kolonien abzutheilen, wo man die Indianer als Sclaven ihren eigenen Boden bearbeiten liess. Dieses System, in sich selbst schon verabscheuungswürdig, wurde mit der raffinirtesten Grausamkeit ausgeführt — aber bestand nicht lange. Die erbitterten Indianer erhoben sich wieder, und gaben nicht nach, als bis sie von dem überlegenen Feinde fast gänzlich vertilgt wurden — um diesen traurigen Erfolg zu erzielen, brauchten die Spanier indessen 120 Jahre, während welchem Zeitraum auch sie keinen geringen Verlust erlitten.

Die Calchaquis beschränkten sich übrigens nicht auf das Thal, welches noch heute ihren Namen führt: Die Dörfer von und die Gegenden um Tolombon, Colalao, Cappallan, Fiambala, Tinogasta bis Anguinan, alles Orte, die der Leser auf unsere Reiseroute kennen gelernt, wurden von den Calchaquis vor der Eroberung der Spanier hewohnt. Das Centrum des grossen Stammes war indess das Calchaquithal, wo sie, wenn nicht in Kriege gegen ihre Nachbarn begriffen, mehr oder weniger denselben Beschäftigungen, wie die heutigen Bewohner jener Gegenden, folgten. Die Bebauung des Bodens durch Bewässerung, welche sie trefflich auszuführen verstanden, die Jagd der Guanacos und Vicuñas, sowie eine nur rohe und oberflächliche Bearbeitung der Minen bildete ihre Thätigkeit. — Die kleinen Reste der Calchaquistämme, die von dem Vertilgungskrieg der Spanier übrig geblieben, wurden von diesen in mehreren neu angelegten Orten vertheilt, wo man ihnen gestattete, als Kolonisten für eigene Rechnung das Land zu bebauen, eine Handlungsweise — so unrechtmässig sie auch genannt werden muss, doch weit verschieden von der der Urheber des Krieges war, deren Absicht nur darauf hinaus zu gehen schien, sich ein Volk von Sclaven zu schaffen. Hätte man damit angefangen, womit man aufhörte, so würde man wahrscheinlich ein arbeitsames und hochsinniges Volk dem Untergange entrissen haben. Der armselige Rest desselben gedieh indessen in den Kolonien bald zum Wohlstand — Spanier verschmähten es nicht, sich unter denselben anzusiedeln — und es entstand eine Mischlingsrace, die sich durch den immer grösseren Zufluss der Fremden bald wenig mehr von dem ursprünglichen spanischen Blut unterscheidet.

Noch eine mühevolle Jornada, und der nördliche Ausgang der Guachiga-Quebrada war erreicht. Schon am folgenden Tage unserer Abreise von den Curtiembres passirten wir das kleine Dorf, die „Lechuzas", an der „Puerta de la Quebrada" (Thor der Schlucht) belegen. Kaum eine Viertelmeile jenseits desselben eröffnete sich uns die Aussicht auf die langersehnten Thäler Salta's. Der freie Anblick der weiten Ebenen wird hier noch durch eine kleine Hügelreiche gehindert, die sich in ein bis zwei Leguas Entfernung quer vor dem Ausgange der Quebrada legte — ohne dieselben würde man den ganzen Vortheil des erhöhten Terrains geniessen und, reicht unser Auge, die entferntesten Winkel des Saltathals schauen. Wie es ist, muss der Reisende sich mit der Aussicht von dem jenseitigen Abhang jener Hügel, die er im weiten Halbbogen umgeht, genügen lassen. Doch auch schon hier, kaum der Quebrada entronnen, wird unser lebhaftes Interesse durch die Umgebung in Anspruch genommen. Die Natur schlägt uns wiederum ein Blatt in ihrem Buche um: Es ist jetzt nicht mehr ihre romantische, wilde Schönheit, die den Reisenden fesselt — das Gegentheil derselben; eine grossartige Cultur, von einem üppigen Boden und einem milden Klima gleich sehr unterstützt, breitet sich vor uns in ihrem ganzen Reichthum und in tropischer Fülle aus. Meilenweit sich ausdehnende bebaute Felder, von blühenden Quinten, von reinlichen, volkreichen Dörfern untermischt, die Gegend, mit Landhäusern besäet, von Wasserleitungen durchzogen — bieten uns einen, mit dem Anblick der ebenverlassenen Oede doppelt scharf hervortretenden Contrast. Von dem Dorfe „Lechuzas" bis zum „Zagayar", wo uns auf etwas erhöhtem Boden eine weite Aussicht über das Saltathal gegönnt ist, bis zur Puerta de Diaz, den Bañados de Figueroa, den „Cerillos“ und von diesen bis Salta ist die Gegend fast ununterbrochen, und in jeder Richtung mit Bewässerung versehen und bebaut. Schlanke Palmen, die in den Quintas ihre Wipfel erheben, bezeichnen gewöhnlich die reicheren Landsitze, welche hin und wieder die Fläche der weiten Felder unterbrechen und schmücken. In diesen Feldern, deren Bebauung mit grosser Fürsorge gehandhabt und durch ein fast allgemeines Bewässerungssystem unterstützt wird, finden wir die verschiedenartigsten Gewächse. Die Zuckerplantagen mit ihrem leeren, niedergebrochenen Rohre bieten in dieser Jahreszeit nicht den schönsten Anblick, allein an ihrer Ausdehnung erkennt man den wichtigen Rang, den sie in der salteñischen Produktionsfähigkeit einnehmen, obgleich nur eine verhältnissmässig kurze Zeit verflossen ist, seitdem der salteñische Landmann sich der Anbauung desselben angenommen hat. Das Zuckerrohr wurde hier erst vor 30 Jahren eingeführt. In Paraguay u. Corrientes, wo es seit einem Jahrhundert gebaut wird, ist man trotz der Güte des Bodens und des passenden Klimas für diese Pflanze nicht viel weiter damit gekommen, wie zur Zeit ihrer Einführung. Während man sich dort beschränkt, aus dem Rohr eine gewisse Quantität Syrup (miel de caña) und Alkohol (aguardiente de caña) zu bereiten, wird in Salta, Tucuman und Oran ein Zucker, wenn auch bis jetzt nur mittelmässiger Qualität gewonnen, der in grossen Massen nach den angrenzenden Ländern ausgeführt wird. Die Cultivirung des Rohrs soll dem Unternehmer ausserordentlich gute Rechnung tragen. Man berechnet, dass die Residuen, die bei der Fabrikation des Zuckers übrig bleiben, indem man ihnen den Alkohol auspresst, allein fähig sind, die Kosten des ganzen Etablissements zu decken, dass also der Betrag des gewonnenen Zuckers Nettoverdienst ist. Der Preis des Zuckers in den nördlichen Provinzen wechselt von 4 bis 6 Piaster pr. Arroba. Im Jahre 1857 gab man den Gesammtbetrag des producirten Zuckers in Salta und Tucuman auf 60,000 Arroben und den des aus dem Rohre destillirten Branntweins auf 4000 Barriles an; allein man darf jetzt denselben mit ziemlicher Sicherheit auf das Vierfache anschlagen.

Die in weiter Entfernung sich ausdehnenden Alfalfafelder ausgenommen, vermögen sich nur die Maisfelder an Grösse mit den Zuckerrohr-Plantagen zu messen. Der Mais scheint sich in diesem fast tropischen Klima ebensowohl, wie in den kalten Gegenden 8 bis 10,000 Fuss hoher Plateaus am Abhange der Andes zu befinden. Die Ursache, auf diesen grossen mit Getreide bebauten Strecken verhältnissmässig wenig Weizen vorzufinden, mag einerseits die in den salteñischen Thälern geringe Produktivität des letzteren sein; sie beträgt im Durchschnitt nur 15 bis 20 pro 1. Das Klima dieser Breite scheint ihm nicht zuträglich, ja, selbst in den höheren Gegenden auf den Hochebenen der nahen Cordillera de los Valles, 3 bis 4500 Fuss über der Meeresfläche, soll er nicht mehr geben. Anderseits mag aber auch die Vorliebe der Eingebornen für den Mais Ursache der Vernachlässigung des Weizens sein. Mais bildet das Hauptgericht jedes Bewohner des Saltathales. Mit Mais allein ist seine Köchin im Stande, nicht allein ein leckeres Mahl aus mehreren Gerichten bestehend, sondern auch das dazu gehörende Getränk zu bereiten; ich selbst sollte dieses am Abend unserer Ankunft in „Zagayar" erfahren. Als erstes Gericht setzte man uns die allgemein beliebte „Mazamorra" vor, sie besteht aus den abgeschälten Körnern des Mais, die in Milch gekocht eine ebenso natürliche wie nahrhafte Speise abgeben; den zweiten Gang bildete der „Locro", Mais mit Fett gekocht und geschmort, nicht minder schmackhaft wie die Mazamorra. Aus Maismehl gebackenes Brod und schliesslich der aus Mais gebraute Alojo (der, ist er nicht durch die widerwärtige Methode des Auskauens bereitet, nichts zu wünschen übrig lässt) bildeten den Schluss unseres Abendessens.

Nächst Zuckerrohr, Mais und Weizen wird im Saltathale der Taback im bedeutenden Maassstabe angebaut. Wild findet man nur den Nicotiana rustica, während der Nicotiana fruticosa in Form eines Baumes auf die südlichen Provinzen beschränkt bleibt. Die in Salta cultivirte Art scheint die erstere veredelt zu sein; übrigens ist die Ausfuhr dieses Produkts aus Salta Null; dieses hat bis jetzt in diesem Zweig der Agricultur noch nicht mit Tucuman und Corrientes concurriren können, deren Qualität und in Folge dessen Quantität dem Salta-Taback weit den Rang abläuft. Nichts berechtigt aber anzunehmen, dass, würde man dem Anbau und der Veredelung desselben durch Einführung von Havannasorten, wie es mit so gutem Erfolge in Paraguay geschehen ist, ausführen, man nicht dasselbe oder ein ähnliches Resultat, wie in jenem Lande, erzielen könnte. Das Klima lässt nichts zu wünschen übrig, und ist besser, wie in manchen Theilen Nordamerika's, wo ein Taback sehr guter Qualität gezogen wird, ebenso sagt der Boden ihm sehr gut zu — das einzige Hinderniss, welches sich der Ausbreitung seines Anbau's entgegenstellt, sind die hohen Transportkosten bis zum Littoral. Daher die Thatsache, dass, je weiter eine Provinz von der grossen Verkehrsader des Landes, dem Parana entfernt ist, je weniger Eifer sieht man in dem Ackerbau mit Bezug auf diejenigen Produkte, die sich hauptsächlich zum Export eignen. Auf den Taback passt dieser Satz gut: Von den zu seinem Anbau besonders geeigneten Provinzen: Corrientes, Tucuman, Salta, Catamarca — finden sich die besten Sorten und die grösste Quantität in der ersteren, die unmittelbar von dem Parana berührt wird; die nächste Provinz Tucuman behauptet den zweiten Rang sowohl in Bezug auf geographische Lage, wie in der Cultivirung des Tabacks — Salta den dritten — Catamarca den vierten und letzten Rang. Die nächsten Provinzen Rioja, San-Juan, Mendoza, San-Luis bauen keinen Taback, einige wenige Versuche in kleinem Maassstabe ausgenommen, obwohl in den meisten dieser Provinzen die Pflanze wild vorkömmt.

Dem Taback folgt der Pfeffer oder Aji, ein Lieblingsgewürz des Argentiners. Die Sorte, die unter ihnen besonders beliebt ist, wächst wild; allein in diesem Zustande nicht häufig genug, um dem bedeutenden Consum zu genügen; es ist dieses derselbe Pfeffer, der in Brasilien so häufig vorkömmt (Piper umbellatum.) Man cultivirt mit ihm daher bedeutende Strecken Landes, um dem Verbrauch zu befriedigen; auch der „rothe Cayennepfeffer“ wird oft gebaut. — Ein merkwürdiger Anblick ist es für den Reisenden, der zu dieser Jahreszeit die salteñischen Dörfer durchreist, die Dächer gesammter Häuser und Hütten mit den feuerrothen Kapseln des Pfeffers bedeckt, zu sehen, die dort zum Trocknen ausgebreitet werden. Fallen die Strahlen der unter- oder aufgehenden Sonne wagerecht auf dieselben, so scheint es in einer gewissen Entfernung nicht anders, als ob das Dorf in Flammen stände.

Der „Tomate“ (Solanum lycopersicum) wird hier in nicht minder bedeutendem Maassstabe, wie der Pfeffer angebaut. Auch er kömmt in der Umgegend wild vor, aber auch nicht häufig genug, um seinem enormen Consum zu genügen. — Nächst diesen ist unter den Gemüsen noch erwähnenswerth: die „Batata dulce“ findet man nicht selten wild wachsend an den Wegen — angebaut wächst sie ungemein rasch und fruchtbar. Der „Mani“ giebt eine kleine ölhaltende Mandel, die einen angenehmen Geschmack hat (notabene, für den, wer's mag), wächst gleichfalls wild — Melonen, Wassermelonen oder Sandias (in anderen Distrikten sagt man Sandilla (spreche Sandiya) die zur Zeit ihrer Reife die Nahrung der ärmeren Landbewohner sind, werden reichlich gebaut. Auch der „Zapallo“, von dem mit Gewissheit behauptet werden kann, dass er in „keinem“ argentinischen Gemüsefelde fehlt, darf nicht unerwähnt bleiben. Eine gewisse Art des „Zapallo“, die ich übrigens nur sparsam in dem Saltathale vertreten fand, giebt die sogenannte „Kalabasse“; diese wird bereitet, indem man die harte Schale der Frucht leert, und wird sodann zu Wasserbehältern, Trink-, und wenn klein, zu den Mategefässen benutzt, von welchen man auf allen argentinischen Märkten Tausende findet, und deren keine Wirthschaft im gesammten Lande entbehrt. Eine andere Art des Zapallo, „Porongos“ genannt, wächst wild in den Quebraden, soll aber ihrer Bitterkeit wegen ungeniessbar sein. Die „Quinoa“ (Chenopodium Quinoa; Chenopodeen) wird hier cultivirt — ihr mehlartiger Kern als Speise bereitet, bildet ein Lieblingsgericht der Salteños. Es soll eben so schmackhaft als nahrhaft sein; — auf den das Saltathal umgebenden Hochebenen soll diese Pflanze indessen besser wie im Thale fortkommen, dort wächst sie auch wild. — In den Quinten fand ich einige, wenn auch noch unbedeutende Versuche mit der „Cocapflanze“, deren getrocknete Blätter das berühmte Kaumittel der Bolivianer abgeben. Man versicherte mir, dass sie sehr gut fortkomme und es ist daher kein Zweifel, dass derselben eine sehr grosse Zukunft in der salteñischen Cultur vorbehalten bleibt. Der Consum der Coca ist selbst hier sehr bedeutend, indem sich die Sitte des Kauens desselben von Bolivien eingeschlichen und unter der arbeitenden Klasse fast allgemein gemacht hat. — Der Busch erreicht eine Höhe von 6—7 Fuss, seine Blätter sind dem des Thee ähnlich. Ob ihr Gebrauch dem System nachtheilig oder wohlthätig ist, wage ich nicht zu entscheiden. Beide Ansichten werden von Fachmännern vertheidigt. Wahrscheinlich ist es, dass sein mässiger Genuss den Verdauungsprozess befördert, während der unmässige Genuss die Organe zu stark stimulirt. — Von den Mittelklassen Saltas wird er als Thee mit Aufguss kochenden Wassers genossen. Moussy behauptet, dass er in dieser Form die Tugenden des Kaffees und des Thees in sich vereinige. — Der Consum dieses Produktes ist bedeutend und wird von Bolivien aus befriedigt; der Verkaufspreis ist enorm und wechselt von 3—4 und selbst 6 real pr. ℔, je nach dem Stand des Marktes. — In Oran soll die Cocapflanze wild wachsen, ihre Anbau beschränkt sich aber auch dort nur auf geringfügige Versuche. —

Der Salteño scheint die bekannte Apathie der Bewohner der südlicheren Pampadistrikte, in Betreff der Baumpflanzungen nicht zu theilen. Letzterer liebt den freien Horizont, die weite Aussicht und jedes Gehölz scheint ihm lästig, weil es jene verdeckt. Aus diesem Grunde findet sich dort die Baumcultur so sehr vernachlässigt; nicht so in Salta — überall sieht man neue sowie schon ältere Baumpflanzungen die Gegend schmükken, und mit ihren geordneten Reihen und lichterem Laube einen interessanten Contrast mit dem dunklen Waldes-Dickicht der nahen Quebradas bilden. — In diesen Baumgruppen, die zum grössten Theil aus Fruchtbäumen, von welchen kein geringer Theil der tropischen Zone angehört, bestehen, finden sich einheimische Pflanzen mit fremden gemengt. Unter letzteren ist der „Chirimollo“ besonders hervorstehend. Seit meiner Anwesenheit in Peru hatte ich diesen hübschen Baum, (Anona Cherimolia nonacee) nicht wieder gesehen, ich begrüsste ihn hier daher als einen alten und lieben Bekannten. Seine ausgezeichnete Frucht ist indessen nicht von demselben superben Geschmack, wie ich ihn in der peruanischen Sorte wahrnahm — nächst ihm fanden sich die „Banane“, die eine stärkere Kälte aushält, wie viele Baumgärtner bis jetzt glaubten. Von dem Cacaobaum, sowie auch dem Kaffeebaum findet man einzelne, wenn auch nur kleine Exemplare. Man behauptet, die eisigen Winde, die von Zeit zu Zeit über die nahen Berge ins Thal hinunterblasen, geben wenig Hoffnung, dass die Pflanzung dieser Bäume zu einiger Wichtigkeit gedeihen wird. — Nicht so der Olivenbaum, der, obwohl er der heissen Zone als eigen betrachtet wird, in Argentinien auf einer Höhe von 3 bis 4000 Fuss und bis 32° s. Breite sehr gut fortkommt. Uebrigens ist es befremdend, dass man in Salta diesen kostbaren Baum nur wenig ausgebeutet findet, während in den südlichen Provinzen von Mendoza und San-Juan, deren Klima ihn nicht so begünstigt, die Produkte seiner Cultur schon eine bedeutende Ziffer in der Exportliste vertreten. — Der Orangenbaum nimmt einen hervortretenden Rang unter den salteñischen Fruchtbäumen ein. Die Güte seiner Frucht in diesem Thale fand ich nirgends so lobenswerth, obgleich ich einige Erfahrung in diesem Punkte zu haben glaubte. — Ihm folgt der „Duragno“ der wie der Zapallo auf den Gemüsefeldern, in „keinem“ argentinischen Fruchtgarten fehlt, nächst diesem der Granatbaum, der Feigenbaum, Apfel-, Birnen-, Nuss- und Kastanienbaum finden sich überall, sowie fast die ganze Menge europäischer und von meinem Leser genügend gekannten Fruchtbäume, einige Vertreter hier finden. Die Hauptbaumcultur Saltas beschränkt sich indessen auf die oben angeführten Arten.

Dieses Gemälde einer üppigen, cultivirten Gegend, im Westen von der entfernten Cordillera de los Valles, im Osten von den blauen Zügen der Sierra de Santa Lumbre de Barbara wie in einen Rahmen eingefasst, stellt das Saltathal dar. Kleine Züge niedriger Hügel, wie die schon erwähnte Zagallarkette, die sich vor der Quebrada de Guachiga legt, und wie die Cerrillos in wenigen Leguas Entfernung von der Stadt, durchschneiden das grosse Becken.

Wir langten am Nachmittage in Zagayar an. Das Dorf ist ca. von 150 bis 200 Personen bewohnt, die von dem Ackerbau leben. Das Aeussere der Dorfstrasse, der Häuser und Höfe ist reinlich und macht den Eindruck von Bequemlichkeit und Wohlhabenheit. Trotzdem fast jedes einzelne Individuum diesem Aeusseren entspricht, ist diese Gegend der häufig in derselben vorkommenden Diebereien wegen, verrufen. Vor Viehdiebstahl warnte man uns besonders, und empfahl uns mit Bezug auf unsere Pferde und Maulthiere die grösste Vorsicht. — Der Viehdiebstahl nimmt in verschiedenen Provinzen einen verschiedenen Charakter an, welchen ich nicht unerwähnt lassen will. Diese Verschiedenheit gründet sich auf den Unterschied des Werthes des Viehes. Nehmen wir die beiden Provinzen Mendoza und Salta, so finden wir die erstere, wo Pferde und Maulthiere einen so niedrigen Werth wie 6 bis 10 Piaster per Kopf haben, ihres häufigen Viehdiebstahls nicht weniger berüchtigt, wie Salta, wo der entgegengesetzte Fall herrscht und man für ein sehr mittelmässiges Maulthier 50 bis 60 Piaster zu zahlen hat. Aus diesem Grunde ist der Viehdiebstahl in Mendoza*) als Vergehen, in Salta als Verbrechen angesehen und als solches bestraft. Obwohl das Strafgesetz des Landes keine Rücksicht auf den resp. Werth des geraubten Thieres nimmt — so sind diesesmal die Richter klüger, wie jenes, und bestrafen in Mendoza dasselbe Verbrechen mit ein Paar Monaten Gefängniss, welches in Salta mit mehren Jahren bestraft wird; aus diesem selben Grund ist die Summe dieser Art Vergehen gleichmässig in beiden Ländern. Was der salteñische Dieb aus raubgieriger Habsucht thut, ist dem Mendoziner ein Ding, welches ihm nicht schwer genug aufs Gewissen fällt, um als Verbrechen angesehen und vermieden zu werden, daher fehlt es dort wie hier nicht an Missethätern, die sich diesem Erwerbszweig, wenn auch aus verschiedenen Motiven, zuwenden.

Je mehr wir uns auf unserem Wege der Hauptstadt der Provinz Salta näherten, je mehr nimmt die Fruchtbarkeit der Gegend, die Dichtigkeit der Bevölkerung zu. Kaum ist man im Begriff, einer ungeheuern Staub-

*) Später unter der Regierung des barbarischen Provinzial-Gouverneurs Molina änderte sich die Strafe, von einem Extrem zum andern übergehend. Er verurtheilte den Viehdieb zum Tode. Allein er stellte auch Todesstrafe auf das kaufmännische Fallissement, bei welchem nicht unwiderlegbar dargethan wurde, dass der Fallit durch unverschuldete Umstände zu der Insolvenzerklärung gezwungen wurde.

wolke, durch die Tropas der Maulthiere, Karreten etc. verursacht, zu entgehen, wenn schon eine andere den Reisenden umfängt, und ihn kaum Luft genug zum Athmen lässt. Die schwer beladenen Trupps der Maulthiere, deren eine einzelne nicht selten 100 bis 120 Stück, selten unter 30 Stück enthält — kommend und gehend — die sich eine Viertellegua ausdehnenden Karren oder Karretenzüge, zuweilen von Maulthieren, gewöhnlich aber von schwerfälligen Ochsen gezogen, wollen kein Ende nehmen. Wenn, wie es nicht selten geschieht, Heerden getriebenen Rindviehes oder Pferde, Maulthiere und Esel sich einander, oder den beladenen Tropas begegnen, so muss unbedingt der Treiber eine gute Dosis Geduld besitzen, um diesen lebenden Knäuel zu entwirren, aber grössere Geduld muss der zufällig des Weges kommende Reisende üben; ruhig muss er am Wege, der ungeheuren Sonnenhitze ausgesetzt, warten, bis der Pass wieder so weit frei wird, dass er sich durchzudrängen vermag; allein gewöhnlich geht eine halbe Stunde nach der anderen vorüber, bis dass er ohne allzugrosse Gefahr den Wirrwarr zu durchbrechen wagen darf. Die starken Hecken der Cacteen, die auf allen Seiten die Felder einschliessen und die Wege scharf begrenzen, lassen keine Hoffnung, diese umgehen zu können — so baumreich die Gegend ist, so finden sich die Bäume gewöhnlich innerhalb der Hecken gepflanzt, so dass auch nicht der geringste Schutz gegen die glühende Sonne dem Wartenden zu Theil wird; von dieser fast gebraten, von dem Staube halberstickt, ermattet von stundenlangem Warten, hat er Gelegenheit genug, die Geduld zu verlieren, aber immer bleibt ihm Zeit sie wieder zu gewinnen. Wird die Strasse frei genug, um sich vorwärts bewegen zu können, so darf man wieder keine Ungeduld äussern, sondern langsam und vorsichtig durch die klippenreiche Gegend steuern. Hier begegnet man den plötzlich gesenkten Hörnern eines erzürnten Stieres, dort findet man sich fast von den grossen, 8 bis 10 Fuss im Durchmesser haltenden Rädern der Karreten erfasst, weicht man aus, so drängt ein mit Gütern beladenes Maulthier heran und rasch hat man das bedrohte Bein über den Hals seines Pferdes zu schlagen, und mag Gott danken, dass es nicht zerquetscht wurde — am meisten hüte man sich aber vor den langen, mit eisernen Spitzen versehenen Lanzen der Ochsentreiber, die mit denselben im dichtesten Gewühl galoppirend umherkreuzen, ohne sich im Mindesten zu kümmern, nach welcher Richtung die Spitze ihrer Waffe gekehrt ist. Im jeden Moment muss man sich von Neuem wundern, noch nicht aufgespiesst zu sein. In den belebtesten Strassen Londons kann man sich nicht so beengt fühlen, wie in diesem Gewühl, welches hauptsächlich durch die Schmalheit der angelegten Wege verursacht wird. Gäbe man ihnen die doppelte Breite, wie die, die sie jetzt besitzen, so würde sich vieles bessern. Wie ich später in Salta hörte, befasst sich die Polizei ernstlich mit der Ausführung eines Projektes in dieser Beziehung.

Diese Lebhaftigkeit des Verkehrs auf dem Wege in der Nähe Saltas herrscht nicht in demselben Grade während des ganzen Jahres. Diesesmal war ein grosser Viehmarkt, der in der Nähe der Stadt alljährlich abgehalten wird, die Ursache — dennoch, obwohl durch einen Ausnahmsfall hervorgerufen, ist diese Lebendigkeit des Verkehrs auf den Wegen wahrhaft erstaunenswerth und lässt den Ankommenden zugleich den Umfang und die Wichtigkeit des salteñischen Handels ahnen.

Am frühen Morgen des 12. Juni passirten wir „la Puerta de Diaz", so nach einem dort wohnenden Gutsbesitzer benannt — ein nicht unbedeutendes Dorf, dessen Grösse aber der Reisende keine Gelegenheit findet, zu schätzen. Ein grosser Theil der Hütten versteckt sich in den Tiefen der wellenförmigen Hügel. Nächst diesem Ort erreicht man binnen wenigen Stunden die „Bañados de Figueroa", wo sich dem Auge eine wahrhaft paradisische Landschaft erschliesst. Fast Alles, was ein hoch üppiger Boden im Verein mit einer sorgfältigen, kunstvollen Cultur hervorzubringen im Stande ist, findet sich hier vor. Man staunt über diese Fülle vegetabilischen Lebens. Die Hügelreihe, die im Westen das in einem Thal abgeschlossene Gebiet des Dorfes begrenzt, birgt eine Menge kleiner Schluchten, wo der jungfräuliche Boden sich noch selbst überlassen blieb. Theilweise von dichtem, mit Lianen verbundenen Holze gefüllt, dringt man nur mit Schwierigkeit in dieselben ein, aber reich wird diese Mühe gelohnt. Eine grosse Anzahl der unten im Thale cultivirten Pflanzen finden sich im wilden Zustande, und man hat den Genuss, die beiden Sorten mit einander vergleichen zu können. Tomate, Ají, vereinzelte Tabackspflanzen findet man auf jedem Tritt. Welch' reiche Ernte für den Botaniker! Wundern muss es, unter den wild wachsenden Bäumen, manche, wie den Orangenbaum, Duragno, Feigenbaum zu finden, welche gewöhnlich als in Amerika eingeführte betrachtet werden. Die Ausführung des Samens cultivirter Pflanzen durch Winde, und die Vertheilung desselben auf den fruchtbaren, empfänglichen Boden, mit dem der grösste Theil der Gegend ausgestattet ist, mag diesen Umstand erklären. Man darf nicht glauben, diese Bäume dicht neben einander zu treffen, man findet sie gewöhnlich nur in bedeutenden Zwischenräu men, die aber ihrer seits wieder manches Fremde und Interessante bieten. Der Urundey ist noch selten, aber man begegnet einzelnen Exemplaren, deren grader Stamm 70—80 Fuss hoch wird, welches nicht die Höhe ist, die er in dem Thale von Oran und bei Jujuy erreichen soll, welche nach M. de Moussy 40 Mètres ist. Pyramidenförmig breitet dieser prächtige Baum seine Laubkrone aus, und ähnelt in seiner Form dem Lapacho. — Der riesige Pacara ist minder selten, aus dessen Frucht gewinnt der Salteño eine seifenartige Substanz, die von ihm als Seife gebraucht wird. Der wilde Nussbaum — Nogal, Juglans alba — soll auch vorkommen, ich konnte seiner nicht ansichtig werden. Ebenso der Quina-quina (Myroxilon peruanum), der bis 90 Fuss Höhe erreicht und dessen Stamm, wenn angebohrt, den „peruanischen Balsam" giebt. Ihm steht an Nützlichkeit der hier vorkommende „Cebil" nicht nach; dieser scheint eine Art Akazie, wird 30 bis 40 Fuss hoch und seine Rinde giebt das Beste aller Gerbemittel. Er muss indessen nicht sehr häufig sein, da trotz der anerkannten Güte des letzteren, es in vielen Gerbereien nicht gebraucht wird. — Am meisten fallen jedoch die lieblichen Gruppen der Cedern ins Auge, die der Gegend ein wahrhafter Schmuck sind. Von den beiden Sorten, die hier gekannt sind, rothe und weisse Cedern, finden sich erstere in Salta am meisten vertreten. Wir sehen ihn sich bis zu ca. 80—100 Fuss erheben, in andern Gegenden erreicht er jedoch bis 150 Fuss. Ueber den grossen Consum seines Holzes in der Tischlerei ist wenig zu sagen, da dieser zu allgemein bekannt ist. —

In dem cultivirten Thale der „Bañados de Figueroa" fanden wir einige Weingärten, die, obwohl sie gut gepflegt werden und das Klima ihnen zusagt, nach Aussage von Kennern keinen Wein produciren, dessen Güte sich mit den der riojanischen und mendozinischen Sorten zu messen vermöchte. In der Feuchtigkeit des Bodens will man die Ursache dieser Inferiorität entdeckt haben. Wie in Mendoza und überall in der argentinischen Conföderation, pflanzt man den Wein an weiten, laubenartig geformten Spalieren, die der Pflanze weniger vortheilhaft wie der Stock sein sollen. Das, was hier über den Weinbau in diesem Thale gesagt wurde, mag für das ganze salteñische Thal gelten.

Die einzelnen, zwischen den Feldern und Gärten zerstreut liegenden Häuser und Hütten haben, wie schon bei unserer Ansicht des Zagayar bemerkt, ein reinliches und gewissermassen wohlhabendes Aussehen. Die leidige und seltsame Gewohnheit, keine Fenster in den Häusern zu bauen, findet sich hier nicht so allgemein vor, wie in anderen Theilen

Argentiniens, — die kleinen Hütten mit ihren schiefen Strohdächern erinnern an manche Gegenden Chile's, obwohl sich dieser Eindruck durch die flachen Dächer der Häuser wieder verwischt. Mit einem Gemüsegarten, seltener Blumengarten versehen, von Orangenbäumen umgeben, bietet der ärmlichste Rancho einen anziehenden Anblick. — Eine befremdende Umgebung der grösseren Häuser bilden die zeltartig aufgeführten Hütten der Matacos, Indianer, die von Zeit zu Zeit ihre Wildniss verlassen, um sich in Salta als Lohnarbeiter zu verdingen — ihre elende Gestalt passt wenig zu diesem Ganzen des Ueberflusses.

In „Cerillos“ übernachteten wir. — Je mehr man sich auf dieser Jornada den Cerrillos nähert, je stärker wird die Spannung des Reisenden. — Die Cerrilos oder „Hügel“ bilden eine niedrige Bergkette, die von ihm umgangen wird — an der „Punta“ oder dem letzten Ausläufer derselben in die Thalebene angekommen, überschaut er die Stadt „Salta.“ Jeder „Tropero“ oder „Arriero“ erreicht diese Stelle nicht, ohne sich freudig bewegt zu fühlen, von einer langen, gefahrvollen Reise endlich das Ziel zu sehen. Man hat daher in der Nähe dieser Stelle ein kleines Mutter-Gottes-Bild, „Nuestra Señora del buen viage“ (Unsere Frau der guten Reise) angebracht, und selten zieht wohl der argentinische Reisende, sei er welchen Standes er auch sei, ohne den Hut zu ziehen und sein Dankgebet zu verrichten, vorüber. Auch wir dankten unserem Schöpfer mit bewegtem Herzen, als wir endlich die langersehnte Stadt vor Augen hatten, die zu erreichen so manche Gefahr und Beschwerde kostet. — Aber es ist nicht allein die Freude der Ankunft, die wir bei dem Blicke von der erhöhten Punta der Cerillos empfinden; dieser mischt sich der Genuss bei, eine Ansicht vor uns zu haben, wie sie selten geboten wird. Die Abendsonne beschien die Gegend mit jenem lieblichen Schimmer, den wir selbst in der Wüste bewundern, wie vielmehr hier, wo eine so reiche Natur ihre Strahlen empfängt. Die langen Züge der schneegekrönten Sierra de los Valles, die wolkenähnlich den Hintergrund begrenzen, die von Wäldern umzogene Ebene, zum grössten Theil sorgfältig cultivirt, aber nicht genug, um überall dem Auge die Reste der Wildniss, einer reizenden, mit tropischem Pflanzenleben gefüllten Wildniss zu verbergen — die im Thale zerstreuten Wohnhäuser, bald unter Orangenwäldchen, bald unter Cedern und Palmengruppen halbversteckt hervorlugend — der sich in vielen Windungen durch das Thal schlingende Saladofluss, überall von den dunklen, sich in weiter Ferne verlierenden Linien der Wege durchkreuzt, dieses Ganze bildet den Rahmen des lieblich belegenen Salta, welches mit seiner Menge weisser Thürme, den tausend flachen Dächern, die in diesem Moment die Strahlen der Sonne zurückwerfen, den roth wiederscheinenden Kuppeln seiner Kathedrale der Kernschmuck der Gegend ist. — Es bot sich uns hier wiederum einer jener seltenen Anblicke, die sich unvergesslich dem Geiste einprägen. Selbst, in späteren Jahren, wenn man jener Scenen gedenkt, wenn vor dem geistigen Auge die weite Ebene, mit allem Reichthum des tropischen Pflanzenlebens ausgestattet, die schneebedeckte, vielzackige Sierra — die dunklen, dichten Wälder mit fremdartigen Hölzern gefüllt — vorüberziehen, fühlt man eine innere Bewegung, die fast ein zweites Heimweh, uns zu jenen Bildern der Vergangenheit zurückzieht. Wehe dem Armen, der bei der Erinnerung Nichts besitzt, welches ihm den Verlust jener ersetzt! —

In der Nähe der erwähnten Punta der Cerillos befindet sich der Flecken Cerillos, wohl von 1500 bis 2000 Einw., deren grösster Theil von dem Ackerbau und zumeist von dem Weizenbau leben. Der Boden der Umgegend dieses Ortes soll sich besser, wie die übrigen Theile des Saltathales für dieses Getreide eignen, dennoch hört man selten von einer grösseren Productionskraft wie 20 per 1 sprechen. — Obwohl wir ein gutes Quartier in dem Flecken erlangten, wagte ich es dennoch nur, dasselbe für Hunter und unseren Alten Dr. Romualdo, die noch immer von ihrer Krankheit etwas angegriffen schienen, in Anspruch zu nehmen, während ich selbst es vorzog, mit Nicolas in der Ebene zu übernachten, um mit desto grösserer Sorgfalt unsere Thiere bewachen zu können, die in dieser Gegend noch grössere Gefahr, wie im Zagayar laufen sollen, gestohlen zu werden. Die Weide der Thiere befand sich fast in einer Legua Entfernung von dem Flecken, die Nacht war glücklicherweise von gutem, trockenem Wetter begleitet — kein Wölkchen trübte den Himmel — und vergnügten Muthes bezogen wir unsern Posten; aber wir hatten unsere Rechnung ohne die Garragata gemacht. Die Garragata (Acarus Ixodes) ein sehr kleines, kaum sichtbares Insekt mit langen Fangkiefern, wird Thieren und Menschen in den Wäldern ausserordentlich lästig und ersteren selbst gefährlich. Was die Heuschrecke für den Ackerbau ist, wird die Garragata für die Viehzucht. Wo sie sich niederlassen, werden sie zur wahren Epidemie, von einem Vieh, gleichviel ob Rind, Maulthiere oder Pferde, gehen sie zum andern über, und bedecken in kurzer Zeit Tausende. Die Mittel, die man gegen sie entdeckt hat, scharf ätzende Substanzen, wirken zum Theil mit derselben Schädlichkeit wie der Biss, zum Theil lassen sie sich nur auf zahme Hausthiere anwenden, während für die Tausende und Tausende des Viehes der Pampas und Wälder bis jetzt kein Gegenmittel entdeckt ist. Im Jahre 1829 sollen grosse Bezirke Brasiliens ein volles Drittel ihres Viehbestandes durch die Garragata verloren haben. Auch in Paraguay findet man solche Verheerungen von Zeit zu Zeit durch dieses Insekt herbeigeführt, in Argentinien hat sie indessen glücklicherweise bis jetzt ihre Wirkungen auf kleinere Distrikte beschränkt. In diesem Lande soll sie sich weder mit derselben Fruchtbarkeit reproduciren noch die Grösse erreichen, wie in Brasilien und Paraguay; ja in gewissen Gegenden, wie Salta und Catamarca, sieht man sie selten in grosser Anzahl über einen verhältnissmässig kleinen Flächenraum verbreitet, sondern sie breiten sich dünn gesäet und vereinzelt über grosse Strecken aus, und vermindern dadurch ausserordentlich ihre verheerende Kraft, die zum grössten Theil in ihrer Menge und der Wirkung derselben auf einen engen Punkt besteht. Indessen auch ein einzelnes Insekt, wenn nicht gehörig vertilgt, ist im Stande, seinem Opfer harte Leiden zu bereiten. Es setzt sich auf dem Felle des Thieres oder auf der Haut des schlafenden Menschen fest, und indem es die zarten Kiefer einschlägt, saugt es das Blut in sich auf in solcher Menge, dass es bis zur fünf und sechsfachen seiner gewöhnlichen Grösse sich ausdehnt, ja, wenn voll, oft einen halben Zoll im Durchmesser enthält. In diesem Zustande sieht es einem kleinen, mit Blut gefüllten Sack ähnlich. Hat es sich gefüllt, so lässt es sich fallen, um auf dem Boden das Blut von sich zu geben und nach gehöriger Verdauung sein Werk aufs Neue zu beginnen; der lästige Gast verlässt aber gewöhnlich sein Opfer nicht, ohne vorher seine Eier in der Wunde deponirt zu haben, die nur wenige Stunden brauchen, um neue Insekten zu produciren. Ist bis zu diesem Zeitpunkt kein Mittel angewandt, so sollen sich die furchtbarsten Schmerzen kundgeben, Ob wahr, bin ich nicht im Stande, zu garantiren, aber die Bauern erzählen, dass das Maulthier im freien Zustande das einzige Thier ist, welches sich zu helfen weiss, indem es, so wie sich die Garragata fühlbar macht, auf die kalten Flächen der nahen Berge eilt — das Insekt, welches nur in einer heissen Sonne sich auszubilden und zu leben vermag, erträgt die Kälte nicht und stirbt. Die kleine Wunde bleibt dann dem natürlichen Heilungsprozess überlassen. Indessen findet man das Insekt noch bis zum 29 bis 30° südlicher Breite. —

Dieser Art war die Plage, die wir diese Nacht kennen lernen sollten. Kaum hatten wir unsere Thiere auf die Weide gejagt, und uns um das

Bivouacfeuer gelagert, als sie ihren Angriff machten. Unbemerkt drangen die Insekten unter die Kleidung und bohrten sich sofort in die Haut ein, welches ein schmerzhaftes, kitzelndes Gefühl verursacht. Glücklicherweise hatte ich etwas Branntwein mitgebracht, mit welchem ich mir Arme und Nacken, die angegriffensten Theile, rieb und mir auf diese Weise nicht wenig Linderung verschaffte. Der Peon rieb sich mit gekautem Taback, welches ein anderes probates Mittel sein soll. Unsere Thiere fanden wir am nächsten Morgen in einem bedauernswürdigen Zustande, manche derselben waren ganz mit blutigen Streifen bedeckt, die ihnen das Aussehen gaben, als seien sie blutig gepeitscht worden — uns näher kommend, fanden wir auf ihrem Rücken, am meisten aber unter dem Bauche, kleine Anschwellungen, die ich für Geschwüre hielt, aber nichts anderes als die mit Blut gefüllten Garragatas waren. Nicolas befreite die Thiere von dieser widrigen Last, und rieb die Wunden gleichfalls mit geriebenem und gekautem Taback, nichts destoweniger schienen vorzüglich die Pferde sichtlich ermattet und entmuthigt.

Trotz dieser Plage ging die Schönheit der tropischen Nacht nicht ungenossen an mir vorüber. Es giebt kaum einen höheren Genuss, als nach der Hitze des Tages, ermattet von der Arbeit, die kühle, erfrischende Nachtluft einzuathmen. Behaglich streckt man die müden Glieder auf dem harten, aber darum nicht minder angenehmen Lager, und indem man umsonst versucht, den summenden Ton der Cicaden einer Lieblingsmelodie anzupassen, betrachtet man das prächtige Dach seines Schlafzimmers, wie es kein König besser besitzt — gedenkt bei jenem Sternbilde, oder jenem Sterne, anderer Verhältnisse, anderer jetzt weit entfernter Orte, durch welche sie uns so getreulich begleitet, — auch vielleicht der Nächte, während welchen man von Gefahren umgeben, verzweiflungsvoll zu jenen Gestirnen aufgeblickt — und entschlummert dann mit dem ersten und letzten Gedanken des Reisenden: die ferne Heimath.

Schon nach kurzer Ruhe erweckt ihn jedoch das Geräusch der nächtlichen Thierstimmen — an die, trotzdem er so manche Nacht gezwungen war sie zu hören, er sich doch nicht gewöhnen kann. Das gellende Gebell der Füchse, das Geheul der wilden Katze, das Geschrei der aufgestörten Papageien, selbst das Gebrüll des Cuguars oder des, freilich selteneren Jaguars, wird ihn vielleicht nicht mehr in seinem Schlafe stören. — Wie Napoleon bei dem Donner des Geschützes ruhig schlief, lehrt auch ihn die Nothwendigkeit, bei dem Geschrei der wilden Bestien zu schlafen, welches, wie ich überzeugt bin, wohl mit jenem den

Vergleich aushält. Aber schwerer, mir unmöglich, wird ihm diese Gleichgültigkeit gegen das ewige Summen der Cicaden zu behaupten. Kommt ein Schwarm dieser Insekten in grössere Nähe des Schläfers, so verstärkt sich ihr Gesumme bis zu einem solchen Grade, dass man den pfeifenden Ton mehrerer Dampfmaschinen zu hören glaubt, und erschreckt aus dem Schlafe auffährt. Glücklicherweise behaupten sie das Feld nicht während der ganzen Nacht, sondern ziehen sich schon drei oder vier Stunden noch Sonnen-Untergang zurück, lassen aber in der Garragata einen Collegen zurück, der sorgfältig für die Beendigung des begonnenen Werkes: dem Reisenden den Schlaf zu rauben, sorgt. Am besten wird dieser sich befinden, wenn er nicht hartnäckig auf die Fortsetzung desselben besteht, sondern die Schläfrigkeit bei Seite werfend, in der Seltsamkeit der ihn umgebenden Scene einen neuen Genuss sucht. Zahllose kleine Lichter, die in jeder Richtung das Gebüsch durchschwirren, die das hohe Gras mit lebenden Brillanten zu besäen scheinen, werden seine Aufmerksamkeit zuerst auf sich ziehen. Der kleine Laternenträger (Fulgora linterna) ist in der That eine Characteristik der tropischen Nächte. Der Schein des phosphorartigen Lichtes, welches das Insekt am Kopf zu tragen scheint, macht in dunklen Nächten einen ausserordentlichen Eindruck, indessen verbreitet er nicht die etwas unwahrscheinliche Stärke des Lichtes des sogenannten Surinam'schen Laternenträgers, welcher die Nächte bis zu einem solchen Grade erhellen soll, dass gewisse Reisende bei demselben gelesen haben wollen. — Der Laternenträger beschafft nicht allein diese sonderbare Illumination. Ein anderer sich hier häufig vorfindender Leuchtkäfer, der Tucotuco (Elater, Pyrophorus) wirft einen noch helleren Glanz. Dieses Insekt besitzt die merkwürdige Eigenschaft, seinen Körper in zwei Theile, wie ein Federmesser, klappen zu können. Sie tragen ihr Licht in zwei phosphorartigen Pünktchen auf der Brust. Die Bauermädchen dieser Gegend gebrauchen sie als Haarschmuck. Auch andere Arten Leuchtkäfer mischen sich nicht selten mit ersteren, die sich indessen von denselben durch ihren verminderten Glanz, sowie, dass sie die leuchtende Materie am Bauch anstatt am Kopf oder an der Brust tragen, unterscheiden.

Ausser diesen Insekten, und der grossen Nacurutu (Stryx Magellanica, Linné) die zuweilen mit schweren Flügelschlägen das Feuer umkreist, sieht man kein einziges Thier, hört deren aber desto mehr. Das Concert der Frösche in den Sümpfen hört man kaum, obwohl es dem Neuling im Lande fast die Ohren zerreisst, man ist zu sehr daran gewöhnt; dumpfes Gebrüll, Geschrei, Gebell, langgedehnte Rufe mischen sich indessen zu einem wahren Chaos von Tönen, unter welchen man nur selten ein, einem bekannten Thiere gehörigen, herauszufinden vermag. Wenn man am Tage den ruhigen so einsamen Wald durchkreuzt, vermuthet man nicht, welche reiche Fülle des Lebens sich unter seiner Aussenseite birgt.

Die sonderbaren Formen, die der Wald und die gebrochene Ebene bei dem matten Licht der Sterne annehmen, vermehren noch den Eindruck, den diese fremdartige Scene auf uns macht, und deren Anschauung wohl im Stande ist, für den Verlust des Schlafes zu lohnen.

XVIII.

Salta. – Geographische Beschreibung der Stadt und nächsten Umgegend. – Bevölkerung. – Census und Zunahme derselben. – Die statistische Moralität. – Die wirkliche Moralität. – Sittlicher Zustand der Mischlingsracen, ihr allmähliches Aufgehen in die caucasische Race. – Gesundheitszustand der Bevölkerung. – Industrie. – Vorurtheile gegen Handarbeit. – Der Handel Salta's. – Export, Import und Birnenhandel. – Vermittlungshandel. – Viehzucht. – Ackerbau. – Indianische Arbeiter. – Matacos und Chiriquanos – ihre Anwerbung, Sitten, Gebräuche etc. – Ihre Kämpfe. – Bergbau. – Topographische Beschreibung Salta's. – Oeffentliche Gebäude, Anstalten u. s. w. – Eine Marktscene. – Ausflug nach den westlichen Bergen. – Elend der Bewohner jenes Theiles der Provinz. – Abreise von Salta. – Schluss.

Von den Cerillos, die in nur zwei Leguas Entfernung von Salta liegen, erreicht man dieses in einer Stunde. In der nächsten Umgebung der Stadt angelangt, würde die gut angelegte Chaussee, die nicht aufhörende Reihe hübsch gebauter Landhäuser, unter welchen sich mehrere kostspielige und geschmackvolle Bauten auszeichnen, die kunstvollen, weitläufigen Gartenanlagen, den Fremden glauben machen, sich in der Nähe einer grösseren europäischen Stadt zu befinden, entrisse ihn der tropische Character der Vegetation dieser Täuschung nicht. Unmittelbar vor der Stadt passirt man den kleinen Fluss „Rio de la Silleta“, der Salta's Südseite bespült und später durch die Quebrada von Guachigas den „Salado“ aufsucht. Der Fluss theilt sich hier in drei Arme, die sich aber binnen Kurzem zu einem vereinigen, um, sowie das Terrain flacher wird, sich wieder zu trennen; bei Salta ist der mittlere dieser Arme der tiefste, maass aber bei unserer Passage kaum zwei Fuss Tiefe; er soll indessen in regenreichen Jahreszeiten das Dreifache erreichen, wäre also während solcher Periode schiffbar, wenn sein später sehr gebrochener Lauf durch die Felsenklüfte der Guachiga-Quebrada nicht jede Aussicht in dieser Richtung verschlösse. — Aus diesem Grunde hofft der Salteño die Ausführung seines Lieblingsprojectes, einen besseren Transportweg nach dem Littoral, wie der gegenwärtige es ist, zu besitzen, von dem nördlichen „Rio Bermejo", welcher indessen dieser auf ihm gesetzten Hoffnung nicht ganz genügen kann, indem sein, Salto nächster Landungsplatz „Esquina Grande" noch immer 80 Leguas, also ca. acht Tagereisen entfernt liegt. Ein ausgezeichneter Weg, der über die Sierra de Santa Barbara führt und mit wenigen Kosten fahrbar gemacht werden kann, soll indessen diese Schwierigkeit erleichtern. Die Esquina Grande kann von 4 bis 5 Fuss tiefgehenden Schiffen erreicht werden.

In die Stadt einreitend, verliert man viel von dem Eindruck, welchen ihr grossartiger Anblick aus der Ferne auf uns machte. Die engen Strassen, nicht sehr reinlich gehalten, schlecht gepflastert, gefallen unsern mit den eben verlassenen, lieblichen Naturbildern verwöhnten Augen nicht. Selbst die Bauart der Häuser entspricht nicht dem, was wir nach den freundlichen Landhäusern der Umgebung der Stadt zu finden erwarteten. Sie sind grösstentheils aus Erde aufgeführt, mit wenigen Fenstern, vielen Thüren, nicht selten findet man die eine Hälfte der Fronte der Gebäude mit Thüren und die andere Hälfte mit einer gleichen Anzahl Fenster bedeckt, welches, so unendlich hässlich es auch ist, einen komischen Eindruck hinterlässt. Eine grosse Anzahl der Häuser ist überdem baufällig, obgleich das Erdbeben von 1844 unter dieser Klasse besonders aufgeräumt haben soll. Unter diesen Umständen ist der ungesunde Zustand Salta's nicht zu verwundern.

Die Strassen waren bei unserer Ankunft fast menschenleer, da Alles nach dem schon erwähnten Viehmarkt, der während dieser Woche in der Nähe der Stadt abgehalten wurde, gegangen war, selbst die Läden der Kaufleute waren geschlossen; dennoch fehlten es nicht an Neugierigen, die unsern Zug betrachteten; einzelne der „Chiripa-Leute", gente de chiripá, wie der höherstehende Salteño die unteren Klassen bezeichnet, befragten uns sogar mit der grössten Unverschämtheit über unseren Namen, unsern Stand und des Woher und Wohin. So viel auch die Strassen Salta's von argentinischen Reisenden und Troperos frequentirt werden, sind Fremde doch eine zu seltene Erscheinung, um nicht besondere Neugier zu erregen. Dennoch, obwohl wir diesem Umstande Rechnung trugen, wurde uns diese Sitte, befragt zu werden, sehr unbequem und wir verwiesen diese neue Species von Fremdenpolizei an Nicolas, der indessen für die derben Scherze, mit welchen er sie abfertigte, von den heissblütigen Salteños einige Messerstiche geerndtet hätte, würden wir unsere Thiere nicht in Galopp gesetzt haben, um ihnen zu entgehen. — Nach wenigen Minuten stiegen wir in dem geräumigen Hofe der Posada ab, wo wir Futter für unsere Thiere und wir selbst ein Zimmer fanden. Es ist indessen nicht Sitte in den salteñischen Gasthöfen, die Gäste zu speisen. Der Wirth wies uns nach dem Marktplatz, wo Mulattoweiber fertige und warme Speisen aller Art verkauften. — Mit den Gerichten beladen, zogen wir nach dem Gasthof zurück, nicht wenig den so unspeculativen Geist der Salteños verwünschend. In der Folge gelang es uns jedoch, ein anderes Gasthaus ausfindig zu machen, wo gespeist aber nicht logirt wurde. Es scheint, die salteñischen Gastwirthe theilen sich in zwei Zünfte, von der die eine sich mit den Herbergen, die zweite mit den Restaurants beschäftigt, und die sich gegenseitig nicht ins Handwerk pfuschen; eine Methode, die für den Reisenden jedenfalls höchst unbequem ist.

Salta d. i. die Stadt Salta liegt auf 24° 51′ s. Breite und 67° 44′ westl. Länge (von dem Meridian über Paris gerechnet), 3400 Fuss über dem Meeresspiegel, inmitten des grossen Beckens, welches im Norden von den Ausläufern des bolivianischen Gebirgssystems, im Osten von den wenig ausgedehnten aber hohen Sierras von Humahuaco, Zenta und Calilegua, welche sich bis 9 und 12000 Fuss hoch erheben, und der Sierra del Alumbre de Santa-Barbara nur 7500 Fuss hoch, an deren östlichem Abhang der Rio Bermejo streicht, im Süden und im Westen von der Cordillera de los Valles und weiter nördlicher, von der „del Despoblado“, die die östliche Wand der grossen Hochebenen von der Puna und Despoblado bilden, begränzt wird. Dieses Becken, welches sich bei einer durchschnittlichen Breite von ca. 60 deutschen Meilen auf drei Breitengrade erstreckt, begreift die bewohntesten und fruchtbarsten Theile der Provinzen Salta und Jujuy. Seine mittlere Höhe über dem Meere wird von M. de Moussy auf 1250 Mêtres angenommen. Ein reicher, wenn auch nicht tiefer Humusboden, der das Thal fast in seiner ganzen Ausdehnung bedeckt, die zahlreichen Ströme, die sich von den östlichen und westlichen Bergen zugleich über die Ebene ergiessen und ihren Ausgang im Süden durch die Quebrada del Escoige und Guachiga nehmen,

22

diese Vortheile, durch ein warmes aber mildes Klima*) noch mehr zur Geltung kommen, machen es zu dem fruchtbarsten Theile Argentiniens. Ich machte schon oben, bei der Beschreibung unseres Durchzugs eines kleinen Theiles des Thales von Salta auf die üppige Vegetation und Cultur des Bodens aufmerksam, das dort Erwähnte ist auf die ganze Ausdehnung des Thales anzuwenden, mit dem einzigen für die nördlicheren Gegenden geltenden Unterschied, dass in diesen sich das warme und gemässigte Klima in das heisse Tropenklima umwandelt (Salta's wärmster Monat besitzt 25°, Oran's 29°), welcher Umstand für die Cultur des Bodens seine Vortheile und Nachtheile bringt. — Der Reichthum dieses weiten Thales beschränkt sich nicht allein auf die Produkte des Ackerbaus; dieser allein würde Salta schwerlich zu seinem heutigen Wohlstand verholfen haben. — Schon oben erwähnte ich der bedeutenden Viehzucht der Provinz, die in dieser Beziehung fast mit allen ihren Schwesterprovinzen zu concurriren vermag. In den, dieses Thal umgebenden Bergen finden die Thiere besonderes Gedeihen. Die westliche Kette, die Sierra de los Valles besitzt theils zahlreiche und weite Hochebenen, theils sanft sich neigende Abhänge, wohin sich die Trockenheit, wie sie in den südlicheren Gebirgen der Rioja und Catamarca herrscht, nur selten verliert, und die daher ein reicheres Gras, dichte Garobawälder besitzen, in denen Tausende Köpfe Hornvieh, Maulthiere und Pferde gezogen werden. — Diesem Vortheile treten zwei andere, kaum von geringerer Bedeutung bei; die Bergwerke dieser selben Sierras, die für die Viehzucht so günstige Resultate geben und die geographische Lage Salta's, die es zum Stapelplatz für den Handel eines bedeutenden Theiles der argentinischen und bolivianischen Republik macht.

Diese Lage der Provinz nahe der Grenze dreier bedeutender Länder, nebst dem Ackerbau, der Viehzucht und dem Bergbau, sind die Hebel des Handels gewesen, der in Salta bis zu einem so hohen Grade gediehen ist, und in der Zukunft, wenn jene Vortheile durch Auffindung besserer Transportmittel gehoben werden, einen weit höheren hoffen lassen. Die Hauptstadt der Provinz Salta ist der Centralpunkt dieser Thätigkeit; bis jetzt noch keinem Census unterworfen, wird ihre Einwohnerzahl auf

*) In dem „Tableau des principaux phénomènes météorologues de la Confédération Argentine“ de M. de Moussy wird Salta folgendermaassen angeführt: mittlere Jahrestemperatur 18° fraglich, Frühlingstemperatur 17°, Sommertemperatur 24°, Herbsttemperatur 18° 5', Wintertemperatur 12° 5'. Mittlere Temperatur während des wärmsten Monats Januar 25°, Mittlere Temperatur während des kältesten Monats August 12°, Mittlere Höhe des Barometers 666,0, barometrische Periode 2,40 mm., Vorherrschender Wind: Nord.

70,000 geschätzt, von welcher 12,000 auf die Stadt Salta kommen. Diese Zahlen werden auf die Vermehrung der Bevölkerung nach den Geburts- und Sterberegistern gestützt — beide sind aber nur höchst unvollkommen geführt. Unter Anderen geht aus diesen Listen hervor, dass während des Zeitraums von 27 Jahren in der Stadt nur 1607 Heirathen vollzogen, dagegen aber 10,455 Kinder geboren wurden; stellt man die Geburtsfähigkeit mit der Provinz Buenos-Ayres, wo die grösste Genauigkeit in den Registern herrscht, auf eine Stufe, so müssten wir im Durchschnitt 4 erzeugte Kinder per Heirath rechnen; diese Ziffer würde 6428 ehelich erzeugte Kinder, also 38½ % für uneheliche lassen, welche Thatsache keine vortheilhaften Begriffe von der Reinheit salteñischer Sitten giebt. Indessen fallen hier andere Umstände ein, die, wenn sie auch die Ziffern nicht ändern, doch an den sie erzeugenden Sitten einen anderen Maassstab legen, als wir ihn in Europa zu nehmen gewohnt sind. Wir finden hier nicht die Moralität, die nach dem Verhältniss statistischer Zahlen, der Anzahl der Heirathen, der ehelich und unehelich gebornen Kinder beurtheilt werden kann; hier bezeichnen diese Zahlen nur die Schwierigkeit, die sich den Heirathen der unteren und mittleren Stände in den Weg legen — schon die dünne Bevölkerung des Landes lässt uns den Begriff einer solcher Entsittlichung zurückweisen, wie unter den gleichen statistischen Verhältnissen der Geburtsregister in der alten Welt wir ihn annehmen müssten. Die so weit fortgeschrittene Prostitution, wie wir sie in gewissen Theilen derselben wahrnehmen, hat ihren Hauptgrund nach dem Urtheil geachteter Volkswirthe in der Uebervölkerung.*) Wenn aus dieser Aufstellung auch nicht logisch folgt, dass mit der Uebervölkerung Laster und Unsittlichkeit zunehmen, so trägt

*) Albert Schäffle in seiner Nationalökonomie, (Leipzig 1861) sagt: „Die Bevölkerung hat meist die Neigung, das Malthus'sche Gesetz zu missachten und sich stärker zu vermehren, als sie die Unterhaltungsmittel zu steigern vermag; der Trieb ist zu mächtig und die Hoffnung der Verliebten stets rosig. Allein das Naturgesetz rächt den Bruch, welcher in der „Uebervölkerung" liegt. Es entsteht Mangel und Elend, daraus Krankheit und Sterblichkeit, Verbrechen und Laster; Viele werden, was noch der günstigste Fall ist, sich veranlasst sehen, aus der Heimath auszuwandern. Bei rohen Völkern treibt es zu unnatürlichen Sitten: zur Kinderaussetzung (in Athen sogar von Sokrates nicht angefochten, in China noch heute gesetzlich erlaubt), zur Tödtung der Kranken und Gebrechlichen im Alterthum und heute noch bei wilden Stämmen zum Sklavenverkauf, wie jetzt in Afrika zu Kriegs- und Raublust, wie in Europa zur Zeit der Völkerwanderung und noch jetzt in der ewigen Selbstbefehdung der wilden Stämme, welche meist wegen irgend einer Nahrungsquelle sich entzündet; die Menschenfresserei der Kannibalen ist ebenfalls eine Erscheinung, welche hierin zum Theil ihre wirthschaftliche Erklärung findet; Missionäre führen deshalb nicht blos die Bibel, sondern auch die Schweinezucht bei den Kannibalen ein."

dennoch unbestreitbar die Abwesenheit von Mangel und Elend, die Folgen der Uebervölkerung und Ursachen von Verbrechen und Laster, im starken Grade dazu bei, diese zu vermindern.

Auch die Rohheit der Volksmasse, wenn nicht mit der Uebervölkerung verknüpft, wäre allein nicht im Stande, jene tiefe Unsittlichkeit, wie wir sie in den meisten der grösseren europäischen Städte wahrnehmen, hervorzubringen. Diese ist meist unglaubhaft. Aus den Berechnungen des Volkswirthes Moreau de Jonné geht hervor, dass das Verhältniss der unehelich zu den ehelich gebornen Kindern in div. europäischen Städten folgendes ist: wie 1 zu 2 in Stockholm, Porto, Lissabon; wie 1 zu 3 in Paris, Wien, Berlin, Neapel; wie 1 zu 4 in Mailand, Kopenhagen; wie 1 zu 5 in Florenz, St. Petersburg, Genua etc. — allein selbst die Ziffer 1 zu 13, die man im Durchschnitt für ganz Europa annimmt, ist unsittlicher zu nennen, wie Salta's 35½ %. In diesem Lande hielt es noch vor Kurzem ausserordentlich schwer, eine Heirath zu vollziehen, sie gehörte sogar zu einer Art Luxus, die sich nur die reicheren, höheren Stände erlauben durften, für die Leute der Campaña ist sie oft unmöglich, materielle Hindernisse, wie hohe Kosten, grosse Entfernungen, laxe Gesetze stellten sich während Jahrhunderte den Heirathslustigen entgegen; was ehedem eine Nothwendigkeit war, nämlich das Zusammenleben der Geschlechter ohne gesetzliche Heirath, wurde allmählich eine liebe Gewohnheit, die sich indessen von Tage zu Tage mehr verliert. Die grössere Leichtigkeit, eheliche Verbindungen zu schliessen, datirt sich in den argentinischen Staaten erst seit dem Sturz des Tyrannen Rosas und dem Antritt des erleuchteten Urquisas in der Präsidentschaft der Republik — erst durch dessen weise Verfügungen, Reisen von Missionären durch das Land, sowie durch die von Tag zu Tag sich bessernden Wege dringt die Möglichkeit und mit ihr die Sitte sich zu heirathen in die unteren Klassen. (1856 wurde die Ziffer der natürlichen Kinder in der Provinz Buenos-Ayres nur auf 17 % festgesetzt, während sie vor kaum zwanzig Jahren den salteñischen Verhältnissen noch sehr nahe gekommen sein soll.) Würde die Leichtigkeit der beiden Geschlechter zusammenzuleben, mit den gleichen Schwierigkeiten, die sich der Ausführung der Civil- oder kirchlichen Ehe entgegensetzen, wie hier, in Europa existiren, so fürchte ich, würden trotz der höheren Bildung manche Theile des alten Continents noch einen viel weniger vortheilhaften statistisch-moralischen Zustand wie Salta jetzt zeigen, ja nach dem jetzigen Zustande jener zu urtheilen, würde man die Auflösung ihres ganzen Gesellschaftlebens mit Recht fürchten müssen. In Salta wird nichts von derselben gemerkt und wird es auch nicht werden, bis das Malthus'sche Gesetz hier so sehr wie in Europa verletzt wird: viz; die Bevölkerung im Verhältniss zur Produktivität des Landes sich zu stark vermehrt; Irland u. A. liefert hiervon ein trauriges Beispiel: die 9 Mill. Ew., die es 1846 besass, verminderten sich in Folge der Kartoffelseuche auf 6 Millionen. — In Salta, sowie anderen, vorzüglich den Andesprovinzen, wo dasselbe Verhältniss umgekehrt herrscht, d. i. wo die Produktivität täglich mehr über den Bedarf hinauswächst, nimmt der Reisende leicht wahr, dass in der zahlreichsten, der Mittelklasse, eine tiefe natürliche Sittlichkeit Wurzel gefasst hat. Mann und Weib, obwohl ohne kirchlichen Segen, halten treu zusammen, ihre Töchter sind nicht minder ehrlich und keusch, als wenn sie aus einer ehelichen Verbindung erzeugt wären, die Ehebrecher und fehlenden Töchter Eva's nicht minder verrufen, als in der alten Welt — auf dem Lande prägt sich dieser Zustand besser wie in den Städten aus, wo Fremde und Mischlingsracen das Verhältniss trüben. Nur zu häufig bringen erstere ihre alten corrupten Begierden mit nach dem neuen Continent und vergiften das sittliche Leben, welches sie nicht verstehen, und es von ihrem europäischen Standpunkt aus beurtheilend, verdammen. Eine nicht eingesegnete Verbindung ist ihnen nicht viel weniger als offene Prostitution. Sie sehen daher weder Treue, Kindesliebe, noch die anderen häuslichen Tugenden, die hier auch ohne den ausgesprochenen Segen des Priesters bestehen, und halten sich für völlig berechtigt, solche Bande für die Befriedigung ihrer Begierden zu lösen. — Eine andere Ausnahme, die wir von der Allgemeinheit reiner Sitten in Argentinien machen müssen, betrifft die Mischlingsracen: Mulatten, Chino-Zambo, Zambo-Chino*), die

*) Mr. W. B. Stevenson, in seiner Narrative of twenty Years Residence in South America vol 1 p. 286 citirt v. George Combe, giebt folgende Tabelle der verschiedenen Mischlinge Südamerika's:

Vater:	Mutter:	Kinder:	Farbe:
Europäer	Europäerin	Creolen	Weiss
Creolen	Creolen	Creolen	Weiss
Weisser	Indianerin	Mestizen	$^{5}/_{8}$ Weiss, $^{3}/_{8}$ Indianer, blond
Indianer	Weisse	Mestizen	$^{4}/_{8}$ Weiss, $^{4}/_{8}$ Indianer
Weisser	Mestize	Creolen	Weiss, oft sehr blond
Mestize	Weisse	Creolen	Weiss, etwas dunkel
Mestize	Mestize	Creolen	Dunkel, oft blond
Weisser	Schwarze	Mulatten	$^{7}/_{8}$ Weiss, $^{1}/_{8}$ Schwarz, oft blond
Schwarzer	Weisse	Zambo	$^{4}/_{8}$ Weiss, $^{4}/_{8}$ Schwarz, dunkle Kupferfarbe
Weisser	Mulattin	Quarteron	$^{6}/_{8}$ Weiss, $^{2}/_{8}$ Schwarz, blond.

glücklicherweise so selten sind, dass man die Zahl der ihnen angehörenden Individuen in den Andesprovinzen nur auf 1 für 50 festsetzt — sie ziehen sich gewöhnlich nach den grösseren Städten hin, wo sie sodann im Verhältniss eine grössere Zahl vertreten, wie die so eben für das ganze Land angegebene. Diese Mischlingsracen, denen man nur theilweise die Mestizen hinzufügen darf, stehen sowohl in moralischer wie intellectueller Beziehung auf einer niederen Stufe, als der Rest der Bevölkerung; ihre Trunkenheit und lasterhaften Excesse machen sie nur zu häufig zum Gegenstand der Verachtung ihrer Mitbürger — viel mag hierzu die Behandlung beitragen, die sie von diesen als nicht ebenbürtig erhalten, vieles auch die Inferiorität ihrer Abkunft. Erfreulich ist es jedenfalls zu sehen, dass sie nach und nach in der kaukasischen Race aufzugehen scheinen, worüber die schon aufgeführte Tabelle des Reisenden Herrn Stevenson uns die beste Aufklärung giebt. In derselben wird angeführt, dass die von dem Weissen und der Indianerin erzeugten Kinder 6/8 Weiss und nur 2/8 Indianer sind, während umgekehrt die von dem Indianer und einer Weissen erzeugten Kinder den Racen beider Eltern zu gleichen Theilen gehören. Der Mulatte, aus der Verbindung eines Weissen mit einer Schwarzen hervorgegangen, wird auf 7/8 Weiss und 1/8 Schwarz gesetzt,

---

Vater:	Mutter:	Kinder:	Farbe:
Mulatte	Weisse	Mulatte	5/8 Weiss, 1/8 Schwarz, Bräunlich
Weisser	Quarterona	Quinteron	7/8 Weiss, 1/8 Schwarz, sehr hell
Quarteron	Weisse	Quarteron	6/8 Weiss, 2/8 Schwarz, Bräunlich
Weisser	Quinterona	Creole	Weiss, helle Augen, blondes Haar
Schwarzer	Indianerin	Chino	4/8 Schwarz, 4/8 Indianer
Indianer	Schwarze	Chino	3/8 Schwarz, 6/8 Indianer
Schwarzer	Mulattin	Zambo	5/8 Schwarz, 3/8 Weiss
Mulatte	Schwarze	Zambo	4/8 Schwarz, 4/8 Weiss
Schwarzer	Zamba	Zambo	15/16 Schwarz 1/16 Weiss, Dunkel
Zambo	Schwarze	Zambo	7/8 Schwarz, 1/8 Weiss
Schwarzer	China	Zambo-Chino	15/16 Schwarz, 1/16 Indianer
Chino	Schwarze	Zambo-Chino	7/8 Schwarz, 1/8 Indianer.
Schwarzer	Schwarze	Schwarze	

Wir dürfen uns indessen nicht mit zu vielem Vertrauen auf diese Tabelle stützen: Fast keine der Beobachter, die diese Verhältnisse festsetzen, stimmen mit einander überein. So setzt z. B. Moussy, dem gewiss Niemand Talent und Erfahrung in diesem Fache absprechen kann, die Mischung des Weissen mit der Schwarzen als 1/2 Schwarze und 1/2 Kaukasier fest, ebenso den aus der Verbindung des Weissen mit der Indianerin hervorgegangenen Mestizen giebt er zur Hälfte indianisches und zur Hälfte kaukasisches Blut. Indessen, wenn auch auf einem anderen Wege, wie Mr. Stevenson, gelangt er dennoch zu dem Schlusse, dass das kaukasische Blut einen vorwiegenden Einfluss gelten macht Nach ihm producirt nämlich der Weisse und die Indianerin halb kaukasisches und halb-indianisches Blut, allein der Weisse mit der Mestize 7/8 kaukasisches und 1/8 indianisches Blut.

während, stammt er von einem Schwarzen und einer Weissen, er von Vater und Mutter einen gleichen Theil der Eigenschaften ihrer Race entnimmt. Im ersteren Fall ist er blond, im zweiten zeigt er eine dunkle Kupferfarbe, welches, indem es zugleich den Haupteinfluss des Vaters bei der Erzeugung beweist, auch das unbedingte Uebergewicht der kaukasischen Race darthut.

Erscheint die Ziffer der Bevölkerung Salta's für die Gegenwart klein, so hat diese Provinz sowohl wie der Rest Argentiniens die beste Aussicht auf eine rasche Vermehrung; ohne selbst auf die Einwanderung zu rechnen, darf man die Verdoppelung der Bevölkerung in 25 Jahren annehmen. Die Sterblichkeit in der Provinz Salta ist 1 für 64½ jährlich, welches zu der mittleren Sterblichkeit ganz Argentiniens, die 1 für 40 beträgt, ein für den salteñischen Gesundheitszustand sehr günstiges Verhältniss zeigt. — Da Salta, vorzüglich aber die Stadt, als ungesund verrufen ist, so dürfen wir jenen Ziffern, die Resultate schlecht geführter Kirchenregister, wenig Glauben beimessen. Die mittleren Angaben für ganz Argentinien finden hier am besten ihren Platz. Diese betragen: Sterblichkeit 1 für 40, Geburten 1 für 25. Mittleres Lebensalter 38 Jahre. Uebrigens wechseln diese Ziffern mit beträchtlichen Unterschieden in den verschiedenen Provinzen — die in 1855 von der Provinzial-Regierung in Buenos-Ayres veröffentliche Statistik ergiebt 3251 Sterbefälle bei einer Einwohnerzahl von 91,548 Seelen in der Stadt Buenos-Ayres; also 1 Sterbefall für 28⅔ — diese hohe Sterblichkeit findet ihre Hauptursache in der wahrhaft erschrecklichen Anzahl der Todesfälle unter den Kindern, die aus gemischtem Blut gezeugt sind. Die „Krankheit der sieben Tage“ (mal de los siete dias), so genannt, weil die Neugebornen nur während der ersten sieben Tage ihr ausgesetzt sein sollen, fordert die meisten Opfer. Die Blattern (die Pockenimpfung ist noch weit entfernt, in Argentinien allgemein zu werden), das Scharlachfieber, weniger die Masern, tödten viele Kinder bis zu 8 Jahren, von 8 bis 17 Jahren will M. de Moussy beobachtet haben, dass die Sterblichkeit höchst unbedeutend ist, aber am Ende dieser Periode fallen eine gewisse Anzahl junger Leute den Fieber- und Brustkrankheiten, auch dem Costado, „Pleuro-Pneumonie“, einem bösartigen Seitenstich zum Opfer.

Der grösste Theil dieser Bevölkerung besteht aus Bauern, Estancieros und Kaufleuten. Die Industrie steht im Verhältniss zum Reichthum der Provinz noch weit zurück. Ausser einigen Zuckerfabriken, Ledergerbereien, Sattlereien, findet sich nichts in dieser Richtung. Die Manufactur wollener Stoffe ist fast Null — nur in einigen Theilen der Provinz weben die Bäuerinnen auf einem roh aus Cactusholz zusammengesetzten Gestell die Wolle des Schafes und des Vicuñas, aus welcher sie sich „Mantas“ oder „Ponchos“ verfertigen, diese verkaufen sie in Salta und den kleineren Städten zu hohen Preisen, von 1 bis 3 und selbst mehr Goldunzen, verhältnissmässig finden sich in Salta auch nur wenige Handwerker, mit der einzigen Ausnahme der Schuhmacher, deren Werkstätten man auf jedem Schritt begegnet — die zahlreichen Ledergerbereien der Umgegend geben ihnen reiches und billiges Material. Die Mehrzahl der Handwerker besteht aus Mestizen, die eine besondere Geschicklichkeit in jeder Art Handarbeit verrathen, obgleich sie nach der Aussage von Fachleuten nicht genug Erfindungs- und Anordnungstalent besitzen, um tüchtige Handwerker zu werden. Sie sind gute Gesellen, aber schlechte Meister. In letzteren Jahren haben die Gewerbe durch die Niederlassung einiger europäischer Handwerker ausserordentlich gewonnen, indem der Eingeborne, der gewöhnlich eine ausserordentlich leichte Auffassungsgabe besitzt, seine Kunstgriffe abgelernt und practisch angewandt hat, zu gleicher Zeit fordert ihn die superiore Leistung der Fremden zu einem löblichen Wetteifer auf. Die Unbedeutendheit der Gewerbe und Industrie darf nicht allein der hohen Entwickelung der natürlichen und leichten Erwerbszweige, wie Ackerbau, Viehzucht zugeschrieben werden. Es ist allbekannt, dass der Argentiner wie der Südamerikaner im Allgemeinen, ohne träge zu sein, einen gewissen Abscheu vor Handarbeiten hat, der ihm nicht erlaubt, einen Mittelstand zwischen dem „Peon“ und dem „Caballero“ zu schätzen. Jeder Handwerker ist ihm Peon, wenn er nicht etwa sich soweit aufgeschwungen hat, dass er eine grössere Werkstätte dirigirt und dann tritt er in den Stand der „Caballeros.“ Dieses Vorurtheil soll sich daher schreiben, dass nach der Eroberung es meistentheils spanische Abenteurer von adeliger Abkunft waren, die das Land heimsuchten. Mit ächt spanischem Stolz hielten sie alle — Arbeitende, jede Arbeit für gemein, für welche nur der Indianer oder der Negersclave tauge — verschmähten es aber nicht, Handelsleute zu werden. Noch heutigen Tages finden wir unter den Handelshäusern Salta's, Tucuman's und Cordova's Abkömmlinge des damals eingewanderten spanischen Adels. Dieses tief eingeprägte Vorurtheil gegen die Handarbeit fasste unter ihren Nachkömmlingen um so tiefer Wurzel, als jene durch die Sclavenarbeit entwürdigt wurde. Selbst Fremde werden von demselben angesteckt, und unter unseren eigenen, in Südamerika residirenden Landsleuten finden wir hiervon ein trauriges Beispiel. In Valparaiso kam es im deutschen Club, der zumeist aus Handlungscommis besteht, fast zum Aufruhr, als man die Fusion aller dort residirenden Deutschen, nämlich die Aufnahme der Handwerker vorschlug. In Lima und Buenos-Ayres hat dieses Beispiel Nachahmer gefunden. Schade, dass Gerstäckers scharfe Feder sich dieser schwachen Seite deutschen Lebens im Auslande nicht angenommen. — Dieses traurige Vorurtheil, von dem sich nur selten der gebildetere Argentiner gänzlich losreisst, ist die Hauptursache des Zurückstehens der Gewerbe und Industrie, der Verstopfung einer der reichsten Erwerbsquellen des Landes — und dieses vorzüglich dort, wo, wie in den nördlicheren Andesprovinzen sich nur wenig Europäer angesiedelt haben. Selten behagt es dem jungen Argentiner, wie arm er auch sei, sich dem Handwerkerstande zu widmen; er wird Tendero, Kaufmann, Agent, Lotterieloosverkäufer und alles Andere, nur nicht Arbeiter oder Handwerker, die für ihn Peones sind. Zwei Umstände lassen auf eine Reform in dieser Beziehung für die Zukunft hoffen: die Verbreitung aufgeklärterer Ideen durch Fremde und die mit der rasch wachsenden Bevölkerung sich einstellende Erschwerung des Unterhalts.

Dieselbe Ursache, die dem Handwerke seine Jünger entzieht, führt sie dem Handel zu. — Man erstaunt in der That, in der kleinen Stadt Salta so viele Kauf und Verkaufläden*), Tiendas (Zeugläden) zu sehen. In einigen Strassen reihen sie sich so dicht an einander, dass man sich in einem grossen Bazar zu befinden glaubt.

Ueber den Handel Salta's existiren bis jetzt keine statistische Aufnahmen; ich sehe mich daher beschränkt, nur die Produkte anzugeben, die es importirt und exportirt, sowie auf seinen wichtigen Transitohandel aufmerksam zu machen. Der Handel der Provinz mit Chile ist ein bedeutender, trotz der grossen Entfernung, die es von Valparaiso, ihrem Haupt-Correspondenten-Platz in jenem Lande, trennt und die über Land auf 440 Leguas angegeben wird. Dorthin ausgeführt werden zahlreiche Heerden Hornvieh, um über den (nach Domeyko 14000 Fuss hohen**) Paso de la Laguna und den südlicheren von de los Patos nach Copiapó oder über den Pass de la Cumbre via Uspallata nach Santiago und Valparaiso

*) In gewissen Quartieren der Stadt, die am meisten mit den Landleuten in Contact kommen, findet man Manufacturwaaren, Lederwaaren Magazine und Pulperia's, Krämerläden, die mit den Bauern Tauschhandel führen. Sie verkaufen gewöhnlich an diese, indem sie deren Produkte an Zahlungstatt annehmen.

**) Der höchste Pass der argentinisch-chilenischen Andes; liegt auf 30° 15' s. Breite, 72° 10' w. Länge von Paris.

getrieben zu werden, wo sie, trotz der bedeutenden Erhöhung ihres Werthes durch den kostspieligen, langwierigen Transport, gewöhnlich einen vortheilhaften Absatz finden, und dort mit zwei bis drei Goldunzen bezahlt werden. Durch die Strapazen der Reise verliert allerdings das Fleisch der Thiere viel von seiner Güte; man will bemerkt haben, dass ein gegebenes Quantum von dem Fleische des chilenischen gut gemästeten Ochsen ein Drittel mehr, wie ein gleiches Quantum des von Salta eingeführten wiegt; selbst eine langsame Reise, während welcher das Vieh nur 6 Leguas per Tag getrieben wird, und durch häufige Rasttage unterbrochen, sowie ein, nach ihrer Ankunft in Chile stattfindender mehrmonatlicher Aufenthalt in den Alfalferos (Luzerne-Kleeweiden) soll diesen Nachtheil nur theilweise gebessert haben — seine primitive Frische und saftigen Geschmack gewinnt es nicht wieder. Auf der Reise wird gewöhnlich durch die harten Entbehrungen an Nahrung und Wasser, welchen die Thiere streckenweise ausgesetzt sind, sowie durch giftige Gräser und in den Cordilleren bei dem Passiren der Abgründe, in welche das sich drängende Vieh hinabstürzt, eine gewisse Anzahl verloren, die je nach dem Geschick und Glück der Treiber zwischen 5 und 20% schwankt. Ueber letzteres Verhältniss wird selten geschritten. Intelligente Viehhändler gaben mir das Mittelverhältniss auf 8% an. Dennoch kommt es von Zeit zu Zeit vor, dass die Treiber auch das letzte Stück Vieh verlieren. — Eine in vorgerückter Jahreszeit über die Andes vorgenommene Expedition bietet, wenn erfolgreich, besondere Vortheile; vorzüglich beim Schluss des Winters, wenn die Pässe der Andes während 4 bis 5 Monat für Viehheerden unzugänzlich gewesen sind, steigt die Nachfrage in Chile für argentinisches Schlachtvieh bis zu einem hohen Grade, und die ersten „Arreos" (Heerden), die noch in der herben Jahreszeit die Cordilleren passiren, werden zu hohen Preisen, die auf 4 bis 5 und selbst mehr Goldunzen steigen, aufgekauft. Berücksichtigt man, dass dasselbe Vieh in Argentinien von 8—15 $*) kostet, so wird man gerne glauben, dass sich immer Waghälse finden, die sowohl ihr Vermögen, wie ihr eigenes Leben daran setzen, um mit einigen Tausend Stück Vieh die Andes, noch ehe sie passirbar sind, zu übersteigen, um den jenseits belegenen gün-

*) deren $ 16, auf eine Goldunze gehen. — Der Werth des Thieres steigt indessen auf 22 bis 25 $, noch bevor es Argentinien verlässt, indem der mehrmonatliche Aufenthalt in den Alfalfores schon diesseits der Andes in San-Juan oder Mendoza stattfindet. Wollte man diese Mästung in Chile vornehmen, so würde die Zeit des vortheilhaften Absatzes verloren gehen.

stigen Markt zu erreichen. Wehe ihnen, erreicht sie ein Schneesturm! In wenigen Augenblicken wird die Heerde unter den Lawinen begraben — und die Treiber, nach endlosen Mühen und Qualen, erreichen die nächste Casucha, um dort vielleicht dem Hungertode zu verfallen oder von dem Frost halbverkrüppelt, sich Legua um Legua, aus den Bergen zu retten. —

Indessen auch in der gewöhnlichen Jahreszeit wird zuweilen die ganze Heerde verloren, nicht in den Andes, sondern in den Pampas. Das Vieh, ist ausserordentlich schreckhaft, ein Tiger, der sich nähert, ein wenn auch unbedeutender Pampabrand — ja, wie uns glaubwürdige Personen versicherten, die Annäherung einer Gruppe berittener, wilder Indianer, verursacht unter ihnen eine mehr oder weniger heftige Stampeda. In wilder Flucht galoppirt die Heerde in grader Linie fort. Ist die Stampeda von Nachhalt und nehmen die Thiere die Richtung nach der Wüste, so verliert der Treiber gewöhnlich auch das letzte Stück derselben. Es ist merkwürdig, hier zu beobachten, wie auch bei den Thieren der psychologische Einfluss sich auf die physische Constitution äussert. Noch vor wenigen Momenten erschöpft, und bis zu einem Grade ermattet, dass hie und da die jüngeren und schwächeren Mitglieder der Heerde am Wege liegen bleiben müssen und den reissenden Thieren zum Opfer werden — haben Schreck und Furcht einen solchen Einfluss auf die Heerde, dass sie tagelang, vierzig bis fünfzig Leguas eine gänzlich wüste Strecke durchgaloppiren, Hunger und Durst, ihre Furcht vor Abgründen und anderen physischen Hindernissen vergessen, bis sie zum Tode ermattet niedersinken. — Der Treiber, der sie erst dann einholt, hat wenig Hoffnung, auch nur ein einziges Stück zurückzubringen. Diese furchtbare Anstrengung ist gewöhnlich die letzte des Thieres. Wenig andere Artikel verdienen die Kosten der langen Reise nach Chile. — Ausser dem Rindvieh werden Metalle (Gold, Silber, Kupfer), Taback und eine kleine Quantität Reis dorthin exportirt. Von Chile importirt werden, sowohl auf dem Landweg über San-Juan, wie über halb Landweg, halb Seeweg via Cobija und Calama, europäische Manufacturwaaren, womit von den salteñischen Kaufleuten die Grenzdistrikte Boliviens, die nächsten argentinischen Provinzen (mit Ausnahme Tucuman's), die benachbarten Stämme der Mataco-Indianer und Salta's eigene ausgedehnte Campaña versorgt werden. Der Handel mit Chile wird, vielleicht zu niedrig, auf ¼ Million Piaster pr. annum geschätzt, der Export soll ca. die ⅞ Theile des Imports decken, der salteñische Käufer remittirt entweder seinen Gläubiger in Valparaiso, indem er von den Exporteuren Wechsel auf Chile mit 5 und 10% Prämie kauft, oder er macht Baarsendungen in bolivianischem Silbergelde nach Cobija, um dort den nöthigen Wechsel auf Valparaiso zu erlangen, auch direct über San-Juan werden nicht selten von ihm Silberbarren oder Gold in Unzen oder als Staub nach Chile gesandt. — Gehört er zu der Klasse von Schuldnern, die schwerer zugänglich sind, und deren es keine kleine Anzahl in der Provinz giebt, so lässt er seine Schuld in Salta von den chilenischen Kaufleuten eincassiren, gewiss für ihn die bequemste, aber nicht billigste Zahlungsweise. Letztere, die trotz ihrer Entfernung ihre Kunden recht wohl zu kennen scheinen, berechnen die Preise ihrer Waaren nach der mehr oder minderen Promptheit und Ehrlichkeit dieser.

Salta's Handel mit Bolivien besteht in dem Export von Maulthieren und Pferden, die es theilweise aus den südlichen Provinzen empfängt, theils in seinen eigenen Estancias zieht, dann Mais, getrocknetes Fleisch, Salz, Leder, verschiedene zu Tischlerarbeiten passende Hölzer und die von Valparaiso in Transito kommenden Manufacturen, letztere nur im geringem Betrage, da Bolivien seinen Hauptbedarf über seinen einzigen Seehafen Cobija bezieht. Der Import von Bolivien beschränkt sich zum grössten Theil auf die edlen Metallen, Quina-quina, Coca und Gewürze. — Eine besondere Art Import ist das schlechte Silbergeld, welches in enormen Massen von Bolivien eingeführt wird, und welches jetzt fast ausschliesslich in den argentinischen Provinzen circulirt*); das Verhältniss desselben zur Goldunze wechselt von 17 bis 19 $, je nachdem sich das Bedürfniss von diesem Gelde fühlbar macht. Es enthält ein Drittel Kupfer und zwei Drittel Silber.

Mit seinen Schwesterprovinzen treibt Salta einen nicht minder bedeutenden Handel. Von Tucuman wird Zucker zum Consum in der südlichen Campaña der Provinz, von Catamarca getrocknete Feigen, Pasas de Higos, Pavilo, hauptsächlich aber, wie auch von San-Juan, Mendoza und San-Luis, Pferde und Maulthiere importirt. — Salta giebt ihnen dafür gegerbtes Leder, Taback, Reis, Fariña und versorgt sie zugleich mit currentem Münzgelde, nämlich den bolivian. Thalern und halben Thalern. Trotz den beiden in der Rioja und Cordova etablirten Münzen und den bedeutenden Silberbergwerken jener Provinzen wird wenig gemünzt. —

*) Diese Münze, die zum Theil aus 4 Real-Stücken, zum Theil aus 1 $ Stücken besteht, ist ausserordentlich schlecht geprägt — es existirt eine grosse Menge falschen Geldes unter derselben.

Durch ein Gesetz vom 3. Decbr. 1854 veranlasst, wurde die Münze fortgesetzt, jedoch die unordentliche Einrichtung und nicht genügende Aufsicht hat allmählich den gänzlichen Stillstand derselben zur Folge gehabt, 1856 wurde zum letztenmal gemünzt. Aus diesem Grunde machte sich bald der Mangel circulirenden Silbergeldes sehr fühlbar, der wiederum Salta Gelegenheit bot, durch Einführung bolivianischer Münzen ein gutes Geschäft für sich, aber ein herzlich schlechtes für das Land im Allgemeinen zu machen. — Bei den Ausfuhr-Artikeln Salta's ist noch erwähnenswerth, dass das „Porcellan" ohne Zweifel bald einen bedeutenden Rang unter diesen einnehmen wird. Sechs Leguas nördlich von Salta, auf dem Wege nach Jujuy, hat man grosse Lager Porcellanerde oder Kaolin entdeckt und selbst zu bearbeiten versucht, aber aus Mangel an Fachmännern bis jetzt noch ohne Erfolg. Der Kaolin zeigt sich hier unter verschiedenen Farben, unter denen die weisse leicht geröthete das beste Porcellan geben soll. Berücksichtigt man die Unzahl der Märkte, die sich für einheimisches, bei weitem billiger, wie das europäische, zu liefernde Porcellan in Jujuy, Catamarca, Rioja, Santiago del Estero, Tucuman, ja in Chile und Bolivien, bieten würden, so ist nicht zu leugnen, dass diesem Artikel in salteñischer Industrie und Handel einst eine wichtige Rolle zu übernehmen, vorbehalten bleibt.

Der Handel dieser Provinz, so weit er nicht blosser Vermittlungs- oder Transito-Handel ist, verdankt sein Bestehen, wie aus obigen Notizen entnommen wird, hauptsächlich der Viehzucht und dem Bergbau. Der Ackerbau, dem wir in dem salteñischen Thale die Bewohner so vorwiegend gewidmet fanden, steht nur in dritter Linie mit Bezug auf die Total-Thätigkeit der Provinz. Seine Produkte dienen mehr zum Consum in der Provinz, als zur Ausfuhr. Dass indessen sich dieses Verhältniss in kürzerer oder längerer Zeit zu seinen Gunsten ändern wird, ist kaum zu bezweifeln. Je mehr die rasch wachsende Bevölkerung die Viehzucht erschwert, je mehr sich die Wege zum Transport der Produkte bessern und, indem sie die Kosten tragbarer Güter vermindern, zu gleicher Zeit grössere Leichtigkeit zur Einführung besserer Ackergeräthe und Materialien geben, desto mehr werden die Erzeugnisse des Ackerbaus für grössere Entfernungen marktfähig werden und somit in der Ausfuhr-Tabelle steigen. Schon jetzt besitzt Salta bei der Bebauung seiner Felder einen grossen Vortheil, wie ihn keine andere Provinz geniesst, nämlich die arbeitenden Indianer, die den überall in Argentinien, vorzüglich beim

Ackerbau so sehr gefühlten Mangel an Händen, hier weniger fühlbar machen. Die Matacos verlassen im Herbst die Wildnisse der „Esquina-Grande“ und die höheren Ufer des Bermejo, und kommen in kleineren Parthien, um in dem Saltathale sich auf die Zuckerpflanzungen, seltener in anderen Chacras oder gar auf den Estancias zum Viehhüten zu verdingen. Wenn gehörig beaufsichtigt, sind sie arbeitsam und fähig, alle Arbeiten der Pflanzung vorzunehmen. In der Nähe des Feldes, wo sie arbeiten, bauen sie ihre Hütten; diese bestehen aus nichts als einfachen, pyramidenartig zusammengestellten und mit Thierhäuten bedeckten Zweigen. In den grösseren Chacras der Umgegend Salta's sieht man oft diese wunderlichen Indianerbauten ein Dorf von nicht unbeträchtlicher Ausdehnung bilden. — Die Wichtigkeit dieser Arbeiter stützt sich auf den Mangel an Händen; genügt ihre gewöhnliche Anzahl, 1200—1300 nicht, um diesen Mangel zu befriedigen, so schickt man Agenten, die mit der Sprache und den Sitten der Indianer vertraut sind, um mehr Arbeiter anzuwerben. Diesen Werbern zahlt man eine Prämie von 1 bis 2 Piaster für jeden angeworbenen Indianer, seien diese männliche oder weibliche; letzteren macht man ausserdem ein Geschenk zum Durchschnittswerth von einem Piaster. Wie immer, wenn Werbern eine Kopfprämie gezahlt wird, lassen diese auch hier, um ihren Verdienst möglichst zu erhöhen, sich zu Gewaltthätigkeiten oder Betrug verführen. Einen höhern Lohn versprechen, als ihnen wirklich gegeben wird, ist eine List, von der sich nur die unerfahrenen Tribus fangen lassen, und die daher den Agenten zu wenig Erfolg verspricht, um allein angewandt zu werden. Sie machen jetzt einen heimlichen Handel mit einem Caziken, der für einen Barril Aguardiente oder Guarago (der noch nicht crystallisirte Zucker), für welchen die Indianer dieser Gegend eine wahre Leidenschaft hegen, seinen ganzen Stamm zu verkaufen im Stande ist. Dieser wird von dem Caziken oder Häuptling zu einem Festmahl geladen, wo der von den Agenten herbeigeschaffte Branntwein reichlich fliesst, und welches gewöhnlich damit endet, dass die Indianer bewusstlos umsinken und den beiden Verschwörern eine leichte Beute werden. Bei ihrem Erwachen finden sie sich an Händen und Füssen gebunden, und das Nutzlose ihres Widerstandes einsehend, versprechen sie, dem Werber gutwillig zu folgen. Indessen, um sicher zu gehen, lässt dieser die Hände seiner Neuangeworbenen für einige Tagereisen auf dem Rücken gebunden, und lässt sie selbst nachher von seinen Gehülfen streng bewachen. — Ende October und November kehren die Matacos nach ihren Wäldern zurück; ihr Lohn, zwei Piaster per Monat, wird ihnen sodann gewöhnlich in Manufacturwaaren, Zeugen und einfachen Eisenwerkzeugen ausgezahlt, ja, die Unternehmenderen bringen Thierfelle, Rindvieh und Pferde nach Salta, um sie dort gegen Manufacturen umzutauschen; diese vertauschen sie bei andern wilden Stämmen wiederum gegen die natürlichen Landesprodukte. So erzeugt sich allmählich der Verkehr unter den Wilden; allmählich fangen sie an, die Producte der civilisirten Welt, Werkzeuge, Kleider etc. zu bedürfen, und dieses treibt sie, ihre eigene Productivität, mithin Thätigkeit, Intelligenz zu erhöhen, um den neuen Bedürfnissen zu genügen. Der Handel erweist sich hier als der beste Missionär des Fortschritts.

Im Uebrigen scheinen die Matacos einer verschiedenen Race, wie die südlichen Indianer anzugehören. Ihre kleine tartarische Figur giebt ihnen eine gewisse Aehnlichkeit mit den Guaranis, obwohl die Sprache dieser beiden Racen nichts Analoges zeigt. — Sie bewohnen einen grossen Theil des Chaco, vorzüglich halten sie sich in der Nähe des Bermejo auf. Die nördlicher wohnenden Stämme haben noch nicht so weit, wie die südlicheren, ihre ursprüngliche Wildheit verloren. Fast alljährlich machen erstere ihre Angriffe auf die Estancias und Ansiedelungen der Grenze, begnügen sich aber gewöhnlich, das Vieh zu rauben, und wagen nur dann einen Kampf mit den Weissen, wenn sie dieselben im offenen Felde und in kleiner Anzahl vorfinden, oder wenn sie zum Kampf gezwungen werden. Ihre Waffen sind vergiftete Pfeile, die sie mit einer ausserordentlichen Geschicklichkeit von ihren Bogen abzuschiessen wissen. Sie nähren sich elend genug von den Früchten des Waldes, von der Jagd und dem Raube, den sie auf den Estancias machen. Die südlicheren Matacos, die bei und um die Esquina Grande ihren Hauptwohnsitz haben, reden dieselbe Sprache und besitzen dieselben Sitten wie ihre wilderen Nachbarn; aber anstatt die Weissen zu berauben, arbeiten sie für dieselben, und befinden sich dabei ungleich besser. Den Ackerbau ihrer Arbeitgeber haben sie in ihre Wildniss übertragen, wo er im Verein mit ihrem fortgesetzten Verkehr mit der civilisirten Welt nach und nach die rohen Culturmenschen einer langen Nacht der Barbarei entreisst. Die beiden Erzfeinde dieses aufgehenden Keimes des Fortschritts sind der Branntwein und das schon oben angedeutende Benehmen gewissenloser Werber, die Misstrauen und Arglist unter den einfachen Menschen verbreiten. Der Versuchung des ersteren, dem sie keinen, auch nicht den geringsten moralischen Halt entgegenzusetzen vermögen, geben sie sich rückhaltslos hin; nur die bittre Erfahrung, welchen verheerenden Einflüssen sie sich durch dieses Getränk aussetzen, fängt an, sie klüger und mässiger zu machen. Indessen, um bis zu diesem Punkt zu kommen, sind ganze Stämme der Trunksucht zum Opfer gefallen.

Dieser Umstand, nebst dem Hass, der durch die Gewaltthätigkeiten der die Arbeiter werbenden Agenten allmählig ihre Brust gegen die Weissen erfüllt, mag auch die Ursache der so wenig fortgeschrittenen Bekehrung zum Christenthum in ihrer Mitte sein. Trotzdem sie die Hälfte des Jahres unter Christen zubringen, und immer Gelegenheit finden, dem Gottesdienst derselbe beizuwohnen, hört man selten von einer Taufe, die unter ihnen vollzogen wurde.

Schwerer wie die Indianer, die den Stämmen der Matacos angehören, sind die Chiriquanos, ein ungleich kriegerischerer Stamm, bei den Arbeiten zu leiten. Sie kommen aus den Ebenen, die sich zwischen dem Bermejo und dem Pilcomayo erstrecken, um in den Ansiedlungen des Thales von San Francisco und in dem Saltathale zu arbeiten und Tauschhandel zu treiben. Mit einer unbändigen Liebe für ihre Unabhängigkeit verbinden sie eine Intelligenz und Sanftmuth, wie sie kein anderer Indianerstamm Argentiniens, und mit Ausnahme der Araukaner, die ihnen indess an Sanftmuth weit nachstehen, keiner Südamerikas besitzt. Diese Eigenschaften machen sie zur leichten Beute der Civilisation, wenn in Gestalt von Missionären, Handel, Verkehr und Cultur kommend, aber unüberwindlich, wenn sie mit dem Schwert in der Hand bekehrt werden sollen. Früher die Spanier und jetzt die Bolivianer, die in ihr Territorium in den Ebenen oder den östlichen Abhängen der Andes eindringen, um diesen Stamm, in Bolivien nicht „Chiriquanos“, sondern „Cambas“ genannt, zu unterjochen, haben harte Erfahrungen in dieser Beziehung gemacht, und sollen selbst Terrain verloren, anstatt gewonnen haben. Diese Kämpfe hindern indessen die Chiriquanos nicht, sowie der Krieg vorüber, in Handel und Wandel mit ihren civilisirten Nachbarn zu verkehren, für diese für Lohn zu arbeiten, und sollten sie als Gäste ihr Gebiet besuchen, sie so gastfrei und freundschaftlich zu empfangen, wie es der civilisirteste Argentinier nicht besser zu thun im Stande ist. Viele der Arbeitgeber begreifen diesen Character nicht, der mit einigen sanften Worten geleitet, aber durch harte Massregeln zu der grössten Hartnäckigkeit verleitet werden kann, daher die Thatsache, dass sie bei den Arbeiten schwerer wie die Matacos zu leiten sind. — Nichts soll interessanter sein, als das Land dieser Indianer zu durchreisen. Man findet dort Ackerbau,

Viehzucht und selbst eine Industrie, wie sie manchem civilisirten Theile Argentiniens abgeht. Den Boden bebauen sie mit den von den Weissen importirten Ackergeräthen, und auf dieselbe Weise durch Bewässerung, die zu bewerkstelligen sie weit weniger Mühe wie die argentinischen Bauern scheuen. Fast alle Gemüse und Früchte finden sich in ihren Gärten; auf ihren Feldern bestellen sie Zuckerrohr, Mais, Mandioca, Alfalfa. Die Felle des erlegten Wildes, sowie ihres Hausviehes wissen sie zu gerben. — Aus der Haut des Hirsches bereiten sie sich Kleidungsstücke, die mit grosser Kunstfertigkeit verfertigt sein sollen, verkaufen sie auch an ihre bolivianischen und argentinischen Nachbarn in Oran. — Ihre Hütten, geschickter, als die elenden Ranchos der Matacos erbaut, sollen mit Thüren und Fenstern versehen sein. Ihre Frauen sind ausserordentlich reinlich, kämmen und waschen sich wenigstens täglich zweimal; in ihren leichten „Tigoys“ (eine lange blaue Robe, von ihnen selbst gewebt und gefärbt) mit ihrer graziösen Gestalt, ihren regelmässigen Gesichtszügen, unterscheidet sich ihr Aeusseres sehr vortheilhaft von dem der übrigen Indianerweiber, — ja, vermag den Vergleich mit manchen Frauen castilischen Blutes wohl auszuhalten. Dem Fremden, der ihr Land bereist, vorzüglich, wenn er ihrer Sprache, des „Guarani“ mächtig ist, empfangen sie äusserst zuvorkommend. Durch kleine Geschenke von Spielsachen, Federmessern, Federn sichert man sich besonders ihren guten Willen.

Auf den Gütern, wo „Matacos“ und „Chiriquanos“ zusammen arbeiten, wird es dem Besitzer ausserordentlich schwer, Friede zu halten. Bei der geringsten Beleidigung, die letztere von ersteren zu erleiden glauben, greifen sie zu den Waffen, und liefern letzteren, die ihre Pfeile immer bereit haben, eine Schlacht, die mehr oder minder blutig ausfällt. Da es Güter giebt, wo vierhundert und mehr Indianer arbeiten, so hat man für nöthig befunden, in Salta zur Zeit der Indianerarbeiten immer einen Theil der Nationalgarden in Bereitschaft zu haben, um Frieden zu stiften. Um auch die Stadt vor einem Ueberfall der Indianer zu wahren, braucht man die äussersten Sicherheitsmassregeln. — Uebrigens sind es nicht allein die beiden verschiedenen, hier arbeitenden Indianerstämme, die sich ihre Schlachten liefern, sondern auch die „Matacos“, die sehr zänkisch sein sollen, pflegen sich solche allein unter sich zu liefern. — Der Aufseher, der zu Pferde die arbeitenden Indianer bewacht, sieht sie, ohne eine Ursache zu erkennen, plötzlich von ihrer Arbeit auffahren, ihre Werkzeuge bei Seite werfen und ihren Hütten zueilen. Ist er erfahren genug, um dieses Manoeuvre zu kennen, so wird er sofort nach der nächsten

Militärstation galoppiren, um die nöthige Hülfe zu ihrer Bändigung herbeizuholen; bleibt er auf dem Platze, so sieht er seine wilden Arbeiter bald wieder aus ihren Hütten mit Bogen und Pfeil hervorstürzen, sich einander gegenüberstellen und nach wenigen Minuten ist die Schlacht im vollen Gange. Seine schwachen Versuche, Frieden zu stiften, werden nicht allein vergebens, sondern sehr gefährlich für ihn sein. — In bewohnteren Gegenden wird der Kampf gewöhnlich durch die rasch herbeikommenden Nachbarn geendigt; eine blinde Salve aus Feuerwaffen genügt, die Indianer in alle vier Winde zu sprengen. Sind keine Feuerwaffen bei der Hand, so brauchen die salteñischen Bauern das Messer, welches die Wilden weniger fürchten, und sich dann gewöhnlich erst fügen, wenn einige aus ihrer Mitte verwundet sind. — In unbewohnterer Gegend endigt der Kampf indessen nur mit der Flucht einer der beiden Parteien. Fliehende und Verfolger, ganz ihrem kriegerischen Trieben hingegeben, vergessen ihre Arbeit, und verlieren sich bald in die Wälder; ihre Familien folgen ihnen, und dem Estanciero bleibt von seinen Arbeitern nichts, als einige Leichname, umgeben von den wehklagenden Weibern und Kindern. Nach der Beerdigung der Todten begeben auch sie sich in die Wälder zurück, um ihren Stamm aufzusuchen.

Sowohl „Matacos“ wie „Chiriquanos“ genügen trotz der grossen Anzahl der Agenten, die sie zu engagiren in ihre Wildnissen geschickt werden, noch bei Weitem nicht, den Mangel an Händen, der sich vorzüglich in den Ackerbau treibenden Klassen fühlbar macht, zu befriedigen. Grosse Strecken des fruchtbarsten Landes bleiben daher auch hier noch unbebaut, und lassen der Zukunft wie überall in Amerika ein grosses Feld offen. Bis jetzt hat sich noch keine Kolonisten-Emigration nach dieser fruchtbaren Provinz verloren, und noch werden manche Decennien vorübergehen, bis der segensreiche Strom europäischer Einwanderer seinen Weg bis zu den Ufern des höheren Bermejo findet.

Trotzdem wir den Ackerbau zu so hohem Grade der Produktivität fortgeschritten finden, sehen wir die Ackerwerkzeuge der Bauern und ihre Methode, den Boden zu bauen, noch fast im primitiven Zustande. Die Ueppigkeit der Natur hat den Mangel landwirthschaftlicher Fähigkeiten der Bewohner ersetzt. Selbst auf grösseren Gütern, zuweilen von hohem Werthe, finden wir nur wenige der neueren Erfindungen in dem Gebiet des Ackerbaues. Die Etablirung von „Musterwirthschaften“ hat schon Vieles in dieser Beziehung gebessert, wozu die, wenn auch höchst unbedeutenden, landwirthschaftlichen Ausstellungen, die in grösseren

Städten, wie Mendoza, San-Juan, Catamarca, Salta, abgehalten werden und unter den argentinischen Gutsbesitzern grosse Freunde gefunden haben, das Ihrige beitragen. Beides sind indessen noch zu seltene Erscheinungen, um von kräftiger Wirkung auf den Bauernstand im Allgemeinen zu sein. Ein bedeutendes Hinderniss, welches der Entwickelung einer höheren Cultur des Bodens, und mit ihm der eines civilisirteren Lebens entgegensteht, liegt in dem Character der Bewohner und vorzüglich der Landbewohner, in ihrer Gleichgültigkeit gegen jeden höheren Besitz, ihrem Mangel an Ehrgeiz. Eine Hütte ist leicht aus den Zweigen der Wälder aufgebaut, der Boden giebt fast unbeackert seine Produkte; thut er es nicht, so vertreten seine Stelle die Kühe, die Schafe, Ziegen, die, ohne zu ihrer Aufsicht und Zucht einer besondern Aufmerksamkeit zu bedürfen, ihren Eigenthümer mit Nahrung und Kleidung versehen; und wo wäre der elende Gaucho im argentinischen Territorium zu finden, der nicht wenigstens ein halb Dutzend Kühe oder einige Schafe und Ziegen und seinen Rancho hätte? Mit dieser Befriedigung seiner materiellen Bedürfnisse besitzt der argentinische Landbewohner genug, und Ausnahmen von dieser Regel existiren selten. Nichts destoweniger beneidet er den grösseren Landbesitz, die höhere Bequemlichkeit reicherer Nachbarn, aber nicht genug bricht dieses Gefühl sich Bahn, um ihn zu einer energischen Handlungsweise, zur Thätigkeit und zum weisen Gebrauch der ihm innewohnenden Fähigkeiten anzutreiben. Er fühlt sich in seinem kleinen Besitze befriedigt, verschläft die Tage, und verbringt die Nächte mit Sang und Tanz; dennoch ist er kein glücklicher Mann, und bei Kleinem fängt er an dieses einzusehen. Die rastlosen Fremden mit ihrer Industrie, ihren neuen Ideen, ihrer immer vorwärts strebenden Thätigkeit schwingen sich zu Reichthum und Ehren auf. Dieses behagt dem aufgestörten Argentiner nicht; zuweilen bricht sich dieses Gefühl in dem Fremdenhass Bahn, aber gewöhnlich in einem löblichen Ehrgeiz und Wetteifer, und nur diesem wird er es zu verdanken haben, wenn er sich seiner Apathie entrissen findet, ehe er ihr Opfer werden kann.

Von dem Ackerbau Salta's, seinem gegenwärtigen Zustand und seiner Zukunft gehe ich zu dem Bergbau über, der indessen noch weit hinter ersterem zurücksteht. Handel, Ackerbau und Viehzucht begründen wenigstens 7/8 des Reichthums der Provinz, Industrie und Bergbau theilen sich in das letzte Achtel. Dieses will aber nicht sagen, dass Salta arm an metallhaltigen Bergen sei, es sprechen im Gegentheil alle Versuche dafür, dass in den Minen ein immenser Reichthum versteckt liegt, der dem

Bergbau eine grosse Zukunft verspricht. Die salteñischen Berge sind nichts als eine Fortsetzung der gold-, silber- und kupferhaltigen Gebirgszüge Catamarca's und Tucuman's; Cateos*) in denselben haben reiche Lager von Gold, Silber, Kupfer, Blei, Eisen etc. entdeckt. In Thätigkeit sind jetzt nur auf der westlichen Bergkette dreizehn Kupferminen und vierzehn Silberminen, die alle in dem Thale von „Aimacho“ liegen. In derselben Kette bei dem Berge Bayo findet man im Kupferkies (Pyrites de cuivre) Silber, sowohl als Glanzerz wie gediegen. — Die südliche Kette übertrifft die westliche an mineralischem Reichthum, insofern dieser bekannt ist. In „San Antonio de los Cobres“ bei dem Berge Acay wurden schon zur Zeit der spanischen Herrschaft Kupferbergwerke von reicher Beschaffenheit bearbeitet. Diese sowohl wie ein Silberbergwerk bei dem Dorfe San Antonio sind in neuerer Zeit aufgegeben. Die Minen des Thales von Lerma, in der Nähe des Einganges der Escoiga-Quebrada, bei dem Dorfe Chiconami, sind indessen in voller Arbeit. Mit einem ausserordentlich reichen Kupfermineral verbinden sie den Vortheil, in nur 15 Leguas Entfernung von der Stadt Salta zu sein. Ihre Höhe über der Meeresfläche wird auf 3600 Fuss angegeben. — Im Norden findet man Spuren eines reichen Silberlagers bei dem Berge Zenta in der Nähe von Oran, es haben indessen noch keine Arbeiten dort stattgefunden. Diese nördlichen Ketten, die mit den silberreichen Gebirgszügen von Potosi über die bolivianische Grenze in Verbindung stehen, stehen im Rufe eines ausserordentlichen mineralischen Reichthums. Bis jetzt hat die Abgelegenheit und Oede jener Gegend jedoch jeden Versuch eines Cateo zurückgehalten.

Die Bearbeitung der Minen der salteñischen Berge bietet grosse, unter den gegenwärtigen Umständen des Landes unüberwindliche Hindernisse. Handel, Ackerbau, Viehzucht lassen einerseits noch einen zu weiten Spielraum. Für die Kräfte der salteñischen Kapitalisten, um von ihnen ausgebeutet werden zu können, bieten ihnen diese eine zu sichere Anlage

---

*) Die „Cateos“ sind Versuche, vermittelt Durchbohrungen der Schichten, Metalladern aufzufinden. Die „Cateadores“ bilden eine eigene Klasse der Bergleute, die sich grösstentheils aus den erfahrensten der Letzteren rekrutiren und oft mit einer bewundernswürdigen Sicherheit ihre Bohrversuche auf die Adern richten, ohne durch irgend andere Kenntnisse und Hülfe als ihre eigene Erfahrung geleitet zu werden. Man begegnet jedoch einer Menge von Leuten, sowohl Fremden wie Einheimischen, die sich für gute Cateadores ausgeben, ohne auch das Geringste davon zu verstehen. Sie werden von unvorsichtigen Kapitalisten mit Lebensmitteln, Werkzeugen und Thieren ausgerüstet, welches, wenn sie sich nicht damit auf und davon machen, in nutzloser Arbeit verschwendet wird.

und zu guten Vortheil, um sie zu verführen, ihr Geld in die immer zweifelhafte Unternehmung eines Bergwerks zu stecken, anderseits stellen sich auch dem Bergbau grosse materielle Hindernisse entgegen, wie wir sie nur in wenigen Bergwerken des alten Continents kennen, wo, wenn sie dort existiren, durch tausend, dort leicht, hier schwer anwendbare Mittel aufgehoben werden. Collective Anstrengungen, in Form von Actiengesellschaften, sind selbst im Littoral des neuen Continents schwer auszuführen. Sie werden mit Misstrauen betrachtet und finden keinen Anklang. Indessen darf man nur auf diese eine Hoffnung gründen, jene erwähnten materiellen Hindernisse zu besiegen, welche sehr ernster Art sind. Gewöhnlich liegen die Minen in furchtbaren Wildnissen, die man nur nach wochenlangen Märschen von den grösseren Städten aus erreicht; selten findet man Wasser in ihrer nächsten Umgegend; auf dem Rücken der Maulthiere muss dieses oft aus einer Entfernung von 10 bis 20 und 30 Leguas herbeigeschleppt werden. Holz in der Nähe der Bergwerke ist für diese ein wahrer Segen, es befähigt sie, das reine Metall an Ort und Stelle auszuschmelzen; — schwer ist es indessen, in den Schluchten der höheren Berge dieses zu entdecken. — Das rohe Mineral muss gewöhnlich drei, vier Tagereisen weit auf Maulthieren nach den in der Nähe der Waldungen etablirten Schmelzöfen transportirt werden, welches die Kosten des Metalles je nach dem Preise der Fracht, der von 20 bis 25 Piaster per Ladung wechselt, um hohe Procente erhöht. Der Verlust so mancher Maulthiere, die mit ihrer schweren und kostbaren Ladung von den reissenden Bergströmen fortgerissen werden, fügt diesen Kosten gewöhnlich noch andere 5 bis 10% hinzu.

Diesen Ursachen ist hauptsächlich die geringe Ausbeute der Minen in Salta zuzuschreiben; glücklicherweise sind sie aber der Art, dass eine grössere Bevölkerung, bessere Transportwege, und ein vermehrter Associationsgeist sie zu unterjochen vermögen. Also auch hier, wie überall auf dem neuen Continent, ist „Zukunft" die Losung, und kein Zweifel ist vorhanden, dass sie nicht die glänzendsten Hoffnungen rechtfertigen werde.

Ich nehme von Salta nicht Abschied, ohne der topographischen Beschreibung der Stadt einige Worte gewidmet zu haben. Wie jede grössere, argentinische Stadt theilt sich auch diese in sogenannte Manzanas, oder Quadrat-Quadras, deren jede 22,500 □ Varas Oberfläche einnimmt, also 150 Varas lang und eben so breit ist. Solcher Manzanas soll Salte 190 besitzen, eine Anzahl, die eine grössere Einwohnerzahl, wie die oben angegebene vermuthen liesse, würde man nicht von der Thatsache unterrichtet sein, dass eine gewisse Anzahl dieser Vierecke theilweise, und einige selbst gänzlich unbewohnt sind. Entweder bestehen solche am Rande der Stadt aus noch unverkauften Solaras, oder sind mit einfachen Corrales (Einhegungen) zur Aufnahme des Marktviehes bedeckt. Auch in der Mitte der Stadt findet man unbewohnte Plätze, und sind selbst halb abgebrochene, alte Gebäude nicht selten. Die Häuser sind grösstentheils im spanischen Styl, mit grossem Porticus, weitläufigen Hofräumen, grösstentheils flachen Dächern und von ausgetrockneter Erde aufgeführt; die Quadratform der einzelnen Manzanas macht es nothwendig, dass sie sehr tief nach dem Innern der Manzana zu gebaut werden, — man findet Häuser, die das Viereck in grader Linie durchschneiden, mithin in zwei Strassen Front haben. Die Vorderseite der Gebäude, der Theil desselben, welcher die Strasse berührt, ist gewöhnlich schmal; nehmen sie den achten Theil der 150 Varas ein, so werden sie in die Reihe der grösseren, kostspieligeren Häuser gestellt. Gewöhnlich besitzen sie nur 25 bis 35 Fuss Front. Man sollte vermuthen, dass eine solche Enge in Combination mit einer Länge oder Tiefe, die von 40 bis 50 und selbst mehr span. Ellen wechselt, die Gebäude, wenn nicht Eckhäuser, die zwei Frontseiten besitzen, dunkel, beengt und für die Bewohner höchst unbequem machen müssten; aber diese Vermuthung realisirt sich nur in wenigen Fällen. Wenn ein habsüchtiger Grundbesitzer zu weit in der Bebauung seines Grundes geht, pflegt er den nöthigen freien Raum zur Ventilation und Erleuchtung des inneren Gebäudes der grösseren Zahl der Wohnungen zu opfern. Er erkennt zu spät, dass er in seiner habsüchtigen Rechnung fehlgeschossen. Die Miethleute nehmen eine grössere Rücksicht auf ihre Gesundheit und Bequemlichkeit, wie er sich zu thun bequemte, und miethen selten oder nur für erniedrigte Preise solche verbaute Wohnungen. Grösstentheils sind solche Gebäude, die tief in die Manzana hineingehen, mit grossen Hofräumen versehen, deren sich oft fünf und sechs auf einander folgen. Sie erhellen das Innere der Häuser, gewähren freilich, da von allen Seiten hoch eingeschlossen, nur eine theilweise Ventilation der Luft, und dienen den Bewohnern bald zu häuslichen Verrichtungen, bald zu Pferdeställen; gewöhnlich findet sich auch ein kleiner Raum, einigen Blumenbeeten und Fruchtbäumen gewidmet.

Bei der Einrichtung dieser grossen Häuser und der planlosen Vertheilung der einzelnen Baustellen an die Bauherren, ist es natürlich, dass nach dem Aufbau der grösseren Gebäude eine Menge kleiner Winkel und

Plätze, gleichsam Abfall von den grösseren, übrig blieben. Diese sind nach und nach mit einer Anzahl kleiner, enggebauter Häuser und Hütten angefüllt, die alle Nachtheile der ausgedehnteren Bauten: eine kleine Front im Verhältniss zur Tiefe, mit keinem ihrer Vortheile, z. B. den weiten Hofräumen verbinden, und deshalb ohne Licht und ohne Ventilation einen höchst ungesunden Aufenthalt bieten. In sogenannten Geschäftsstrassen werden sie dennoch theuer genug vermiethet, in den Nebenstrassen dagegen stehen sie grösstentheils leer; obwohl fast umsonst ausgeboten.

Salta bietet nur wenige interessante Gebäude, — das Cabildo oder Gouvernementshaus, die grosse Kathedrale, das Zollhaus (für den Handel mit Bolivien etablirt), das Hospital, von barmherzigen Schwestern geleitet, sind die erwähnenswerthesten öffentlichen Gebäude. Ausserhalb der Stadt dagegen finden sich eine Menge hübscher Villas, zuweilen mit palastartigen Bauten, die Salta alle Ehre machen. Der grosse Convent wurde 1844 fast gänzlich von dem Erdbeben zerstört, welches auch eine Menge alter, baufälliger Gebäude demolirte. Das neuere Erdbeben von 1858 war von bedeutend geringerer Kraft; diese Erdbeben und das häufiger vorkommende Erdzittern mag die Salteños verhindern, ihre Häuser selten höher wie ein Stockwerk aufzuführen. Die Strassen der Stadt sind gewöhnlich schmal, ein grosser Fehler in diesem heissen Klima, schmutzig, ein noch grösserer Fehler, und schlecht gepflastert; man sagte mir indessen, die Municipalität gehe ernsthaft damit um, den beiden letzteren Mängeln abzuhelfen.

Von dem Flusse „Rio de la Silleta", der zwei Seiten der Stadt bespült, indem er im Halbbogen um dieselbe fliesst, sind sogenannte Acequias (Gräben) abgeleitet, die die Chacras und Felder der Umgebung, wie auch die Stadt selbst durchziehen und diese mit frischem Wasser versehen. Diese Gräben, die häufig die Strassen quer durchschneiden, sind in diesem Falle von hölzernen oder steinernen Brücken bedeckt, laufen sie dagegen parallel mit der Strasse, so findet sich jede Quadra, d. i. 150 span. Ellen, eine Brücke, die nach dem jenseitigen Ufer hinüberführt. So bequem und nützlich diese Wasserleitungen für die Bewohner sind, so können sie denselben doch höchst unbequem und selbst gefahrvoll werden, wenn im Herbst oder Frühjahr die Wasser des Flusses schwellen und die Gräben mit einem grösseren Quantum Wasser versehen, für das ihr Bett nicht berechnet ist. Niedere Ueberschwemmungen der unteren Stadttheile sind die Folgen. Die Seltenheit, mit welcher es geschieht, dass diese Ueberfluthung der Gewässer einen gefährlichen Grad erreicht, hat bisher die Municipalität verhindert, durch Bauten von Schleusen oder Dämmen diesem Uebel abzuhelfen. Würde sie besser von dem Einfluss unterrichtet sein, den die stagnirenden Wasser der nach der Fluth hinterlassenen Pfützen auf den Sanitätszustand der Stadt ausüben, so wäre eine grössere Aufmerksamkeit ihrerseits in dieser Richtung anzunehmen. Marktplätze giebt es in Salta mehrere, ich besuchte indessen nur einen einzigen, und dieser bot einen Anblick der, der von Allem, was ich früher von Lokalitäten zu diesem Zwecke in Argentinien gesehen, verschieden ist. Unter niederen, halbgeöffneten Zelten und leichten, aus zusammengestellten und mit Stroh bedachten Aesten bestehenden Hütten, zu deren Seiten grosse Feuer lodern, lugen die Mulatten- und Zamboweiber hervor, vor sich ihre grossen Orangen- und Gemüsekörbe, aber vor Allem eine tüchtige Anzahl zinnerner Becken, mit gekochter Speise jeder Art gefüllt. Die Dienstmägde, die grösstentheils aus den „Cholas“ bestehen, die Weiber der Salteños, die Troperos, die Indianer, die Gauchos in hundert und aber hundert verschiedenen Kostümen, kaufen, verkaufen, essen, trinken, zanken sich in einem solchen bunten Durcheinander, dass dem Fremden fast die Sinne schwinden, und er sich Mühe geben muss, um einige characteristische Scenen festzuhalten. Eine derselben ist ohne Zweifel jene Halb-Indianerfamilie, ein bolivianischer Aymará mit seinem Weibe und einigen Kindern. In einem Winkel des Marktplatzes auf den Steinfliesen haben sie ihr Lager aufgeschlagen, d. h. ihr Feuer angezündet und ihre Felle zurechtgelegt. Auf den Boden breiten sie ihre ärmlichen Waaren, einige Kasten mit Arznei-Kräutern und einige Vicuñafalle aus, und von Zeit zu Zeit sucht der alte Indianer durch Zurufen die Vorübergehenden auf sich und seine Artikel aufmerksam zu machen. Es gelingt ihm selten. Auf dem Marktplatz sucht man Alles, weniger Arznei; indessen scheint dem Verkäufer wenig daran gelegen. Dem Wanderlustigen würde es unangenehm sein, sollte er so nahe seiner Heimath Absatz für sein Lager finden, — noch hat er manchen Markt auf seiner weiten Reise vor sich. — Salta's Marktplatz ist ihm das Ende einer Jornada; — am nächsten Tage wird er manche Meile entfernt sein. — Dort sehen wir einen Haufen der lärmenden Matacos; unbescheidener wie der Aymará begnügen sie sich nicht mit einem Winkel des Platzes, sondern halb lagernd, halb stehend nehmen sie sie Mitte des Marktes und des Weges ein; nur mit manchem derben Rippenstoss darf man hoffen, sich durch diese Menge der Wilden Bahn zu brechen. Würdevoller benehmen sich die Chiriquanos; einige derselben mit Bogen und Pfeilen versehen, jeden Augenblick bereit, den

Marktplatz in einen Kampfplatz umzuwandeln. Wie ängstlich betrachtet sie jener alte Mann in seiner verblichenen Uniform, mit seinem verrosteten Karabiner! — Der Arme soll hier Ordnung halten, wo zu einem solchen Zwecke kein Regiment genügt; indess kennt er nur zu gut den Hass, den die Indianer gegen die Uniformirten hegen, eben so gut aber auch seine Pflichten als Mann, der seiner Familie die Bewahrung seines Lebens schuldig ist, woraus es sich erklärt, dass er mit Aengstlichkeit das Thor des Platzes hütet, und bei einem lauter drohenden Worte der hitzigen Indianer mit einer für sein Alter wunderbaren Schnelligkeit das Weite sucht, aber bei jedem dieser Fluchtversuche benachrichtigt ihn das laute Gelächter einiger Dutzend Gassenbuben, dass die Gefahr verschwindet, und mit frischem Muthe kehrt er um. — Doch andere Bilder ziehen bald unsere Aufmerksamkeit von dieser Posse ab, die der Mann des Gesetzes unbewusst vor uns spielte. Die Neger, Zambos, Mulatten, Mestizen, Chinas, Cholas, jede Abweichung und Mischung der verschiedenen Racen repräsentirend, scheinen einen besonderen Theil des Marktes für sich behalten zu haben; welche köstliche Beilage würde dies Bild zu Stevensons Tabelle der Mischlinge Südamerika's bilden; indessen wird es schwer, sie genauer und in der Nähe zu beobachten.

So oft ich ihre Reihen zu durchdringen suchte, wurde ich von dem wahrhaft infernalischen Geruch zurückgetrieben. Eine Unreinlichkeit ohne Gleichen, Schmutz, der Jahrzehnte hier aufgehäuft liegt, macht diesen Theil des Marktplatzes zu einem wahren Misthaufen, der, wenn durch die glühende Sonnenhitze beschienen, allein im Stande ist, die Atmosphäre der ganzen Stadt zu verpesten. Ueberhaupt würden diese Scenen argentinischer oder salteñischer Märkte viel interessanter sein, wenn der angenehme Eindruck, durch ihre Lebendigkeit und Fremdartigkeit hervorgerufen, sich nicht rasch durch die Unreinlichkeit, die wenigen argentinischen Märkten abgeht, verwischte. Fast poetisch gestimmt betrachten wir ihre malerischen Bilder aus der Ferne, näher gebracht, bleibt uns nicht viel mehr als Ekel. —

Noch erwähnenswerth ist, dass Salta der Sitz des Bischofs, dessen Diöcese aus den Provinzen Tucuman, Salta, Santiago del Estero, Catamarca und Jujuy besteht, ist.*) Auch der Gerichtshof für Salta, Jujuy und Tucuman residirt in Salta. Er besteht aus drei Richtern und einem Fiskal. Ihr Urtheil ist ohne Appellation für jeden Fall, dessen bestritte-

*) Diese Diöcese zählt 830,000 katholische Christen.

ner Werth weniger als 500 Piaster beträgt. Der oberste Gerichtshof, die letzte Instanz der Appellation über diesen Werth, ist in Buenos-Ayres, ehedem in Paraná; dennoch sieht man die Provinzial-Gerichtshöfe häufig ihre Macht missbrauchen und über Fälle definitiv entscheiden, die weit über ihre ihnen zukommende Gewalt hinausgehen. — Im Criminalwesen erlaubt das Gesetz nur Todesurtheile auszuführen, wenn diese von dem Präsidenten der Republik bestätigt sind, dennoch hört man fast mit jeder Post von Hinrichtungen in dieser oder jener Provinz, die ohne jene Bestätigung vorgenommen wurden. Die Criminalrichter der Provinzen senden in der That die Aktenstücke des Prozesses an die Landesregierung ein, allein gewöhnlich werden sie zugleich von der Anzeige der Vollziehung der Strafe begleitet. — Salta soll in diesem Missbrauche seiner gerichtlichen Gewalt keiner ihrer Schwesterprovinzen nachstehen.

Ich blieb mit meinen Reisegefährten mehrere Wochen in Salta; — die Einförmigkeit eines geschäftslosen Aufenthaltes wurde durch das zuvorkommende Benehmen der von mir dort besuchten Familien sehr vermindert. Sie empfangen, wie überall in den argentinischen Provinzen, den Fremden höflich und mit einer wahrhaft klassischen Gastfreiheit. Ich fand nicht geringe Mühe, mich in meiner Posada zu halten. — Meine neuen salteñischen Freunde bestürmten mich mit Bitten, ihre Gastfreundschaft in Anspruch zu nehmen. — Indessen benutzte ich diese Zeit, einige Ausflüge in die Umgegend der Stadt und besonders nach den wildromantischen, interessanten Schluchten der westlichen Berge zu machen. Eine volle Woche brauchte ich zu einer Tour nach dem Fuss des 18000 Fuss hohen „Nevado de Cachi", der die westliche Granitmauer der Thäler Saltas wie ein mächtiger Riese überragt; seine Entfernung von der Stadt Salta beträgt ca. 50 spanische Meilen. Die westlicheren Gebiete der Provinz, die ich bei diesem Ausfluge zu sehen Gelegenheit fand, bestehen zum Theil aus weiten Hoch-Plateaus, zum Theil aus Längsthälern, die sich grösstentheils in sanfter Neigung von den höheren Gebirgen zu den Thälern hinabziehen. Ihre Vegetation erreicht ebensowenig die Ueppigkeit der Thäler, wie man in ihrem Klima die Milde derselben findet. Es sind wieder die alten Berge, wie wir sie in der Rioja und Catamarca kennen lernten. Durch den hier häufiger, als in letzteren, fallenden Regen sind sie indess mit einem weit besseren Weideland versehen, und dieses macht sie so werthvoll für die Provinz; sie erhalten in der That den grössten Theil des Viehbestandes derselben, der nach dem bedeutenden Export von Viehprodukten und lebendem Vieh zu urtheilen kein unbedeutender sein kann. Er wird auf 1 Million 300,000 Köpfe Hornvieh geschätzt.

Fast ausschliesslich der Viehzucht gewidmet, findet man in dem westlicheren Theil der Provinz nur einen äusserst geringfügigen Ackerbau. Es ist dies weder die Schuld des Bodens noch des Klimas, welche, wie gemachte Erfahrungen lehren, für Getreide sowohl wie für Gemüse nur von vortheilhaftem Einfluss sind. Der Weizen producirt auf diesen Plateaus das 25 und 30ste Korn, während er es in den tieferen Gegenden selten bis zum 20ten bringt. Die Unbewohnheit, die Oede der Gegend, schlechte Wege, weit entfernte Märkte sind die Ursachen, dass der Ackerbau der in öden Gegenden lucrativeren Viehzucht weichen muss. — Es ist natürlich, dass mit der Entfernung von Salta die Oede und Schlechtigkeit der Wege zunimmt, und ich hatte manche unangenehme Erfahrungen in dieser Beziehung zu machen. Mit sichtlicher Lebensgefahr die reissenden Bergströme passiren, oder steile Abhänge hinauf- und hinabklettern, einer Unzahl in den Schluchten sich aufhaltenden Schlangen und reissenden Thieren ausgesetzt sein, scheint den Reisenden weniger fatal, als die Chucho oder Terzianafieber, die mit einer furchtbaren Hartnäckigkeit diese Gegenden Jahr ein, Jahr aus heimsuchen. Nie werde ich die Nacht vergessen, als ich lernte, wie hart diese Geissel die armen Bergbewohner züchtigt. Am Ende einer langen Tagreise, bei einem Passe der Escoiga-Quebrada suchten wir, ich und mein Peon Nicolas, der mich auf dieser Excursion begleitete, ein Nachtquartier. Nach langem Suchen fanden wir unter dem dichten Garobaholz der Seitenwand der Schlucht eine Hütte versteckt. Der schwache, kaum wahrnehmbare Glimmer eines Lichtes oder Feuers hatte uns auf dieselbe aufmerksam gemacht, und von ihm geleitet, kletterten wir, unsere Maulthiere am Zügel nachführend, den Abhang hinauf. Es schien uns sonderbar, dass, so nahe der Hütte, kein Hundegebell vernehmbar wurde; man gewöhnt sich allmählich an dieses laute Willkommen, dass, wo es fehlt, man sich fremdartig berührt und zur Vorsicht angespornt fühlt. Es fehlte indessen hier nicht gänzlich. Einige Schritte von der Hütte entfernt, liess sich ein winselndes Gebell aus derselben vernehmen; mit ihm mischten sich andere wehklagende Laute, die menschlichen Stimmen anzugehören schienen. Nicolas errieth sogleich das Richtige: es musste eine kranke Familie sein, die hier von aller Welt verlassen und allein Tod oder Genesung erwartete. Als wir die Thür aufstiessen, fanden wir alle Bewohner schwer krank auf einigen elenden Schaffellen, die kaum die Nässe des Bodens abhalten konnten, liegen. Mann, Weib und mehrere Kinder, halb von dem Fieber, halb von Hunger erschöpft, halb sterbend, boten einen so elenden Anblick, dass ich mir unbewusst die Augen mit den Händen bedeckte. Das Fieber schien sie so geschwächt zu haben, dass keines der Mitglieder der Familie die nöthige Kraft behalten hatte, um einige Nahrung besorgen zu können. — Wir sorgten für sie, soweit es in unseren Kräften stand, gaben ihnen Speise und Trank, bereiteten ihnen aus den Mitteln, die wir im Falle unserer eigenen Erkrankung mitgenommen hatten, Arznei. Wie dankten uns die Hülflosen mit Geberden und indem sie bewegter unsere Hände drückten! — wie zufrieden lächelten die armen Kinderchen, als wir ihnen einige Speise und Trank gaben! Trotz des langen, ermüdenden Rittes des Tages kam uns sehr wenig Schlaf in die Augen. Bevor wir sie am nächsten Morgen verliessen, brachten wir einen Vorrath von Speise und Brennmaterial in die Hütte und versprachen ihnen zugleich, ihre Nachbarn, die in einer Entfernung von nur fünf deutschen Meilen von ihrer Hütte wohnten und zu gleicher Zeit Verwandte zu sein schienen, von ihrem Unglück zu benachrichtigen. Als wir nach einer anstrengenden Jornada am Abend die Hütte dieser Nachbarn erreichten, erfüllten wir unser Versprechen; es wurde sogleich einer der erwachsenen Söhne der Familie nach dem Orte des Jammers abgeschickt, und am nächsten Morgen ritten andere Mitglieder derselben zu dem gleichen Ziele ab. — Kein geringes Verdienst war das ihre, wenn man berücksichtigt, mit welcher Kraft und Schnelligkeit sich die Krankheit zu übertragen pflegt. Ergreift das Fieber ein Mitglied einer Familie, so darf man fast mit Sicherheit auf die allgemeine Verbreitung desselben rechnen. Die Bergbewohner, die in weiter Runde keine Nachbarn haben, sind in solchen Fällen nicht allein den Wechselfällen der Krankheit, sondern auch dem Verschmachten ausgesetzt. In unserem besonderen Fall waren wir indess noch zeitig genug angelangt, um ein allgemeines Verderben der Armen zu verhüten. — Bei unserer Rückkehr fanden wir, dass zwei der Kinder und der Vaquero selbst den Qualen des Fiebers und des Mangels erlegen waren; der Rest der Familie befand sich auf dem Wege der Besserung.

Am 6. Juli verliess ich mit meinen Gefährten Salta, um auf demselben Weg, den wir gekommen, nach dem Süden zurückzukehren; dieselben Gefahren, dieselben Beschwerden wiederholten sich, verminderten sich aber für uns in demselben Grade, wie unsere Erfahrung zunahm. Ohne Unfall durchreisten wir nach einander die Guachiga-Quebrada, das Thal von Calchaqui, die Sierra von Belen, die Wüsteneien der Salinas, die

Llanos und Gebirge der Rioja und erreichten nach beschwerlichen Tagemärschen, die wir in Berücksichtigung einiger schwer beladener Maulthiere, Hunter gehörend, gegen die unserer Hinreise bedeutend abkürzen mussten, Vilgo. Unglücklicherweise sah ich mich hier durch Meinungsverschiedenheit mit Hunter veranlasst, meine Reise allein fortzusetzen. Da Hunter grossen Geldeswerth mit sich führte, durfte ich nicht daran denken, ihm einen der Führer zu nehmen, ebenso wenig mochte ich es wagen, mich der gefährlichen Gesellschaft eines Gaucho anzuvertrauen; — mit zwei guten Maulthieren versehen, durchritt ich allein die einsamen Wildnisse von Vilgo bis San-Juan, eine Entfernung von 75 spanischen Meilen. Bei meiner Ankunft in San-Juan hatte ich nicht geringe Ursache, dem Schöpfer für meine glückliche Reise zu danken. Hier wurde ich indessen dieser einsamen und gefährlichen Reiseart müde und engagirte einen Burschen, der mich bis Mendoza begleitete, wo ich am 8. August nach fast drei und ein halb monatlicher Abwesenheit wieder anlangte.

XIX.

Kolonisationsfrage der westlichen Provinzen. – Vortheile des Landes. – Nachtheile der politischen Unruhen. – Kolonien von der Regierung angelegt und übernommen. – Eine kurze Darstellung der politischen Fragen und der Landes-Geschichte seit der Rosas-Periode.

Am Schluss dieser Beschreibung meiner Bereisung der westlichen argentinischen Provinzen halte ich den Versuch, eine wichtige Frage der Jetztzeit, die Kolonisation näher zu beleuchten, für zweckmässig, d. heisst die Kolonisation der Distrikte, die sich von den südlichen Grenzen der Provinz Mendoza bis zum Süden Boliviens, und in dieser ganzen Ausdehnung von den Andes bis zu den östlichen Grenzen der indianischen Provinzen erstrecken, und die auf einem Flächenraum von 25000 Quadratleguas nur 395000*) Bewohner zählen. Noch bedeutender würde sich dieser Unterschied herausstellen, würde man diesem Flächenraum die weiten Territorien hinzufügen, die in Mendoza und in den Provinzen von Salta und Jujuy noch von wilden Indianerstämmen durchwandert

*) Mendoza 40000 Bew., San-Juan 64000 Bew., Rioja 34000 Bew., Catamarca 60000 Bew., Tucuman 85000 Bew., Salta 70000 Bew., Jujuy 38000 Bew. = 395000 Bew.

werden, und die in der obigen Ziffer nicht einbegriffen sind. Man schätzt sie auf 8000 Quadratleguas, deren ein grosser Theil von der grössten Fruchtbarkeit und deshalb hoher Wichtigkeit für die Zukunft ist. Ihr Eigenthum wird indessen noch bestritten, einestheils von den Indianerstämmen, die ihr Gebiet nicht gutwillig aufgeben wollen, und anderntheils von den angrenzenden Mächten. Sowohl Brasilien wie Bolivien und selbst Paraguay glauben Rechte auf den Chaco *) zu haben. In den Grenz-Conventionen, die 1852 und 1856 zwischen den letzteren beiden Republiken und Argentinien unterzeichnet wurden, wird ausdrücklich die Regulirung der nordöstlichen argentinischen Grenzen bis auf spätere Zeiten reservirt. Bis jetzt sind diese von geringer Wichtigkeit. Die bestrittenen Territorien sind, wenn auch fruchtbar und vegetationsreich, gänzlich den wilden Indianerstämmen überlassen; — welches der obigen Länder das grösste Recht auf dieselben hat, ist unmöglich zu ermitteln. Je nachdem die zukünftige Kolonisation und Bevölkerung derselben von einem derselben ausgeht und dieses dadurch seinen Einfluss sichert, wird sich das Eigenthumsrecht zu Gunsten dieser besonderen Macht entscheiden. **)

Diese Landestheile, die sich von 22° bis 42° s. Breite und 67° bis 72° w. Länge (über Paris) erstrecken zeigen eine entschieden bergige Natur, die sich nur in den ungeheuren Flächen der Provinz Mendoza, den weiten Llanos de la Rioja und den Salinas von Catamarca verliert; diese Ebenen bilden einen Theil der ungeheuren argentinischen Pampa, die nur selten von vereinzelten Granitketten, wie die von San-Luis und Cordova, durchbrochen, sich über einen Flächenraum von 42000 Qua-

*) Der, dem gegenwärtigen Bande zugefügte Bericht über den „Chaco" wird den Leser über jene so interessanten, aber noch unbekannten Landestheile Aufklärung geben.

**) Trotz den mit allen benachbarten Regierungen gemachten zahlreichen Tractaten und Conventionen über Grenz-Regulirungen herrscht in diesen ein ungeheurer Wirrwarr. Die Regierungen machen Conventionen, allein die folgende Regierung oder die Deputirten-Kammer, oder legislative Gewalt verweigert ihre Zustimmung und alle Mühe ist umsonst gewesen. Am 15. August 1852 wurde z. B. von den argentinischen und paraguayischen Regierungen der Fluss Paraná, die natürliche Grenze, auch als politische Grenze angenommen. Der argentinische gesetzgebende Körper verweigerte später seine Zustimmung und man fährt jetzt fort, Reclamationen über vermeintliche Gebietsverletzungen zu machen, die ohne Zweifel früher oder später zum Kriege führen werden. In diesem besonderen Falle handelt es sich um die alte Provinz der Misiones, die beide Länder für sich beanspruchen.

Zwischen Bolivien und Argentinien herrschen gleichfalls Grenzzwistigkeiten ausser der des Chaco; ebenso mit Brasilien und im Süden mit Chile. — Auch diese Länder unter sich, Chile mit Bolivien, Bolivien mit Peru, Paraguay mit Brasilien und Brasilien mit Uruguay sind in ihren Grenzbestimmungen höchst unsicher; jeden Moment drohen Reclamationen, zuweilen sehr ernster Natur wie die im Jahre 1862 zwischen Chile und Bolivien, die fast eine Kriegserklärung Boliviens zur Folge hatten.

dratleguas erstreckt.*) „Es ist eine besondere Schönheit des argentinischen Bodens, schreibt ein neuerer Reisende, dass wir in demselben den Character des Terrains aller Länder vertreten finden. Eine grossartige Alpennatur neben den weiten Flächen und in den inländischen geringeren Gebirgsketten ein Terrain, welches den Mittelweg zwischen ersteren beiden hält, und an den Ufern des Paraná und Uruguay das argentinische Mesopotamien.“

Das Gebirgsland, mit welchem wir es in den westlichen Provinzen zu thun haben, ist nicht so coupirt, wie man es bei diesen riesigen Bergketten erwarten sollte, und wie es an ihrem westlichen Abhang der Fall ist. Die Andes sowohl wie andere argentinische Bergketten bieten in der That das auffallende geognostische Phänomen dar, dass die westlichen Abhänge sich jäh und steil in die Tiefe senken, während ihre östliche Seite allmählich und sanft nach den Pampas hinunterführt. Daher diese Längenthäler, die zuweilen zwanzig bis dreissig deutsche Meilen lang die Andes durchziehen, und die sich sanft senkenden Hochebenen, welche auf einer Höhe, die von wenigen Fuss über dem Niveau der Pampas bis zu 13000 Fuss über dem Meeresspiegel wechselt, pampa-ähnliche, unermessliche Flächen darstellen. Bewohnbar sind diese Strecken bis zu 3 bis 6000 Fuss für den Ackerbauer, bis zu 8 und 9000 Fuss für den Estanciero. Auf letzterer Höhe findet man, die zwei bis drei Monate Winter ausgenommen, gewöhnlich ein reiches, nahrhaftes Gras, wo, wenn Getreide auch fortkömmt, dieses doch zu sehr den rasch eintretenden Frösten ausgesetzt ist, um eine andere als sehr mittelmässige Garantie der Ernte zu geben. Die tieferen Thäler und Plateaus bieten in dieser Beziehung eine grössere Sicherheit, und sie sind es hauptsächlich, die dem Ackerbau in den Andesprovinzen gewidmet sind; trotz der Begierde der Bewohner, sich hier gute, zum Ackerbau geeignete Strecken zu sichern, — bleiben noch manche tausend Quadratmeilen der Wildniss zu entreissen. Mit einem fruchtbaren Humusboden versehen, werden sie entweder von grösseren oder kleineren Strömen durchzogen, oder bieten Gelegenheit, durch verhältnissmässig geringe Kosten Wasserleitungen zur Bewässerung zu etabliren. Die gänzliche Abwesenheit räuberischer Indianerhorden (mit der einzigen Ausnahme des Südens Mendozas und des Nordens Jujuys), von denen die östlichen Provinzen so schwer zu leiden haben, ist ein nicht geringerer Vortheil; längst sind die verschie-

*) ungerechnet den 35,000 Quadratleguas, die Patagonia's Ebenen einnehmen.

denen Urstämme aus diesen Gegenden verschwunden, von den eindringenden Spaniern vertilgt oder zum Süden und gen Osten getrieben.

Somit wäre hier eines jener fruchtbaren Felder für die Einwanderung, an welchen die neue Welt glücklicherweise noch so reich zu sein scheint, eröffnet. Ackerbau, Viehzucht, für einwandernde Kapitalisten Bergbau, bieten hier auf Tausenden von Quadratmeilen fruchtbaren Bodens und in reichen Metalladern ihre Schätze dar. — Muss man nicht unwillkürlich bei dem Gedanken erschrecken, dass diese reiche Fülle der Naturgaben, dieser reiche Boden, diese Ueppigkeit der Vegetation zu Nichts, als zur Erhaltung eines niederen thierischen Lebens dient? Die Früchte verderben ungenossen, das Vieh und Wild verendet zu Tausenden ungenützt, höchstens dazu dienend, die Fruchtbarkeit der Wildniss zu vermehren, auf dieser Seite die Fülle, auf jener der Mangel! Wie viele Tausende, die drüben in der alten Welt ein kärgliches Dasein fristen, die dort moralisch und materiell verkümmern, würden hier eine genussreiche, leichte Existenz finden. Breitet Euch über die Erde aus, ist das Naturgesetz, und wo dieses durch eine zu grosse Anhäufung der Bevölkerung verletzt wird, straft es sich schwer. Geistiges und körperliches Elend in den unteren Massen, ein allmähliches Zernagen der Lebensfäden der Nation sind die Folgen. Muss es daher nicht die Pflicht jedes wahren Menschenfreundes sein, die Auswanderung nach Kräften zu fördern, sein geringes Scherflein zu dem grossen Zwecke, das Gleichgewicht der Bevölkerung des Erdbodens herzustellen, beizutragen? Ist dieses Gleichgewicht nicht allein im Stande, die Beglückung der Massen herbeizuführen? Es erzielt ein leichtes, materielles Dasein, in dessen Gefolge eine höhere Ausbildung unserer moralischen Gefühle und unseres intellectuellen Lebens, — der einzige Weg zum irdischen Glücke, „die harmonische Thätigkeit aller unserer Organe“ erreicht wird.

Mit Vergnügen sehen wir, dass auch die Bewohner dieses Theiles der neuen Welt, einerseits von Philanthropie, anderseits von dem Wunsche, ihr Vaterland durch eine intelligente Bevölkerung zum Reichthum und zur Macht gelangen zu sehen, oft auch von egoistischen Motiven geleitet, sich bemühen, einen Theil des Stromes europäischer Emigration nach diesen Ufern zu leiten. Viel hat das Land in dieser Beziehung durch seine Befreiung vom spanischen Mutterlande gewonnen, mehr wie jede andere Besitzung waren den Spaniern die La-Plata-Kolonien ein Gegenstand ihrer Politik des Isolirens. Von Philipp II. wurde jeder fremden Nation der Handel mit seinen amerikanischen Besitzungen untersagt. Zuerst von

Sevilla, später, seit 1720, von Cadix wurde alljährlich eine mit europäischen Exportartikeln und spanischen Auswanderern beladene Flotte nach Mexico, Peru und Chile abgeschickt. Die La-Plata-Kolonien trieben ihren Handel mit dem Mutterlande über Peru; erst im 17. Jahrhundert wurde ihnen erlaubt, alljährlich einen unbedeutenden Betrag ihrer Produkte, 2000 Fanegas Weizen und 500 Quintal gesalzenes Fleisch, über Brasilien auszuführen. Im Jahre 1750 wurde ihnen der direkte Handel mit dem Mutterlande eröffnet. Wurde der Handel so beschränkt, so war die fremde Einwanderung es noch in weit höherem Grade. Mit Misstrauen wurde der Fremde beobachtet, ihm jedes bürgerliche oder politische Recht entzogen, wenn es ihm gelungen war, sich in die Kolonien einzuführen. — Der Emigration der arbeitenden Klassen waren unübersteigliche Hindernisse in den Weg gelegt. Die Spanier fühlten bald den Mangel der Kolonisation; — selbst zu wenig zahlreich und zu wenig zur Handarbeit geneigt, suchten sie diesem durch Zwangarbeit der Indianer abzuhelfen. Das System der Commenderias, d. i. forcirte Indianer-Kolonisation, wurde eingeführt, aber gab nur in seltenen Fällen Erfolg. Man fand bei den Stämmen einen so hartnäckigen Widerstand, dass man, anstatt einer friedlichen Kolonisation zu allgemeinem Besten des Landes, blutige und langwierige Kriege erzielte, die in manchen Fällen bis auf die Befreiungskämpfe Argentiniens fortgeführt wurden.*) Ich glaube, dass Zwangsarbeit nie zum Segen führen kann. Selbst mit Erfolg belohnt, dient sie nur dem Wohlergehen der gebietenden Klasse. Während einer langen Periode mag sie dieser mit Reichthum und Ueberfluss lohnen, aber wie uns die Geschichte aller Sclavenstaaten den Beweis liefert, erzeugt die faule Saat früher oder später eine blutige Ernte. — Freie Arbeit ist allein im Stande, die reichen, natürlichen Vortheile dieser Länder, und somit auch Argentiniens zu entwickeln. — In der freien Arbeit, hier durch Kolonisation gefördert, liegt die Zukunft dieses Landes, und allem Anschein nach wird diese eine segensreiche sein. Dass die Kolonisation, durch Einwanderung der Fremden erzielt, in ihrem vollen Lichte von den Argentinern gewür-

*) Im Beginn des 17. Jahrhunderts 1612 wurde D. Francisco Alfaro von dem spanischen Hofe abgeschickt, um die Commenderias aufzuheben — es zeigte sich bei dieser Gelegenheit recht deutlich, wie gering die Macht des Mutterlandes in den inneren Angelegenheiten der entfernten Kolonien war. — Alfaro's Sendung hatte keinen Erfolg. Die spanischen Einwanderer schienen sich in ihr System verbissen zu haben. Die Indianer waren, wenn auch rebellisch und träge, doch Sclaven, die sie anderen Arbeitern vorzogen. Erst 1702, als Negersclaven eingeführt wurden, fingen sie an, das System der forcirten Indianerarbeit aufzugeben.

digt wird, zeigt schon der 25. Paragraph ihrer Verfassung: „Die Bundesregierung ist verpflichtet, die europäische Emigration aufzumuntern. Sie kann die Fremden, die den Boden zu bebauen, die Industrie zu heben, Künste und Wissenschaften einzuführen und zu lehren beabsichtigen, weder hindern, zurückhalten noch durch irgend welche Auflagen ihre Einwanderung in die argentinischen Provinzen erschweren."

Mit Recht haben die argentinischen Gesetzgeber erkannt, dass die erste Bedingung des Fortschritts des Landes seine vermehrte Bevölkerung ist. Bliebe dieselbe auf ihre natürliche Vermehrung beschränkt, so würden noch viele Jahrhunderte vorübergehen, bis das Land eine mittelmässige Entwickelung erreichen könnte. Schon die Politik würde dies nicht erlauben. Darf Argentinien gestatten, dass jene, es umgebenden Nachbarländer, unter denen vorzüglich Chile und Brasilien hervorstehen, sich durch die Emigration der Europäer zur Macht und zum Reichthum aufschwingen, während es selbst in seiner ursprünglichen, armen und ohnmächtigen Rohheit befangen bleibt? Mit Aufmerksamkeit heften sich daher Aller Blicke auf die Einwanderung. Am meisten ist in dieser Hinsicht jedoch nicht von der Landesregierung, sondern von der Provinzialregierung von Buenos-Ayres geschehen. (Im späteren Verlauf dieses Werkes werde ich im Stande sein, auf letztere näher einzugehen.) — Erst seit 1853 und 1854 giebt die Landesregierung Zeichen, dass sie sich ihrer von der Verfassung ihr auferlegten Pflicht erinnert. Die tyrannische Regierung Rosas hatte die Provinzen in einen lethargischen Zustand gebracht, aus dem sie nur langsam erwachten. Nach einigen, so zu sagen passiv wirkenden Mitteln, Verordnungen und Dekreten, um den Fremden grössere Freiheiten zu gewähren, ging man endlich 1854 mit Corrientes einen Contract zur Aufnahme von Emigranten ein, Dr. Brougnes wurde beauftragt, französische Kolonisten, 1000 Familien herbeizuschaffen. Die jetzt blühende Kolonie San-Juan del Puerto de Santa Anna, nur sechs Leguas von der Stadt Corrientes belegen, war das Resultat. 1858 wurde von der Bundes-Regierung eine andere Anstrengung in der Kolonisationsfrage gemacht. Durch Auszahlung von 120,000 Piaster an den Contrahenten, Señor Castellanos übernahm sie die Kolonie Esperanza, die dieser Herr sieben Leguas von Santa-Fé auf Ländereien, die ihm die Provinzialregierung von Santa-Fé schenkte, etablirt hatte. Er hatte nicht genügend Capital, um sein Unternehmen mit eigenen Kräften auszuführen, und die Kolonie würde sich wahrscheinlich verloren haben, hätte nicht die Regierung glücklicherweise rechtzeitig eingegriffen und indem sie sich begnügte, ihre Auslagen durch, in langen Perioden von den Kolonisten zu machende Abzahlungen gedeckt zu sehen, deren Wachsthum befördert. Heute zählt die Kolonie 1500 Bewohner, ist in dem besten Zustande und eine grosse Anzahl der Kolonisten sind vollständig schuldenfrei und Eigenthümer ihres Bodens und Viehstandes. — Die Kolonie „las Conchas“, sieben Leguas oberhalb des Paraná, wurde gleichfalls auf Kosten der Landesregierung etablirt, besteht grösstentheils aus Deutschen, 70—80 Familien*) — Man sieht, dass die geringen Anstrengungen der Landesregierung sich nur auf die östlichen Provinzen, auf das Flussgebiet des Paraná beschränken. Die Andesprovinzen sind in dieser Beziehung gänzlich vernachlässigt worden. Auf einige gescheiterte Versuche, grösstentheils von den Provinzialregierungen ausgeführt, beschränkt sich die Kolonisation derselben.

Aber es ist vorauszusehen, dass diese Apathie nicht lange dauern kann; je mehr die natürlichen Vortheile jener westlichen Distrikte unter dem europäischen Publikum bekannt werden, desto mehr wird sich der Strom der Auswanderung nach denselben lenken. Mendoza ist besonders geeignet, ihn aufzunehmen. Wer je in diesem herrlichen Klima gelebt, wer je den fruchtbaren Boden, die grossen Strecken unbebauten Landes, die zahlreichen sie durchschneidenden Ströme gesehen, wird mir hierin beistimmen. — Ein grosser Einwurf, welchen man Argentinien im Allgemeinen macht, sind die fortgesetzten Bürgerkriege, die das Land beunruhigen.

Diese Kriege sind der Fluch des Landes, aber sie zeigen dem fremden Einwanderer gewöhnlich ihre mildeste Seite. Er und sein Eigenthum werden von beiden Seiten respectirt, höchstens werden ihm seine Pferde, als Kriegsartikel angesehen, genommen; man giebt ihm indessen sogenannte Vales (Zahlungsobligationen) der Regierung für deren Werth; nur von den vereinzelten, keiner Hauptmacht angehörenden Streifcorps, den Gauchos oder Räuberbanden, die ihre Raub- und Mordlust unter einer politischen Farbe verstecken, und die bei jedem ausbrechenden Bürgerkriege das Land belästigen, hat er Ernstes zu fürchten. Ist er im Stande, durch Anschluss an seine Nachbarn oder durch Zusammenziehung der in seinem Distrikte wohnenden Landsleute sich und die Seinigen gegen diese, deren Corps selten aus mehr als vierzig bis fünfzig schlecht bewaffneten und gewöhnlich feigen Kerlen bestehen, zu vertheidigen, so kann

*) Näheres hierüber in einem, in der „Allgemeinen Auswanderungszeitung“ Nr. 9—15. Jahrgang 1862 erschienen Aufsatze. „Die Kolonien in Argentinien“ (La-Plata) von einem dortigen Ansiedler.

er selbst im fernen Westen Argentiniens, der Macht seines Consuls weit entrückt, über seine Sicherheit beruhigt, die Aufklärung des politischen Horizontes abwarten. — Vielen Einwanderern, die mit Thätigkeit und Fleiss Speculationsgeist verbinden, sind diese politischen Umwälzungen nicht immer unlieb. Sie entziehen ihnen die Concurrenz der Eingebornen. Der argentinische Ackerbauer, Viehhirt und Arbeiter, sei er welchen Standes er wolle, wird zu den Nationalgarden eingezogen und der fremden Bevölkerung bleibt allein die Besorgung der friedlichen Geschäfte überlassen, die unter diesen Umständen ihre Produkte zu ihrem eigenen Preise zu Markte bringt.

So rechtmässig dieser Handel, der durch Erhöhung des Gewinnes den Mangel an Sicherheit des Eigenthums ersetzt, ist, so fluchwürdig ist das Benehmen einflussreicherer Fremden, die durch Intriguen den unglücklichen Zustand des Landes zu verlängern suchen, nur um ihren Privatinteressen zu dienen, — eben so fluchwürdig, als das Geldvorstrecken, das von fremden Kapitalisten den rebellischen Elementen zu hohen wucherischen Zinsen gemacht wird, und diese daher oft zur Kriegführung befähigt, wo ohne ihre Hülfe der Friede nicht gestört worden wäre.

Für die Zukunft bietet Argentinien noch wenig Hoffnung eines dauerhaften Friedens. Ich will es versuchen, meinem Leser einen Umriss über den Verfolg dieser nie aufhörenden Kriege und deren Ursachen zu geben, um ihm dadurch ein selbstständiges Urtheil zu ermöglichen.

So oft und mit scheinbarem Erfolg von den verschiedenen Präsidenten die Fusion der Parteien gesucht wurde, so erwacht dennoch bei der leisesten Veranlassung der alte Hass zwischen den Uniterios und Föderalen. Erstere wollen eine Centralgewalt mit souveräner Macht der Nationalregierung über alle Provinzen und Letztere, die man für die Mehrzahl und Volkspartei hält, wollen Provinzialregierungen, die sich nur in dem Zollsystem, der Armee und den auswärtigen Angelegenheiten der National- oder Centralgewalt unterzuordnen haben. Es ist nicht an uns, zu untersuchen, welches dieser beiden Systeme das weiseste ist, jedenfalls würden sich die argentinischen Provinzen unter jenem am besten befinden, welches die Mehrzahl für das beste hält, und also am ersten geeignet ist, den Frieden zu sichern. Das Volk stimmt für das föderale System. Rosas wusste dieses, und um seinem eigenen Ehrgeiz zu dienen, affectirte er für die Volkspartei eine begeisterte Anhänglichkeit, als Gouverneur und später als Dictator von Buenos-Ayres zur Macht gelangt, behielt er zwar die politischen Farbe und Namen als Föderalist bei, brachte aber die Grundsätze der Ultra-Unitarios zur Ausführung, indem er sich zum unumschränkten Gebieter der Provinzen machte. Daher diese Verwirrung in Anwendung der Parteinamen. Der General Urquiza, der Rosas Macht bekämpfte (ein ächter Föderalist), um ihn von dem prätendirten Föderalisten aber ächten Unitario Rosas zu unterscheiden, wurde Unitario genannt; später wurden diese Namen von einer Partei gewechselt, von der anderen aber beibehalten, — genug, die eigenen Parteigänger wussten bald nicht mehr, ob sie zu den Unitarios oder den Föderalen gehörten, — und Andere, den Namen für baare Münze nehmend, fochten, ohne es zu wissen, für Grundsätze, denen sie feindlich gesinnt waren.

Die Dictatur war indessen die Anwendung der unitarischen Grundsätze in ihrem Extrem, wer sich ihr widersetzte, stellte sich dem Zorn des blutdürstigen Tyrannen bloss, der, wie ohne Beispiel in der modernen Geschichte, 17 Jahre hindurch, von 1835 bis 1852, von seiner Proclamation als Dictator bis zu der Schlacht bei Monte-Caseros und seiner darauf folgenden schmählichen Flucht an Bord eines englischen Kriegsschiffes, 14 Provinzen der Republik durch Schrecken und Vertilgung regierte. Der Reisende in den Provinzen findet noch zahlreiche traurige Spuren von Rosas Schreckensherrschaft. Ruinirte Ortschaften, zahllose verarmte Familien, Wittwen und Waisen sprechen eben so laut wie die allgemeine Meinung des Volkes sein Verdammungsurtheil aus. Urquiza, dem Gouverneur der Provinz Entre Rios, sollte der Ruhm zu Theil werden, sein Vaterland von diesem Ungeheuer zu befreien. Er schlug ihn in der Schlacht bei Monte-Caseros (Februar 1852), wo von jeder Seite 25000 Mann, eine für dieses dünn bewohnte Land ungewöhnliche Zahl, aufgestellt wurden, so vollständig aufs Haupt, dass Urquiza ohne weiteren Schwertstreich in Buenos-Ayres einziehen konnte und Rosas sich flüchten musste. Urquiza begnügte sich hiermit nicht; selbst seine Feinde werden ihm nicht absprechen, dass er zu jener Zeit Alles that, was allein geeignet schien, das Land zu einem dauerhaften Frieden zu führen. Durch Berufung des Nationalcongresses nach San Nicolas, einer nördlichen Grenzstadt der Provinz Buenos-Ayres im Mai 1852, brach er Bahn zu der definitiven föderalen Verfassung des Landes, sowie zu vielen liberalen Massregeln, unter welchen sich die Aufhebung aller inländischen Zollhäuser für den Binnenhandel, sowie die Nationalisation aller Grenz-Zollhäuser, d. i. die direkte Verknüpfung derselben mit der Nationalregierung auszeichneten. Diese letztere, wenn auch gerecht, war indessen unter den vorliegenden Umständen nicht weise, es versetzte Buenos-Ayres einen harten Schlag; seine bedeutenden Zolleinnahmen in den Händen des Finanzministers in Paraná zu sehen, seine politische Oberhoheit über die Provinzen zu verlieren, mochte es nicht ertragen. Es verweigerte daher seine Zustimmung zu den Beschlüssen des Congresses in San Nicolas. — Der Gouverneur von Buenos-Ayres, Don Vicente Lopez, zog sich aus diesem zurück, und in Folge dessen proclamirte Urquiza den Schluss der Sitzungen. Der Congress in San Nicolas bestand nicht aus Volksdeputirten, sondern aus den Gouverneurs der verschiedenen Provinzen; dies machte es Urquiza leicht, die legislativen, vom Volke erwählten Kammern zusammenzubringen. Am 20. November 1852 wurden sie in Santa-Fé feierlich von ihm eröffnet. Buenos-Ayres sandte seine Abgeordneten nicht. Schon in der ersten Hälfte Septembers brach in der Stadt selbst eine Revolution aus, die von der Partei, die die Unabhängigkeitserklärung der Provinz von dem Rest der Nation im Auge hatte, ausging. Der schon altersschwache Gouverneur Lopez wurde abgesetzt, ein neuer Gouverneur ernannt und die Provinz von der Conföderation getrennt erklärt; — allein, schon bevor Urquiza oder die Bundesregierung Zeit bekam, ihre Massregeln gegen das abtrünnige Buenos-Ayres zu nehmen, empfand dieses selbst die Folgen seines unklugen Benehmens. In der Campaña der Provinz brach eine Contre-Revolution aus; die Anstifter derselben belagerten die Stadt während mehrerer Monate, zogen aber endlich, zum Theil von den reichen Bewohnern der Stadt bestochen, zum Theil von dem langsamen Vorwärtsschreiten ihrer Belagerungsoperationen ermüdet, unverrichteter Sache wieder ab.

Urquiza wurde unterdessen zum Präsidenten der Republik erwählt. — Der Belagerungszustand, in welchem sich die Provinz Buenos-Ayres befand, die Erklärung der für alle Nationen freien Flussschifffahrt, aber vor allem der sogenannte Differenzial-Zoll, der von der argentinischen Regierung auf alle von Buenos-Ayres nach den Provinzen importirten europäischen Waaren gesetzt wurde und 18% betrug, brachte einen grossen Theil des Handels von Buenos-Ayres nach den Provinzen. Die verschiedenen Häfen im Paraná nahmen einen raschen Aufschwung, vor allen aber Rosario de Santa-Fé, welches sich in sechs Jahren von einem elenden Dorfe mit 7 bis 800 Einwohnern zu einer Handelsstadt ersten Ranges in den Provinzen mit 20,000 Bewohnern aufschwang. — Auch die vom Littoral entfernteren Provinzen gewannen viel während dieser Periode der Präsidentschaft Urquiza's. — Wege-Verbesserungen wurden in einem grossartigen Maassstabe unternommen. Ein kostspieliges System von Postkutschen wurde fast auf allen fahrbaren Wegen etablirt, mit einem Wort, man that Alles, was zum Fortschritt und Wohl des Landes als räthlich erschien.

Während sieben Jahre wurde Buenos-Ayres sich selbst überlassen — Urquiza schien klug genug, mit den im Beginn schwachen und zersplitterten Kräften der Provinz keinen Angriff auf das reiche Buenos-Ayres zu wagen, der nur eine sehr schwache Wahrscheinlichkeit des Erfolges haben konnte; — er wartete, bis sich die Provinzen gekräftigt hatten, und erst dann im Juni 1859 marschirte er mit seiner Armee gegen Buenos-Ayres, um es mit Gewalt in den Bund zurückzuführen. Da eine bedeutende Partei in dieser Stadt existirte, die für die Rückkehr in den argentinischen Staatenbund stimmte, so wurde ihm der Sieg verhältnissmässig zu der Macht der angegriffenen Provinz leicht. Im November 1859, nach der von Buenos-Ayres verlorenen Schlacht bei Cepeda wurde dieses endlich der Conföderation wieder einverleibt.

Mit wenigen geringfügigen Unterbrechungen (nur Lokalereignisse in verschiedenen Provinzen) währte der Friede bis zum Jahre 1861, — als, durch die tyrannische Herrschaft des Gouverneurs Virasoro in San-Juan wach gerufen, die alten Leidenschaften wieder in hellen Flammen aufschlugen. Die Worte Föderalisten und Unitarios kamen wieder zum Vorschein, obwohl man nicht recht wusste, welche Partei mit letzterem Namen zu bezeichnen war. Erst nach Beendigung des Krieges wusste man, dass beide Parteien Föderalisten waren. Virasoro wurde unterdessen im November 1860 von dem erbitterten Volke San-Juan's ermordet, und ein provisorischer Gouverneur Aberastein eingesetzt. Die Nationalregierung sendete Abgeordnete, um die Schuldigen zu strafen; diese mussten unverrichteter Sache wieder abziehen, und Präsident Derqui requirirte sodann die Militärmacht, d. i. die Nationalgarden von Mendoza und San Luis, um das rebellische San-Juan zur Ordnung zurückzuführen. Der Gouverneur von San Luis, Oberst Juan Sáa, wurde zum Anführer der kleinen Executions-Armee ernannt. Man hätte keine schlimmere Wahl treffen können. Grausam, ehrgeizig, habsüchtig, war ihm der Krieg, vorzüglich mit dem wohlhabenden San-Juan, nur zu willkommen, um nicht Alles daran zu setzen, eine friedliche Beilegung des Zwistes, und somit die Absichten der Nationalregierung zu verhindern, die durch die blosse Schaustellung der Truppen von Mendoza und San-Luis und den sie begleitenden Drohungen San-Juan zur Vernunft zu bringen hoffte. Vergebliche Hoffnung! Selbst das entfernte Buenos-Ayres sandte eine Commission, um mit den San-Juaninos für ihre Unterwerfung zu unterhandeln; sie wurden mit Jubel in San-Juan empfangen, und schon näherten sich ihre Unterhandlungen dem erwünschten Ende, schon ging ein Eilbote ab, um der Regierung in Paraná die Bedingungen der Unterwerfung vorzulegen, als Sáa, der seine schönen kriegerischen Pläne zu Wasser werden sah, seine militärische Operationen beeilte, und dadurch allen Unterhandlungen ein plötzliches Ende machte. Die Friedens-Commissäre von Buenos-Ayres zogen erzürnt ab, um ihrer Regierung ihre schmähliche Behandlung von Seiten Sáa's mitzutheilen. —

Sáa marschirte indessen mit seinem Executionsheer, aus 5000 Mann bestehend, auf San-Juan, und griff diese Stadt im December 1860 bei Pozito an, wo sich ihm eine Anzahl San-Juaninos, die kaum zwei Drittel des Angriffscorps zählten, entgegenstellten. Die San-Juaninos, erst vor wenigen Tagen zum erstenmale in ihrem Leben bewaffnet, wurden leicht von den wilden Gauchos geworfen, und ein schreckliches Gemetzel unter den wehrlosen Flüchtlingen war die nächste Folge. Die rohen Sieger gaben keinen Pardon; mit den Verfolgten drangen sie in die Stadt ein, die für mehrere Tage der Plünderung preisgegeben wurde. Nichts, weder Alter, Geschlecht noch Krankheit wurde von den Gauchos respectirt. — Gouverneur Aberastein, der sich zum Gefangenen ergab, wurde gebunden und fortgeführt; kaum einige Quadras gegangen, holte ein Bote die den Gefangenen fortführende Wache ein. Dem Officier derselben wurden von dem Boten einige Worte ins Ohr geflüstert, der sogleich Aberastein benachrichtigte, dass er an Ort und Stelle erschossen werden solle. Man liess ihm nur wenige Secunden; er hatte kaum Zeit, ein kurzes Gebet zu sprechen, als die Patrouille auf ihn Feuer gab. Dem Todten wurde der Kopf abgeschnitten, um auf der Lanze eines der Soldaten als Siegestrophäe zu paradiren. Die Familie Aberastein's sowohl wie andere der Vornehmsten San-Juans wurden von der Soldatesca ihrer Kleidung beraubt, nackt auf die Strasse gestossen, den brutalsten Misshandlungen ausgesetzt. Später bei der Rückkehr des Executionscorps nach San-Luis wurden Hunderte von unglücklichen Mädchen mit fortgeschleppt. — Behandelte man auf diese Weise die Unschuldigen, welche Qualen mussten Schuldige und Verdächtige erdulden. Fast ununterbrochen hörte man während der ersten Tage das Pelotenfeuer der zu den Erschiessungen beorderten Compagnien.

In ganz Argentinien brachte die Nachricht des Schicksals San-Juan's eine tiefe Entrüstung hervor, und mit Spannung erwartete man die Handlungsweise der Nationalregierung. Alle Parteien kamen darin überein, dass Sáa des Attentats gegen die Souveränität der Provinzen sich schuldig gemacht, die einzige Entschuldigung, die seine Partei für ihn fand, war, dass seine Untergeordneten nicht seine Ordres ausgeführt hatten; einmal losgelassen, war er nicht mehr im Stande, seine Gauchos zu zügeln. Wie gross war aber das Erstaunen aller Parteien, als die Nachricht von der vollkommenen Billigung jenes Attentats von der Nationalregierung eintraf, und nicht allein das, sondern Sáa als Belohnung zum General gemacht und seine Creaturen und Gaucho-Officiere mit Ehren und Belobungen überhäuft wurden. Niemand konnte sich die Blindheit Derqui's und Urquiza's, der, obwohl von dem Präsidentenstuhl herabgestiegen, noch immer grossen Einfluss auf die Landesregierung übte, erklären. Das argentinische Volk von Buenos-Ayres bis Jujuy war durch die Vorfälle in San-Juan in eine furchtbare Aufregung gebracht, die nur durch die Bestrafung Sáa's beruhigt werden konnte; die entgegengesetzte Handlungsweise warf einen Funken in die Pulverkammer. In allen Provinzen folgten Demonstrationen auf Demonstrationen, die in so energischer Weise die öffentliche Meinung aussprachen, dass Derqui sich veranlasst sah, ein Manifest an das argentinische Volk zu erlassen, in welchem er seine Handlungsweise zu rechtfertigen suchte. Ein Gegenmanifest, von Buenos-Ayres ausgehend, mit scharfen Worten die Niederträchtigkeit der San-Juan-Affaire hervorhebend, und von fast allen Provinzen mit Jubel empfangen, annullirte vollständig die beabsichtigte Wirkung des Manifestes der Regierung. In Cordova, Santiago del Estero, Tucuman und Salta, den mächtigsten und grössten der Provinzen, erklärten die Provinzialregierungen sich mit Allem, selbst mit dem offenen Kriege einverstanden, was Buenos-Ayres zur Wahrung der föderalen Rechte für passend erachte. Buenos-Ayres, jetzt nicht mehr isolirt, sondern mit den Hauptprovinzen des Landes und dem Rechte auf seiner Seite, gab der Regierung in Paraná die Wahl zwischen der Bestrafung Sáa's oder Krieg. Derqui, unter dem Einflusse Urquiza's, wählte den Krieg.

Der Krieg wurde erklärt. — Urquiza, jetzt nicht mehr der Urquiza von Monte-Caseros noch von Cepeda, sondern gealtert und von den grössten und reichsten Provinzen verlassen, führt das Heer der Regierung gegen Buenos-Ayres. Bei dem kleinen Flusse Pavon, in der Nähe der Grenze zwischen den Provinzen Santa-Fé und Buenos-Ayres belegen, wurde er von dem Gouverneur der letzteren Provinz, General Mitre geschlagen; der Sieg von Cañada de Gomez, von dem Orientalen Flores über die Reste von Urquiza's Heer beendigte den kurzen Krieg. Präsident

Derqui floh nach der Banda-Oriental, Urquiza nach seiner Provinz Entre-Rios, wo er die energischesten Massregeln zur Vertheidigung nahm. Mitre gewährte ihm jedoch Frieden, unter der Bedingung, die Deputirten seiner Provinz nach dem in Buenos-Ayres zusammenberufenen Congress zu senden, und sich im Uebrigen aller Politik mit Bezug auf die argentinische Conföderation zu enthalten. Urquiza versprach Beides und blieb Gouverneur von Entre-Rios sowie Besitzer seiner grossen Reichthümer in dieser Provinz. Man hat Mitre scharf getadelt, Urquiza nicht bis in seinen letzten Schlupfwinkel verfolgt und aus dem Lande verjagt zu haben. Die so urtheilen, kennen wenig den ungeheuren Einfluss Urquiza's in Entre-Rios sowohl, wie in den Provinzen. Er hatte zwar bei San-Juan gefehlt, allein dieses verwischte nicht das Andenken des glorreichen Sieges bei Monte-Caseros und an die Zeit seiner Präsidentschaft, während der er im wahrhaft liberalen und fortschreitenden Sinne regierte. Die Vernichtung Urquiza's würde Mitre tausend Gegner gemacht haben, die, so lange es seine Entfernung von dem Thun der Nationalregierung galt, seine Freunde waren. Der Bürgerkrieg, noch in San-Luis, der Rioja und Catamarca unter der Asche glimmend, würde in hellen Flammen ausgebrochen sein, hätte es der Rettung des früher so volksthümlichen Führers vor einem schmählichen Ende gegolten. Ausserdem waren Mitre's Streitkräfte nicht so viel zahlreicher, als die Urquiza's in Entre-Rios, um den Nachtheil, den Feind in seinem eigenen Lande anzugreifen, zu neutralisiren. Der Erfolg musste zweifelhaft bleiben — und der Versuch einer Invasion erschien somit ein Riskiren aller gehabten Erfolge für ein im günstigsten Falle unbedeutendes Resultat. — Mitre sah dieses ein und liess Urquiza in Entre-Rios, so heftig auch seine weniger vorsichtigen Generale in ihn drangen, eine entgegengesetzte Handlungsweise einzuschlagen.

Der Congress wurde in Buenos-Ayres zusammenberufen; seine Hauptresultate waren die Erwählung Mitre's zum Präsidenten der Conföderation und die Erklärung von Buenos-Ayres zur provisorischen Hauptstadt des Landes. Mitre folgte seitdem dem Pfad einer aufgeklärten, liberalen Politik, aber viel machten und machen ihm die Provinzen zu schaffen; nur nach langen, anstrengenden Feldzügen kleinerer Truppenabtheilungen konnten sie von den Banden der Aufrührer gereinigt werden. Die einzige, noch immer in Gährung begriffene Provinz ist die Rioja; Peñaloso mit dem Beinamen der Chacho will sich noch immer nicht zufrieden geben, indessen lichten sich die Reihen seiner Anhänger immer mehr, und die Zeit scheint nicht mehr fern, wo auch dieser ewige Ruhestörer endlich zur Ruhe gebracht sein wird.*) — Aber nur zu kräftige Gährungsstoffe bleiben in den Provinzen aufgehäuft, um nicht jeden Moment den Ausbruch eines neuen Bürgerkrieges fürchten zu müssen. Die Fusion der föderalen und unitarischen Parteien ist noch nicht erreicht; bald in diesem, bald in jenem Winkel des weiten argentinischen Reiches hört man von ihren neuen Zwistigkeiten, die sich oft zu blutigen Reibungen gestalten. Mendoza, Catamarca und Tucuman sind die Hauptschauplätze dieser Scenen gewesen. — Fügen wir diesem die noch immer drohende Gestalt Urquiza's in Entre-Rios hinzu, der dem Tone seines Regierungs-Blattes nach zu urtheilen, nur auf den günstigen Moment zum Losbruch wartet, so müssen wir zugeben, dass die jetzige politische Ruhe des Landes höchst problematisch ist.

Trotz der Milde und Schonung, die von den Kriegführenden beider Parteien gegen unpartheische fremde Ansiedler ausgeübt zu werden pflegen, ist dennoch die Auswanderung nach den entfernten westlichen Provinzen nicht empfehlenswerth. Die reichen Naturgaben jener Distrikte sind nur für grössere Kolonisations-Unternehmungen, die durch Kapital- und die grössere Zahl der Kolonisten die natürlichen und politischen Hindernisse mit Sicherheit zu überwinden vermögen, zugänglich; aber wo fänden sich schon jetzt diese Kapitalien? Noch bleiben Hunderte von Quadratmeilen in der Nähe der Küste unbebaut und ungenützt, die Unternehmern eine weit leichtere und sichere Anlage ihres Geldes bieten würden. — Ohne Zweifel ist die Zukunft der Kolonisation der Andesprovinzen eine grosse, aber auch eine noch weit entfernte. Dem Ehrgeiz einiger Individuen, der Thorheit der Masse des argentinischen Volkes, die die ewigen Bürgerkriege nähren, ist es zuzuschreiben, dass die europäische, und vorzüglich die nordeuropäische Emigration sich nur im dünnen Strom den Ufern des La-Plata nähert, — dass ihr Vaterland sich nicht durch die Einwanderung einer intelligenten Bevölkerung erhebt und bereichert, und dass tausende und aber tausende Gaben einer üppigen Natur ungenützt in der Wildniss verloren gehen, während jenseits des Oceans Millionen ihrer Mitmenschen bitteren Mangel leiden. Hoffnung auf eine bessere Zukunft ist das Einzige, was sie uns für die verlorene Gegenwart geben.

*) Im October 1863 wurde er in einer Guerilla mit den Regierungstruppen gefangen und erschossen.

XX.
Der Chaco.

Auf der Karte sehen wir im Nordosten Argentiniens und im Süden Boliviens zwischen den 19 und 30° s. Breite und 58 und 63° w. Länge*) (über Greenwich) sich eine weite, leere Strecke hinziehen, die durch nichts als durch den Namen „wandernde Indianerstämme" bezeichnet wird. Nicht nach der irrigen Ansicht früherer Naturforscher einer Nation, sondern verschiedenen Nationen angehörend, durchstreifen die Stämme der Mataguayos, Tobas, Payaguas, u. v. A. diese wüste Region, sich von Jagd, Fischfang, Raub auf den angrenzenden Besitzungen der Weissen, seltener durch Tagelohn-Arbeit in den Zuckerpflanzungen Salta's ernährend. Wir wissen noch sehr wenig über diesen Theil der argentinischen Bevölkerung. 1832 soll zuerst der Oberst Arenales eine Beschreibung des Chaco**) herausgegeben haben; die späteren Reisen von Capt. Lavarello und Cuningham beschränkten sich zum Theil auf das Flussgebiet des Bermejo, ohne durch ein tieferes Eindringen ins Innere allgemeinere Beobachtungen möglich zu machen. Erst Moussy giebt uns einige Aufklärungen, die aber zum Theil nach dem unterstehenden Berichte der Beobachtungen Mr. Porter C. Blyss irrige Ansichten enthalten. Nach ihm wohnen im Süden des Bermejo die Nationen der Tobas und Moscovis — seit der Invasion der Spanier befanden sie sich mit diesen im fortwährendem Kriege, ohne dass sie je unterjocht werden konnten. Noch jetzt bekriegen sie ihre weissen Nachbarn, und fast alljährlich greifen sie die Estancias in Santa-Fé, Cordova, Santiago del Estero und Corrientes an. — Die Lenguas, eine andere kriegerische Nation des Chaco, wurde dagegen von den Spaniern nicht unterjocht, aber fast ausgerottet. Ihre wenig zahlreichen Ueberreste haben sich jetzt mit den Tobas und Mbayas vermischt. Die Machicuys, deren Sprache aus sehr harten, fast unaussprechbarten Lauten bestehen soll, leben zwischen dem Bermejo und Pilcomayo.

*) Die Region des Chaco begreift die zwischen den Flüssen Paraguay und Paraná im Osten liegenden Länderstreifen. Im Südwest begrenzt sie der Salado. Im Norden die Provinzen von Moxos und Chiquitos.

**) Trotz den deshalb angewandten Bemühungen war ich nicht im Stande, sie in irgend einer Buchhandlung in Buenos-Ayres oder den Provinzen zu finden.

Grosse Theile des Gebietes des Chaco, trotz ihrer Oede und undurchdringlichen Wildnisse, sind schon Gegenstand des Zwistes zwischen den den Chaco umgrenzenden Staaten geworden. Paraguay glaubt Ansprüche auf die Souveränität jenes Distriktes zu haben, der sich auf dem linken Ufer des Bermejo bis zum 22° s. Breite und selbst bis zum Pilcomayo erstreckt. Dasselbe Territorium beansprucht Bolivien, Brasilien und die argentinische Conföderation. Schon früher habe ich den Leser darauf aufmerksam gemacht, dass jemehr die Kolonisation und Cultur des Chaco von einer der die Grenze discutirenden Mächte ausgehen wird, diese ein natürliches Uebergewicht und Besitz, ein grösseres Eigenthumsrecht erlangen wird.

In neuerer Zeit hat der Chaco aus zwei Gründen das Augenmerk der argentinischen Regierung auf sich gezogen. Der erste Grund ist die indianische Kolonisationsfrage, der zweite die Ausbeute seiner mineralogischen Vortheile. Mineralogische Vortheile im Chaco? wird man verwundert ausrufen. Dennoch ist es so; auf dieser weiten Ebene, wo sich auch kein einziger kurzer Gebirgsrücken erhebt, deren Boden fast ganz in der vacanten Periode gebildet sein soll, wo sich auf Hunderte von Quadratmeilen Sandebenen, Grasebenen erstrecken, findet man ein ausgezeichnetes Eisen. Der Ort, wo es gefunden wird, sowohl, als die Composition und äussere Gestaltung des Eisens lassen schliessen, dass wir es hier mit ungeheuren Meteorsteinen zu thun haben. — Schon zur Zeit der spanischen Herrschaft wurde man auf dieses geologische Phänomen aufmerksam, aber der Stand der Wissenschaft war damals noch zu weit zurück, um das Räthsel zu erklären. Nach den modernen Untersuchungen von Sir Woodbine Parish (derselbe sandte ein Stück von 1200 ℔ Gewicht nach dem britischen Museum) enthält dieses Eisen 10% Nickel, während in dem in Atacama am Fusse der Andes gefundenen Meteoreisen nur 2½% Nickel gefunden wurde. Das des Chaco zeigt überhaupt alle Eigenschaften, wie sie in allem Meteor-Eisenstein wahrgenommen werden und wie sie der Erdrinde fremd sind, Legirung von Eisen, Nickel und Kobalt.*) Indessen ist das erwähnte, Mr. Parish gehörend Stück nicht das grösste im Chaco gefundene; es sollen dort Stücke von 10000 Pfund und mehr gesehen worden sein, sowie auch nach den Berichten der Indianer diese Stücke in so bedeutender Menge und in meilenweiter Ausdehnung den Boden bedecken, dass man von denselben in nicht entfernter Zukunft auf eine reiche Ausbeute hofft. Nur 60 Leguas von Sant-

*) Siehe Humboldt's Kosmos S. 617 Bd. 3.

iago del Estero entfernt, ist dieses Eisengebiet in der That von hoher Wichtigkeit, vorzüglich in einem Lande wie Argentinien, wo das Eisen bis jetzt mit so hohen Kosten von Europa herbeigeschafft werden muss; haben wir doch in andern Welttheilen Beispiele von ganzen, in Meteor-Gestein angelegten Bergwerken. Oberhalb des Negerstaates Liberien sollen sich verschiedene derartige Minen finden; auch den Geologen scheint sich mehr und mehr die Wahrscheinlichkeit aufzudrängen, dass ganze Berge auf dem Erdboden existiren, die für irdische Gesteine gehalten werden und doch vielleicht nur mächtige zerfallene Meteoriten sind.*)

Der zweite Grund, aus welchem sich die gegenwärtige Aufmerksamkeit erklärt, mit der die argentinische Regierung den Chaco betrachtet, ist die indianische Kolonisationsfrage. Es handelt sich nämlich darum, die Kolonisation der Indianer anstatt deren Bekämpfung zu versuchen; die friedliche Ausrottung durch die Civilisation. Die argentinische Regierung, mit dieser Frage beschäftigt, sandte vor mehreren Monaten einen Commissär, Mr. Porters Cornelius Blyss, um über die Wohnorte, Sitten und Gebräuche der Stämme, die den Grossen Chaco bevölkern, zu berichten. Nachstehend übersetze ich diesen Bericht; hoffen wir, dass das Resultat desselben sich nicht auf das lakonische Dekret der argentinischen Regierung, die werthvolle Arbeit Mr. Blyss zu archiviren, beschränken möge.**)

Buenos-Ayres, 15. Octbr. 1863.

Seiner Excellenz Dr. Don Guillermo Rawson,
Minister des Innern.

Im Februar d. J. wurde ich von der Regierung beauftragt, mich der Expedition des Dampfschiffes „Gran Chaco“ nach dem Flusse Bermejo anzuschliessen, um Daten und Kenntnisse über die Indianer-Racen jener Regionen zu sammeln. Ich habe jetzt die Ehre, die Regierung von meiner Rückkehr von besagter Expedition zu benachrichtigen, und zugleich die Hauptresultate meiner Untersuchungen mitzutheilen.

Der „Gran Chaco“ verliess Buenos-Ayres am 10. Februar, berührte die grösseren Häfen des Flusses Paraná und kam am 22. desselben Monats in Corrientes an. Wir hatten dort das gute Glück, einem Caziken (Häuptling eines Indianerstammes) Namens „Leoncito“ (der kleine Löwe) sowie

*) Siehe Sternenwelt, Dr. Ule. Leipzig 1860.

**) Dass eine solche Arbeit, mit solcher Anstrengung unternommen, kein anderes Resultat als das Dekret: „Buenos-Ayres, 15. Dicbe 1863. Publíquese y archívese. G. Rawson“ erlangen sollte, ist allerdings eine südamerikanische Regierung characterzeichnend.

mehreren Indianern aus dem Stamme der Vilelas zu begegnen. Letztere hatten den Capitän Lavarello auf seiner Explorationsreise im Jahre 1856 begleitet. Vermittelst einiger ansehnlichen Geschenke erkauften wir die Begleitung Leoncito's, die seines Bruders Antonio und eines anderen Indianers von seinem Stamme; bei meinen Untersuchungen über die Sprache, Sitten und Gewohnheiten der Indianer des Chaco wurden mir diese Begleiter sehr nützlich. Leoncito war ein junger, intelligenter Indianer; ausser seiner eigenen Sprache verstand er ein wenig Spanisch und Toba. In Corrientes sah ich auch eine bedeutende Anzahl Tobas-Indianer, halb nackt, die ihre Residenz an der Grenze des Chaco, der Stadt gegenüber genommen hatten. Sie kommen herüber, um in den Saladeros, besonders in den Etablissements Don Martin Dagorret's zu arbeiten. Dieser Herr, ein französischer Baske, hat durch seine Verbindungen mit den Indianern und den dadurch über sie erlangten Einfluss den Beinamen „König des Chaco" erhalten. Sowohl von diesem, wie von dem Herrn D. Francisco Fournier, der seit langer Zeit hier ansässig ist und vor 40 Jahren den französischen Naturalisten Alcide d'Orbigny auf seinen Excursionen nach dem Chaco begleitete, habe ich werthvolle Nachrichten erhalten.

Bei unserer Abreise von Corrientes fand sich die Maschine des Dampfers in so schlechtem Zustande, dass es uns unmöglich wurde in den Bermejo einzulaufen, und Asuncion*) aufgesucht werden musste, um die nöthigen Reparaturen vorzunehmen. Verschiedene, unvorhergesehene Umstände hielten uns dort während sechs Wochen, vom 1. März bis zum 14. April auf. Ich benutzte diese Zeit so gut als möglich, ich formirte mir ein Wörterbuch der Sprache meiner indianischen Begleiter und besuchte die Nation der Payaguas, die den Chaco in der Nähe von Asuncion bewohnen; zu gleicher Zeit machte ich einige Studien in der Guarani-Sprache, so wie sie in Paraguay gesprochen wird.

Endlich am 18. April liefen wir in den Fluss Bermejo ein, also zwei Monate später, als wir bei unserer Abreise von Buenos-Ayres erwarteten. Diese Verzögerung wurde für unsere Expedition sehr unglücklich; sie erzeugte eine lange Reihe von Widerwärtigkeiten, die uns fast drei Monate in dem Bermejo aufhielten. Verschiedene Ursachen machten unsere Reise zu einer sehr langsamen. Mehr als die Hälfte der Zeit wurde verbraucht, um das nöthige Brennholz zu hacken und einzuladen. Der Lauf des Flusses windet sich fünf bis sechs Mal per Legua in verschiedenen Richtungen; Capt. Lavarello schlägt die Zahl dieser Windungen, von der

*) Ein Hafen im Flusse Paraguay und Hauptstadt der paraguayschen Republik.

Mündung des Flusses bis Esquina Grande, auf Tausend an. Dieser Umstand in Verbindung gebracht mit der Gefahr, den Kanal des Flusses während der Nacht zu verfehlen, dem starken Strome und der geringen Kraft unserer Maschine, zwang uns, nur den Tag zur Fahrt zu benutzen und schon früh am Abend zu ankern. Selbst mehrere Tage wurden wir durch Unwetter, heftige Regen, die unsere Leute am Holzhauen hinderten, aufgehalten. Die Feuchtigkeit, durch das schlechte Wetter verursacht, brachte uns das Chucho- oder Terzianafieber, an welchem fast die ganze Mannschaft unseres Dampfers, Offiziere wie Matrosen erkrankten. Das Schiff verwandelte sich in ein Hospital, viele unsere Leute litten im hohen Grade und während mehrerer Wochen, welches dem Mangel eines Arztes zuzuschreiben ist. Von 30 Personen, die sich an Bord befanden, erkrankten über 20 zu gleicher Zeit; der Mangel an Mannschaft hielt uns über 20 Tage auf. Auch unser Proviant erschöpfte sich endlich, und wir würden ohne Zweifel Hunger gelitten haben, hätten uns die Indianer jener Distrikte nicht zuweilen einen Hammel, eine Ziege oder einige Hühner gebracht. Ausserdem thaten uns die Indianer andere Dienste von nicht geringer Wichtigkeit, sie halfen uns bei dem Schlagen und dem Einnehmen des Brennholzes, und hatte sich der Dampfer auf einer der Sandbänke festgefahren, zogen sie ihn vermittelst Schlepptaue wieder ins Fahrwasser. Wir sahen eine bedeutende Anzahl Indianer, 30—40 verschiedene Banden, deren jede von 10 oder 12 bis 150 Individuen zählte. Gewöhnlich wurde jede solche Partei von einem Caziken geführt; alle zeigten sich freundlich und geneigt, uns so weit sie konnten zu nützen. Wir bezahlten sie immer für ihre Arbeit mit den Gegenständen, die sie am meisten schätzen: Taback, Messer und Kleidungsstücke. Auch die, die nicht für uns arbeiteten, beschenkten wir mit Cigarren, Taschentüchern, Angeln, Nadeln, Spiegeln und anderen Kleinigkeiten im Geschmacke der Wilden. Der grösste Theil der Caziken sprach ein wenig Spanisch, und diejenigen, denen diese Kenntniss abging, unterhielten sich mit uns durch unsere Dolmetscher. Viele der Indianer kamen an Bord und begleiteten uns ein oder zwei Tage; sie schienen ein grosses Vergnügen hieran zu finden. Alle scheinen sie die Besuche der Christen als günstige Ereignisse anzusehen und gerne würden sie ihre Zustimmung für fest etablirte Kolonien in ihrer Mitte geben. Ich glaube, dass sie den Kolonisten als Arbeiter mit niederem Gehalt sehr nützlich sein würden; auch sind sie geneigt eine andere Lebensart, welche ihnen Bequemlichkeiten bietet, die ihnen in ihrem jetzigen Nomaden-Leben abgehen, anzunehmen. Sie sind dem Diebstahl nicht zugethan und ich bin überzeugt, dass bei einem vernünftigen Benehmen der Kolonisten, indem diese vorzüglich darauf Rücksicht nehmen müssen, ihnen fortwährend Arbeit zur Erlangung ihrer Subsistenz zu geben, diese vollkommen sicher in ihrem Eigenthum sein würden. Die besten Peone oder Arbeiter an der salteñischen Grenze sind die Mataguayos*) und die Wichtigkeit, die diese Indianer dort als Arbeiter in den Zuckerpflanzungen erlangt haben, ist allgemein bekannt.

Es ist wahr, dass als unsere Expedition an der Grenze der Provinz Salta ankam, wir uns inmitten eines Krieges mit den Indianern befanden, von welchem jedoch übertriebene Berichte an die Regierung gemacht zu sein scheinen. Aber in diesem Fall sowohl wie in den meisten ähnlichen Fällen ist es nicht schwer, die Ursache der ausgebrochenen Feindseligkeiten auf das so wenig vernünftige Benehmen der Gutsbesitzer**) und vorzüglich auf die Theilung derselben in zwei Parteien***) zurückzuführen. Schon kurze Zeit vor unserer Ankunft in diesem Distrikte waren uns Gerüchte dieses Krieges zu Ohren gekommen, und zwar durch die Indianer selbst; wir nahmen daher jede nur mögliche Massregel, um uns gegen einen Ueberfall zu sichern. Aber bei keiner der zahlreichen Parthien Indianer, die uns besuchten, konnten wir irgend eine feindliche Absicht entdecken. Sie halfen uns bei der Arbeit, verkauften uns Proviant und gaben uns Tageweit das Geleit. Einer der Caziken, der von den Kolonisten als ihr entschiedenster Feind betrachtet wird, befand sich mehrere Tage an Bord unseres Dampfers und leistete uns wichtige Dienste. Die übertriebensten Gerüchte circuliren unter den weissen Grenzbewohnern über die Macht und Ausdehnung der indianischen Invasion; einer derselben sagte, dass diese sich weit über die bolivianische Grenze erstrecke und die Zahl der Indianer über 10,000 betrüge. Der lange Aufenthalt unserer Expedition auf der Reise hatte zu ernsten Befürchtungen für unsere Sicherheit geführt und unsere Ankunft in der Kolonie Rivadavia wurde mit den grössten Freudenbezeugungen gefeiert. Als wir Buenos-Ayres verliessen, war unser Ziel Esquina Grande, vier Leguas

*) Die Mataguayos sind ein Stamm, zu der Nation der Matacos gehörend, wie Moussy erklärt, Blyss erklärt beide Namen für identisch.

**) Im 18. Kapital dieses Bandes findet der Leser Ausführliches über dieses unkluge Benehmen.

***) Mr. Blyss spielt hiermit unstreitig auf die zwei Landes-Parteien Unitarios und Federales an. Es ist eine Thatsache, dass jede dieser Parteien die Indianer gegen die andere aufzuhetzen sucht.

höher hinauf belegen als Rivadavia. Das Resultat zeigte uns, dass Keiner von unserer Mannschaft die geringste Idee von der geographischen und anderen Veränderung hatte, die während der letzten drei oder vier Jahre stattgefunden hat.

Die Esquina Grande, die einst einen so wichtigen Rang in den Beschreibungen früherer Reisen einnahm, zählt jetzt keinen einzigen Bewohner und existirt nicht mehr als Hafen. Wie in vielen anderen Fällen, hat der Fluss sein Bett verändert, indem er sich einen Kanal durch die Halbinsel brach und auf diese Weise die Esquina Grande ins Innere verschob. Aber der auf diese Weise vernichtete Hafen wurde 1862 vermittelst des Etablissements der Kolonie Rivadavia durch einen neuen ersetzt. Diese Kolonie, am nördlichen Ufer des Bermejo und vier Leguas tiefer wie die Esquina Grande belegen, besitzt eine Gebietsschenkung der salteñischen Provinzialregierung für 16 Leguas Fronte an dem Ufer des Flusses und 6 Leguas Tiefe. Der grösste Theil der Kolonisten besteht aus Bolivianern, den ärmeren Klassen der Provinzen Tarija und Santa Cruz de la Sierra angehörend. Die Kolonie erfreute sich eines raschen Aufschwunges bis zu dem gegenwärtigen Kriege, welchen sie gegen die Wilden zu bestehen hat, und der den Fortschritt etwas hemmt; im Beginn der Feindseligkeiten gelang es den Indianern, einige tausend Köpfe Rindvieh zur Kolonie gehörend zu rauben und in verschiedenen Gefechten einige der Kolonisten zu tödten. Ein schwacher Angriff jedoch, den sie gegen den Ort richteten, hatte ihre Niederlage mit grossem Verlust zur Folge. Es wurden mehrere Expeditionen nach einander gegen sie ausgerüstet, und die Wilden wurden weit in die Wildnisse des Chaco, bis zu den Ufern des Pilcomayo zurückgeschlagen. Die letzte dieser kriegerischen Expeditionen, aus 150 Mann unter dem Befehl des Polizeichefs der Kolonie bestehend, war zur Zeit unserer Ankunft noch abwesend. Nach zwei oder drei Tagen kam er zurück. Er brachte eine Anzahl Gefangener und versicherte, mehrere der Feinde getödtet, den Caziken verwundet, die Hütten zerstört und das Gros des feindlichen Stammes vierzig Leguas weit in die Wildniss getrieben zu haben. Dieses war das Ende des Krieges. Durch die Ankunft unseres Dampfers hielt man die Sicherheit der Kolonie für eine Thatsache, besonders da man zu gleicher Zeit drei Kanonen aus dem alten Fort von San Fernando herbeigebracht hatte.

Nach meiner Ankunft in der Kolonie beschäftigte ich mich während mehrerer Wochen mit Untersuchungen über die Indianer und den Krieg mit diesen; man theilte mir sodann mit, dass unser Dampfer, anstatt sogleich zurückzukehren, durch den niederen Wasserstand des Flusses bis December oder Januar aufgehalten werden würde. Eine solche Zeit unbeschäftigt zu bleiben, hielt ich für eine Verletzung meiner Pflichten gegen die Regierung, und ich entschloss mich daher, sogleich über Land nach Buenos-Ayres zurückzukehren, um Bericht über die Ausführung meines Auftrags zu erstatten. Die Provinzialregierung hatte einen Commissär Dr. Saravia nach der Kolonie geschickt, um in dem Kriege mit den Indianern die nöthigen Massregeln zu nehmen. Dieser beabsichtigte, die aufgerufenen Milizen der Provinz nach ihren Wohnungen zurückzusenden, und lud mich zugleich ein, ihn auf seiner Rückreise nach Salta zu begleiten. In der That reisten wir mit einem Corps Milizen ab, kreuzten den Chaco bis zum Salado, wo ich die Orte der antiken Redukte der Indianer Balbuana, Pitos und Macagillo besuchte, und, so weit es möglich war, über ihre früheren Bewohner Erkundigungen einzog. Auch untersuchte ich den Salado bis San Miguel an der Grenze Santiago's. Am 10. August kam ich in Salta an, verliess diese Stadt mit der Postkutsche, und erreichte Buenos-Ayres am 17. September.

Nachdem ich diesen Umriss der Geschichte unserer Expedition gegeben habe, beginne ich die Hauptresultate meiner Untersuchungen über die Indianer des Chaco darzulegen. Erlaube man mir jedoch zuvörderst die früheren, für die besseren gehaltenen Berichte Revüe passiren zu lassen und den Grad ihrer Genauigkeit festzustellen.

Bevor ich in Uebereinstimmung mit meinen officiellen Pflichten die Indianer des Chaco durch eigene Anschauung studirte, durchsuchte ich die Schriften der besten Autoren, die Mittheilungen über jene enthielten und examinirte die neuesten Karten jener Distrikte. Indem ich die verschiedenen Berichte verglich, erkannte ich keine geringe Verwirrung und Ungenauigkeit in der Klassification, Nomenclatur und Ausdehnung der Stämme des Chaco. Wollten wir nur nach jenen Berichten urtheilen, so müssten wir annehmen, dass ganze Nationen, von deren Existenz man heutigen Tages nichts weiss, in verschiedenen Perioden durch Kriege, Pest oder Hungersnoth, von welchen keine Nachrichten vorhanden sind, vertilgt wurden, und dass wie durch Zauberei andere Nationen ihren Platz einnahmen.

Selbst die neueste, von Arrowsmith bearbeitete Karte und die Beschreibung des Dr. Moussy, vermischen Stämme, die sehr verschieden von einander sind, trennen eine einzige Nation, geben Namen von Stämmen, die nicht existiren, und dem grössten Theil der von ihnen richtig aufgeführten weisen sie eine falsche Ausdehnung an. Auch im Betreff der Sitten und Gebräuche der Indianer des Chaco hat man viele Fabeln verbreitet. Fast alle Berichterstatter bis zu unseren Tagen haben eine oder die andere Nation als aus Kannibalen und Kindermördern bestehend, erklärt, und unter den niederen Klassen der nördlichen Provinzen herrscht der allgemein verbreitete Glaube, dass im Centrum des Chaco ein Indianerstamm lebt, dessen Individuen die Knieu wie die Strausse zurückgebeugt haben. Diese Irrthümer wurden zu Traditionen und wurden durch die verschieden Autoren von ihren Vorgängern copirt, ohne dieselben einer bessern Prüfung zu unterwerfen. Während drei Jahrhunderte war der Chaco ein unbekanntes Land, eine geheimnissvolle Region, die nie kritisch untersucht wurde.

Der berühmte französische Naturforscher Alcide d'Orbigny, durch mangelhafte Berichte verleitet, glaubte alle Stämme des Chaco einer einzigen Nation mit einer Sprache angehörend, und trotz der grossen Sprach- und physischen Schwierigkeiten, die sich einer solchen Classification entgegensetzen, vereinigte er sie einestheils mit der Race der Indianer der Pampas und Patagoniens und anderntheils mit den der bolivianischen Provinzen Moxos und Chiquitos. Andere Schriftsteller, weniger absurd, aber auch ohne irgend einen Grund für ihre Annahme als die Nähe der Stämme zu haben, glauben sie ein Zweig der Race der Guaniticas. Diese Vermuthung findet keine Stütze in den Sprachen des Chaco. Dennoch berücksichtigt man jetzt die Sprache als das beste Mittel, die Verwandtschaft verschiedener Stämme zu erkennen. Ich wende hier das Wort „Stamm" (Tribu) in dem Begriffe einer kleinen Bande Indianer, die zusammen wohnen und einem Caziken gehorchen, an; zugleich betrachte ich alle die Stämme, die eine gleiche Sprache reden, als zu einer Nation gehörend. Durch diese Methode werden alle jene unzähligen Nationen, deren Namen die Bücher und Karten füllen, auf fünf beschränkt, die jetzt den argentinischen Chaco bewohnen. Drei derselben bewohnen die Thäler des Bermejo. Die Nationen der Mocovies und Abigonen pflegten in früheren Zeiten die Ufer des Bermejo zu besuchen, beschränken sich aber in der Gegenwart auf die Grenzen Santiago's und Santa-Fé's. Das Wort „Guicuru" bezeichnete früher den Namen einer Nation, welche im vorigen Jahrhundert ausstarb; heute wenden die Bewohner von Paraguay und Corrientes dieses Wort als die Wilden des Chaco im Allgemeinen bezeichnend an.

Die drei Nationen, die die Thalebene von Bermejo bewohnen, sind die

Tobas, Ocoles und die Mataquayos. Da sie Nomadenvölker sind, kann man ihren respectiven Territorien keine Grenze setzen; im Allgemeinen darf man sagen, dess die Mataquayos die Quellen und den Lauf des Bermejo von der bolivianischen Grenze und die Tobas den unteren Lauf des Flusses von Cangayé bis zur Mündung bewohnen. Die Mataquayos werden in Salta Matacos genannt und in diese Nation finden sich die Stämme der Malbalas und Vejoses eingeschlossen. Die Nation der Ocoles begreift die Stämme der Vilelas, Atatalas, Sirinifis und Chumifies, wie auch die Stämme der Chagias und Macomitas, welche man auf neueren Karten findet, die in Wirklichkeit aber heutigen Tages nicht aufzufinden sind. Die Stämme der Lulen, Toquistinen, Oristinen und Isisstinen, die früher die Missionen von Balbuena, Macapillo und Santa Rosa an den Ufern des Salado bewohnten, gehörten auch, wie ich aus der Analyse der Sprache schliesse, jener Nation der Ocoles an.

Diese Missionen wurden am Ende des vorigen Jahrhunderts gänzlich aufgegeben und die Indianer, welche sie bewohnten, haben sich mit ihren Brüdern des Bermejo vereinigt. Dieser Ursache dankt man, dass die Ocoles bis zu einem gewissen Grade intelligenter und für die Civilisation empfänglicher sind. Da das Wort „Ocole“ vollständig neu in der Geographie und Ortographie ist, will ich hinzusetzen, dass mit diesem Namen sich alle Stämme, welche dieser Nation angehören, selbst bezeichnen. Folgerecht ist es der einzige, für diese passende Namen.

Es ist schwer, die Zahl dieser drei Stämme zu bestimmen; sowohl ihr Nomadenleben wie ihre Unfähigkeit, grössere Zahlen zu schätzen, sind zu diesem Zwecke grosse Hindernisse. Auch ein grosser Theil der Mataquayos und Tobas wohnen an den Ufern des Pilcomayo und nördlicher in Bolivien, wo man ihre Zahl nicht zu berechnen vermag. Nach der bedeutenden Zahl der Caziken, deren jeder von einem Theil seines Stammes begleitet wurde und nach den, von ihnen erhaltenen Berichten, bin ich geneigt, die Gesammtzahl der drei Nationen auf nicht weniger als 20,000 anzunehmen, die sich folgendermassen vertheilen würden. Mataguayos 10,000, Tobas 7000 und Ocoles 3000. Ihr Aeusseres, sowie ihre Sitten und Gewohnheiten stimmen bis zu einem hohen Grade überein, und nur die grössere oder kleinere Entfernung und Communication mit der weissen Race bringen in diesem oder jenem Stamm einen Unterschied hervor. Ihre Sprachen indessen, sind sowohl dem Guarani wie einander vollkommen fremd, sowohl in der Zusammensetzung wie den einzelnen Wörtern. Eine bedeutende Zahl dieser Wörter und Sprachsätze der ocolischen Sprache sind von mir gesammelt, weniger war ich im Stande, das Mataguayo zu studiren. Von der Tobasprache konnte ich unglücklicherweise nur sehr wenig erlernen; diese Indianer sind die wildesten dieser Region und am wenigsten befreundet mit den Weissen.

Eine allgemeine Eigenschaft dieser Indianer-Nationen ist ihre ausgesprochene Vorliebe, ihre Wohnsitze am Ufer der Gewässer zu nehmen, und dass der Fischfang die Hauptmittel zu ihrer Subsistenz hergiebt. Schwillt der Fluss durch die starken Regengüsse an, so ziehen sie nach den Süsswasser-Lagunen des Innern, aber im übrigen Theil des Jahres befinden sie sich immer an den Ufern des Bermejo. Sie fischen auf verschiedene Arten. Die Bevorzugteren, die mit den Weissen in Contact kommen, wenden Leine und Angel an, aber der grösste Theil fischt mit Netzen, Pfeilen und Lanzen. Die Netze werden von den Frauen aus den Fibern der Chaguar, einer Pflanze, die in den Chaco häufig vorkommt, gemacht. Aber ihr wichtigstes Fischgeräth ist die Lanze, die sie folgendermaassen zu diesem Zwecke verwenden. Die Hütten (Tolderias, Gezelte) der Indianer werden gewöhnlich an dem Ausfluss der Lagunen oder Gewässer errichtet. Diese Mündung wird oft von den Indianern vertieft oder eine neue eröffnet. In derselben errichtet man eine dichte Reihe Pfähle, um den Ausgang mit Ausnahme einiger Lücken wenige Zoll weit zu schliessen. Der Fisch, von den Strom der Mündung zugezogen, sucht durch dieselbe in den Fluss zu entkommen, aber die Indianer, die zur Seite mit ihren Waffen diesen Moment abwarten, durchbohren ihn mit der Lanze. — Es ist merkwürdig, dass dieses Ufervolk keine Canoes besitzt; während unserer ganzen Reise auf dem Flusse sahen wir kein einziges. Die einzige Ursache, der man diesen Umstand zuschreiben darf, ist die Thatsache, dass, im ganzen Thal von Bermejo, dessen Boden aus Diluvial-Ablagerungen besteht, sich kein einziger Stein vorfindet, der als schneidendes Instrument dienen könnte. Die Indianer sehen sich aus diesem Grunde gezwungen, den Fluss schwimmend zu passiren. Diese Operation erleichtern sie sich durch Holzpfähle, auf die sie sich während des Schwimmens stützen.

Die Waffen der Indianer bestehen aus Bogen*), Pfeilen, Lanzen, Keulen, die alle aus dem Mark des Palo Santo**) oder Palo de Lanza (Lanzenholz) verfertigt werden, und Messer, die ihnen dann und wann von

*) Diese Bogen werden nach der Aussage des Berichterstatters nicht aus dem „Palo de Lanza", sondern aus dem Holze der Chañar, geoffraya spinosa (Mimosee) gearbeitet.

**) Guayacam officinale (Rutacee.)

den Weissen gegeben werden. Diese Waffen sind zu unvollkommen, um durch die Jagd der Thiere die Indianer zu ernähren; ihre Hauptbeschäftigung ist daher der Fischfang. Während eines grossen Theiles des Jahres leben die Indianer von den Früchten des Garobbaumes, des Chañar, Mistel- und verschiedener anderer Fruchtbäume, und wenn diese nicht zu haben sind, bleibt ihnen noch die Frucht des Juchar oder Palo borracho (Bombax) und eine Weinrebe, die sie Tasi nennen. Ackerbau findet man bei ihnen sehr selten, sie besitzen keine passenden Geräthe zur Bearbeitung des Bodens, und der fortwährende Wechsel ihrer Wohnplätze hindert sie, sie ausser in einem sehr geringen Grade zu unternehmen; einige Zapallos*) und eine geringe Quantität Mais constituirt das ganze Produkt ihres Ackerbaus.

In früheren Zeiten besass der grösste Theil der Stämme Rinderheerden, Schafe und Pferde, aber durch pestartige Krankheiten haben sie Alles verloren, so dass jetzt nur die in der Nähe der Grenze Wohnenden einen geringen Viehstand aufzuweisen vermögen. Ihre Kleidung besteht gewöhnlich aus einem einzigen Stück, welches ein von den Weissen gekaufter Poncho**) oder von den Indianerinnen gewebte Wollenzeuge sind. Eines der ersten Bedürfnisse der Indianer ist besseres Zeug. — Der Mangel an geeigneter Kleidung erzeugt unter ihnen Krankheiten und eine erschreckende Sterblichkeit; vorzüglich ist dies dem Umstand zu danken, dass sie kaum bedeckt der Atmosphäre ausgesetzt sind und nach ihrer Gewohnheit auf dem nackten Erdboden schlafen.

Da sie keine festen Wohnplätze haben, und selten länger wie einige Monate auf derselben Stelle verweilen, so bauen sie keine andere Gebäude als ein Häuschen von Zweigen und mit Stroh gedacht. Gewöhnlich findet man 5 oder 6 Paare dieser Hütten an der natürlichen oder künstlichen Mündung einer Laguna, deren Wasser dem Flusse zuströmt. Diese elenden Hütten enthalten keine Art Geräth oder Mobilien, das ganze Eigenthum einer Familie kann man auf dem Rücken fortschleppen.

Jedes dieser Dörfer oder Tolderia wird gewöhnlich von einem Caziken regiert, der von jeder anderen Autorität vollkommen unabhängig ist. Die Macht des Caziken ist weder auf ein festes Erbfolge-Gesetz gegründet, noch sind die Grenzen seiner Autorität bestimmt. Dieses Alles hängt

*) Curcubita Hisp.

**) Südamerikanischer Mantel, gewöhnlich ein um ein Viertheil längeres als breites Stück Zeug; in der Mitte desselben wird ein Loch geschnitten, um den Kopf durchzustecken, und das Kleidungsstück ist fertig.

von dem persönlichen Einfluss des Häuptlings ab. Besitzt er Eigenthum in Rindern oder Pferden, oder ist er seinem Stamme an physischer und geistiger Kraft überlegen, so kann er sich zum absoluten Herrscher machen; steht er in diesen Beziehungen jedoch auf einer tieferen Stufe wie Andere seines Stammes, so ist seine Macht nur nominell und er kann gewärtig sein, in irgend einem Moment abgesetzt und durch den, der grösseren Einfluss besitzt, ersetzt zu werden. Die Autorität eines Caziken erbt sich bei seinem Tode natürlich auf seine Kinder; sind diese aber nicht im Stande, die wirkliche Superiorität ihres Vaters zu bewahren, so nützt ihnen ihr Rang wenig. Auf diese Weise ist der Cazike gewöhnlich der reichste und am meisten mit Intelligenz begabte Mann seines Stammes. Da diese Stämme in den meisten Fällen nur aus einer geringen Anzahl von Familien bestehen, so ist der Cazike gemeiniglich mit fast allen seinen Unterthanen verwandt, welches ihm einen gewissen patriarchalischen Charakter giebt. Diese Stämme darf man als den vollkommenen Typus einer unvereinigten Gemeinde ansehen, sie bilden eine Nation, haben aber keine gemeinschaftliche Regierung; der einzige Fall, in welchem sich die Stämme vereinigen, ist der Krieg gegen eine andere Nation. Dann wird der kriegerischste und erfahrenste Cazike zum allgemeinen Oberhaupt provisorisch erwählt; seine Macht dauert nur während des Krieges. Der einzige Vorzug, den gewöhnlich ein Cazike vor seinem Stamme geniesst, ist das Privilegium, so viele Frauen zu nehmen, als er wünscht und ernähren kann. Dennoch sah ich niemals den Fall, dass ein Häuptling mehr als zwei Frauen besitzt, ebensowenig wie ein anderes Individuum mehr als eine einzige.

Die Stellung dieser Frauen ist sehr elend; wie bei allen barbarischen Nationen sind sie die Sclavinnen des Mannes; die Frau hat alle Handarbeiten der Familie zu besorgen, und sieht sich ausgesetzt von ihrem Gemahl verabschiedet zu werden, wenn dieser ihrer satt ist. In diesem Falle behält der Vater alle die Töchter, die der Kindheit entwachsen sind.

Die Administration der Justiz, im Falle von Streitfragen zwischen den Mitgliedern seines Stammes, ist ein natürliches Prärogativ des Caziken, aber die Ausführung seines Spruches hängt gänzlich von seinem persönlichen Einfluss ab. Dennoch finden sich unter den Mataguayos einige Spuren eines von ihren Vorfahren ihnen überlieferten Gesetzes; so z. B. muss der Dieb das Vierfache des gestohlenen Eigenthums wiedererstatten. Die Beschuldigungen des Kannibalismus und Kindermordes, die man allzurasch gegen die verschiedenen Nationen des Chaco erhoben hat, scheinen vollkommen ungegründet. Das einzige Beispiel, welches ich von ersterem aufzufinden vermochte, war der Fall eines Mataguayo, der aus Rache das Kind seines persönlichen Feindes tödtete und das Fleisch des Opfers kostete.

Wie überall sind auch diese Indianer abergläubisch, und schreiben seltene Phänomene dem Einfluss übernatürlicher Wesen zu. Ihre Religion beschränkt sich hauptsächlich auf die Furcht vor gewissen, schlechten Geistern, die ihnen Krankheiten und Unglück verursachen, und gegen welche sie sich vermittelst Zaubereien zu schützen suchen. Ihr „Arzt" (hombre medico) ist ihnen zugleich Priester und Zauberer; er kennt die Anwendung einiger Kräutermittel, aber seine Hauptkräfte richten sich auf den Exorcismus des bösen Geistes. Der religiöse Glaube dieser Indianer ist ausserordentlich unbestimmt, dennoch besitzen sie Kenntniss eines zukünftigen Lebens, und aus dieser Ursache pflegen sie die Schätze des Todten mit ihm einzuscharren. Das Grab wird in einer gewissen Entfernung von dem Dorfe geöffnet und das Begräbniss findet des Nachts statt.

Die Produkte, die diese Indianer in den Handel bringen, sind geringfügig. Sie kommen mit Federn, Jaguar-, Fuchs- und andern Fellen nach den Häusern der Grenzbewohner, aber immer in geringen Quantitäten. Ausserdem sammeln sie den wilden Honig in grosser Menge und oft boten sie uns das aus dem Palo Santo gewonnene Harz und Bündel von Straussfedern zum Kauf an. Der Handel, der mit ihnen im Allgemeinen etablirt werden könnte, würde immer von zu geringer Wichtigkeit bleiben, um die Aufmerksamkeit auf sich zu lenken.

Diese Nationen kennen sehr wohl die Vortheile der Civilisation und sind bereit, jeden Schritt zu thun, der sie zum Anfang eines civilisirten Lebens führen würde. Viele der Mataguayos und Ocoles haben wichtige Schritte in dieser Beziehung gethan, indem sie sich gewöhnen, regelmässig einen Theil des Jahres in den Zuckerpflanzungen Salta's und Jujuy's zu arbeiten. Es kann kein Zweifel stattfinden, dass, würde man ihnen constante Beschäftigung in der Nähe ihrer Wohnplätze im Chaco bieten, sie sich als ausdauernde und gute Arbeiter erweisen würden. Der Einfluss eines festen Wohnsitzes, guter Kleider und Nahrung würde sie sehr bald zum Verlassen ihrer jetzigen Gewohnheiten und dem Ackerbau und der Viehzucht zuführen. Aus dieser Ursache glaube ich, dass sie neuen Kolonisten sehr wichtige Dienste leisten und vermittelst der Fusion mit diesen allmählich zu einem wichtigen Bestandtheil der argentinischen Bevölkerung gebildet werden könnten. Die Verbindungen zwischen den

Kolonisten und den Indianern müsste man, wie in den Vereinigten Staaten von Nordamerika, der Aufsicht eines von der Regierung ernannten Agenten vertrauen. Missbräuche einzelner Individuen würden dadurch verhindert werden. Ein wichtiger Theil der Pflichten dieses Agenten sollte die Ausführung von Tractaten mit den Caziken der befreundeten Indianer sein, durch welche diese als Zahlung für Gebietsabtretungen, materiellen Beistand für Niederlassung in Dörfern und Oertern, — für die Bauten festerer Hütten und den Beginn des Ackerbaus als Nahrungszweig erhielten. Auch sollte man ihnen für ihren Boden Ackergeräthe, Saamen und Hausthiere geben. Dieses in Verbindung mit einer strengen Gerechtigkeitspflege zwischen ihnen und den Weissen ausgeführt, würde uns keinen Zweifel an ihrem raschen Fortschritt in der Civilisation übrig lassen.

(gez.) Porter, Cornelio Blyss.

Hoffen wir, dass dieses Saatkorn seine Erndte tragen möge. 20,000 unserer Mitmenschen zu civilisiren, anstatt zu vertilgen, wäre ein Werk, worauf Argentinien mit Recht stolz sein dürfte. Ihr Glück wäre nicht das einzige für die Menschheit günstige Resultat. Tausende von Quadratmeilen, jetzt mit einem fruchtbaren Boden, in einem milden Klima unbenutzt brachliegend, würden gewonnen sein, und tausende, jetzt elend in andern Theilen der Erde lebende Menschen würden kommen, um hier ein Paradies zu bevölkern. Hoffen wir, dass die argentinische Regierung die ganze Bedeutung des sich ihr darbietenden Werkes versteht und mit Energie Hand daran legt.

Buchdruckerei von Gustav Lange in Berlin, Friedrichsstrasse 103.

JAN 13 1940
DUE JAN 29 40

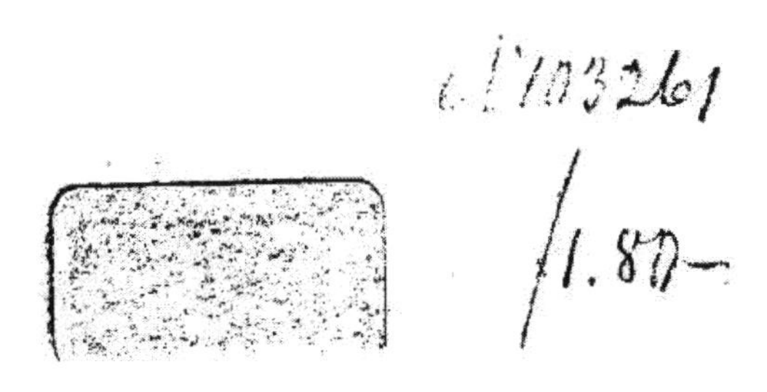
c1103261
f1.80-

FSC
www.fsc.org

Druck:
Customized Business Services GmbH
im Auftrag der KNV-Gruppe
Ferdinand-Jühlke-Str. 7
99095 Erfurt